धन यात्रा

मुश्ताक़ अहमद यूसुफ़ी

अनुवाद

'तुफ़ैल' चतुर्वेदी

राजपाल

स्थापित 1912
100 वर्षों की
श्रेष्ठ प्रकाशन परम्परा
राजपाल

ISBN : 9789389373141

DHAN YATRA (Novel) by Mushtaq Ahmed Yusufi

राजपाल एण्ड सन्ज़

1590, मदरसा रोड, कश्मीरी गेट, दिल्ली-110006

फोन : 011-23869812, 23865483, 23867791

e-mail : sales@rajpalpublishing.com

www.rajpalpublishing.com

www.facebook.com/rajpalandsons

फ़ज़ल हसन

और

मुसर्रत अली सिद्दीक़ी के नाम

अच्छा हूं या बुरा हूं पर यार हूं तुम्हारा

हम सब काग़ज़ पर सदियों साँसें लेंगे
लफ़्ज़ों का जादू मर जाना थोड़ी है

—तुफ़ैल चतुर्वेदी

तुज़ुके-यूसुफ़ी

(यूसुफ़ी की जीवन यात्रा)

प्राचीन काल में प्रचलन था कि धनी-मानी, श्रीमंत जन कोई निर्माण कराते तो उसकी नींव में अपनी क्षमता के अनुसार कोई मूल्यवान वस्तु रख दिया करते। नवाब वाजिद अली शाह अपनी एक मुंहचढ़ी बेगम, माशूक़ महल से कुपित हुए तो उसकी हवेली ढा कर एक नया भवन निर्माण कराया। माशूक़ महल ज़ात की डोमनी थी। इसलिये उसकी खिल्ली उड़ाने और उड़वाने के लिये उसकी नींव में सारंगी और तबला रखवा दिया।

मैंने इस किताब की नींव अपनी ज़ात पर रखी है जिससे एक-लम्बे समय से कुपित हूं।

पेशा समझे थे जिसे हो गयी वो ज़ात अपनी

न्यूनाधिक बीस बरस पुरानी यादों और बातों की यह पहली क़िस्त 1972 में पूरी हो गयी थी। याद पड़ता है कि इसके दो चैप्टर 1971 में मोमबत्ती की रौशनी में उन रातों में लिखे गये जब कराची पर लगातार बमबारी हो रही थी और रॉकिटों तथा एक-एक गज़ के गोलों ने आसमान पर आग का जाल सा बुन रखा था। हमारे इतिहास का एक रक्तरंजित चैप्टर लिखा जा रहा था। कार्यों की अधिकता और तबियत के उकतायेपन ने तीन साल तक पुनर्दृष्टि डालने की अनुमति न दी। सितम्बर 1975 में जब पेट से ख़ून आने लगा और डेढ़ महीने तक चलना-फिरना बिस्तर के आस-पास तक सिमट कर रह गया तो एकाग्र हो कर जीवन की उपलब्धियों की गिनती और धन्यवाद देने का समय मिला। पांडुलिपि पर दूसरी नज़र डालने का मोड़ भी लेटे-लेटे तय हो गया। अपने लिखे की कांट-छांट और फ़ालतू की चीज़ें निकालने का काम बड़ा टेढ़ा होता है। यह तो ऐसा ही है जैसे कोई सर्जन अपना एपेन्डिक्स निकालने की स्वयं कोशिश करे। कुछ बरस पहले की बात है, रावलपिंडी में कर्नल मुहम्मद ख़ां (प्रसिद्ध व्यंग्य लेखक) से भेंट हुई। स्वभाव के विपरीत कुछ निढाल, कुछ थके-थके दिखायी पड़े। पूछा, 'तबियत ठीक है?' बोले, 'किताब पर दूसरी नज़र डाल रहा हूं। एक कृपालु ने धड़ल्लों की गणना करके बताया कि आपने यह शब्द 37 बार प्रयोग किया है। सुब्ह से 25 धड़ल्ले तो निकाल चुका हूं। शेष को कान पकड़ कर निकालने लगा तो रोने-मचलने लगे।' इन घटना की चर्चा इसलिये आवश्यक है कि मैंने भी विभिन्न प्रकार के धड़ल्ले स्वयं निकाले हैं। लाख जी

कड़ा किया। फिर भी कुछ जड़ें, कुछ शाख़ें, कुछ कलियां जो मुरझा चली थीं आत्मालंभ के पौधे में आशा की तरह खुभी रह गयीं।

यह जीवन यात्रा एक आम आदमी की कहानी है कि जिस पर ख़ुदा के करम से किसी बड़े आदमी की परछाईं तक नहीं पड़ी।...एक ऐसे आदमी की बात जो हीरो तो क्या anti hero होने का दावा भी नहीं कर सकता। आम आदमी तो बेचारा इतनी भी क्षमता नहीं रखता कि अपने जीवन को आदमी के लानती तीन प्रमुख हिस्सों में बांट सके। यानी जवानी में दुर्गत, ढलती उम्र में नसीहत और बुढ़ापे में वसीयत। यह समकालीनों से नोंक-झोंक, और राजनैतिक उठा-पटक की कहानी नहीं है। न किसी लक्ष्य प्राप्ति का प्रयास और उसकी विजय का 'सागा' है।

मैं स्वयं को सिकन्दर महान से अधिक भाग्यशाली और सफल समझता हूं। इसलिये कि मैं जीवित हूं। मेरी एक सांस की बादशाहत अभी शेष है। अपने दिल में छुपी हीरो-गैलरी पर दृष्टि डाली तो किसी की परछाईं भी अपने व्यक्तित्व में न पायी। हेनरी सातवां, सैम्यूअल जॉनसन, गौतम बुद्ध, फ़ाल्स्टाफ़, बाबर, ग़ालिब, पिकविक बच्चे, अमीर ख़ुसरो....हां दिमाग़ पर ज़ोर डाला तो कई सुप्रसिद्ध व्यक्तियों के जिन कुछ-कुछ गुणों का अपने व्यक्तित्व में जमघटा दिखायी दिया, काश वो न होतीं तो जीवन संवर जाता। उदाहरण के लिये नेपोलियन की लम्बाई, जूलियस सीज़र का चटियल सिर, जैना लूलू ब्रिजेडा का वज़्न, सैम्यूअल जॉनसन की दृष्टि, नाक बिल्कुल क्लिओपेत्रा की तरह कि अगर 1/2 इंच भी कम होती तो उस दुखिया की गिनती बदसूरतों में और हमारी सुन्दर लोगों में होती। उम्र वही जो शेक्सपियर की मरते समय थी। ग़ालिब ने स्वयं को इस आधार पर आधा मुसलमान कहा था कि शराब पीता हूं, सुअर नहीं खाता। लेखक सूद खाता है शराब नहीं पीता कि उससे पैसा नहीं कमाया जाता। मूसा के मानने वालों ने तो सोने के बछड़े की केवल पूजा की थी, हम तो उससे नस्ल बढ़ाने का काम भी लेने लगे हैं। ब्याज पर रुपया चलना मनुष्य का दूसरा सबसे पुराना व्यवसाय है। इसके बारे में कम-से-कम उर्दू में कुछ नहीं लिखा गया। पहले प्राचीनतम व्यवसाय का हक़ तो मिर्ज़ा हादी रुसवा ने *उमराव जान अदा* में और बाद में सआदत हसन मंटो ने बहुत सुन्दरता से अदा किया बल्कि कहना चाहिये कि मंटो तो सारा जीवन लेखनी ही पकड़े रहे।

इन घटनाओं, अनुभवों और प्रभावों का संबंध मेरे बैंकिंग कैरियर के उन प्रारम्भिक वर्षों से है जब इस व्यवसाय का सम्मान बना हुआ था। अलबत्ता इंश्योरेंस एजेन्टों से लोग छुपते फिरते थे। फिर वो भी समय आया जब इंश्योरेंस एजेन्ट भी बैंकरों से मुंह छिपाने लगे।

फिरते हैं सूदख़ोर कोई पूछता नहीं

करतूत-कथा में कुछ परिवर्तन किये गये हैं जो इसलिये आवश्यक थे कि उनमें कुछ पर्दादारों के अतिरिक्त कुर्सीदारों के नाम भी आते हैं। इसलिये मिस्टर एंडरसन का अपवादस्वरूप नाम और जगह बदल दी गयी है। कहीं-कहीं घटनाओं में आगे-पीछे का क्रम बदला लगेगा। कुछ चरित्र भी गुड़-मुड़ कर दिये हैं। समाज के कोलाहल के डर से

काले-सफ़ेद को सफ़ेद-काला कर दिया गया है। इसके बाद भी अगर कहीं व्यक्तित्व और वास्तविकता में साम्य मिले तो उसे 'फ़िक्शन' की कमी माना जाये कि यह एक नये सीखे बैंकर की तीव्रगति की कथा है, किसी मरणासन्न का अन्तिम स्टेटमेंट नहीं जिसके समाप्त होते ही उसे मरने की अनुमति और आरोपी को फांसी दे दी जाये।

कुछ ख़्वाब है, कुछ अस्ल और कुछ हैं अदायें

कुछ उदारता से बनाये हुए चारकोल स्केच हैं। कुछ कैरीकैचर (caricature) और तीन-चार जी लगा कर बनायी हुई केमियो तस्वीरें (cameo portraits) हैं। आपबीती में एक मुसीबत ये है कि आदमी अपनी बड़ाई आप करे तो यह आत्म प्रदर्शन कहलाये और शिष्ट संकोच से काम ले या झूठ-मूठ अपनी बुराई करने बैठ जाये तो लोग झट विश्वास कर लेंगे। संभव है कई पाठकों को इस आपबीती, जीवन यात्रा में लिखने वाला स्वयं कहीं न दिखायी पड़े। अगर ऐसा अनुभव हो तो यह सच के निकट होगा। इसलिये कि अपने जीवन में पग-पग पर दूसरे ही घुसे दिखायी पड़ते हैं। आम आदमी की एक पहचान ये भी है कि उसके जीवन में केवल तीन अवसर ऐसे आते हैं जब वो अकेला सबकी आंखों का केन्द्र बिन्दु होता है, खतना, शादी और दफ़नाते समय। इस किताब का केन्द्रीय चरित्र कौन है? लेखक? मिस्टर एंडरसन? वो दीवाने जिनके कारण सूदख़ोरों की गली में चहल-पहल है? या काल की गति जो Alice in Wonderland की बिल्ली की तरह स्वयं तो 'फ़ेड आउट' हो जाती है लेकिन अपनी अमर मुस्कुराहट पीछे छोड़ जाती है।

अमरीका के लोकप्रिय शायर रॉबर्ट फ्रास्ट से किसी ने पूछा, 'वो कौन सी घटना है जिसका प्रभाव आपके जीवन पर सर्वाधिक पड़ा?' फ्रास्ट ने उत्तर दिया, 'जब मैं बारह साल का था तो एक मोची के यहां काम करता था और दिन भर मुंह में कीलें दबाये फिरता था। आज मैं जो कुछ भी हूं जिस जगह पर भी हूं उसका एकमात्र कारण यह है कि सांस लेते समय मैंने वो कीलें और कोके नहीं निगले।' अगर आपको भी सच जानना है तो मुझे स्वीकार करना पड़ेगा कि 1974 में मेरे यूनाइटिड बैंक लिमिटिड का प्रेसीडेंट होने का एकमात्र कारण यह है कि जिस अंग्रेज़ जनरल मैनेजर ने 1950 में इन्टरव्यू करके मुझे बैंक में नौकरी पर रखा वो शराब के नशे में धुत्त था। इस घटना से देशना मिलती है कि शराब पीने के परिणाम कितनी दूर-देर तक आते हैं।

प्रसिद्ध व्यंग्य लेखक जार्ज मैकश का विचार है कि पश्चिम में हास्य मर चुका है, अब जीवित न होगा। लेकिन पश्चिम ही पर क्यों, ऐसा लगता है मनुष्य में अपने आप पर हँसने का साहस नहीं रहा। दूसरों पर हँसने में उसे डर लगता है।

न कोई ख़न्दा रहा और न कोई ख़न्दानवाज़

इंग्लैंड में लार्ड रौचेस्टर नाम का एक बांका हुआ है। शराबी, शायर, जुमलेबाज़, ऐबदार, हज़लगो (गंदी शायरी करने वाला) बदनाम ही नहीं सचमुच बुरा, हरामीपन में अद्वितीय। उसके जुमलों से लोग डरते थे। मरने को हुआ तो बेटे को बुला कर कहा, 'बेटे! मेरी एकमात्र वसीयत यह है कि हास्य से दूर रहना।' मालूम होता है कि उसके हास्य में एक नहीं कई आंच की कमी रह गयी वरना यह नौबत न आती। जहां सच बोल कर

सुक़रात को विष पीना पड़ता है वहां चतुर व्यंग्यकार अलिफ़ लैला के शहरज़ाद की तरह एक हज़ार एक कहानियाँ सुना कर अपनी जान और सम्मान साफ़ बचा ले जाता है। मैंने गम्भीर अन्तरराष्ट्रीय, समाजी, राजनैतिक और आर्थिक प्रश्नों से जान छुड़ाने के लिये एक वाक्य गढ़ा था। 'संसार में जहां कहीं, जो कुछ हो रहा है, वो हमारी अनुमति के बिना हो रहा है।' व्यंग्यकार को जो कुछ कहना होता है वो हँसी-हँसी में इस तरह कह जाता है कि सुनने वाले को भी बहुत बाद में ख़बर होती है। मैंने कभी किसी ठुके हुए मौलवी और व्यंग्यकार को लिखने-बोलने के कारण जेल में जाते नहीं देखा। व्यंग्य की मीठी मार भी चंचल आंख, रहस्यमयी सुन्दरी और दिलेर के वार की तरह कभी ख़ाली नहीं जाती—

नैन छुपाये ना छुपें, पट घूंट की ओट
चतुर मार और सुरमा, करें लाख में चोट

हमारे समय के सबसे बड़े व्यंग्यकार इब्ने-इंशा के बारे में कहीं निवेदन कर चुका हूं कि बिच्छू का काटा रोता और सांप का काटा सोता है। इंशाजी का काटा सोते में मुस्कुराता भी है। जिस व्यंग्यकार का लिखा इस कसौटी पर न उतरे उसे यूनिवर्सिटी के कोर्स में सम्मिलित कर देना चाहिये।

यहां एक छोटे से संसार की झलक दिखाना उद्देश्य है। मौलाना हाली के अनुसार—

जानवर, आदमी, .फ़रिश्ता, ख़ुदा
आदमी की हैं सैकड़ों क़िस्में

उद्देश्य उपदेश देना नहीं, न अपने सीने में ऐसी कोई अमानत या आग दिखाना कि अमीर ख़ुसरो की तरह यह कह सकें कि 'इस हड्डियों के सन्दूक़ में अनगिनत आसमानी उपहार ऐसे थे जो मैंने इस दिन के लिये बचा रखे थे।' अपने प्रस्तुतिकरण के माध्यम... हास्य...के सन्दर्भ में मैं किसी अभिमान से ग्रस्त नहीं। ठहाकों से क़िलों की दीवारें नहीं टूटतीं। चटनी और अचार लाख चटपटे सही लेकिन उनसे भूखे का पेट नहीं भरता। न मृग मारीचिका से यात्री की प्यास बुझती है। हां मरुस्थल का तीखापन कम लगने लगता है। जीवन के उतार-चढ़ाव, ऊंच-नीच, सुख-दुख की मंज़िलों से गुज़र जाना बड़े हौसले की बात है।

बारे-अलम उठाया, रंगे-निशात देखा
आये नहीं हैं यूं ही अन्दाज़ बेहिसी के

मगर यह नहीं भूलना चाहिये कि ख़ुश रहने का एक पड़ाव बेहिसी (असम्पृक्तता) से पहले आता है और एक उसके बाद आता है।

सभी की मुस्कुराहटें और हँसी एक सी नहीं हुआ करती। फ़ालस्टाफ़ अट्टहास करता है तो रोम-रोम मुस्कुरा उठता है। कोई बड़ा जब गिरता है तो छोटे ठट्ठे लगाते हैं। समाज जब अल्लाह की धरती पर इतरा-इतरा कर चलने लगते हैं तो धरती मुस्कुराहट से फट जाती है और सभ्यतायें इसमें समा जाती हैं। दूध पीते बच्चे ख़ुश होते हैं तो किलकारियां मारके हुमक कर मां की गोद में चले जाते हैं। उधर मोनालिज़ा है कि सदियों से मुस्कुराये चली जा रही है और एक मुस्कुराहट वो भी है जो निर्वाण के बाद बुद्ध के होंठों को

हल्का-सा तिर्यक करके उसकी नज़रें झुका देती है। ये सब सही लेकिन मुस्कान से परे वो विपरीतता और व्यंग्य जो सोच-सच्चाई और बुद्धिमत्ता से ख़ाली है, मुंह फाड़ने, फक्कड़पन और ठठोल से अधिक की सत्ता नहीं रखता। धन, धरती, स्त्री और भाषा का संसार एक रस और एक दृष्टि का संसार है, मगर तितली की सैकड़ों आंखें होती हैं और वो उन सब की सामूहिक मदद से देखती है। व्यंग्यकार भी अपने पूरे अस्तित्व से सब कुछ देखता, सुनता, सहता और सहारता चला जाता है। फिर वातावरण में अपने सारे रंग बिखेर कर किसी नये क्षितिज, किसी और रंगीन दिशा की खोज में खो जाता है।

पहली किताब *चराग़ तले* पर पहला दृष्टिपात स्वर्गीय जनाब शाहिद अहमद देहलवी ने किया था। (दूसरी दृष्टि घर के हमसफ़र ने डाली थी अत: किताब भी सूख कर आधी रह गयी)। दूसरी किताब *मेरे मुंह में ख़ाक* पर जनाब शानुल-हक़ हक़्क़ी ने दृष्टिपात किया। शाहिद अहमद देहलवी की तरह वो भी, वां के नहीं पे वां के निकाले हुए हैं। सोचा तीसरी किताब का स्वाद बदलने के लिये इस बार क्यों न किसी लखनवी भाषाविद से सुधार के बहाने छेड़-छाड़ का प्रारम्भ किया जाये। (यूं तो मैं भी ठेठ भाषाविद हूं बशर्ते भाषा से अभिप्राय मारवाड़ी भाषा हो) इसलिये पुराने कृपालु जनाब मुहम्मद अब्दुल जमील साहब से सम्पर्क किया जिनके परदादा मौलाना फ़ज़ल हक़ ख़ैराबादी, ग़ालिब का दीवान व्यवस्थित करते समय बीसियों शे'र अलग कर प्रोफ़ेसरों और रिसर्च स्कॉलरों के स्थाई काम की व्यवस्था कर गये। जमील साहब ने मेरी भाषा और जवानी की भी छान-फटक कर डाली और उन्हें कथनानुसार दाग़दार और बेदाग़ पा कर अपनी मायूसी जतायी। बोले कि क्रम अगर उल्टा होता तो क्या बात थी।

पाण्डुलिपि के कुछ हिस्से पढ़ कर बोले, 'ऐसा लगता है कि आपने कई बातें स्पष्ट नहीं की हैं।''

'जैसे?'

'जैसे यही कि कब और कहां पैदा हुए?'

'पहली मुहर्रम। सतवांसा, टोंक (राजस्थान) में जहां के ख़रबूज़े और चक़्क़ूबाज़ प्रसिद्ध हैं। ख़ानदान, दिनांक और जन्म स्थान के चयन में मेरा वोट नहीं लिया गया था। पकड़े जाते हैं बुज़ुर्गों के किये पर नाहक़। पैतृक स्थान जयपुर। शिक्षा जयपुर, आगरा और अलीगढ़ में हुई और जीवन का अधिकांश समय कराची में बीता। शहरों के इन्तख़्वाब ने रुसवा किया मुझे।'

'जीवन में वो पहली कौन-सी एक्ट्रेस थी जिस पर आप जी-जान से फ़िदा हुए?'

'आप इस बहाने मेरी जन्मतिथि जानना चाहते हैं?'

'नशे और आत्मकथा में भी जो न खुले उससे डरना चाहिये, कुछ तो खुलिये। प्रिय रंग? प्रिय सुगन्ध, प्रिय सौन्दर्य आदि आदि...?'

1. 'सभी रंग पसंद हैं सौ के नोटों के रंग बदलते रहते हैं।

2. 'तीखी महक नहीं भाती। रात की रानियां, दोनों प्रकार की...दूर किसी और के आंगन में ही से महक देती अच्छी लगती हैं।

3. यहां तक सौन्दर्य का प्रश्न है...आदि-आदि पसंद है।'

'अपना नया फ़ोटो डालने में संकोच था तो हुलिया ही बयान कर देते।'

'शीशा देखता हूं तो अल्लाह की क़ुदरत पर मेरा भरोसा डगमगा जाता है।'

'ख़ानदान और बचपन के हालात पर आपने प्रकाश नहीं डाला, हद यह कि बैंक तक का नाम नहीं बताया।'

'एक आंखों-देखी घटना आपको सुनाता हूं। इसी शताब्दी की तीसरी दहाई में एक औरत जो उर्दू मामूली पढ़ी-लिखी थीं, ने उस समय का एक चर्चित नॉविल *शौकत आरा बेगम* पढ़ा। जिसकी हीरोइन का नाम शौकत आरा और सहयोगी पात्र का नाम फ़िरदौस था। उनके जब बेटियां हुईं तो दोनों के यही नाम रखे गये। एक पात्र का नाम इदरीस और दूसरे सदा-दुखी का नाम अच्छन था। ये दोनों उन्होंने अपने छोटे बेटे को नाम और उपनाम के रूप में दे दिये। बच्चे कुल चार उपलब्ध थे जबकि नॉविल में, हीरो को छोड़ कर अभी एक और प्रमुख चरित्र प्यारे मियां नाम का विलेन शेष रह गया था। अतः इन दोनों नामों और दोनों दोहरे रोतों का बोझ बड़े बेटे को ही उठाना पड़ा। जिसका नाम हीरो के नाम पर मुश्ताक़ अहमद रखा गया। यह साधारण औरत मेरी मां थीं। नॉविल की पूरी कास्ट शौकत आरा जिसका स्वर्गवास हो गया था, ख़ुदा के करम से जीवित है। मां की बड़ी इच्छा थी मैं डॉक्टर बनूं और अरब जा कर बद्दुओं का मुफ़्त इलाज करूं, चूंकि नॉविल के हीरो ने यही किया था। मौला का बड़ा करम है कि डॉक्टर न बन सका वरना इतना बुरा स्वास्थ्य रखने वाले डॉक्टर के पास कौन फटकता। सारी उम्र कान में स्टेथेस्कोप लगाये अपने ही दिल की धड़कनें सुनते बीतती। अलबत्ता इधर दो साल से मुझे भी सऊदी अरब, बहरीन, क़तर, अम्मान और अन्य अरब देशों की धूल तो नहीं रेत छानने का और शेख़ों की सेवा करने का सौभाग्य मिलता रहा है। नॉविल के शेष प्लॉट की बेचैनी से प्रतीक्षा कर रहा हूं। जो लोग कहते हैं कि उर्दू साहित्य का जीवन पर प्रभाव नहीं पड़ता वो ज़रा डबडबायी आंखों से विनम्र (लेखक) को देखें। यह है कच्चा चिट्ठा। कहिये जमील साहब अब तो ठंडक-पड़ी।'

जिस एकाग्रता और दृष्टिहीनता से जमील साहब ने पांडुलिपि पे कृपा की वो उनकी विशेष अनुकम्पा और भाषाविद होने का हँसता-मुस्कुराता प्रमाण है। उदाहरण के लिये मैंने पहले चैप्टर में लिखा है कि बच्चे सर्दी से अपनी बत्तीसी बजाते हैं। बत्तीसी को काटते हुए बोले, 'ये आपने क्या लिख दिया?' डरते-डरते पूछा, 'क्या लखनऊ में कुछ और बजाते हैं?' कृपा हुई 'बच्चे के तो अट्ठाईस दांत होते हैं। बत्तीसी का तो प्रश्न ही पैदा नहीं होता।' निवेदन किया, 'अगर यह लिख दूं कि बच्चे अपनी अट्ठाईसी बजाते हैं तो लोग न जाने क्या समझ बैठेंगे और अगर किसी बच्चे की आधी दाढ़ निकल आयी तो क्या साढ़े अट्ठाईसी बजाना लिखूं।' चश्मा उतार कर मुस्कुराती हुईं आंखें दिखाते हुए बोले, 'और आपने यहां हरामज़दगी लिखा है। हरमज़दगी होना चाहिये, दोनों में ज़मीन-आसमान का अंतर है। एक जन्मजात गुण है दूसरा अपनी भुजाओं की ताक़त से पैदा करना पड़ता है।'

एक दिन अरुचि से प्रश्न पूछा, 'रोकन से आपका क्या अभिप्राय है। मैंने तो यह

वाहियात शब्द आज तक नहीं सुना। दिल्ली का होगा या मारवाड़ी ढेला?' निवेदन किया, 'वो चीज़ जो सौदा ख़रीदने के बाद दुकानदार ऊपर से मुफ़्त दे दे।' बोले, 'लखनऊ में इसे घाता कहते हैं।' निवेदन किया, 'मैंने तो यह वाहियात शब्द आज तक नहीं सुना।' आदेश हुआ, 'घर जाकर अपनी भाषाविद बीवी से पूछ लीजियेगा। वो जो भी निर्णय करेंगी मुझे स्वीकार होगा।' मैं शपथ लेकर कह सकता हूं कि जमील साहब ने उन्हें पंच केवल इस आधार पर बनाया कि उन्हें सौ प्रतिशत विश्वास था कि वो हर स्थिति में निर्णय मेरे विपरीत करेंगी। वरना वो अपनी बेगम को भी पंच बना सकते थे। ख़ैर मैंने शाम को बेगम से पूछा, 'तुमने शब्द रोकन सुना है?' बोलीं, 'हां! हां! हज़ार बार!' जी ख़ुश हो गया। कुछ देर बाद प्रमाण को और विश्वसनीय बनाने के लिये पूछा, 'तुमने यह शब्द कहां सुना?' बोलीं, 'तुम्हीं को बोलते सुना है।'

घर के बाहर रिसर्च से भी पता चला कि दिल्ली में ख़ूब बोला जाता है। जमील साहब को इस खोज से सूचित किया और प्रमाण में स्वयं को प्रस्तुत किया। उन्हें और भड़काने के लिये जनाब ताबिश देहलवी और स्व. हज़रत ज़ुल्फ़िक़ार अली बुख़ारी का चटाख़-पटाख़ डायलॉग जो उन्हीं दिनों कहीं छपा था दोहरा दिया। ताबिश साहब के मुंह से कहीं निकल गया, 'लखनऊ वालों ने पूरे साहित्य के इतिहास में अच्छा शे'र नहीं कहा। एक ले-दे के आतिश हैं उन पर भी देहलवियत की छाप है और वैसे भी लखनऊ की शायरी में सिवाय चोंचले और नख़रे के होता क्या है?' बुख़ारी साहब तुनक कर बोले, 'और दाग़ देहलवी के यहां क्या है?' तपिश साहब ने विस्तार किया, 'जी हां! दाग़ देहलवी के यहां भी चोंचले और नख़रे हैं लेकिन रंडीबाज़ हैं रंडी के नहीं।'

चेहरा पहले तो नाराज़गी की अधिकता से तमतमाया फिर खिलावट के साथ बोले, 'ताबिश देहलवी की बातें ही बातें हैं। बहुत शरीफ़ और पवित्र व्यक्ति हैं। उन्होंने तो रंडी का फ़ोटो भी नहीं देखा होगा। रहे आप, तो आपने रंडीबाज़ भी नहीं देखे। यूं भी मेरा मानना है कि आपको ढंग की सोहबत कभी नहीं मिली।' निवेदन किया, 'गुरुवर अगर हमें गुमराह होने की महान योग्यता न होती तो आप तक कैसे पहुंचते?'

दोनों अपने-अपने भाषायी मोर्चों पर डटे हुए बल्कि धंसे हुए थे। अन्त में समझौता इस पर हुआ कि भविष्य में टकसाली पंजाबी शब्द झोंगा प्रयोग होगा जो श्रेष्ठ व्यंग्यकार और बांके यार कर्नल मुहम्मद ख़ां का बढ़ाया शब्द है।

और तो और समर्पण भी उनकी मनुष्य की पारखी दृष्टि से न बच सका। बोले, 'सच-सच बताइये। इन दोनों में से मिर्ज़ा अब्दुलवुदूद बेग कौन है? और हां यह तो आपकी आत्मकथा है। हर चंद आपको यह सम्मान मिला है कि आपने अपनी इज़्ज़त बिना आशिक़ी किये खोयी है, लेकिन अब भी कुछ नहीं गया। शायर के अनुसार—

यूसुफ़ी गर नहीं मुमकिन तो ज़ुलेख़ाई कर

नई नस्ल के पढ़ने वाले, अपने बड़ों की नालायक़ी और पथभ्रष्टता की कहानियां पढ़ कर गर्व से फूले नहीं समाते। आप भी फड़कते हुए समर्पण के ज़ंग लगे हुए परदे में किसी माशूक़ को बिठा देते तो आलोचकों के हाथ चिथड़े होने से पहले ही किताब

तकियों के नीचे पहुंच जाती और दस दिन के अन्दर-अन्दर दूसरा ऐडीशन (चटपटा और ज़ायक़ेदार) निकालना पड़ता। उदाहरण के लिये—

.... के नाम
जिसने मानवीय दुर्बलता
के एक पल को
स्थायित्व प्रदान किया।

निवेदन किया, 'पहले तो बिन्दुओं (......) के नाम केवल ज्योमेट्री की किताब की जा सकती है। दूसरे एक पल तो मानवीय दुर्बलता के लिये बहुत ही कम है। एक घंटा नहीं तो कम-से-कम एक मिनट तो कर दीजिये, प्लीज़।' अपनी विशिष्ट शैली में सुनी-अनसुनी करते हुए बोले, 'जगह-बेजगह आपकी आन्तरिक सोच को दृष्टिगत करते हुए 'सोने के दांत वाली लड़की' कैसा रहेगा? आपके हीरो ग़ालिब ने भी तो बड़े उतरौनेपन से जुर्म स्वीकार किया कि भाई मुग़ल बच्चे भी ग़ज़ब होते हैं। जिस पर मरते हैं उसको मार रखते हैं। मैं भी मुगल बच्चा हूं। उम्र में एक बड़ी पेशेवर डोमनी को मैंने भी मार रखा है।' विरोध किया, 'मगर मैं तो मुग़ल नहीं हूं।' बोले, 'कोई बात नहीं बच्चे तो अभी तक हैं।' इसके बाद बच्चा और बच्चे, सरगोधा और सरगोधे वज़आ और वज़ए के इमला/इमले पर ऐसी घमासान की बहसा-बहसी हुई कि मुंह लगायी डोमनी कच-कच की जगह से ताल-बेताल गाती, ढोलक बजाती निकल गयी।

किताबत (उर्दू में पहले हर पन्ना हाथ से लिखा जाता था फिर प्रिंट होता था) का पड़ाव आया तो पहले लाहौर के एक बांके, शिष्ट और साधुस्वभाव कातिब (किताबत करने वाले) से सम्पर्क किया। दो-तीन बार निवेदन किया तो चुप साध ली। चौथी बार कहा, 'धन्यवाद, पन्द्रह रुपये पेज मेहनताने से कोई अन्तर नहीं पड़ता। मैं केवल उपयोगी और मज़हबी रचनाओं की किताबत करता हूं।' उनके संकेत पर मैंने *चिराग़ तले* की पांडुलिपि एक साहब के हाथों उनकी सेवा में भेज दी और उत्तर की प्रतीक्षा करने लगा। डर-डर के की गयी मगर उम्मीद की गयी। दो दिन बाद जहां-तहां से सूंघ कर उन्हीं साहब द्वारा कहला भेजा कि 'रोज़ाना आधी रात की नमाज़ के बाद *क़ुरआन* लिखता हूं। नहीं चाहता कि सारा पुण्य उनकी किताब की भेंट चढ़ जाये। मैंने अनुपयोगी किताबत छोड़ दी है। हां कभी-कभार किसी की फ़र्माइश पर क़ब्र की तख़्ती पर लिख देता हूं।' अब ले-दे कर अपनी क़ब्र की तख़्ती रह गयी थी जो मरणदिवस डाले बिना अधूरी-अधूरी मालूम देती है। उन साहब से जो संदेशवाहक का काम कर रहे थे, मैंने कहा, 'यह तो हुआ सो हुआ। ज़रा उनसे इतना पूछियेगा कि जब रोक की यह स्थिति है तो उन्होंने *दीवाने-ग़ालिब* की किताबत क्या समझ कर की। उन्होंने खड़े-खड़े वहीं विवाद निबटा दिया। बोले कि शायरी की बात और है। शे'र में जिस बात पर हज़ारों आदमी उछल-उछल कर दाद देते हैं, वही बात गद्य में कह दी जाये तो पुलिस तो बाद की बात है, घर वाले ही सर फाड़ डालें।

पाप की जिस गठरी ने उस बुज़ुर्ग को बोझिल किया, उसे एक नौजवान प्रिय मुहम्मद शफ़ीक़ ने ख़ुशी-ख़ुशी उठा लिया। लाहौर में दो पंक्ति दैनिक की गति से किताब शुरू हुई।

कोई पन्द्रह-बीस पन्ने पूरे हुए होंगे कि मेरा लाहौर जाना हुआ। मैंने कहा, 'अगर आप इसी स्पीड से किताबत करते रहे तो यह किताब तो पांच-छह साल में समाप्त हो जायेगी। इसके बाद आप क्या करेंगे? लिपि अलबत्ता अच्छी हैं लेकिन जगह-जगह, उथल-पुथल और टेढ़ पायी जाती है। शब्द उखड़े-उखड़े लगते हैं।' बोले, 'लिखते में अगर हँसी आ जाये तो क़लम में कम्पन पैदा हो जाता है। जो हिस्से सामान्य हैं वो बहुत अच्छे लिखे गये हैं। बहुत काफ़ी हैं। निस्संकोच किसी को भी दिखा लें।' मैंने कहा, 'बेटे! अगर ऐसा ही है तो पहले पांडुलिपि पढ़ कर हँस लिया करो। फिर एकाग्रता के साथ हाथ जमा कर किताबत किया करो।' कहने लगे, 'जनाब! मेहनताना केवल लिखने का तय हुआ है। व्यस्त आदमी हूं। मेरी शादी हुए अभी एक महीना भी नहीं हुआ।' अतः निवेदन है कि पाठकों को जहां-जहां उनकी किताबत में उछल-कूद दिखायी पड़े उसे शादी का कारनामा समझ कर क्षमा करें।

पाकिस्तान के जाने-माने कार्टूनिस्ट भाई अज़ीज भी लम्बे समय से व्यंग्य और पेट के उन्हीं रोगों से ग्रस्त हैं और मेरे दवा शरीक भाई बने हुए हैं। आभारी हूं कि उन्होंने *फ़ैनी डार्लिंग* को ध्यान से पढ़ कर दो कार्टूनों से सजाया। भेंट हुई तो देर तक अपना पेट पकड़ कर बल्कि कहना चाहिये अचकन पकड़ कर उसमें हारमोनियम की तरह धौंकनी की तरह हवा भरते और निकालते हुए हँसी से लोट-पोट हो गये। उन्हें यूं प्रशंसा करते देखा तो मैं भी झूठी विनम्रता और संकोच को ताक़ पर रख कर दाद लेने के लिये ख़ूब हँसा। बोला, 'चलिये, मेहनत ठिकाने लगी। आपने पसंद किया।' दोबारा अचकन धौंकते हुए बोले, 'भाई जान! बड़ा मज़ा आया। कार्टून ग़ज़ब के बने हैं।' अबकी बार दोनों ने अपनी-अपनी कारीगरी पर मुंह मोड़ कर अपनी-अपनी धौंकनी धौंकी।

—मुश्ताक़ अहमद यूसुफ़ी
27 जनवरी 1976

धन यात्रा

तब देख बहारें जाड़े की : कराची (समुद्रतटीय नगर) में सर्दी उतनी ही पड़ती है जितनी मरी (पाकिस्तान का हिल स्टेशन) में गर्मी। इससे मरी के निवासियों का दिल दुखाना नहीं, बल्कि नगरों की दुल्हन कराची का दिल बढ़ाना उद्देश्य है। कभी-कभार सुन्दर शहर का तापमान शरीर के नॉर्मल तापमान से यानी 98.4 से दो-तीन डिग्री नीचे फिसल जाये तो शहर की सुन्दरियां लिहाफ़ ओढ़कर एयरकन्डीशनर तेज़ कर देती हैं। आत्मलीन सौन्दर्य जब 43 नम्बर में सामने वाली सामग्री को 34 नम्बर के स्वेटर में प्रकट करके शीशा देखता है तो शर्म की लाली गालों में दौड़ जाती है जिसे जाड़े के मौसम का असर माना जाता है और इसे कराची के मौसम विभाग की भाषा में कोल्ड वेव कहते हैं। यह ख़ूबी सिर्फ़ कराची के पल-पल बदलने वाले मौसम में देखी कि घर से जो भी कपड़े पहन कर निकलो, दो घंटे बाद ग़लत मालूम होते हैं। लोग जब अख़बार में लाहौर और रावलपिंडी की कठोर सर्दी की ख़बरें पढ़ते हैं तो उससे बचाव के लिये बालू की भुनी मूंगफली और ग़ज़क के फुंके मारते हैं। उनके बच्चे भी उन्हीं पर पड़े हैं। उत्तर पश्चिमी हवाओं के बचने के लिये ऊनी कन्टोप पहनकर आइसक्रीम खाते हैं और बड़ों के सामने बत्तीसी बजाते हैं। नया आने वाला हैरान होता है कि अगर ये जाड़ा है तो अल्लाह जाने गर्मी कैसी होगी।

बीस साल सर्दी-गर्मी झेलने के बाद हमें अब मालूम हुआ कि कराची के जाड़े और गर्मी में तो इतना स्पष्ट फ़र्क़ है कि बच्चा भी बता सकता है। 90 डिग्री टैम्प्रेचर अगर मई में हो तो यह गर्मी के मौसम का प्रतीक है, अगर दिसम्बर में हो तो ज़ाहिर है जाड़ा पड़ रहा है। अलबत्ता जुलाई में 90 डिग्री टैम्प्रेचर हो और शाम को गरज-चमक के साथ बीवी बरस पड़े तो बरसात का मौसम कहलाता है। शायद...क्या निश्चित रूप से ऐसे ही किसी कम गर्म गुनगुने कराचवी जाड़े से उकता कर नज़ीर अकबराबादी ने तमन्ना की थी।

हर चार तरफ़ से सर्दी हो और सह्न खुला हो कोठे का
और तन में नीमा शबनम का हो जिसमें ख़स का इत्र लगा
छिड़काव हुआ हो पानी का और ख़ूब पलंग भी हो भीगा
हाथों में पियाला शर्बत का हो आगे इक फ़र्राश खड़ा
फ़र्राश भी पंखा झलता हो तब देख बहारें जाड़े की

हर चार साल के बाद दो-तीन दिन के लिये सर्दी का मौसम आ जाये तो कराची वाले इसका इल्ज़ाम कोयटा-विंड पर धरते हैं और कोयटा की सर्दी की तेज़ी को किसी रूपवती के छोटे स्वेटर से नापते हैं। कराची की सर्दी विधवा की जवानी की तरह होती है, हर एक की नज़रें पड़ती हैं और वहीं ठिठक बल्कि ठिठुर कर रह जाती हैं। उधर कोयटा में दस्ताने, कम्बल, मफ़लर और समूर के अंबार में से सिर्फ़ चमकती हुईं आंखें देख कर यह फ़ैसला करना नामुमकिन हो जाता है कि उसके पीछे मूंछ है या, 'पंखड़ी इक गुलाब की सी है' तो कोयटा वाले इस घपले का ज़िम्मेदार क़ंधारी हवा को ठहराते हैं और जब क़ंधार में साइबेरिया की बहुत ही कड़ाके की ठंडी हवाओं से पेड़ों पर अनारों के बजाय बर्फ़ के लड्डू लटकते हैं, ग्वाले गाय के थनों से आइस्क्रीम दोहते हैं और सर्दी से थरथराते हुए इंसान के दिल में ख़ुद को जहन्नुम में दाख़िल करने की उत्कट इच्छा होती है तो क़ंधार वाले कम्बल से चिपट कर पड़ौसी देश की ओर क्रोधित हो कर देखते हैं। छोटे देशों के मौसम भी तो अपने नहीं होते। हवायें और तूफ़ान भी दूसरे मुल्कों से आते हैं, भूकम्प का केन्द्र भी सीमा पार होता है।

यह जनवरी 1950 की एक ऐसी ही सुबह का ज़िक्र है। मौसम का वर्णन हमने इतने विस्तार और बुराई के साथ इसलिये किया कि कराची में हमारी यह पहली सुबह थी। बर्दाश्त करने की हद तक गर्म होने के अलावा यह एक ऐतिहासिक भोर भी थी। सर्दी की इस भोर से बैंकिंग के पेशे में हमारे लम्बे फ़्लर्टेशन का आरंभ हुआ और सुबह उस वक़्त नहीं होती जब सूरज निकलता है, सुबह उस वक़्त होती है जब आदमी जाग उठे। किसी ने फ्रांस के अंतर्राष्ट्रीय ख्यातिप्राप्त साहित्यकार फ्रोस्ट से पूछा कि दुनिया के सैन्य इतिहास में किस घटना ने आपको सबसे अधिक प्रभावित किया तो उसने बेहिचक जवाब दिया, 'फ़ौज में मेरी भर्ती ने।'

हमारे फ़्लर्टेशन की शुरुआत : कराची में खोखरा से अभी आये हुए हमें 20 घंटे भी नहीं हुए थे। वो सुबह नहीं भूलेगी जब रेलवे लाइन के किनारे एक छोटी-सी सफ़ेद तख़्ती पर पहले-पहल 'पाकिस्तान' लिखा नज़र आया तो उसे हाथ से छू-छू कर देखा था फिर मिट्टी उठा कर देखी। अस्सलामुअलैकुम कहते हुए सिंधी ऊंट वाले देखे। हिन्दुस्तान के नोट पर पहली बार हुकूमते-पाकिस्तान छपा देखा और फिर राजस्थानी रेगिस्तान में पुरखों की क़ब्रें, वो बोली जो मां के दूध के साथ अस्तित्व में रची-बसी थी और अपने प्यारों के आंसुओं से भीगे चेहरे अतीत में धुंधलाते चले गये।

मिरी बार क्यों देर इतनी करी : मुनाबाओ के उजाड़ स्टेशन पर दो रातें तारों भरे आसमान के नीचे गुज़ारने से गला ख़राब हो गया था और महसूस होता था जैसे गले में कोई बदचलन मेंढक फंस गया है, ज़रा मुंह खोलते तो टर्राने लगता। मैक्लोड रोड पर बैंक का हैड ऑफ़िस तलाश करने में कोई परेशानी नहीं हुई। पहले एक छपी हुई परची पर अपना नाम लिख कर जनरल मैनेजर मिस्टर W.G.M. Anderson को भिजवाया। भेंट के उद्देश्य के कॉलम में सरकारी लिख दिया, जिससे हमारा अभिप्राय निजी और नौकरी था और अंत में बहुत मोटे अक्षरों में प्रेषक...मिस्टर M.A.Asfahani चेयरमैन बैंक।

सिफ़ारिश में लिपटी हुई यह धमकी हमारे काम न आयी इसलिये कि हमारे बाद आने वाले मुलाक़ाती, जो हमारे हिसाब से हमसे अधिक अच्छे, सलीक़े से कपड़े न पहने हुए थे, बारी-बारी मिलने का समय पा कर विदा हो गये और हम सिर झुकाये ही रह गये कि, 'मेरी बार क्यों देर इतनी करी।'

डेढ़-दो घंटे बाद बेंच पर इंतज़ार का जाम पीते रहने के बाद जी में आयी कि लानत भेजो। ऐसी नौकरी से बेरोज़गारी भली, देर है अंधेर भी होगा। 'चल ख़ुसरो घर आपने सांझ भई चहुं देस' मिर्ज़ा ग़ालिब भी सौ रुपये मासिक की फ़ारसी शिक्षक की नौकरी के लिये इन्टरव्यू के लिये गये थे लेकिन उल्टे फिर आये कि वो उनकी अगवानी के लिये बाहर नहीं आया। कहारों से कहा कि बस हो चुकी मुलाक़ात, पालकी उठाओ, हम भी उस्ताद की देखा-देखी वापिस पालकी में सवार हो रहे थे कि अंदर वाला बोला, होश में आओ

तुम कहां के दाना हो
किस हुनर में यकता हो

मिर्ज़ा तो शायर आदमी ठहरे। इसके बाद भी जब कोई नवाब या गवर्नर जनरल बहादुर नया आता तो उसके सम्मान में कविता लिखते और पेन्शन के अलावा अलंकृत कपड़ों के साथ मोतियों की माला बराबर वसूल करते रहे। तुम क्या करोगे? तुम तो सिर्फ़ गद्य में ख़ुशामद करनी जानते हो, फिर वापसी के लिये बाहर पालकी भी तो नहीं है कि तनतनाये हुए बैठकर वापस घर आ गये और रास्ते में कहारों को कांधा तक न बदलने दिया और यहां रोज़ी को लात मार कर चले भी गये तो स्वाभिमान के इस प्रकटन को अमर बनाने के लिये मुहम्मद हुसैन आज़ाद (सुप्रसिद्ध लेखक) को कहां से लाओगे। कहां वो स्वाभिमान, कहां यह अस्वीकार होने वाले सिजदे। मज़े से बैठे हुए अपना कटोरा बजाते रहो। तीन बरस तुम डिप्टी कलक्टर रहे, सच कहो कभी किसी ज़रूरतमंद से सीधे मुंह बात की।

कुछ देर बाद चपरासी हमारी बेबसी पे तरस खाकर ख़ुद ही कहने लगा कि अगर नौकरी की सिफ़ारिश लेकर आये हो तो आज मुठभेड़ न करो। सुबह से साले का मग्ज़ फिरेला है। अक्खा बाटली दारू पियेला है। पॉकेट में छोटी बाटली के अंदर मिक्सचर भर के लाया है। असली रंगत सोलह आना मूली के माफ़िक़ है, पन इस टैम जास्ती ब्लड प्रेशर से एकदम चुक़ंदर लगता पड़ा है, तुमेरा काम आज के दिन नहीं हो सकता।

पौन बजे जब स्टाफ़ एक-एक करके लंच लिये सरकने लगा और जमादार इस तत्परता से झाड़ू देने लगा कि धूल का एक-एक कण खिंच कर हमारे चेहरे और चश्मे पर बैठ जाये तो ज़ोर से घंटी बजी और बजती ही चली गयी। मालूम होता था कोई घंटी पर बैठ गया है। चपरासी ने कोई नोटिस न लिया। कुछ देर पहले सुलगायी हुई पहलवान मार्का बीड़ी के कश लेता रहा फिर उसे छंगलिया में दबा कर अलविदाई दम लगाया और जूते की एड़ी पर रगड़ कर बुझा दिया। बीड़ी का बंडल, चवन्नी और फ़िल्मी गानों की पतली-सी किताब सिर पर रखी और उन पर तुर्की टोपी लगायी। फिर उस सेफ़ डिपॉज़िट

लॉकर का फुंदना हिला कर कहने लगा, 'लगता पड़ा है अबके तुम्हारी आयी है, क़िस्मत की बदनसीबी को क्या करें' लारा लप्पा लारा लप्पा ला, ला, ला...,

कुछ ने कहा चेहरा तिरा : कमरे में दाख़िल होने से पहले हमने अपनी दाईं हथेली का पसीना पोंछ कर हाथ मिलाने के लिये तैयार किया। सामने कुर्सी पर निहायत रौबदार अंग्रेज़ नज़र आया। सिर बिलकुल गंजा, साफ़ और चिकना। जिस पर पंखे का अक्स इतना साफ़ था कि उसके ब्लेड गिने जा सकते थे। आजकल के पंखों की तरह इस पंखे का निचला हिस्सा चपटा न था बल्कि उसमें एक चोंच निकली हुई थी जिसका उपयोग हमारे ज़ह्न में तो ये आया कि पंखा सिर पर गिरे तो खोपड़ी टुकड़े-टुकड़े न हो बल्कि उसमें एक साफ़ सूराख़ हो जाये। बाद में अक्सर ख़याल आया कि सिर पर अगर बाल होते तो उसके दबदबे में निश्चित रूप से फ़र्क़ आ जाता। मेज़ के नीचे एक उधड़ा-उधड़ा कैमिल कलर का क़ालीन बिछा था। रंग वाक़ई इतना मिल रहा था कि मालूम होता था कि कोई खुजलटा ऊंट खाल फ़र्श पर बिछाये पड़ा है। भरे-भरे चेहरे पर काला चश्मा, कुछ पढ़ना या पास की चीज़ देखनी हो तो माथे पर चढ़ा कर उसके नीचे से देखता था, दूर की चीज़ देखनी हो तो नाक की फुनंग पर रख कर उसके ऊपर से देखता था। अलबत्ता आंखें बंद करके कुछ देर सोचना हो तो ठीक से चश्मा लगा लेता था। बाद में देखा धूप का चश्मा भी नाक पर टिकाये, उसके ऊपर से धूप का मुआयना करते हुए बैंक आता जाता है। आंखें हल्की नीली जो यक़ीनन कभी रौशन-रौशन रही होंगी। नाक सुतवां, तरशी तरशाई, निचला होंठ राजसी अंदाज़ से हल्का-सा आगे निकला हुआ, सिग्रेट के धुएं से कजलाया हुआ। बायीं भौं बेईमान दुकानदार के तराज़ू की तरह हमेशा ऊपर चढ़ी हुई, गरजदार आवाज़, जिस्म...रंग वही जो अंग्रेज़ों का होता है। आप ने शायद देखा होगा चीनियों के चेहरे से भावनायें पता नहीं लगतीं बल्कि कभी-कभी तो चेहरा भी पता नहीं लगता लेकिन यह बिलकुल अलग चेहरा था एक अजीब दर्प और दबदबा था इस चेहरे पर। कमरे में फ़र्नीचर भरा-भरा नज़र आता था। वो सामने हो तो और कोई चीज़... उसका अपना जिस्म भी...नज़र नहीं आता था।

उसका सरापा है यह मिसरा
चेहरा ही चेहरा पांव से सिर तक

हमने तैयार किया हुआ हाथ मिलाने के लिये बढ़ाया तो उसने अपना हाथ पतलून की जेब में डाल लिया। कुछ देर बाद केवन ए कॉर्कटिप्स सिग्रेट डिब्बे से निकाल कर उल्टी तरफ़ से होंठों में दबाया। वो बहुत बुरे मूड में था, कांपते हुए हाथ से ज़ियादा कांपते हुए हाथ को थामा तो कप की डुगडुगी-सी बजने लगी और चाय छलक कर हमारी दरख़्वास्त को रंगीन कर गयी। अब एक दियासलाई को अपने बेहतर हाथ में मज़बूती से पकड़ कर उस पर डिबिया रगड़ने लगा लेकिन वो किसी तरह जल कर नहीं देती थी। बेकार का संकोच था वरना चाहता तो अपने ब्लड-प्रेशर पर रगड़ कर आसानी से जला सकता था।

हमारी पैदाइश का सन् : उसने ग़लत तरफ़ से सिग्रेट सुलगाई, कॉर्क पर छुन से बुझ गई, उसने छंगुलिया के इशारे से एक कुर्सी पर बैठने के लिये कहा। हम आज्ञा पालन

में बैठने ही वाले थे कि अचानक उसी कुर्सी की गहराइयों से एक कुत्ता उठ खड़ा हुआ और हमारे कंधों पर अपने दोनों पंजे रखकर हमारा धूल में अटा मुंह अपनी ज़बान से साफ़ करने लगा। 'माई डॉग इज़ वेरी फ्रेंडली' कुत्ते से परिचय कराने के बाद उसने एक ही सांस में सब कुछ पूछ लिया, कैसे हो? कौन हो? क्या हो? और क्यों हो?

सिवाय आख़िरी सवाल के हमने सारे सवालों के इत्मीनान और तसल्ली देने वाले जवाब दिये।

'तुम्हें मालूम होना चाहिये कि इस बैंक को मैं चला रहा हूं, मिस्टर इस्फ़हानी नहीं, ख़ैर तुमने इकॉनोमिक्स पढ़ी है?' उसने कहा।

'नो सर।'

'गणित में बहुत अच्छे थे?'

'नो सर। गणित में हमेशा रियायती नम्बरों से पास हुआ, हालांकि इन्टरमीडियेट से लेकर एम.ए. तक फ़र्स्ट डिवीज़न आया।

'गणित में फ़ेल होने के अलावा तुम्हारे पास इस पेशे के लिये और क्या क्वालिफ़िकेशन है?'

'मैंने फ़िलॉसफ़ी में एम.ए. किया है।'

'हा हा हा, तुम्हारा सोशल बैकग्राउन्ड क्या है? किस ख़ानदान से तअल्लुक़ है।'

'मेरा अपने ही ख़ानदान से तअल्लुक़ है।'

'सच बोलने का शुक्रिया।' जी तो बहुत चाहा लगे हाथों यह भी बता दें कि बुज़ुर्ग ऐश्वर्यवान न थे, केवल हमें निशानी छोड़ा।

उसके मुंह में से ऐसी लपट आ रही थी जो रुई के उस फाये से आती है जो इन्जेक्शन से पहले सूई चुभोने की जगह पर रगड़ा जाता है।

पूछा, 'तुम कब और कहां डिलीवर हुए थे? हा हा हा!' वो ज़ोर से हँसा। हम ज़रा चकराये तो कहने लगा, 'अच्छा यह बताओ जिस सन् में तुम पैदा हुए, उस साल और कौन-सी अंतर्राष्ट्रीय दुर्घटना हुई थी?'

इंटरव्यू के सिलसिले में एक अरसा पहले हमने जनरल नॉलिज के नामाक़ूल से नामाक़ूल सवालों के जवाब रट लिये थे। उदाहरण के लिये क्रिकेट की गेंद का वज़्न, मक्खी की टांगों और बैल के दांतों की तादाद, नेपोलियन का क़द। अगर बैंक से सिर्फ़ 100 रुपये 7 प्रतिशत सूद पर लिये जायें तो वो किस तरह 250 साल में 22,11,02,400 हो जायेंगे? ख़ालिस सोना कितने कैरेट का होता है? बिल्ली की आंतों की लम्बाई? कुत्ता ज़बान बाहर क्यों निकाले रखता है? इंसान मुंह खोलने से क्यों डरता है? शायर अपने उपनाम पर डोई (चमचा) क्यों बनाते हैं? शेक्सपियर के यहां शादी के कितने महीने बाद बच्चा पैदा हुआ? बांस पोला क्यों होता है? वग़ैरा-वग़ैरा...लेकिन अपनी पैदाइश की अंतर्राष्ट्रीय दुर्घटना की तरफ़ हमारा ध्यान कभी नहीं गया था। हमारा आधा शरीर उसके मुक़ाबिल बिल्कुल ठंडा हो गया और हम इंतहाई बेबसी के आलम में झूरने (गर्दन डाल कर आधी बेहोशी की हालत में सोचना) लगे तो उसने हमारी दरख़्वास्त में पैदाइश का

सन् देख कर ख़ौफ़नाक लहजे में कहा, 'बाई दि वे, जिस साल तुम पैदा हुए उसी साल मेरे बाप की मौत हुई। बड़ा मनहूस था वो साल।'

इक शहर था आलम में इंतख़्वाब : 'रहने वाले कहां के हो?' एक बार तो जी में आयी कि मीरे-बददिमाग़ की तरह कह दें।

क्या बूदो-बाद पूछो हो
योरूप के साकिनो

लेकिन यह लखनऊ का मुशायरा नहीं नौकरी का इंटरव्यू था।

'जयपुर...अजमेर के पास है,' हमने संकोची ढंग से उस शहर का नाम लिया जो कभी आलम में इंतिख़ाब (संसार में चर्चित) था।

Oh! Yes! The Pink City? क्या बात है। ब्रिटिश रेज़ीडेंट ने हाथियों की लड़ाई दिखायी थी। बर्मा में हम दोनों का एक साथ कोर्ट मार्शल हुआ था। मैंने देखा है तुम्हारा जयपुर। सारे शहर में दोनों तरफ़ हर इमारत का एक-सा केसरिया रंग। ऊंचे तुर्रे वाले राजपूती साफ़े और उनसे भी ऊंची मूंछें, हर दूसरे को सूंड से सलाम करते हुए हाथी। आस्ट्रेलियाई घोड़ों पर पोलो। कचरे और गंदगी की गुड्सट्रेन जिसे लोकल भैंसे खींच रहे थे। ऐसी रेल मैंने अमृतसर में भी देखी थी जो एक मुहल्ले की गंदगी की दूसरे मुहल्ले में रनिंग नुमाइश करती फिरती थी। भरे बाज़ार में बिलखते बच्चों के मुंह में छाती देती औरतें। कई लाड़ले तो इतने बड़े थे कि खड़े-खड़े दूध की नहर निकाल रहे थे। दर्शनी झरोखों से आंख मारती नाचने वाली औरतें। इन्द्रधनुषी रंग के अभ्रक से झमाझम करते लहरिये, कंधों से ढलकाये...एक-एक इंच जवानी राजस्थानी रूप, सिंगार और सिफ़लिस से भरपूर, सलूके में ख़स का सेंट, बालों में कुकिंग ऑयल (चौंक कर) औरत कभी मेरी कमज़ोरी नहीं रही और वो तो मैं भूल ही गया। जन्मजात पवित्र और उतने ही समय से पूरे नंगे फ़क़ीरों की क़तार जिनके पैर वग़ैरा को धो, धो कर औरतें पीती हैं, क्या कहते हैं इनको?

'Fortes Bergerl' की लड़कियां और यह साधू कपड़ों की गिनती धर्म विरुद्ध चीज़ों में करते हैं। और हां! मुझे सब याद है। तुम्हारे होम टाउन में हर चौराहे पर पूर्वजों के नाम पर छोड़े हुए पवित्र सांड़ अपने नियत कार्यों को करते फिरते हैं। तुम्हारे सब बुज़ुर्ग ज़िंदा हैं या... ? प्रेस्टली ने कहीं लिक्खा है कि जयपुर से ज़ियादा साफ़ सड़कें मैंने दुनिया में कहीं नहीं देखीं। कारण यह कि गोबर और लीद ज़मीन पर गिरने से पहले ही अछूत औरतें कैच ले लेती हैं।

उसने केसरिया पालों की सारी हवा निकाल दी। वतन छोड़े हुए हम, सिर झुकाये, छोड़े हुए देश को परदेसी की आंखों से देखते रहे। 'जो शक्ल नज़र आयी तस्वीर नज़र आयी।'

'तुम राजपूत हो?'

'आधा। नाना थे। नौ मुस्लिम राठौर। तोते की चोंच जैसी नाक वाले राठौर?'

'बिल्कुल लाल, तीखी?'

'नहीं मुड़ी हुई।'

मर्दाना खेलों से हमारी दिलचस्पी : 'आख़िर तुम यह पेशा क्यों चाहते हो? कोई उचित कारण?' हम काफ़ी नर्वस हो चुके थे। दो-तीन बार ज़ोर लगाने के बाद जो आवाज़ अचानक हमारे मुंह से निकली वो इससे पहले हमने कभी नहीं सुनी थी।

शायद उसे भी तरस आ गया। अबके आसान सवाल किया। 'जवानी, मेरा मतलब है पढ़ाई के ज़माने में किन खेलों से दिलचस्पी रही?'

'कैरम और लूडो।'

'मेरा मतलब मर्दाना खेलों से था।'

हमारा यह ख़ाना बिल्कुल ख़ाली था। पांचवीं क्लास में अलबत्ता सालाना स्पोर्ट्स में हमारा इक्कीसवां नम्बर आया था, दौड़ में इतने ही लड़कों ने भाग लिया था। कुछ दिन फ़ुटबाल से भी सिर मारा। अन्तिम क्षण तक यह फ़ैसला नहीं कर पाते थे कि इस बार फ़ुटबाल पर अपना दायां पांव मारें या बायां उचित रहेगा। दूध के दांत टूटने से पहले ही हम अच्छे भारी और मोटे शीशे का चश्मा लगाने लगे थे। (जो लोग देखने की क्षमता खो बैठे हैं उनकी सूचना के लिये निवेदन है कि अब कभी हम चश्मा उतार कर शीशा देखते हैं तो ख़ुदा की क़सम अपने कान नज़र नहीं आते) कई बार चश्मा तोड़ने के बाद अब हम उसे उतार कर निर्भय खेलने लगे थे। खेलते क्या थे, हम हर एक से मेढ़े की तरह टक्करें लेते फिरते थे। विरोधी टीम में हमेशा बड़े पॉपुलर थे। इसलिये कि हमेशा अपनी ही टीम से गेंद छीनते और उन्हीं को फ़ाउल मारते थे। खेल की शुरुआत में टॉस किया जाता। जो कप्तान टॉस हार जाता वो हमें अपनी टीम में शामिल करने के लिये बाध्य होता था। जब तक विरोधी खिलाड़ी ताक कर हमारे पांव पर ज़ोर से फ़ुटबाल न मारे, वो हमारे किक को तरसती रहती थी, चूंकि सिर हमारी अधखुली बल्कि अधमुंदी आंखों का निकटतम अवयव था, इसलिये हमने सिर से फ़ुटबाल रोकने और गोल करने का अभ्यास और महारत पैदा की। एक दिन हमने तीन फ़ीट उछल कर 'हैड किया' तो जिस गोल चीज़ से हमने आंख बंद करके अपनी पूरी ताक़त से टक्कर ली वो दैत्याकार जसवंत सिंह चौहान का मुंडा हुआ सिर निकला। वो शाम को भांग की ठंडाई पी कर फ़ुटबाल खेलता था। हमारी नाक का बांसा (हड्डी) और दिल हमेशा के लिये टूट गया। हमने चश्मा उतार कर मर्दाना खेल से अपने पुराने संबंधों का सुबूत एंडरसन को दिखाया। नाक को झुकी और टूटी देखकर वह बहुत हँसा। कहने लगा, तुम्हारा एक कान भी टेढ़ा लगा हुआ है।

'और तुम बिना फ्रेम के चश्मे क्यों लगाते हो? तुम्हारी सूरत सर स्टीफ़र्ड क्रिप्स से मिलती है।'

'ज़र्रानवाज़ी का शुक्रिया,' हमने ख़ुश होकर कहा।

'मुझे उस बास्टर्ड की सूरत से नफ़रत है।'

तो फिर अब क्या जगह की क़ैद : हम अभी इस चोट को सहला भी न पाये थे कि सवाल पूछा 'कुंवारे हो?'

'नो सर'

'कितनी बीवियां हैं,' उसने सवाल करके दोनों होंठ भींच लिये।

'एक।'

'मुझे तो चार पर भी एतराज़ नहीं। लेकिन चार बीवियों में परेशानी यह है कि चार बार तलाक़ देनी पड़ती है।' भुलावा देकर फिर वही सवाल दोहराया, 'सिफ़ारिश अपनी जगह, लेकिन बैंक में क्यों नौकरी करना चाहते हो? बैंकर के क्या कर्तव्य, ज़िम्मेदारियां होती हैं।'

यह सुनते ही हमारे हाथों से परम्परागत तोते दुबारा उड़ गये और ऐसे उड़े कि वापस नहीं लौटे। हम फिर झूरने लगे। उचित कारण के बजाय लतीफ़े याद आने लगे लेकिन ये मौक़ा उसके दामन को दिल्लगी से खींचने का नहीं था। हमने तब तक किसी बैंक को अंदर से नहीं देखा था। अलबत्ता इतना मालूम था कि अगर कोई शख़्स यह साबित कर दे कि उसके पास इतनी जायदाद और सम्पत्ति है कि क़र्ज़ की बिल्कुल ज़रूरत नहीं तो बैंक उसे क़र्ज़ देने पर राज़ी हो जाता है।

मार्क ट्वेन का यह वाक्य कहीं पढ़ा था कि बैंकर अच्छे वक़्तों का बेहतरीन साथी होता है। मौसम अच्छा हो तो ज़बरदस्ती अपनी छतरी हाथ में थमा देता है लेकिन जैसे ही छींटे पड़ने लगें तो कहता है लाओ मेरी छतरी, हमें तो बस इतना बताया गया था कि बैंकर धड़ल्ले से ब्याज लेते हैं, ब्याज देते हैं, ब्याज का हिसाब रखते हैं और तीनों इस्लाम के हिसाब से हराम हैं।

रहा बिज़नेसमैन से परिचय सो हमारा परिचय-क्षेत्र केवल एक काइयां मारवाड़ी सेठ पर निर्भर था जो रुपया अपनी तिज़ोरी में रखता था और ब्लू फ़िल्में बैंक के लॉकर में। जहां तक बैंकिंग के बारे में पुस्तकीय ज्ञान की बात है वो इस जानकारी तक सीमित थीं कि T.S. Eliot ने जब *Wasteland* लिखी तो वो लाइड्स बैंक में क्लर्क था और इस पेशे से उसका पिंड छुड़ाने के लिये अज़रा पाउंड ने चंदे का एक राष्ट्रीय अभियान चलाया था जिसमें केवल 30 पौंड जमा हुए।

इसी तरह प्रसिद्ध हास्य लेखक जारोस्लाव हसलक भी एक बैंक में नौकर हो गया था। वहां जो कुछ उसने देखा, उससे इतना असर लिया कि भरे-भतोले घर पर झाड़ू फेर कर हमेशा-हमेशा के लिये घुमन्तू बन गया और अगर ओ. हैनरी बैंक में ग़बन न करता तो दुनिया एक महान कथा-लेखक से वंचित रह जाती। उसने बैंक के सूखे जोड़-घटा में कहानी का रंग भर दिया। चुनांचे बैंक दिवालिया हो गया और उसे घपले के इल्ज़ाम में पांच साल की सज़ा हुई।

जेल ही में उसने अपनी पहली कहानी लिखी और नाम बदल कर विलियम सिडनी पोर्टर से ओ. हैनरी बन गया। ओ. हैनरी दरअस्ल जेल के संतरी का नाम था। उस ज़माने में हमें अपनी जनरल नॉलिज का बड़ा घमंड था लेकिन इस कुढब सवाल से ज्ञान का सारा नशा हिरन हो गया।

एक कम पांच और एक ऊपर तीन का फ़र्क़ : बैंकरी के भेद और संकेत तो क्या, हमने तो ज़िन्दगी में किसी मुसलमान बैंकर का नाम भी नहीं सुना था। भारत के

बंटवारे से पहले इस देश में बड़े ही नहीं छोटे ओहदों पर भी अंग्रेज़ और हिन्दू ही होते थे। अलबत्ता मुसलमानों पर अपनी जमा जत्था सेविंग बैंक एकाउन्ट में जमा कराने पर कोई पाबंदी नहीं थी।

और बेचारे मुसलमां को फ़क़त वादा-ए-सूद : लेकिन हम धोखे में आने वाले नहीं। बुज़ुर्गों ने सदियों पहले बचत को हिन्दुओं की रीत समझकर त्याग दिया था। सौ पुश्त से जिन क़बीलों का पेशा-ए-आबा सिपहगरी, (पूर्वजों का पेशा सिपाहीगिरी-ग़ालिब की पंक्ति है) यानी पहले दुश्मन बनाना फिर उन्हें ढूंढ-ढूंढ कर मौत के घाट उतारना या वो इस पर राज़ी न हों तो ख़ुद उतर जाना रहा हो वो व्यवसाय को पतली दाल खाने वाले बनियों का अधिकार समझ कर उससे घृणा करते तो आश्चर्य नहीं होना चाहिये।

महाबली अकबर ने भी आख़िरकार राजस्व का चार्ज राजा टोडरमल को दिया और फ़ैज़ी को *गीता* और *महाभारत* के फ़ारसी अनुवाद में जोत दिया। बीरबल को अलबत्ता इन पंक्तियों के रचयिता का काम सौंपा गया कि ख़बरदार मुंह से कोई गंभीर बात निकाली तो ज़बान गुद्दी से खींच ली जायेगी। एक रीत सी पड़ गयी थी कि मुसलमान अमीरों और रईसों की आमदनी का हिसाब तो हिन्दू मुनीम रखते थे और ख़र्च का हिसाब अदालत को ख़ुद क़ुर्क़ी के वक़्त बनाना पड़ता था।

मुसलमान दो और दो को चार नहीं बल्कि एक कम पांच कहता है जबकि हिन्दू एक ऊपर तीन कहता है। राबर्ट क्लाइव का एक समकालीन कहता है कि रुपया बचा कर रखने के मुआमले में मुसलमान छलनी होता है और हिन्दू स्पंज।

व्यापार को शान के ख़िलाफ़ समझने का एक नतीजा यह निकला कि जब तैमूर के ख़ानदान पर परेशानी आयी तो उसका आख़िरी चिराग़ महाजन से क़र्ज़ लेकर फ़ौज की तनख़्वाहें चुकाता था और अपनी ग़ज़लों का संशोधन करने वाले नज्मुदौला दबीरुल-मुल्क मिर्ज़ा असदुल्लाह ख़ां 'ग़ालिब' को चांदी के थाल में ज़री के कपड़े से ढंका हुआ सेम के बीजों का तोहफ़ा भेजता। विभाजन से पहले के तीन-चार सौ बरस में ख़ास कर भारतीय उपमहाद्वीप के मुसलमानों ने व्यापार को अपनी शान के ख़िलाफ़ समझा। इसमें आशंका थी कि कहीं लापरवाही या भूल-चूक से लाभ न हो जाये। चमड़े और खालों से संबंधित सारा व्यापार अलबत्ता मुसलमानों के हाथ में था। इसके तीन कारण थे। पहला ये उन्हीं स्वर्गवासियों की निशानी थीं जिन्हें वो बड़े चाव से खा चुके थे। दूसरे हिन्दू इस कारोबार को अपवित्र समझते थे। तीसरे सौभाग्य से इन व्यापारियों का संबंध चिन्यौट से था, जो दिल्ली दरबार से दूर था। उनकी सूझ-बूझ के सामने मारवाड़ी भी कान पकड़ते थे। मशहूर है कि चिन्यौट या मैमन पागल भी हो जाये तो दूसरों की पगड़ी उतार कर अपने ही घर में फेंकता है, 'पैदा कहां हैं ऐसे परागंदा तब्अ लोग।'

हिसाब-किताब का जंजाल : आश्चर्य की बात तो यह है कि उर्दू कथाओं में सौदागर का ज़िक्र अगर कहीं आता है तो केवल डाकुओं से लुटने के लिये और वो भी इस ढंग से कि पढ़ने वाले की हमदर्दी हमेशा लूटने वाले के साथ रहती है। उर्दू ग़ज़ल में हमें याद नहीं कि किसी शायर ने सौदागर को सम्मान के साथ याद किया हो, हां एक

नज़्म 'मसनवी ज़हरे-इश्क़' में सौदागर घुस आया है वो भी केवल इसलिये कि उसकी एक बेटी थी जो नेक न निकली मगर जिससे आगे चल कर शायर को रदीफ़-क़ाफ़िये की चूल बिठाने के अलावा और भी बहुत से काम लेने थे, जिनमें एकांत की मुलाक़ातें, उनके अनिवार्य परिणाम के रूप में आत्महत्या और वर्णन के आख़िरी हिस्से से पहले 'पान कल के लिये लगाये जाते हैं', का दायित्व शामिल था।

जिस मुहल्ले में था हमारा घर
वहीं रहता था एक सौदागर
एक दुख़्तर थी उसकी माहे-जबीं
शादी उसकी हुई नहीं थी कहीं

आख़िरी पंक्ति में ख़ुशी की जो हिलोर है बस उसी ने पिछली तीन पंक्तियों में जान सी डाल दी है। बचपन की बात है शायद इसलिये अच्छी तरह याद है पूरे क़स्बे चाकसू में तिजारत-विजारत तो बड़ी बात है किसी मुसलमान की पंसारी की दुकान तक न थी।

1933 में कुछ मुसलमानों ने चंदा जमा करके सामान इकट्ठा किया और सौलत यार ख़ां रिटायर्ड सब इंस्पेक्टर पुलिस को मुसलमानों के मुहल्ले में परचून की दुकान खुलवा दी। उस ज़माने में कौड़ियां भी चलती थीं। धेले का घी और छदाम के बैंगन ख़रीदते ग़रीबों को हमने भी देखा है, छोटे बैंगनों का झोंगा (रोकन) ऊपर से। सौलत यार ख़ां को मुनाफ़े में तो दिलचस्पी थी लेकिन हिसाब-किताब को घृणित समझते थे। दुकान में उनकी मसनद, तकिये, हुक़्क़े और तराज़ू के सामने आटा, शकर, बेसन, नमक, मिर्च, दालें और मसाले उल्टी हुई आस्तीन की तरह अधखुली बोरियों में भरे रहते थे। जो चीज़ जितनी बिकती उसकी क़ीमत उस बोरी या कनस्तर पर सारा दिन पड़ी रहती थी ताकि हिसाब में आसानी हो। शाम को हर चीज़ की बिक्री को अलग-अलग गिनते। रोकड़ का जोड़ नहीं बैठता था तो अपना दिल नहीं जलाते थे। वहीं खाते में एक नई मद 'भूल-चूक लेनी-देनी' खोल ली थी। रोज़ाना कैश में जो कमी होती वो उसी के मत्थे मारते। होते-होते इस मद में काफ़ी रक़म चढ़ गयी जो लगभग पूंजी के बराबर थी। शबे-बरात की सुब्ह मिर्ज़ा अब्दुल वदूद बेग जिनकी उम्र उस वक़्त सात साल की रही होगी, छह पैसे की केसर लेने गये। केसर की पुड़िया लेकर उन्होंने सौलत यार ख़ां को एक क़लदार रुपया थमाया। इत्तफ़ाक़ से केसर की अभी बोहनी नहीं हुई थी और उसके डिब्बे पर कोई रेज़गारी नहीं थी। 'गोविन्दा बनिये की दुकान से ख़रीद ले' मिर्ज़ा ने उंगली से रेज़गारी की उन ढेरियों की तरफ़ इशारा किया जो हर बोरी और कनस्तरों पर पड़ी थीं। अरे साहब वो तो आपे से बाहर हो गये। धमकी भरे अंदाज़ में दो-सेरी (दो सेर से अधिक कुछ तोलना हो तो बाट ग्राहक को उठाने पड़ते थे) उठाते हुए बोले—मुर्ग़ी के! दूसरी ढेरी से रेज़गारी निकाल कर दे दूं तो हिसाब कौन करेगा। तेरा बाप?

हमारा चौथी दिशा जाना : बचपन में हम कभी कैरियर के बारे में संजीदगी से सोचते थे तो इंजन ड्राइवरी के सामने बादशाही भी तुच्छ मालूम देती थी। ज़रा सियाने हुए और दिल से जिन्न, भूत और बुज़ुर्गों का डर निकला और वो दिन आये 'जब साये

धनी होते हैं जब धूप गुलाबी होती है' तो घने जंगलों में टार्जन की सी सादा ज़िन्दगी गुज़ारने का फ़ैसला किया। न इम्तिहान का खटका, न रोज़ सुबह मुंह धोने का खटराग। प्रेमिका एक गज़ दूर खड़ी हो तो जवानी के जोश में इक्कीस गज़ की छलांग लगाना। फिर वापस बीस गज़ की छलांग लगाकर पहलू में पहुंचना और चिंघाड़ना। जटाधारी बरगद की दाढ़ी या वो हाथ न लगे तो लंगूर की दुम पकड़ कर झूलते हुए जूं...से एक पेड़ से दूसरे पेड़ और एक दुम से दूसरी दुम तक पहुंचना। 'वन में तिरे कूदा कोई यूं धम से न होगा।' फिर अपने और बियाबान की परी के बीच कोई नदी, ज़ालिम ज़माने की तरह बाधक होती तो उसे उसके बाप या मगरमच्छ की पीठ पर बैठकर पार करते। मगर होता यह था कि जो भी कहानी पढ़ते उसके हीरो का प्रिय काम बल्कि उसकी प्रेमिका तक को अपनाने का फ़ैसला कर लेते। किसी के मुंह पर सेहरा लटका देखते तो तन-बदन में आग लग जाती, महसूस होता हक़ मारा जा रहा है।

हमने ख़ुद को हर बहरूप, हर स्वांग में देखा था सिवाय बैंकर के, यह वो चौथी दिशा थी जिस तरफ़ जाने की कहानियों में सख़्त मनाही है लेकिन जिधर जाने वाला ज़रूर जाता है और पछताता है।

हलालो-हराम : 'पढ़ोगे-लिखोगे बनोगे नवाब, खेलोगे कूदोगे होगे ख़राब', बुज़ुर्गों की इस नसीहत और ज्योतिष से भरपूर इस भविष्यकथन पर सारा बचपन निछावर करवाने के बाद जब हमारी बारी आने लगी तो भाई लोगों ने रियासतें-रजवाड़े ही ख़त्म कर दिये; लेकिन बात दरअस्ल ये है कि आदमी ज़रा ओरिजनल हो तो खेले-कूदे बग़ैर भी ख़ुद को ख़राब करने की कोई राह निकाल ही लेता है। तीसरी क्लास तक टोंक (राजस्थान) में ख़ुद पर पढ़ाई के तजरुबे करवाये। वहां स्कूल में दोपहर की नमाज़ ग्रुप में होती थी। जिसे बिना हाथ-पांव धोये पढ़ने पर उंगलियों के बीच में सरकंडे का क़लम रख कर दबाया जाता था जो अक्सर उस सज़ा को बर्दाश्त न कर पाने के कारण टूट जाता था।

क़त्ल की सज़ा मौत थी। जल्लाद जब ठर्रा पी कर गर्दन उड़ाता तो शहर का शहर देखने के लिये उमड़ पड़ता था, कमज़ोर दिल के लोग हरा चश्मा लगा कर जाते थे, जो उस ज़माने में सिर्फ़ उस वक़्त पहना जाता था जब आंखें दुखने आ जायें। इससे ख़ून बैंगनी और तलवार हरी नज़र आती थी। टोंक में दीन (इस्लाम धर्म) तथा शायरी की बड़ी चर्चा थी। जल्लाद और अमीरों तथा शरीफ़ों को छोड़कर आम आदमी को शराब पीने की इजाज़त नहीं थी। ख़ुदा न सही मगर क़ाज़ी का डर अभी दिलों से दूर नहीं हुआ था। इसलिये कोई काम शरअ (इस्लामी क़ानून) के ख़िलाफ़ करना हो तो मुसलमान अपनी टोपियां उतार कर जेब में रख लेते थे। टोंक के एक नवाबज़ादे घूमने के लिये मिस्र और तुर्की गये तो इस बात पर बहुत आश्चर्यचकित हुए कि वहां तो मुसलमान नमाज़ भी टोपी उतार कर पढ़ते हैं।

हम तो सोच भी नहीं सकते थे कि ब्याज जिसे हराम ठहराया गया है और जिसकी महानता में आज भी तिल बराबर शक नहीं, हमारा जीवन-यापन का साधन ही नहीं बल्कि हर एतबार से श्रेष्ठ और सर्वोच्च साबित होगा। स्वर्गवासी पिता पाकिस्तान आने लगे तो

अपने पोस्ट ऑफ़िस के सेविंग बैंक एकाउन्ट में साढ़े चार हज़ार रुपये छोड़ गये थे जो उनके हिसाब से बीस सालों का ब्याज बनता था। वो किसी ऐसे मुसलमान के यहां दावत खाना तो बड़ी बात है, पानी पीना भी हराम समझते थे, जिसके बारे में उन्हें पता हो कि वो अपने एकाउंट पर ब्याज लेता है। उन्होंने एक दिन इमाम अबू हनीफ़ा का क़िस्सा सुनाया था कि एक शख़्स को दफ़नाने के बाद लोग एक मकान की दीवार के साये में आये मगर वो धूप में खड़े रहे। किसी ने पूछा हज़रत आप छांव में क्यों नहीं आ जाते? आपने जवाब दिया कि उस मकान का मालिक मेरा क़र्ज़दार है अगर मैं उसकी दीवार की छांव से फ़ायदा उठाऊं तो डरता हूं कि प्रलय के दिन इसकी गिनती ब्याज में न हो जाये।

विचार आया कि नौकरी मिल भी गयी तो ऐसे बाप को कैसे बतायेंगे कि मछन्दर ने बहरहाल रोटी कमाने के लिये गंदा पेशा चुना है। वो रियासत टोंक में पोलिटिकल सेक्रेटरी रह चुके थे। रियासती परम्पराओं से परे, इस्लाम के नियमों पर चलने वाले सादे मुसलमान लेकिन अज्ञानी नहीं थे। जयपुर के पहले स्थानीय मुसलमान थे जिसने 1914 में बी.ए. किया। अच्छी तरह याद है कि टोंक में बड़े कुएं के सामने हमारी सजी-धजी हवेली में हिज़ हाइनेस नवाब हाफ़िज़ सर इब्राहीम अली ख़ां, रियासत के मालिक के दर्जनों फ़ोटो हर उस जगह टंगे थे जहां कील बग़ैर इस आशंका के ठोकी जा सकती थी कि सारी दीवार न आ पड़े। उन्होंने हर एक की नाक चाक़ू से छील दी थी कि उनका यह विश्वास था कि तस्वीर पूरी हो तो उस घर में रहमत के फ़रिश्ते नहीं आते। साठ-सत्तर अमीरों, राजकुमारों और दरबारियों पर आधारित एक ग्रुप फ़ोटो जिसमें वो ख़ुद भी शामिल थे एक ताक़ में रखा हुआ था। उसकी भी वही हालत थी, नावक ने तेरे नाक न छोड़ी ज़माने में।

नवाब साहब जो अस्सी के पेटे में होंगे, ख़ुद *क़ुरआन* को कंठस्थ किये, इस्लामी नियमों के पाबंद, सादा और नेक मुसलमान थे। अपनी नाक आप छीलते थे।

फ़ैज़ी से उन्होंने जो आदमक़द पेंटिंग बहुत महंगी बनवायी थी उसकी नाक उन्होंने अपने पूर्वज अमीर ख़ां लुटेरे की करौली से टोंक में ख़ुद छीली थी, प्रजा को अपने इस फ़क़ीराना स्वभाव वाले बादशाह से बेपनाह आस्था और लगाव था। चुनांचे पहली मुहर्रम को पैदाइश के बाद हमें उस वक़्त तक कोई कपड़ा नहीं पहनाया गया जब तक दस दिन बाद उस बुज़ुर्ग की उतरन के प्रसाद से हमारा पहला कुरता न सिल गया। ख़ुदा ही जानता है इस आस्था और श्रद्धा में आवश्यकता और चापलूसी का कितना हाथ था। हमने अपने होश में पहली बार जयपुर का म्यूज़ियम देखा तो बड़ा आश्चर्य हुआ कि सदियों पुरानी मूर्तियां अल्बर्ट हॉल के कॉरीडोर में पंक्तियों में सजी हुई हैं लेकिन नाक हर एक की टूटी हुई। जब ज़रा सूझ-बूझ पैदा हुई तो समझ में आया कि इस रंगशाला से हर दौर, हर सदी में कोई इब्राहीम अली ख़ां मय अपने साथियों-मुसाहिबों के गुज़रता रहा है।

हमारा ब्रह्मचारी आश्रम में छह हफ़्ते का विस्तार : 'तुम इस पेशे में क्यों आना चाहते हो? कोई उचित कारण?' दिमाग़ पर बहुत ज़ोर दिया अगर वो उचित की पख़ न लगाता तो हम एक हज़ार एक कारण गिनवा सकते थे और अगर उसने हमारी सच

बोलने की आदत को इस गंभीरता से न सराहा होता तो हम यह झूठ बोल कर पीछा छुड़ा लेते कि हमें गणित से पैदाइशी लगाव है लेकिन यह अमर घटना है कि बुज़ुर्ग गणित के नम्बर देखकर बेचैन तथा उतावले हो जाते थे। (स्वर्गवासी बुज़ुर्गों की ग़लतियां पकड़ना हमारा काम नहीं, फ़रिश्तों का फ़र्ज़ है लेकिन बुरी सुहबत के स्पष्टीकरण तथा रिकॉर्ड ठीक रखने के लिये ईश्वर को प्रत्यक्ष जानकर निवेदन करते हैं कि जितनी भी गालियां हमें याद हैं सब हमने अपने बुज़ुर्गों और मास्टरों से सीखी हैं) उन दिनों हमें इसका बड़ा अरमान था कि काश हमारे सिर पर सींग होते तो बुज़ुर्ग हमें कम-से-कम गधा तो न समझते। मिर्ज़ा के बुज़ुर्ग तो उनकी पीठ पर बॉक्सिंग की प्रैक्टिस भी करते थे। सातवीं क्लास में जब हमें अंग्रेज़ी में 100 में से 91 और गणित में 16 नम्बर मिले तो हमने गिरधारी लाल शर्मा से बात की जिसने बिलकुल यही नम्बर प्राप्त किये थे, विषयों का क्रम अलबत्ता उल्टा था। उसने हमें बताया कि हिन्दुस्तान का प्रसिद्ध गणितज्ञ रामानुज रात को दीये की रौशनी में इस तरह पढ़ता था कि एक डोरी से चोटी छत के कड़े से बांध लेता था। ताकि नींद का झोंका आये तो आंखों के आगे बिजली-सी कौंध जाये, लेकिन हमने बताया कि हमारी छतों के कड़ों में तो पहले ही फ़र्शी पंखा (हाथ से खींचा जाने वाला और बिना बिजली का बड़ा पंखा) लटक रहा है जिसे सिर्फ़ बक़रा ईद पर उतारते हैं ताकि क़साई उनमें बक़रे उल्टे लटका कर खाल उतार सके। बग़ल तक हाथ और बंद मुट्ठी खाल में घुसा-घुसा कर। गिरधारी लाल शर्मा ने हाथ जोड़ कर हमें और विस्तार में जाने से रोका और अपना प्रपोज़ल फ़ौरन वापस ले लिया।

कुछ देर बाद कहने लगा कि चिंता न करो विचार करके कल तक कुछ और उपाय निकालूंगा, दूसरे दिन उसने अपना वचन पूरा किया और गणित में 91 नम्बर लाने के दो गुर बताये। पहला तो यह कि भोग-विलास से दूर रहो, आज ही प्रतिज्ञा कर लो कि परीक्षा तक ब्रह्मचर्य का पालन करोगे। हठीली कामनायें या चंचल विचार हल्ला बोल दें तो तीन बार 'ओम शांति! ओम शांति! ओम शांति!' कहना। इससे व्याकुल सागर और भड़कता ज्वालामुखी भी शांत हो जाता है। ओम शांति! ओम शांति! ओम शांति!

हमने कहा ना बाबा! यह हमसे न होगा। बोला, भाई जी तुम मुसल्ले होते हो बड़े कट्टे। हमने कहा कि यार! यह बात नहीं, हमें इससे शांति खन्ना याद आने लगेगी। बोला कि ना! ना! फिर तो ऐसे समय पुराने पेड़े की लस्सी पी लेना, किसी को लू लग जाये तो पिलाते हैं और जैसे ही सुंदर सपना दिखायी देने लगे तो इंटरवैल में ही उठ खड़े होना और एक लाल मिर्च की धूनी ले लेना। एक पल एक क्षण के लिये भी स्त्री का ध्यान मन में नहीं लाना।

'कोयले से गर्म होने वाली का भी नहीं?' हमने स्पष्टीकरण चाहा। 'पास होना है तो ब्रह्मचर्य का पालन करना पड़ेगा।'

ख़ैर इस शर्त से तो हम अधिक परेशान नहीं हुए। इसलिये कि बारह बरस की उम्र में डेढ़-दो महीने और ब्रह्मचारी रहना कुछ ऐसा मुश्किल नहीं था। हमने प्राण-प्रण से कोशिश करने का वादा किया। दूसरा गुर यह बताया कि चोटी का कष्ट नहीं उठा सकते

हो तो सिर पर बारीक मशीन फिरवा लो और बीच में उस्तरे से मुंडवा कर एक पान बनवा लो और उसे सरौली आम की गुठली से रगड़वाओ। सारी भूसी झड़ जाये तो उस पर गाय के मक्खन की टिकिया रखकर खुले आकाश के नीचे सवाल निकाला करो। हां! तालू इसी कारण मुंडवाते हैं कि धर्मात्माओं के प्राण खोपड़ी के रास्ते ही निकलते हैं, फिर इसका चमत्कार देखना। मेरी चोटी टाइफ़ाइड के बाद झड़ गयी थी।

मैंने तो यही किया और यार मियां जी! साधारण जीवन जीना सीखो। गर्म चीज़ों से एक दम परहेज़, गोश्त, गर्म मसाले, गुड़ की गज़क और उर्दू ग़ज़ल से चालीस दिन अलग रहना।

इसके बदले अंग्रेज़ी में 91 नम्बर पाने का जो नुस्ख़ा हमने रामानुज के लिये तय किया उसमें सिर्फ़ वो चीज़ें शामिल थीं जिनसे उसने हमें परहेज़ करने का निर्देश दिया था। बहरहाल हमने उसकी तरकीब पर बारह-तेरह रात अमल किया लेकिन होता यह था कि खुले आसमान के नीचे पान और उससे संबंधित इलाक़े को ठंडी-ठंडी हवा लगती तो आंखें आठ ही बजे आप ही आप बंद हो जातीं। बुरे-बुरे ख़याल आने का इंतज़ार ही रहा, *हमें तो नींद ही आयी शबाब के बदले*।

समंदरी मौत से हवाई मौत की श्रेष्ठता : मिस्टर एंडरसन ने आख़िरी बार बड़े धीरज से सवाल किया, 'तुम इसी पेशे में क्यों आना चाहते हो? मैं यह सवाल तुम्हें इंटरव्यू में फ़ेल करने के लिये नहीं पूछ रहा हूं। अगर यही मंशा होती तो मैं यह भी पूछ सकता था इस कुत्ते के बाप का क्या नाम है? हो! हो! मेरा एपॉइंटमेंट मिस्टर M.A.Asfahani ने ओरियेन्ट एयरवेज़ में किया था।'

'मैं सिविल सर्विस छोड़ कर हिन्दुस्तान से कराची आया। यहां मालूम हुआ कि हाल ही में एक हवाई जहाज़ गिर गया है।'

'तुम पायलेट हो?'

'नहीं! एयरक्रैश में मरने के लिये आदमी का पायलेट होना ज़रूरी नहीं।'

'You are telling me!'

'सर! मुझे यूं भी हवाई जहाज़ से सख़्त नफ़रत है।' हमने झूठ बोला जिसमें सच का हिस्सा सिर्फ़ इतना था कि मुनाबाव से खोखरा पार तक हिन्दुस्तान व पाकिस्तान की सीमा का क्षेत्र हमने ऊंट के कूबड़ पर बैठ कर तय किया था। (ऊंट के बाक़ी हिस्सों पर दूसरों का सामान रक्खा था) इंटरव्यू के दिन तक हमारी टांगों के बीच का फ़ासला उसी कूबड़ के बराबर यानी एक गज़ था। जैसे किसी ने चिमटे को चीर कर सीधा कर दिया हो।

'हा! हा! हा! बुद्धिमान लोग एक ही तरह से सोचते हैं, मुझे भी इस शैतानी आविष्कार से सख़्त चिढ़ है। समुद्री सफ़र से और बेहतर कोई सफ़र नहीं। शाही सवारी सिर्फ़ एक है, स्टीमर। सबसे बड़ी विशेषता यह कि चौबीस घंटे का सफ़र चौबीस दिन में तय होता है फिर ये कि फ्री ड्रिंक्स, मैं तो पिछले तीस साल से लंदन से हमेशा पानी के जहाज़ में आता हूं।'

After all, a ship crash is much safer than an air crash! Don't you agree?

'मुझे यह जान कर बेइन्तिहा ख़ुशी हुई कि तुम भी हवाई जहाज़ से एलर्जिक हो। आज से तुम ख़ुद को बैंक का अफ़सर समझो।'

पसली फड़क उठी निगहे-इंतिख़ाब की : इस इंटरव्यू को तेईस साल हो गये। हमारा विचार क्या, पक्का विश्वास है कि उसने हमें बैंक में केवल इसलिये नौकरी दी कि हमें भी हवाई जहाज़ से नफ़रत थी। हवाई कम्पनी और ख़ुदा हमें माफ़ करे, हमें इस आविष्कार से अभी तक कोई नुक़सान नहीं पहुंचा। लिखने के क्षण तक हम किसी हवाई दुर्घटना में मारे नहीं गये, जैसा कि बहुत से विद्वान पाठकों ने अंदाज़ा लगाया होगा, लेकिन कभी-कभी मूर्खतापूर्ण वाक्य से भी आदमी के दिन फिर जाते हैं, बशर्ते कि सुनने वाला भी बातचीत की इस शैली का गुण-ग्राहक हो।

एंडरसन न्यूनाधिक नौ साल पाकिस्तान में रहा, लेकिन लाहौर केवल इसलिये नहीं गया कि वहां पानी का जहाज़ नहीं जाता। लाहौर को 'कंट्री साइड' कहता था, हालाँकि उसके अपने पैतृक गांव की आबादी 200 लोगों पर आधारित थी। आधी आबादी व्हिस्की बनाती और शेष आधी उसे पीती थी। ख़ैर, हम टोकने वाले कौन? कुएं के मेंढक को तालाब के मेंढक का मज़ाक़ उड़ाने का हक़ नहीं पहुंचता। हम ख़ुद सांगानेरी-गेट जयपुर के रहने वाले थे और लम्बे अरसे तक बाक़ी उपमहाद्वीप को बस सांगानेरी गेट के बाहर समझते रहे।

हमारी सियाह-पोशी : उसने हमें एपाइंटमेंट पर बधाई दी, हमने भी जी खोल कर उसको गुणग्राहकता की दाद दी। अभी हमने अंग्रेज़ी का दूसरा जुमला अपने ख़राद पर चढ़ाया ही था कि उसने पूछा, 'स्कॉटलैंड की किस चीज़ की सारी दुनिया में धूम है?'

'बैगपाइप-म्यूज़िक, व्हिस्की और कंजूसी।'

'और?'

'कुत्ते, गॉल्फ़ क्लब, kilt और haggis (दिल, कलेजी और फेफड़े को आमाशय में बंद करके दम देकर पकाते हैं) हमने सब कुछ उगल दिया।

वो अंगारा हो गया, 'मालूम होता है तुमने अपना सारा जनरल-नॉलेज उन गंदे चुटकलों से निचोड़ा है जो अंग्रेज़ों ने स्कॉटलैंड के बारे में गढ़ रखे हैं। तुम्हें मालूम होना चाहिये कि स्कॉटलैंड की सबसे क़ीमती दौलत, सबसे मशहूर चीज़ तुम्हारे सामने बैठी है, यानी स्कॉटिश बैंकर। हमारा लोहा सारी दुनिया मानती है। हम जब क़र्ज़ देते हैं तो उसमें से सारा ब्याज एडवांस में मुजरा करके धरवा लेते हैं।'

'हमारा ब्याज कभी नहीं डूबता, मूल रक़म भले ही डूब जाये। संकोची और वहमी इतने कि जब तक पहली जनवरी के सूरज को अपनी आंख से न देख लें, स्कॉटलैंड का कोई आदमी दीवार पर नये साल का कलैंडर नहीं टांगता। मुझे तो तुम्हारे सौभाग्य पर ईर्ष्या हो रही है कि तुम एक स्कॉट बैंकर से इस पेशे की बाराखड़ी सीखोगे।'

'पहली फ़ुर्सत में लंदन से Rae Country Banker मंगवा कर रट लो। हमारे पेशे की बाइबिल है। इसके अलावा लॉर्ड चैस्टरफ़ील्ड के पत्र पढ़ो। दो सौ साल से इनकी गिनती क्लासिक में होती है। सलाह-नसीहत और दुनियादारी से भरपूर। शालीनता, मनोविज्ञान

और समाज व्यवहार के बड़े बारीक नुक्ते मिलेंगे। ख़ूने-जिगर से लिखी हुई ये किताब उन ख़तों का संग्रह है जो उसने तीस साल के अरसे में अपने बेटे को लिखे थे। जानते हो अंग्रेज़ी में हरामी को प्राकृतिक संतान कहते हैं। इस लिहाज़ से हम-तुम अप्राकृतिक संतान हुए। हा! हा! हा!'

उसका मूड बदल चुका था। हम चलने लगे तो उसके कुत्ते ने फिर उठ कर चूमा-चाटी की विदाई रस्में अदा कीं और दरवाज़े तक दुम उठाये पहुंचाने आया। हम दरवाज़ा खोल कर निकलने ही वाले थे कि 'जस्ट ए मिनट' कह कर वापस बुलाया।

इज़्ज़त बख़्शने वाले ख़ुदा! अब कौन सी क़सर बाक़ी रह गयी! अपमानों का ठीकरा जिसे पापी पेट कहते हैं, तो कभी का भर चुका। 'और अगर तुम थ्री पीस सूट पहन कर ही भरे दफ़्तर में कराची-स्टीमबाथ लेने पर तुले हो जिसका कारण अंदर फटी क़मीज़ भी हो सकता है, हा-हा-हा-हा। तुम्हारी ख़ुशामद मेरा मक़सद नहीं, लेकिन ईमान की बात है, इससे अधिक सुंदर कपड़े पहने काकभगोड़ा मैंने अपनी ज़िंदगी में नहीं देखा। अगर कुछ पहनना ही है तो ये शतरंज की बिसात जैसा चारख़ाने वाला सूट और मेरे देश की टार्टन टाई पहन कर बैंक न आना। सारी दुनिया में बैंकरों और तवायफ़ों का परम्परागत पहनावा काला लिबास है। काला सूट पहना करो। ट्रेड मार्क।'

और इस प्रकार हमारे जीवन में एक नये अध्याय का आरंभ हुआ बल्कि प्रोफ़ेसर अब्दुल क़ुद्दूस के कथनानुसार पन्ना पलटने की आवाज़ भी दूर-दूर तक सुनायी दी। अब हमने अपने बुद्धिमान दोस्त मियां शफ़ी के मशवरे से काम लिया होता तो आज हम एक नाकाम से बैंकर की जगह टूटे बासमती चावल और किराने के नाकाम आढ़ती होते।

रोटी तो किसी तौर काम खाये मछंदर : हमारी हर तबाही और घर की बरबादी हमारे पूजनीय मिर्ज़ा अब्दुल वदूद बेग की निगरानी में हुई है। हमने जाकर उन्हें ख़ुशख़बरी सुनायी कि हम बैंकिंग के पेशे में हादिसे के तौर पर दाख़िल हो गये हैं।

बोले, 'बैंक को चोट तो नहीं आयी?'

बधाई देने के बजाय उन्होंने इसे सदी का सबसे भौंडा मज़ाक़ बताया। हमने कहा कि तुम्हें भरोसा नहीं होता, हम तो कल सुबह से बैंक जाना शुरू कर देंगे। बोले, 'जब तक कोई आदमी नशे में धुत्त न हो, तुम्हें बैंक में नौकर नहीं रख सकता।'

'जिस आदमी ने हमें नौकर रखा वो इसी हालत में था।'

'सच?'

'सच! ख़ुदा ख़ैर करे। हमने अंधेरे में छलांग लगायी है।'

'छलांग तो ज़रूर लगायी है मगर कपास के ढेर में, बदन पर सरेस मल कर। ऐश करोगे दोस्त। आदमी अपनी गिरह से पैसा उधार दे और वो डूब जाये तो अहमक़ कहलाता है, वसूल हो जाये तो सूदख़ोर, लेकिन दूसरों का रुपया ब्याज पर चलाये और मूंछें दाढ़ी से बढ़ जायें यानी ब्याज मूल से ज़ियादा हो जाये तो बैंक कहलाता है? ब्याज में बड़ी बरकत है। सूद और क़ैंसर को बढ़ने से कोई नहीं रोक सकता।

'बक़ौल ग़ालिब, पेशे में कोई ऐब नहीं।'

'हुज़ूर ने इस्लाम की नज़र से ऐब को ही पेशा बना लिया। ख़ैर बैंक के पास तो तुम्हें नौकरी पे रखने का एक बहुत उचित कारण है, वो ये कि उसका जनरल मैनेजर नशे में था लेकिन तुम्हारे पास क्या औचित्य है?'

'बैंक में वेतन 26 तारीख़ को ही मिल जाता है।'

'हमें इससे भी पहले मिल जाता है। 4 तारीख़ को!'

'सुनो! हमारे पास एक छोड़ तीन-तीन उचित कारण हैं।'

'पहला, इस पेशे में ईमानदारी, बुद्धिमानी और शराफ़त की बहुत क़ीमत है। दूसरे, पाकिस्तान बन रहा है। समाज को नये ख़ून, त्याग और बलिदान की बहुत आवश्यकता है। तीसरे, हमें कोई और नौकरी नहीं मिली।'

'नौकरी! नौकरी! कभी तुमने यह भी सोचा कि आख़िर आदमी के जीवन का उद्देश्य क्या है?'

'हमें तो धरती पर केवल इसलिये उतारा गया है कि आपको हमारे सुधार का अवसर मिले। नहीं तो आपका सारा जीवन व्यर्थ हो जाता।'

'फिर भी ये क्या सूझी? एक तो ऊंटनी थी ही दीवानी और ऊपर से घुंघरू और बाँध लिये।'

हमने बताया, 'पहले तो उसने हमें रुई की तरह धुनक कर रख दिया। फिर एकाएक इतने प्यार से ऑफ़र दिया कि हाथ-पांव फूल गये।'

मुझे डरती ने कर लिये क़ौलो-क़रार

वेतन तक पूछना भूल गये। वही हाल हुआ जो जेम्स ज्वायस की भोली और कमसिन का हुआ।

He asked me with his eyes, yes, and with his hands, yes, and yes, I said, yes, I will, yes.

और वो जो मर गया है सो है वो भी आदमी : इसे स्वीकारे 23 साल बीत गये और इन 23 बरसों में दुनिया ने क्या कुछ नहीं दिया लेकिन अपना क़र्ज़ जो अपने आप पर था, वो आज तक न उतर सका। हिसाब-किताब से दिली नफ़रत थी,

वही आख़िर को ठहरा फ़न हमारा

इससे अधिक दुर्भाग्य क्या होगा कि आदमी एक ग़लत पेशा अपनाये और उसमें कामयाब होता चला जाये।

रुपये और संबंधित सारे कारोबार में कामयाबी की पहली शर्त ये है कि आदमी हर चीज़ से नाता तोड़ कर उसी का हो रहे। पैसा ही उसके लिये सब है। भरोसा रखने वाले उसी पर भरोसा रखते हैं। मरते समय भी वो 'पानी! पानी!' नहीं पुकारता, 'पैसा!! पैसा!!' पुकारता है। दौलत, सियासत, औरत और इबादत—संपूर्ण ध्यान और पूर्ण-आत्मसमर्पण चाहती हैं। ज़रा ध्यान भटका और मंज़िल खोटी हुई। जब तक आदमी अपने दिल और दिमाग़ से हर इच्छा को विदा और हर आदर्श का तर्पण कर, स्वयं को उनसे मुक्त न कर ले, ये छलावे कहीं हाथ आते हैं। फिर जब यात्री अपने दल से बिछड़ कर उनकी

खोज में बहुत दूर निकल जाता है और शाम का झुटपुटा-सा होने लगता है तो अचानक उसे अहसास होता है कि मंज़िल तो वहीं थी, जहां से उसने यात्रा शुरू की थी। इतने में सूरज डूब जाता है।

औरंगज़ेब ने राजपूत सरदारों के एक लश्कर को एक दूर के मोर्चे पर भेजा था। जुग बीत गये, चांदनी रातें आयीं और अपनी चांदनी लुटा कर चली गयीं। कितने ही सावन आये और नैन-कटोरों को छलका कर चले गये, पर वो न लौटे।

न नींद नैना-न अंग चैना
न आप आवें-न भेजें पतियां

आख़िर विरह की मारी ठकुरानियों ने बादशाह को विनती भेजी जो केवल एक दोहे पर आधारित थी।

सोना लावन पी गये, सूना कर गये देस
सोना मिला न पी मिले, रुइया हो गये केस

इसे चाहें तो मानव-आत्मा की कथा समझ लीजे।

गुड मॉर्निंग के जवाब में गुड आफ़्टर-नून : पहले दिन ड्यूटी पर रिपोर्ट करने हम सवा नौ बजे मिस्टर एंडरसन की सेवा में पहुंचे, हमारी गुड मॉर्निंग के जवाब में फ़र्माया 'गुड आफ़्टर-नून! इस पेशे में वक़्त की पाबंदी का नम्बर ईमानदारी से भी पहले आता है। मेरी समझ में नहीं आता, यहां लोग दफ़्तर इतने लेट क्यों आते हैं। मेरी और तुम्हारी पैदाइश में इतना लम्बा गैप है कि इसमें एक पीढ़ी पैदा भी हुई, बदचलन भी हुई और झक मार कर सही रास्ते पर भी आ गयी।'

'मुझे वो ज़माना याद है, जब लंदन में कार को horseless carriage कहते थे। मैंने वो ज़माना भी देखा है जब ट्राम को घोड़े खींचते थे। इसलिये उसकी स्पीड आज की ट्राम से कहीं अधिक होती थी। हां! तो मैं यह कह रहा था कि मेरी समझ में नहीं आता, यहां लोग ऑफ़िस इतनी लेट क्यों आते हैं? आज से पैंतालीस साल पहले जब मैंने एक छोटे से बैंक में नौकरी शुरू की तो सुबह बर्फ़ गिरती होती थी। सड़क पर घुटनों-घुटनों होती थी, लेकिन मैं ज़ीरो से भी नीचे दस डिग्री टैम्परेचर में ठीक आठ बजे बैंक पहुंच जाता था। तुम लोग 13 डिग्री टैम्परेचर में भी टाइम पर नहीं आ सकते!'

स्टूल के अविष्कार का अस्ली उद्देश्य : इस लाभदायक सलाह के बाद उसने चपरासी को आदेश दिया कि इस 'क्विन्टिड ऑफ़िसर' को उसके ऑफ़िस तक पहुंचा आओ।

चपरासी जिस जगह तक हमें ले गया वो ज़मीन से साढ़े चार फ़ीट की ऊंचाई पर लकड़ी की एक समतल सतह थी। यह तख़्ता जिसके भाग्य में हमारे पद की सूली होना लिखा था, 12 × 12 इंच से अधिक न होगा। बैंकों में ऐसे क्लर्क मौजूद थे जो बीस-बीस बरस से एक ही स्टूल पर बैठे टटपूंजियों को करोड़पति बनते देख चुके थे। इंग्लिश बैंकिंग की ये पुरानी परम्परा है कि क्लर्क जिस स्टूल पर पहले दिन आ कर बैठता है, उसी से रिटायर होकर उतरता है।

इस विचार से घबराहट होने लगी कि एक इंसान की पूरी ज़िंदगी, दीवार की तरफ़ मुंह करके एक वर्ग फ़ीट के तख़्ते पर बीत सकती है। इस पर से कूदना, इस पर चढ़ने से अधिक मुश्किल था और गर्म थ्री-पीस सूट, बिना फ्रेम के चश्मे और सुनहरी पॉकिट घड़ी के साथ ये करतब इंग्लिश बैंकिंग के बजाय किसी इंग्लिश कॉमेडी का हिस्सा मालूम होता था। स्टूल के बीच में गुर्दे की शक्ल का एक बहुद्देशीय छेद था। गद्दी का संकोच भी न था जिसके पीछे शायद ये सोच थी कि असली बर्मा सागवान के रेशे और जौहर छुप जायेंगे। अपने 'ऑफ़िस' को देख कर हमारी नवजात आशाओं पर परम्परागत ओस की जगह ओले पड़ गये। हम पीछे मुड़ कर देखने लगे कि जिस बैंक में 'क्विन्टिड ऑफ़िसर' स्टूल पर क़ब्ज़ा जमा लें वहां ग़रीब क्लर्क क्या करते होंगे, लेकिन हमें कोई घड़ौंची नज़र न आयी। कुछ दिन बाद हमने जमादार अजमल ख़ां को डांटा कि हमारा स्टूल धूल से अटा रहता है, हम उंगली से इस पर सौदे-सुलुफ़ का हिसाब कर लेते हैं। बोला, 'बादशाहो! ऐस बैंक दे स्टूल नवे अफ़सरां दे पैंदे नाल साफ़ कीतें जादें ने।' (बादशाहो! इस बैंक में स्टूल नये अफ़सरों के पेंदे से साफ़ किये जाते हैं) एक दिन हमने लेज़र-कीपर शफ़ी क़ुरैशी से कहा कि गुरुजी! ग्यारह घंटे रोज़ स्टूल पर बैठने के बाद आपके चेले के कूल्हे स्टूल की तरह सपाट और चौरस हो गये हैं, तो उसने सूचित किया कि स्टूल कोहनी टिकाने के लिये होता है। स्टूल के अविष्कार का असल उद्देश्य तो यह था कि उसके उच्चारण और अक्षरों पर पंजाबी और ग़ैर पंजाबी एक दूसरे पर हँस सकें।

अब और तब : उस ज़माने में बैंकों में ये चमक-दमक नहीं थी जो आजकल देखने में आती है। कई बैंकों में तो वैसा ही फ़र्नीचर होता था जैसा छोटे रेलवे स्टेशनों और क़स्बों के पोस्ट ऑफ़िसों में होता है। जहां कुर्सी की बेंत की बुनाई उधड़ने के बाद पढ़ाई समाप्त कर चुके बेटे की तख़्ती जड़ दी जाती है और रिटायर होने से पहले हर बाबू चाक़ू से अपना नाम मेज़ पर खोद जाता है।

मेज़, कुर्सियों की टांगों को अभी पोलियो नहीं हुआ था और बैंकों में केकड़े जैसी टांगों वाले मुड़े-तुड़े फ़र्नीचर ने 'पीरियड फ़र्नीचर' का रूप धार के प्रचलन नहीं पाया था। बाथरूम की दीवारों पर भी पेन्सिल से जो graffitis (चित्रित पंक्तियां) बनायी जाती थीं, उनके बारे में हम इतना ही निवेदन कर सकते हैं कि नस्ल बढ़ाने में प्रयोग किये वाले घोड़े अपनी दिली इच्छायें लिखते तो यही कुछ चित्रित होता। मगर अब स्थिति बेहतर है। बाथरूम में अब अश्लील और अशिष्ट वाक्य बिलकुल दिखायी नहीं देते। बाथरूम-टाइल्ज़ इतनी चिकनी और ग्लेज़्ड होती हैं कि उन पर पेन्सिल से कुछ लिखा ही नहीं जा सकता।

और कॉमर्शियल बैंकों का क्या कहना। ख़ुद स्टेट बैंक ऑफ़ पाकिस्तान का हैड ऑफ़िस, जिसमें बड़े अधिकारी बैठते थे, एक ऐसी बिल्डिंग में स्थित था, जिसने कभी अच्छे दिन देखे थे। मतलब ये कि यहां पहले एक संग्रहालय था। जिसमें हड़प्पा, मोहन-जोदड़ो और गांधार के गड़े हुए मुर्दे उखाड़ कर सजाये गये थे, जो किसी को दुख नहीं देते थे। इस इमारत में कबूतरों की इतनी बड़ी तादाद थी कि चपरासी गले में चपरास की जगह ग़ुलैल डाले फिरते थे। चारों तरफ़ गुटर गूं और बिस्मिल्लाह, अल्लाहो-अकबर का

ग़ुल–ग़पाड़ा। सादगी का ये आलम कि बैंक ऑफ़ पाकिस्तान के ख़ज़ानों पर कुंडली मार कर बैठने वाले एक उच्चाधिकारी 25 इंच चौड़े पांचये की पैंट पहन कर (जिसका एक पांयचा ही उनकी और हमारी ज़रूरत के लिये काफ़ी था) साइकिल पर स्टेट बैंक आते थे और हम उन्हें ईर्ष्या की दृष्टि से देखते थे कि हमारे पास तो वो भी न थी।

वो साइकिल को ताला लगा कर नज़रों के सामने अपने कमरे ही में पार्क करते थे। ताले का तकल्लुफ़ इसलिये कि साइकिल अरबी घोड़े की तरह वफ़ादार तो होती नहीं कि अपने सवार के अलावा किसी को पुट्ठे पर हाथ ही न रखने दे और घायल मालिक को मुंह में दाबे युद्ध के मैदान से बगटुट जर्राह के पास ले जाये और तलवार तथा अपने ही दांतों के लगे हुए घावों पर मोमिया रखवाये। चपरासी का बयान था कि हज़रत हर मुलाक़ाती के जाने के बाद दो उंगलियां रख कर टायरों की नब्ज़ देख लेते हैं।

फिर देखते ही देखते नक़्शा बदल गया और दम–भर में ये हालत हो गयी कि इमारतों का जंगल का जंगल खड़ा हो गया। पीले पड़े भुरभुरे पत्थर की जगह सीमेंट ने ले ली। खुले फ्रंट और नंग–धड़ंग दीवारें कम नज़र आने लगीं कि बैंक ज़रा सियाने हुए तो इज़्ज़त ढंकने के लिये संगेमरमर प्रयोग करने लगे।

ये बात ध्यान देने की है कि मुग़लों ने ठंडे संगेमरमर का इस्तेमाल यथासंभव मक़बरों के लिये सीमित रखा। इच्छा की बात थी वर्ना किसी चीज़ की कमी थी? वो चाहते तो तालाब के किनारे, दुश्मनों पर फेंकने के पत्थर और तोप के गोले तक संगेमरमर के बनवा सकते थे। क़िले की दीवारें भी, जिन पर से दण्डित को ज़िंदा नीचे फिंकवाया जाता था।

चूँकि स्टेट बैंक को दूसरों के मक़बरे बनवाने की क़ानूनी इजाज़त नहीं है इसलिये उसने अपनी आरामगाह की दीवारें बल्कि फ़र्श भी रंगीन संगेमरमर का बनवा डाला जो इतना चिकना और फिसलन भरा था कि पहले ही हफ़्ते में पंद्रह आदमियों की सोलह टांगें टूट गयीं। इसलिये एहतियात को दृष्टिगत करते हुए ये आदेश पारित हुआ कि चपरासी चमड़े के जूते न पहनें, क्रेप सोल पहन कर आयें ताकि हड्डी–पसली तुड़वा कर अपाहिज़ न हो जायें। अफ़सरों को निर्देश था कि सिर्फ़ चमड़े के जूते पहनें।

उस ज़माने में ख़ुशमिज़ाजी का ये हाल था कि किरायेदार मकान मालिक को गाली दिये बिना पांच–पांच मंज़िला ज़ीना चढ़ जाते थे। फिर वो समय भी आया कि स्टेट बैंक ने केवल पहली मंज़िल तक जाने के लिये एस्केलेटर का चोंचला किया तो डेढ़–दो महीने तक कोई दिन ऐसा नहीं बीता जब उसकी अंतिम सीढ़ी में फंस कर डेढ़–दो सौ लावारिस जूते जमा न हो गये हों। इन जूतों का भूतपूर्व संबंध उन औरतों से था जो पतियों की आज्ञा के बिना चोरी–छुपे 'एस्केलेटर' देखने आयीं और किसी तरह पैर सलामत लेकर लौटीं। सुबह की भूली अगर शाम तक नंगे पैर भी घर लौट आये तो उसे भूली नहीं कहना चाहिये। इन जूतों में कभी कोई मर्दाना जूता नहीं पाया गया, जिसके दो कारण थे। पहला ये कि मर्द जूते छोड़ कर भागना कायरता समझते हैं, दूसरे वो अपने जूतों के फ़ीते कस कर बांधते हैं।

राजधानी इस्लामाबाद अभी पाकिस्तान के नक़्शे पर नहीं उभरी थी और कराची ही

मार-काटधानी थी। कराची का नक़्शा ही नहीं, उच्चारण और अक्षर तक गंवारू से थे। ज़ुकाम न हो, तब भी लोग कराची को किरांची ही कहते थे। चीफ़ कोर्ट के सामने गांधी जी की एक निहायत भौंडी मूर्ति लगी थी, जिसकी कोई चीज़, लंगोटी की सिलवटों के सिवाय, गांधी जी से नहीं मिलती थी। ग्वानीज़ जोड़े विक्टोरिया गाड़ी में बंदर-रोड पर हवा खाने के लिये निकलते थे। एल्फ़िन्स्टन स्ट्रीट पर कराची वालों को अभी प्यार नहीं आया था और वो एल्फ़ी नहीं कहलाती थी। सारे शहर में एक भी नियोन साइन नहीं था। उस समय रद्दी माल बेचने के लिये इतने विज्ञापन की आवश्यकता नहीं पड़ती थी। नेपियर रोड पर तवायफ़ों के कोठे, *डॉन* अख़बार का दफ़्तर और ऊंटगाड़ियों का अड्डा था। यहां दिन में ऊंटगाड़ियों का उल्लेखित पहला भाग कुलेलें करता था और शाम को तमाशबीन। गुणी लोग उस समय में भी परेशान हाल फिरते थे। (कुछ हमारी तरह थे जो केवल परेशान हाल थे) शरीफ़ घरानों में दहेज़ में सिंगर-मशीन, टीन का ट्रंक और बहिश्ती ज़ेवर दिया जाता था। उर्दू ग़ज़ल से माशूक़ को शे'र-निकाला नहीं दिया गया था और गीतों और कजरियों में वही नदिया, निन्दिया, ननदिया का रोना था। सेठानियों और ऊंचे घराने की बेगमों ने अभी साड़ी ख़रीदने और हिन्दुस्तानी फ़िल्में देखने के लिये बम्बई जाना नहीं छोड़ा था। ढाका और चटगांव के बड़े व्यापारी वीक-एंड पर अपनी आरमेनियन रखैलों की ख़ैरियत लेने और अपनी तबियत और सम्पन्नता का बोझ हल्का करने के लिये कलकत्ता का हवाई चक्कर लगाते थे। क्या ज़माना था, कलकत्ता जाने के लिये पासपोर्ट ही नहीं, बहाने की ज़रूरत भी नहीं पड़ती थी। आम, केला और शायर हिन्दुस्तान से और लट्ठा जापान से आता था। बैंकों में अभी एयर कंडीशनर, मेज़ पर *फ़ाइनेंशियल टाइम्स*, ईरानी क़ालीन, काली मर्सिडीज़, क़लम बन्द-हड़ताल, रिश्वत, ऑस्टिन-रीड के सूट, मगरमच्छ की खाल के ब्रीफ़केस और इतनी ही मोटी पसर्नल खाल रखने का चलन शुरू नहीं हुआ था। फ़क़ीर अभी हाथ फैला-फैला कर एक पैसा मांगते और मिल जाये तो उदार-दाता को बहुसंतान होने की बद्दुआ देते। फ़क़ीर अपनी औक़ात नहीं भूला था। उपलों की आंच पर चिकनी हांडी में चमचे से छुटी हुई उड़द की बिना धुली दाल चटख़ारे लेकर खाता और ईश्वर के गुण गाता।

हम उल्टे, बात उल्टी, यार उल्टा : जिन साहब के ज़िम्मे हमें बैंकिंग के भेदों से परिचय कराना था, उनकी कंजूसी की अजीब स्थिति थी। बुद्धि के प्रयोग में भी कंजूसी से काम लेते। दिन-भर आयी हुई डाक के लिफ़ाफ़ों को जमा करते रहते और उन्हें उलट कर 'रफ़ पैड' के तौर पर प्रयोग करते। अपनी परदेसी बेगम को भी इसी काग़ज़ पर अपनी ख़ैरियत की ख़बर देते। उनके एक प्रेम-पत्र का वाक्य आज तक दिल पर लिखा हुआ है। 'बेगम! इस दुनिया में सिर्फ़ तुम्हीं मेरी दोस्त और हमदर्द हो', पेन्सिल जब घिसते-घिसते इतनी सी रह जाती कि बग़ैर चिमटी के पकड़ में न आ सके तो वो टोंटे पर इसी काग़ज़ की नलकी चढ़ा कर इतना लम्बा कर लेते थे कि लिखते में दूसरा सिरा उनके चश्मे के शीशे पर 'वाइपर' की तरह पुचारा फेरता रहता था। उस नलकी में एक दांत-कुरेदनी और पांच-छह लौंग डाल लेते। दर्द बहुत सताता तो एक लौंग निकाल कर

दाढ़ के नीचे दबा लेते, इस बीच स्टाफ़ गालियों के आनंद से वंचित रहता। एक दिन हम पर कृपा की तो हमें भी नलकी बनानी सिखायी और विस्तार से समझाया कि बाथरूम जायें तो पंखे का स्विच ऑफ़ करके जाया करें, और ख़ुदा के लिये अपने ग़ुस्से और मसाने को कंट्रोल करना सीखें। टिक-मार्क लगाना भी उसी दिन सिखाया। कहने लगे बैंक में टिक-मार्क इस तरह (√) नहीं बल्कि इस तरह (∠) लगाते हैं। हम इस ग़लती से इतने शर्मिंदा और आशंकित हुए कि अपनी हर बात को उल्टी और ग़लत समझने लगे। तीन-चार दिन बाद हमारा चालान हुआ। कहने लगे, 'मैं तो तंग आ गया, आपकी हर बात उल्टी है। भाग का निशान इस तरह ⦶ बना हुआ तो मैंने, ख़ुदा की क़सम, अपने पूरे कैरियर में नहीं देखा।' हमने मजबूरी निवेदन की कि हमने एहतियात और डर से इसे खड़ा कर दिया है। वो तो भली रही कि उन्होंने गुणा के निशान में कोई परिवर्तन नोटिस न किया, वरना हमने तो अपनी तरफ़ से दायें डंडे को बायीं तरफ़ और बायें डंडे को दायीं तरफ़ कर दिया था। यासूबुल हसन ग़ौरी, कि उनका यही नाम था, किसी क्लर्क से नाराज़ होते तो अंग्रेज़ी में उसका सम्मान वर्द्धन करते। इससे चैन न मिलता तो अंत में असली देसी गाली का कड़कड़ता छौंक लगाते। मुंहज़ोर अधीनस्थों को उन चपरासियों और क्लर्कों की लिस्ट दिखाते जो बीते तीस साल में उनकी छंगुलिया इशारे से बर्ख़ास्त हुए थे। बाबर ने भी दो-तीन बार अपने दुश्मनों के कटे हुए सिरों के मीनार बनवाये थे ताकि पराजित लोग आतंकित हों। हां! कभी हमें उन्नति की ओर उकसाना होता तो दराज़ से एक ग्राफ़ निकाल कर दिखाते। इसमें लकीरों से ये दिखाया गया था कि उन्होंने पिछले तीस सालों में बरस-दर-बरस कितनी उन्नति की है। हमने देखा कि 27 साल तक, यानी पाकिस्तान बनने से पहले, उनके कैरियर के ग्राफ़ की जो लकीरें, धरती पर लोट लगा रही थीं, वो 1947 में कपड़े झाड़ कर एकदम खड़ी हो गयीं और अब उनकी दिशा आसमान की तरफ़ थी। उनके उत्थान की उछाल की तर्ज़ पर हमने भी अपने कैरियर का चार-साला ग्राफ़ बनाया। अगर उसे उल्टा करके देखा जाता तो हमने भी बड़ी तेज़ी से उन्नति की थी।

कुछ तो स्वभाव से वहमी थे और कुछ शक तथा शुब्हे को उन्होंने पेशेवर डिसिप्लिन के तौर पर अपना लिया था। अवसर-अनवसर यही उपदेश देते कि हर चीज़ को शक की नज़र से देखना सीखो। चौकस बैंकर नोट खड़कने की आवाज़ से भी चौंक पड़ता है। आठ करोड़ की आबादी में कुछ नहीं तो सोलह करोड़ ताले ज़रूर होंगे। इसी से अनुमान लगा लो हम लोग एक-दूसरे पर कितने प्रतिशत भरोसा करते हैं। जब हर हस्ताक्षर और चेहरा जाली और हर आंकड़े में हथकड़ी दिखायी पड़ने लगे तो समझ लो कि तुम एकाउंटेंट बनने के लायक़ हो गये हो। रजिस्टरों की एंट्रियों का मैग्नीफ़ाइंग ग्लास से बार-बार मुआयना करते कि किसी ने रबर से मिटा कर कुछ और तो नहीं लिख दिया। किसी के क़ब्ज़े से चरस या बग़ैर लाइसेन्स की बंदूक़ या दूसरे की बीवी बरामद हो जाती तो शायद इतना हंगामा नहीं होता जितना हमारी दराज़ से रबर बरामद होने पर। हम तो हम थे, उन्हें अपनी क़िस्मत की रेखायें भी तक़दीर लिखने वाले की जालसाज़ी नज़र आती थी।

नियम-क़ानून के मानने वाले थे। बाथरूम में सड़क के बायीं तरफ़ चलते थे। उनके दुश्मनों का कहना था कि कभी ट्रेन से लाहौर जाना हो तो अपनी बर्थ पर रात भर उकड़ूँ बैठे स्टेशनों के टाइम-टेबल से और हर आये-गये से अपनी घड़ी को मिलाते रहते हैं। इस डर से आंख नहीं झपकाते कि सोते समय कहीं उनका डिब्बा न कट जाये और इंजन उन्हें जंगल-बियाबान में छोड़ कर ख़ाली हाथ पिस्टन हिलाता हुआ लाहौर पहुंच जाये। एक दिन हमारे सामने जमादार अजमल ख़ां को अपनी बेगम के नाम चिट्ठी दी कि अंदर की जेब में रख के ले जाओ और जनरल पोस्ट ऑफ़िस के लैटर बॉक्स में डाल आओ। वो पोस्ट करके आया तो ये जिरह हुई।

'चिट्ठी डाल आये?'

'जी हां! डाल आया।'

'लैटर-बॉक्स के ताले को ज़ोर से खींच कर देख लिया था कि ठीक से बंद है या नहीं?'

'मैं ज़ोर-ज़ोर से खींच रहा था कि एक डाकिये ने पकड़ लिया।'

'अबे! फ़ॉरेन-मेल के डिब्बे में तो नहीं डाल आया? लैटर-बॉक्स के अंदर चारों उंगलियां डाल कर पोस्ट किया था?'

'यस सर! मैंने तो अंगूठा भी डाल दिया था।'

'लैटर-बॉक्स से कान लगा के लिफ़ाफ़ा गिरने की आवाज़ सुनी थी? या इस बार भी दूर से ही मस्ती करके आ गया?'

वो एक छोटे से बरसाती गांव में पले-बढ़े थे, जहां क़दम-क़दम पर सांप, बिच्छू और साझे बुज़ुर्ग काटने को दौड़ते थे। चुनांचे अब भी ये हाल था कि सुबह जूते में इस डर से पांव नहीं डालते थे कि सांप दुबका न बैठा हो और पैर डालते ही डस ले। इसलिये पहले हाथ डाल कर तसल्ली कर लेते थे। दफ़्तर में बनी हुई चाय नहीं पीते थे कि कहीं कोई कुछ मिला न दे। मलबारी होटल से एक आने की कड़क सुलेमानी चाय मंगा कर दिन में तीन-चार बार तलब मिटा लेते थे। उसे चाय कहने में विनम्रता के अतिरिक्त देखने और सूंघने की इन्द्रियों की दुर्बलता चाहिये थी। इसमें पोदीना, बड़ी इलायची, अजवायन, सफ़ेद ज़ीरा, लाहौरी नमक, केसर, तम्बाक़ू के पत्ते पर पली हुई मक्खियों का शहद, नींबू, दालचीनी, और केवड़ा तो हम भी पहचान लेते थे। सुनने में आया था कि अब्दुल्ला मलबारी इसमें दूध के बजाय पहलन (पंजाबी में पहली बार ब्याई हुई गाय या भैंस को कहते हैं) का ख़ीस डाल कर अफ़ीम या शिलाजीत की सलाई फेर देता है। जिसने एक बार उसके हाथ की चाय पी ली, हमेशा के लिये उसी का हो रहता है। यासूब साहब तो चाय को केतली से हलक़ में उंडेल लेते थे। किसी हकीम को भनक नहीं पड़ी वरना इस नुस्ख़े से तो यूनानी बीमारियों का इलाज किया जा सकता था। बहुत-सी रूठी हुई, अटवाटी, खटवाटी लिये पड़ी हुई जवानियों को मनाया जा सकता था।

हमने शिकायत की कि हमें एक ही सूली पर लटके हुए चार महीने हो गये, दूसरे डिपार्टमेंट का ज़ायक़ा चखने की भी इजाज़त मिलनी चाहिये। दूसरे दिन उन्होंने हमें

रांगीवाड़ा में शेख़ शम्सुद्दीन एंड संस के चमड़े के गोदामों और कच्ची खालें कमाने के हौज़ों का मुआयना करने भेज दिया। हमें मालूम नहीं कि जहन्नुम में दूसरी यातनाओं के साथ बदबू की व्यवस्था भी होगी या नहीं लेकिन अगर हुई तो देख लीजियेगा कि यही होगी। तीन दिन तक हर चीज़ से वही सड़ांध आती रही। दिमाग़ में बस के रह गयी। थोड़ी-बहुत उस समय निकली जब हम मिर्चों के गोदाम का मुआयना करके दो दिन तक छींकते फिरे। ये बदबू, बक़ौल शायर, मिलने की हसरत की तरह निकलने को तो निकली, मगर जैसी निकलनी चाहिये थी, वैसी नहीं निकली।

पुराने विचारों की हयादार बीवियां हर मर्द का नाम ले सकती हैं, सिवाय अपने मियां के। अपने मर्द का नाम लेना बेहयाई में गिना जाता है। यासूबुल हसन ग़ौरी भी किसी 'उन' अंग्रेज़ का नाम नहीं लेते थे। उनका ज़िक्र आते ही 'बड़ा साहब', 'बॉस' और 'चीफ़' का घूंघट निकाल लेते थे। एंडरसन के कमरे से उल्टे पैरों निकलते। कभी पीठ नहीं करते थे, इसलिये आख़िरी क़दम तक मुंह-दर-मुंह डांट खाते जाते। एंडरसन कभी अचानक आ निकले तो जलते हुए सिग्रेट का मुट्ठी में दम घोंट देते। नाक और मुट्ठी से देर तक धुआं लीक होता रहता। वो गाली भी देता तो बिलकुल इस तरह सुनते जैसे हिज़ मास्टर्स वाइस के रिकॉर्ड में दिखाया जाता है। कड़कड़ाते जाड़े में उसकी बात का जवाब केवल गर्दन के इशारे से देते थे। अंग्रेज़ के सामने मुंह से भाप निकलने को गुस्ताख़ी मानते थे। ग़रज़ ये कि अंग्रेज़ों का सम्मान करने में हद से गुज़र जाते और उन्हें प्राकृतिक आवश्यकताओं से ऊपर समझते थे। ब्रिटेन की महारानी के बच्चा हो गया तो हफ़्तों शरमाये-शरमाये फिरे।

दुबारा ये घटना न दुहरायी जाये : अगर किसी से ग़लती हो जाये और लंदन केबिल भेजने में एक-डेढ़ घंटे की देरी के कारण बैंक पर एक दिन का ब्याज चढ़ जाये तो ग़लती करने वाले को वो राशि अपनी जेब से भरनी पड़ती थी। ब्रिटिश बैंकों में ये जुर्माना आम था। छुट्टी का नाम लेते ही—

भवें तनती हैं, ख़ंजर हाथ में है, तन के बैठे हैं

वाली हालत हो जाती। हमें याद है जून का महीना, फ्री-इम्पोर्ट का ज़माना था। काम अत्यधिक, आदमी कम। हम चार आदमियों के बराबर काम और आठ आदमियों के बराबर ग़लतियां बड़ी तेज़ी से कर रहे थे। एक मनहूस सुबह ख़बर आयी कि टंडो-आदम में अख़बार पढ़ते-पढ़ते अब्बा-जान को दिल का दौरा पड़ा और धरती ने अपनी अमानत वापस ले ली। हैदराबाद में उनके अंतिम संस्कार के लिये तीन दिन का आकस्मिक अवकाश लेने पर यासूबुल-हसन ग़ौरी ने हमारा वेतन काट लिया, जो कुछ समय बाद एंडरसन ने इस वार्निंग के साथ वापस किया कि दुबारा ये घटना न दुहरायी जाये। सुल्तान अलाउद्दीन ख़िलजी भी ऐसा ही करता था। अगर कोई सवार लड़ाई के समय अनुपस्थित हो जाये तो सुल्तान उससे बीते तीन साल का वेतन धरवा लेता था। अहमद शाह दुर्रानी ने तो छोटे-से आदेश का उल्लंघन करने पर दो सौ सिपाहियों की मुश्कें बंधवा दीं। नाक में तीरों से छेद करके नकेलें डालीं और ऊंटों की तरह हांक कर शुजाउद्दौला के पास भेज

दिया कि चाहे मार डालो या सज़ा के तौर पर, माफ़ करके, इसी तरह दुश्मन से लड़ाओ।

हाथ की लकीरें बोलती हैं : हम रेवड़ में नये-नये आये थे। हर एक सींग मारता था—

की जिससे बात उसने हिदायत ज़रूर की

यूं तो सारे स्टाफ़ की खिड़कियां हमारे ही आंगन में खुलती थीं, लेकिन यासूबुल हसन ग़ौरी का अंगूठा हमारे टेंटुवे पर ही रहता था। रोज़-रोज़ के तानों, कोसनों से हमारा कलेजा छलनी हो गया था बल्कि छलनी में छेद भी हो गये थे। कुल सामूहिक आरोपों के अलावा हम पर एक आरोप ये भी था कि हमारे हस्ताक्षर उद्दंडता की हद तक लम्बे हैं। इतनी छोटी तनख़्वाह इतने बड़े हस्ताक्षरों की फ़िज़ूलख़र्ची एफ़ोर्ड नहीं कर सकती। यासूबुल हसन ग़ौरी को एंडरसन दिन में कई बार तलब करता। कभी कुछ पूछता, कभी कुछ। अंदर जाने से पहले वो अपनी हथेली पर 'कॉपिंग' पेन्सिल से तमाम संबंधित और असंबंधित आंकड़े नोट कर लेते, जिनके बारे में एंडरसन सवाल कर सकता था। जैसे ही वो सवाल करता यासूबुल-हसन ग़ौरी मुंह फेर कर अपनी हथेली के संबंधित हिस्से को जीभ से चाट कर अक्षरों को स्पष्ट करते और फटाक से सही गणना आने-पाई समेत बता देते। एक दिन हमने निवेदन किया, 'आप काग़ज़ पर लिख कर क्यों नहीं ले जाते?' बोले, 'आपको बैंक में आये जुमा-जुमा आठ दिन हुए हैं। आप अंग्रेज़ों के स्वभाव से परिचित नहीं। काग़ज़ पर रिपोर्ट करके ले जाऊं तो वो ये समझेगा कि मेरी याददाश्त चली गयी है। मैं बूढ़ा हो गया हूं। अभी तक तो वो विलायती उल्लू समझता है कि मुझे सारे आंकड़े मुंह-ज़बानी याद हैं।'

इसके कुछ दिन बाद एंडरसन ने हमें बुलवाया और पूछा, 'नारायणगंज ब्रांच के बट्टेखाते-क़र्ज़ों की इकट्ठी रक़म और गिनती क्या बनती है? सही-सही बताओ।'

सही-सही तो एक तरफ़, हम तो ग़लत जवाब देने की हालत में भी नहीं थे। हमें स्तंभित देखा तो कहने लगा, 'जल्दी करो! जल्दी से हथेली चाट कर बताओ।' उस दिन हमने देखा कि एंडरसन की मेज़ पर पीतल के भारी कामदार पेपरवेट की जगह प्लास्टिक के छह घटिया पेपरवेट रखे हैं। हमने जमादार अजमल ख़ां से कहा कि पीतल के पेपरवेट अच्छे लगते थे, क्यों बदल दिये? कहने लगा, 'ग़ौरी साहब बोलते हैं कि प्लास्टिक की चोट से सैप्टिक नहीं होता।'

क्या बियर हराम है : एक दिन जुमे की अज़ान के समय हमें बैंक में ग़प-शप करते देखा तो इशारे से एकांत में यानी बाथरूम के दरवाज़े तक ले गये और उपदेश दिया कि नमाज़ पढ़ा करो। इससे ध्यान ग़बन की तरफ़ नहीं जाता, बशर्ते पांचों-समय पढ़ी जाये।

इतवार की सुबह को हज़रत ग़ुलाम अहमद का प्रवचन सुनने जाते। दो-तीन बार हमें भी ले गये। पर तबीयत इधर नहीं आयी। फ़िलॉसफ़ी और शे'रों की मारों से भरे प्रवचन पर हमें अपने गद्य का संदेह होने लगा। ये तो ऐसा ही था कि कोई रूलर स्केट पहन कर सिजदा करने की कोशिश करे। रहे अबुल कलाम आज़ाद, सो वो अपने अहंकार के डंसे हुए थे। इस्लाम में अगर सिजदा करने की अनुमति होती तो वो अपने-आप को

सिजदा करते। यासूबुल हसन ग़ौरी कहते थे कि धर्मात्मा लोगों के संग-साथ से रूह का सारा ज़ंग उतर जाता है; अलबत्ता दिल पर जो फफूंदी लग गयी थी, उसे इतवार के तीसरे पहर बियर से रगड़-रगड़ कर धोते थे। एक डॉक्टर ने कहा था कि तुम्हारे गुर्दे में जो पथरियां हैं, वो इस साप्ताहिक कृत्य से फ़्लश हो जायेंगी। अक्सर कहते कि यूं भी बियर को कठमुल्लों ने ख़्वामख़्वाह हराम कर रखा है। ईरान में तो इसे जौ का पानी कहते हैं।

ख़ुदा जाने कहां तक सही है, दुश्मनों ने उड़ायी थी कि मार्शल अय्यूब ख़ां के पतझड़-काल में सरकारी मुफ़्ती-ए-आज़म डॉक्टर फ़ज़लुरहमान ने, जो हीगल यूनिवर्सिटी से धर्मज्ञान की डिग्री लाये थे, यह फ़तवा दे दिया कि बियर में केवल 5 प्रतिशत अल्कोहल और 95 प्रतिशत पानी होता है। इसका पीना हलाल है। इसी क़िस्म के दो-तीन फ़ितूर-भरे फ़तवों के बदले में उन्हें देश-निकाला देकर दस गुने वेतन पर अमरीका भेज दिया गया। अगर डॉक्टर साहब ज़रा-सी समझ और साइंस से काम लेते तो फ़तवे में समझदारों को इतना-सा इशारा कर देते कि बियर 95 प्रतिशत हलाल है।

न करे है न डरे है : ग़बन, अमानत में ख़यानत और जाली नोट और हस्ताक्षर करने के जितने भारी सश्रम और अश्रम दण्ड थे, उनसे संबंधित सारे नियम-विधान हमें सामने बिठा कर कंठस्थ करा दिये। चार-पांच पाठों के बाद हम इतने कुशाग्र हो गये कि अपना हर काम किसी-न-किसी धारा के अंतर्गत दिखायी देने लगा। हर क्षण क़ानून के लम्बे हाथ का बोझ अपने कंधे पर महसूस करते-करते हमारी चाल में अंतर आ गया। फिर एक दिन ध्यान आया कि हमारे और ग़बन के बीच में तो कई मज़बूत तिजोरियां और हमसे भी अधिक बदनीयत अफ़सर खड़े हैं, तो फिर डर काहे का। मुग़ल-साम्राज्य के शुरुआती काल के शायर नूरी ने भी इसी प्रकार की निर्भयता प्रकट की है, हालाँकि उसने तो ख़ुद को ईमानदार साबित करने के लिये किसी बैंक में नौकरी भी नहीं की।

बीमारी इस इलाज से बेहतर है : अक्सर कहते कि चिंतन से मेरे गुर्दे में पथरियां हो गयी हैं। ख़ान सैफ़ुल मलूक ख़ान की सोच थी कि पथरियों की तादाद उनके दिये हुए बट्टे-ख़ाते, क़र्ज़ों के बराबर है। उन्हें निकालने के लिये हर पंद्रह मिनट बाद एक गिलास पानी पीते और उसकी एक लकीर अपने सिग्रेट के पैकेट पर खींच देते। शाम को ख़ाली पैकिट जमा करते और उन पर लगाये हुए निशानों को जोड़ कर यह देखते कि आज कितने गिलास पानी पिया है। फिर मशीन पर गिलासों के गैलन और गैलन के पैकेट बना कर देखते कि बाक़ी पथरियों को निकालने के लिये कितने पैकेट और फूंकने पड़ेंगे।

बला के वहमी थे। मिज़ाज पूछो तो जवाब नहीं देते थे, कराहने लगते थे। इस क्रिया से निवृत्त होते तो 'अलहम्दुल्लिलाह या ख़ुदा का शुक्र है—इस तरह से कहते मानो अपनी आस्था सुदृढ़ करने का ढिंढोरा उद्देश्य है, चैन कहां है। चालीस साल से अपने जीवन से मायूस थे। एंडरसन के ज़ोर देने पर एक बार डॉक्टर सिमकॉकस से भी संपर्क किया था। उन्हीं का बयान है कि मेरा हाल देख कर डॉक्टर सिमकॉकस की नब्ज़ें छूट गयीं। अपने पलंग की पांयती एक आदम क़द Antomy Chart खड़ा कर रखा था। दिन में शरीर के किसी-न-किसी हिस्से में दर्द ज़रूर होता, कहीं-न-कहीं टीस ज़रूर उठती।

शाम को शीशे के सामने खड़े होकर मुंह से मुंह, हड्डी से हड्डी, गुर्दे से गुर्दा और रग से रग मिला कर तसल्ली करते आज कौन से अंग पर फ़ालिज गिरा। फिर उसका इलाज कश्मीर होटल के भुने गोश्त और बिरयानी से करते थे, जिसमें बराबर के बादाम पड़े होते थे।

हमने तो उन्हें अपनी तनख़्वाह और तंदुरुस्ती की तरफ़ से हमेशा चिंतित ही देखा। एक साल पहले उनके चचाजान सो कर उठे तो पता लगा कि लक़वा मार गया है। ऊपर का होंठ टेढ़ा हो गया। चचाजान पर इन हमलों से उनकी अपनी तबियत पर ऐसा लक़वा पड़ा कि सुबह आंख खुलते ही आईने में अपना ऊपर का होंठ ऊपर ज़रूर कर लेते थे और नलके के नीचे नहाने से पहले घुटने पर डॉक्टर की तरह छोटी-सी हथौड़ी मार कर reflexes देख लेते थे कि रात लक़वा पड़ा कि नहीं। बाथरूम की अंदर की चटख़नी भी नहीं लगाते थे कि लाश निकालने में आसानी रहे। *ये थे हमारे पहले शिक्षक*।

डीसूज़ा की क़ैंची : उस ज़माने में न कोई ट्रेनिंग होती थी, न लेक्चरों का बखेड़ा। नया आया व्यक्ति घुस-पैठ कर ख़ुद कुछ सीख ले तो सीख ले, वरना कोई कुछ बात कर नहीं देता था। केवल ये हिदायत थी कि हर बात 'आब्ज़र्व' करते रहो। बस देखते चले जाओ। नये रंगरूट पर पुरानों को छोड़ दिया जाता था। जैसे एक ज़माने में रोम में सच और झूठ का फ़ैसला भूखे शेर किया करते थे, जिन्हें ईसाइयों पर छोड़ दिया जाता था। शेर वैजिटेरियन न थे। जनता तालियां बजा-बजा कर सच यानी शेर की जीत पर प्रसन्नता प्रकट करती थी।

बैंक अपने तार और केबिल गुप्त 'कोड' में भेजते हैं। इसका लाभ ये है कि जिनको बैंक के साथ फ्रॉड करना हो उन्हें पहले उसका कोड चुराना पड़े। यह कोड इतना भारी-भरकम होता है जितनी आम डिक्शनरी। डीसूज़ा पच्चीस साल से सादा अंग्रेज़ी को पैटरसन कोड में बदलने और उस आमलेट से दोबारा अंडा बनाने पर तैनात था। सारे कोड रट गये थे और बिना देखे अनुवाद कर लेता था। अकेला पांच आदमियों के बराबर काम करता था। उसके ज़िम्मे हमें इस पिशाच भाषा में तार बनाना सिखाना था। झक्की था। सुनने में आया था कि पंद्रह साल पहले उसे एक ग्वानीज़ टाइपिस्ट से इश्क़ हो गया था, लेकिन वो एक हिन्दू व्यापारी से शादी करके हांगकांग चली गयी। उस दिन से उसका यही हाल था। अवकाश के समय अपनी महबूबा के नाम 'पैटरसन कोड' में एक्सप्रेस तार ड्राफ़्ट करता और फाड़ता रहता। कोई पास जाता तो तार को हाथ से ढांप कर कहता, क्या तुम्हारी मां-बहनें नहीं।

बड़ी-बड़ी आंखों में, जो उबली पड़ी थीं, जागते रहने के कारण लाल डोरे। सिर आगे से गोल-पीछे से चपटा, गेहुंआ रंग, चेहरे पे स्थाई पागलपन। रात को दो घंटे से अधिक नहीं सोता था। दफ़्तर आते ही अपना काला कोट, जिसका कॉलर रोज़ प्रेस करने से चमकने लगा था, कुर्सी पर टांग देता। नज़र इतनी कमज़ोर कि जब तक हमारा चेहरा उसकी आंख के डेले से तीन इंच के फ़ासले पे न हो हमें नहीं पहचान पाता था। इतनी दूरी से हमारे सिर में पड़े हुए गार्डीनिया तेल की ख़ुशबू से हमें फ़ौरन पहचान लेता था। चश्मे की क़सम थी। सुबह 8.30 बजे रजिस्टर पर सिर टिकाता तो छह बजे उठाता था।

कभी कोई झूठों भी छेड़ देता तो दफ़्तर में भूचाल आ जाता। मार-पिटाई के बाद वो बायें हाथ पर कोट डाल कर चीफ़ एकाउन्टेंट के सामने जा खड़ा होता। दायें हाथ से अपने सोला हैट को छूता। दोहरा होकर bow करता और बिना कुछ कहे-सुने दरवाज़े से गोली की तरह निकल जाता। इसका मतलब यह होता कि उसने वहीं और उसी समय त्यागपत्र दे दिया है, कल से बैंक नहीं आयेगा। शाम को दो-तीन वाचाल अफ़सर उसे मनाने घर जाते और मिन्नतें करके दूसरे दिन आने के लिये तैयार करते। जून-जुलाई में भी कम्बल ओढ़ कर सोता। कहता था, कम्बल न ओढ़ूँ तो डरावने सपने दिखायी देते हैं। दफ़्तर में जहां बैठता वहां पंखा नहीं चलने देता था। कहता था कि पंखा चलने से मुझे ख़ूनी बवासीर हो जाती है। उससे बैंकिंग के राज़ जानना ऐसा ही था जैसे किसी ख़ूंख़ार कुत्ते के जबड़े में दबी हुई नली से गूदा निकालना।

डीसूज़ा की सेहत ईर्ष्या करने की सीमा तक अच्छी थी। किसी ने उससे पूछा कि तुम्हारे स्वास्थ्य का क्या रहस्य है तो उसने जवाब दिया कि मैं कभी चित्त नहीं सोता, पच्चीस साल से कोई छुट्टी नहीं ली। एक दिन वो अचानक ग़ैरहाज़िर हो गया। दूसरे दिन उसके घर एक अफ़सर भेजा तो वो ख़बर लाया कि डीसूज़ा पुलिस थाना परेडी स्ट्रीट की हवालात में बंद, जहाज़ी साइज़ की गालियां बक रहा है। उसके बाप की समरस्ट स्ट्रीट पर टेलरिंग की बड़ी पुरानी दुकान थी। किसी बात पर बाप से झगड़ा हो गया और उसने जहाज़ी साइज़ की क़ैंची उसके कूल्हे में घोंप दी। नौ टांके आये।

इस घटना से बैंक में घबराहट फैल गयी। लोग उसके दायें बायें दो-दो कुर्सियां छोड़ कर बैठने लगे। डिस्पैच डिपार्टमेंट ने अपनी क़ैंची कैश-बॉक्स में ताला लगा कर रख दी। दूसरी तरह की क़ैंचियां भी तालू से लग गयीं। बड़े-बड़े अफ़सर कमर पर पीछे हाथ बांध कर चलने लगे। डीसूज़ा को पेन्सिल की नोक भी तेज़ करते देखते तो कांप उठते। एक दिन चार-पांच क्लर्क हमारे नेतृत्व में चीफ़ एकाउंटेंट के सामने परिवेदन की सूरत में प्रस्तुत हुए और आर्त्तनाद किया कि दो-तीन दिन से डीसूज़ा के सामने एक सात इंच गहरा घुसने वाला पेपर नाइफ़ पड़ा है, जिससे वो खेलता रहता है। हमें टांके लगवाने से डर लगता है। चीफ़ एकाउंटेंट ने डीसूज़ा को बुलवा कर नर्मी से समझाया कि तुम चाक़ू वापस कर दो। इन बिचारों को डर लगता है।

कहने लगा, 'यह साला लोग काए को बूम मारता है, बेफ़ुज़ूल डरता पड़ा है। ये मेरा फ़ादर थोड़ा ही है।'

इबादुर्रहमान क़ालिब : पाकिस्तान माइग्रेट करने से पहले न जाने क्यों ये सोच थी कि promised land में हर शख़्स कबाब-परांठा खाता होगा। दालें और सब्ज़ियां केवल हिन्दुस्तान को याद करने के लिये उगायी जाती होंगी। नाई, सारंगिये और फ्रीस्टाइल कुश्ती लड़ने वाले भी दाढ़ी रखते होंगे। बाज़ारों में हर क़दम पर हमारे संयम की परीक्षा लेने के लिये इतने सारे हसीन न छोड़ रखे होंगे। हर शख़्स ईंट का जवाब शे'र से देता होगा। ईश्वर की कृपा से ये आशंकायें ग़लत साबित हुईं। अलबत्ता ये देख कर कुछ मायूसी हुई कि बैंक में सब सूट या क़मीज़ पतलून पहनते हैं, सिवाय इबादुर्रहमान क़ालिब के,

जो हमेशा टसर की शेरवानी पहनते और उसकी ऊपर की जेब में फ़ाउंटेन पैन की तरह दातौन लगाते, जिसका सक्रिय सिरा बाहर निकला रहता था। निचली जेब में शायरी की डायरी और पान की डिबिया, डिबिया में पानों के ऊपर चमेली के तीन फूल। उन्होंने हमें करोड़पतियों के करेन्ट एकाउन्ट की झलकियां दिखायीं। हम देख कर दंग रह गये कि कव्वे की तरह काला 'क्रेडिट बैलेंस' किस तरह धीरे-धीरे सुरमई होता है और फिर लाल चहचहा हो जाता है। मुन्ने-मुन्ने सेविंग डिपॉज़िट से बड़े-बड़े ओवर ड्राफ़्ट बनते हैं और उनसे बड़े-बड़े कारख़ाने, जो उन्हीं ओवर ड्राफ़्ट देने वालों को नौकर रख लेते हैं। इबादुर्रहमान क़ालिब अख़बार बड़े ध्यान से पढ़ते थे। जहां कहीं बुरी ख़बर नज़र आ जाये, टांक लेते थे। अक्सर कहते कि देखा मेरी आशंका ठीक साबित हुई। दिन भर अख़बार की जुएं बीनते रहते। शाम तक, कभी किसी अच्छी ख़बर पर नज़र पड़ जाये तो दूसरे दिन तक कुढ़े रहते। एक दिन बहुत ही ख़तरनाक सूरत बनाये बैठे थे, पूछा क्या बात है? ठंडी आह के बाद बोले 'मेरे रिटायरमैंट में कुल बाईस साल बचे हैं, कच्चा साथ है।' उस ज़माने में बैंक का अधिकतर स्टाफ़ गुजराती बोलता था। मुख्य पदों पर गुजराती बोलने वाले नियुक्त थे जिनका उर्दू बोलने वालों के बारे में विचार था कि इन्होंने शे'रो-शायरी के लिये बिलकुल सही तबियत पायी है, लेकिन कैश और इनके काव्योन्मुख मस्तिष्क के बीच एक सावधानी का गैप ज़रूरी है। इबादुर्रहमान क़ालिब इस पर बहुत कुढ़ते थे। शे'रो-शायरी पर तानेबाज़ी के विरोध में वो एक विस्तृत महाकाव्य लिख रहे थे, जिसका केन्द्रीय विचार दांते के नर्क से और केन्द्रीय चरित्र बैंक से लिये गये थे। इस महाकाव्य में फ़रिश्ते फ़ारसी में, आदम उर्दू में, हव्वा रेख़्ती (शायरी की स्त्रैण शैली) में बात करते थे।

सुनने में आया था कि क़ालिब साहब के स्वर्गीय पिता भी शायर थे और अपने सामने किसी को कुछ नहीं समझते थे। चुनांचे मरते वक़्त भी अपना ही एक मक़्ता ज़बान पर जारी था। क़ालिब उपनाम रखने के पीछे नज़रों से छुपा हुआ तो यही कारण मालूम होता है कि ग़ालिब के मक़्तों में बग़ैर रंदा मारे या पच्चर ठोके फ़िट हो जाता है। बैंकों में शे'र और साहित्य का स्तर तो आप जानते ही हैं, ग़ालिब के शे'र अपने बता कर असाहित्यिक लोगों से दाद लेते रहे। मुजीब साहब भी अक्सर यही करते थे। एक दिन क़ालिब साहब ने अपना एक शे'र सुनाया जो एक हफ़्ते पहले मुजीब साहब और एक सदी पहले ग़ालिब अपना कह कर सुना चुके थे। हमने अकेले में ध्यान दिलाया तो बिना भौं सिकोड़े, शर्मिंदा हुए स्वीकार कर लिया कि चोरी करने में ख़याल टकरा गया है।

वो नीम कहां से लायें : इबादुर्रहमान क़ालिब बुलन्दशहरी सुम टोंकी, टोंक की म्यूनिस्पिल कमेटी में क्लर्क थे। वेतन 30 रुपये चिनोर शाही के जिसके बीस रुपये क़लदार बनते हैं मगर ये नशा क्या कम था कि उनकी मर्ज़ी के बिना कोई कुत्ता टोंक में भौंक नहीं सकता था, न कोई परनाला उनकी मंशा के बग़ैर ग़लत जगह गिर सकता था। अपनी त्यागी हुई हवेली से अधिक उस नीम को याद करते थे जिसे आंगन में सिर झुकाये अकेला छोड़ आये थे। कहते थे, मकान के बदले मुझे मकान एलॉट हो गया लेकिन सरकार वो नीम कहां से लायेगी जिसकी छांव में नींद की परियां झूला झुलाती

थीं, जिसके नीचे एक बच्चे ने निंबोलियों की दुकान लगायी थी। जहां बहनें गुड्डे-गुड़िया खेलीं, शादी की शहनाई बजी, बाप का जनाज़ा रखा गया फिर उसी बूढ़े नीम की सींक उदास मां ने कानों में पहन ली। कहा जाता है, औरंगज़ेब को जब यह सूचना दी गयी कि कश्मीर की ऐतिहासिक मस्जिद में आग लग गयी है तो उसने कहा कि मस्जिद तो दुबारा बन जायेगी लेकिन मस्जिद के आंगन में लगे चिनार जल गये तो एक हज़ार औरंगज़ेब मिल कर भी एक बूढ़ा चिनार पैदा नहीं कर सकते।

अब उन्हें कौन बताता कि यादों के ऐसे बूढ़े नीम तो हर गांव, हर दिल के आंगन में छांव देते हैं। हां जब दिल की आशा बुझ जाये तो उनकी जड़ें नसों-नाड़ियों की जगह ले लेती हैं।

क्या वो भी बुलनशय का है : जब तक टोंक में रहे बुलनशै (बुलंदशहर का वो इसी तरह उच्चारण करते थे) के गुण गाते रहे। कराची को अपने आराम की नगरी बनाने के बाद भी उन गलियों से नहीं निकले जहां जवानी खोयी थी। कहीं किसी भले आदमी की तारीफ़ हो रही हो तो फ़ौरन पूछते थे। क्या वो भी बुलनशय का है?

कभी कोई लाहौर के मोतिया, चिनाब रूप या कराची की सुहानी-सलोनी शाम की तारीफ़ कर दे तो मुक़ाबले पर फ़ौरन बनारस की सुबह, बदायूं के पेड़े, टोंक के ख़रबूज़े और वहीं की बुरक़ा पहने पठानियों को खड़ा कर देते। बनास नदी के किनारे गलोंद घाट के उन फ़ालेज़ों (तरबूज़-ककड़ी के खेत) को याद करते, जहां चांदनी रातों में लोंग के लश्कारे से लहू में शरारे नाचने लगते थे। छोलदारियों के सामने दफ़ और दायरे पर उन्माद भरे 'चार बैत' गाते-गाते ज़रा सी बात पर पिंडारी ख़ानज़ादों और क़ायमख़ानी पठानों के सान चढ़े ख़ंजर और जड़ाऊ पेशक़ब्ज़ लहराने लगते। अरमान भरे सीने उनकी मियान बन जाते और ख़ून में नहाये हुए बदन उसी रेत पर तड़प-तड़प कर ठंडे होते जहां केवड़े में बसी हुई लाल साफ़ी से ढकी हुई, पानी की आदमक़द गोल ठंडी होने के लिये नदी की रेत में गले-गले तक गड़ी होती थी। बनास की लहरें रोज़ यही दृश्य देखती थीं। पिछले पहर तक जवासे की बाड़, बेला के गजरे, ताज़ा ख़ून, लू में पके हुए ख़रबूज़े, ख़स की पंखियां, मेहंदी रचे हाथों की नमी, सोंधे छिड़काव, कोरी ठिलिया और कोरे बदन की महकार से हवायें दीवानी हो जातीं और रात चांद का झूमर उतार देतीं।

हर शाख़ पे पंछी बैठा है : बनास नदी बहती रहती और वो लहरों-लहरों बुलनशय पहुंच जाते। कहां बुलनशय कहां कराची, बुलनशै की क्या बात है। 'इक तीर तूने मारा जिगर में कि हाय-हाय'। ऊपर कोट पे बरसात की बहारें, क्या कहने! रिम झिम रिम झिम मेंह बरस रिया है। नद्दी, नाले और पांयचे चढ़े हुए हैं। नंगी खुली हालियत में कोई यां पे रपट रई है, कोई वां रपट रई है। कच्ची-कच्ची अम्बिया पे रुम-झुम पानी बरस रिया है, कोयल कूक रई है, दिल में हूक-सी उठ रई है। अम्बुवा की डाली पे झूला पड़ा हुआ है। बहू-बेटियां कमर लचका-लचका के गा रई हैं। 'छा रही काली घटा जियरा मोरा लहराये है' सहेलियां झोंटे दे रही हैं। कासनी दुपट्टे उड़ते जा रिये हैं। बुलबुलें चहचहा रई हैं, मेनायें चहक रई हैं। दूसरी डाल पे मोर बोल रिया है। तीसरी डाल पे शामा ऐसा जी

तोड़ के गा रई है मानो जी-जान से गुज़र जायेगी, चौथी पे क्या नाम है, पापी पपय्या पी ऊ! पी ऊ! कर रिया है।'

पी ऊ! पी ऊ! पर ख़ान सैफ़ुल मलूक ख़ान के सब्र का पैमाना एक दिन भर गया। वही स्टाइल बना कर बोले, 'अमां बस करो, साला आम का पेड़ न हुआ, शहर किरांची हो गिया कि दुनिया जहान का जिनावर अपनी-अपनी बोली बोले चला जा रिया है और ख़ुदा की क़सम उड़ने का नाम नई ले रिया।'

फुटकर आदमी : हर बैंक का अपना एक खोजबीन डिपार्टमेंट होता है जिसका काम कमोबेश वही होता है जो पुराने समय में शादी-ब्याह के मौक़े पर नायनों और मुग़लानियों का होता था यानी चाल-चलन वग़ैरा की पूरी छानबीन करके ग़लत फ़ैसला करना...! संबंधित पक्ष की कौन सी पीढ़ी में गड़बड़ है? दूल्हा की बायीं आंख दबी हुई है, इसका कारण मामूली लक़वा है या चाल-चलन की स्थाई ख़राबी? दुल्हन की ननिहाल बुरक़े से कब बाहर निकली? नई कोठी की नींव में सीमेंट, सरिये, बजरी और ब्लैक का अनुपात चलन के मुताबिक़ है या घट-बढ़ की है? अगर क़र्ज़दार नहीं है तो कारण बताओ? क्या लोग भरोसा नहीं करते? ख़ानदान ख़ालिस है या परदादा पानदान उठाते थे। आदमी ईमानदार, शरीफ़ और सौ परसेन्ट भरोसे के लायक़ है या नहीं? मतलब ये कि इन्कम टैक्स के अलावा किसी और को तो धोखा नहीं देता? अचानक रुई की क़ीमत गिरने से उसकी रुई तो आग नहीं पकड़ती? हार्टअटैक न होने का कारण कहीं ये तो नहीं कि घाटे-फ़ायदे का हिसाब ही नहीं करता? ऑफ़िस से सीधा जिमख़ाना जाता है या घर घुसता है? कौन से दिवाले के बाद नाम से पहले हाजी लिखना शुरू किया? ये सारा विभाग हसन अहमद फ़ारूक़ी के अकेले व्यक्तित्व पर आधारित था जो स्वयं अपने बॉस थे और अपने ही मातहत।

हमने उनकी शागिर्दी पकड़ी तो कहने लगे कि बर्ख़ुरदार तुम जिस तेज़ी और अनमनेपन से काम कर रहे हो, उस पर तो आत्महत्या की असफल कोशिश का-सा भ्रम होता है। आत्महत्या की और भी तरकीबें हैं जिनमें इतनी मेहनत नहीं पड़ती। हमें वो बातूनी, निश्चिंत, आसानी से घुल-मिल जाने वाले फुटकर आदमी लगे। शनीचर को तीसरे पहर शतरंज खेलने बैठते तो इतवार की रात को दो बजे उठते। पान की लत ऐसी कि रात को भी कल्ले में दबा के सोते। दिल्ली के रोड़े थे। उन्हें हमारे दिमाग़ से अधिक ज़बान की फ़िक्र खाये जाती थी। हर एक के स्टाइल, चाल और नखरों की बड़ी अच्छी नक़ल उतारते थे। कोई लखनऊ जाता तो उससे असग़र अली मुहम्मद अली के इत्र शमामातुलम्बर की फ़र्माइश ज़रूर करते, बेगम को बहुत पसंद था।

बांस बुद्धि : हमारे सामने की बात है, एक आमतौर पर होने वाली घटना...मौत... ने फ़ारूक़ी साहब की सारी ज़िंदगी एक झटके में ख़त्म कर दी। उनके एक साथी और हमउम्र को उनके साथ शतरंज खेलते हुए अचानक सीने में दर्द महसूस हुआ और देखते-देखते उनके हाथों में दम तोड़ दिया। उसे दफ़्ना कर लौटे तो शतरंज का दूसरा खिलाड़ी भी मर चुका था। फ़िराक़ गोरखपुरी कहते हैं कि बुद्धि के तीन प्रकार होते हैं: घड़ा बुद्धि,

नमदा बुद्धि, बांस बुद्धि! घड़ा बुद्धि वो कि चिकने घड़े पर कितना ही पानी डालो—वही सूखे का सूखा, नमदा बुद्धि—नमदे के समान, जब तक सूई नमदे के अंदर है, छेद बना हुआ है। सूई निकली और जैसे कुछ था ही नहीं और सबसे उत्तम बुद्धि, बांस-बुद्धि कि ऊपर एक ज़रा चोट पड़ी और बांस नीचे तक चिरता चला गया, सो उनकी छाती फट चुकी थी।

अय्याशी से तौबा : कई दिन गुम-सुम रहे, फिर एक दिन सुना कि सहवन-शरीफ़ के एक बुज़ुर्ग से दीक्षा ले ली है। उसके बाद ब्लेड को गाल से न लगने दिया। बड़ी भरवां दाढ़ी निकली, ऐसी ही दाढ़ी को देख कर डॉक्टर सलीमुज़्ज़मां सिद्दीक़ी ने कहा था कि साहब! आप तो क़यामत के दिन भीड़-भड़क्के में अपनी दाढ़ी के छप्पर तले छुप जायेंगे, मैं ख़ुदा को अपना नंगा मुंह कैसे दिखाऊंगा। पीर साहब कभी-कभी कराची आते तो शुक्रवार और इतवार को शाम के वक़्त मंघू-पीर की तरफ़ सफ़ेद घोड़ी पर सैर को निकलते। ये रकाब थामे साथ-साथ चलते। उन्हीं का बयान है कि हज़रत जितनी देर घोड़ी पर सवार रहते हैं, लीद में से शमामातुलअम्बर (इत्र) की ख़ुशबू आती है। कुटिया में तहज्जुद (आधी रात की नमाज़ जो सामान्य पांच वक़्त की नमाज़ के अतिरिक्त है) से पहले बब्बर शेर अपनी दुम से झाड़ू देता है। हमने टोका, 'बब्बर शेर तो अफ़्रीक़ा के जंगलों में होता है।' बोले, 'यह मैंने कब कहा कि मंघू-पीर की पहाड़ियों से आता है? अपनी तरफ़ से आप बात ख़ूब जोड़ते हैं।' हमें भी नेक रहने और सुधर जाने का उपदेश करते रहते थे। हमें इसका बड़ा मलाल था कि ख़ुदा ने हमें बुराई की क्षमता दी होती तो आज हम भी उससे तौबा करके पुण्य लूटते। अभी तक याद है, जाड़ों के दिन थे। रात के बारह बजा चाहते थे। हम मय अपने चार बच्चों और बीवी के पीर इलाही बख़्श कॉलोनी के क्वार्टर के छोटे से कमरे में फ़र्श पर दियासलाइयों की तरह एक तरफ़ सिर किये पड़े थे कि किसी ने घर के सामने हैदराबादी अंदाज़ से ताली बजायी। आंख मलते हुए बाहर निकले तो देखा कि फ़ारूक़ी साहब सिर पर रुई का टोपा पहने, हाथ में लालटेन लिये खड़े हैं। उनके दांत और घुटने बज रहे थे। घबराहट में हम भी मलमल का फटा कुर्ता पहने, नंगे पैर बिस्तर से निकल आये थे। बहुतेरा हाथ से जबड़े को थामा लेकिन दांत थे कि उस उपकरण की तरह, कट-कट, कट-कट 'मार्स कोड' में बजे चले जा रहे थे, जो टेलीग्राफ़ ऑफ़िस में तार देने के लिये प्रयोग होता है। सादा ज़बान में सलाम और कलाम का सवाल ही पैदा नहीं होता था। देर तक दोनों सामने खड़े मुहब्बत में दांत किटकिटाते रहे। हमारे अधिकार में एक ही कमरा था। इसलिये हम उन्हें अंदर आने को भी नहीं कह सकते थे, लेकिन वो भी जल्दी में थे। उन्होंने हमें बहुत अपनेपन से दाढ़ी से लगाया, दोनों बड़ी देर तक एक-दूसरे से चिपटे रहे। इसका मुहब्बत से अधिक ठंड कारण थी। वो अपनी सलवार और हम अपने पाजामे में थर-थर कांप रहे थे। बार-बार हाथ मिलाने और गले लगाने के बाद शब्द पिघले तो उन्होंने छूटते ही हमें शराब और व्यभिचार से दूर रहने का उपदेश दिया। हमने नंगे पैर, फटे कुर्ते के नीचे धड़कते दिल पर ठिठुरा हुआ हाथ रखकर रईसाना जीवन और अय्याशी से परहेज़ और परहेज़ी जीवन

बिताने का वायदा किया और निवेदन किया कि हज़रत! आपने रात गये बड़ी तकलीफ़ उठायी। जवाब में उन्होंने अपने ठंडे बर्फ़ हाथ को, दोनों तरफ़ से, हमारी गुद्दी पर इस तरह जिस तरह नाई उस्तरे को चिमोटे पर चलाता है, गर्म करते हुए कहा कि उन्होंने अपने पीर साहब के सामने *क़ुरआन* का अनुवाद उठा कर क़सम ली है कि रोज़ाना कम-से-कम सात आदमियों को शराब और व्यभिचार से दूर रहने का उपदेश करेंगे। इशा की नमाज़ के बाद अपने 'राउंड' पर निकले हुए थे। आज की रात हम चौथे आदमी थे मगर उनकी लालटेन में अभी काफ़ी तेल बाक़ी था और बत्ती ख़ासी लम्बी थी। विदा के समय कुछ देर मौन रहे, फिर बोले कि हमारे शेख़ का कहना है कि जाड़े और बुढ़ापे को जितना अधिक महसूस करो उतना ही लगता चला जाता है। पीर साहब 104 साल के थे। 40 हज कर आये थे। बाल काले होते जा रहे थे।

वो पौ फटी वो किरन से किरन में आग लगी : सीधे स्वभाव, अधिक संतान वाले आदमी थे। इस मोड़ पे ये तय करना मुश्किल था कि उनके यहां हाथ की तंगी पहले आयी या औलाद। हर दूसरे-तीसरे महीने हमें अपने घर ले जाते जो बरनस रोड पर गुंजान इलाक़े में अदीब सहारनपुरी के फ़्लैट के पास था। रास्ते में अदीब को साथ ले लेते। चाय, शायरी और स्कैन्डल का दौर चलता। इसके बाद तीनों कबाब खाने निकल पड़ते। अदीब की उम्र उस समय चालीस के लगभग होगी। अपने बड़े भाई के साथ रहते थे और भाभी से इस क़दर डरते थे कि कभी अपने फ़्लैट में गंदे लतीफ़े और अपने शे'र नहीं सुनाते थे। और न वहां बेगम...के क़िस्से सुनाते थे। वो उनकी शायरी उन्हीं के तरन्नुम में इस तरह पढ़तीं कि जब ख़ुद अदीब यही ग़ज़ल पढ़ते तो असल नक़ल मालूम पड़ती। आंखें बंद करके लहक कर पढ़ते थे। कई हसीनों के बाल घुंघराले होते हैं, उनकी आवाज़ घुंघराली थी। रसीली और उम्मीद भरी तान में न जाने दर्द की गूंज कहां से आती थी जैसे हँसते-हँसते आंखों में आंसू डबडबा आयें और चेहरा हँसता रह जाये। ये मुस्कुराहट—

वो पौ फटी, वो किरन से किरन में आग लगी

के लहरे के साथ उभरती और 'ऐ मेरी उम्रे-रवां! ज़रा आहिस्ता और ज़रा आहिस्ता! और ज़रा आहिस्ता' में खो जाती।

अदीब बड़े मीठे और मुलायम लहज़े में बात करते थे। निजी महफ़िलों में देखा कि चुटकुले के पहले ही वाक्य पे अपनी जगह छोड़ कर चुटकुला सुनाने वाले के हाथ पे हाथ मार के, दाद इस तरह दे के आते जैसे रेस में पिस्तौल चलने से पहले ही कई बेसब्रे दौड़ पड़ते हैं और वापस बुलाये जाते हैं। फिर सबके साथ उसी जोश में दौड़ते हैं। एक बार एक प्रशंसक ने आस्था के आवेश में एक दूसरे शायर की उसी ज़मीन में कही हुई ग़ज़ल को बेहतर बताया। उस शायर का अदीब बहुत सम्मान करते थे। कहने लगे कि ये सब उन्हीं की कृपा है। फिर उन्होंने जिगर मुरादाबादी का क़िस्सा सुनाया कि उन्होंने अपने भतीजे को गोद ले लिया था। एक दिन वो उनके कंधे पर बैठ कर कहने लगा कि अब्बा! मैं आपसे बड़ा हूं। जिगर साहब ने कहा कि बेटा! तुम ठीक कहते हो। तुम्हारी इस बड़ाई में मेरे जिस्म की लम्बाई भी शामिल है।

टाट का एक थैला जिसमें शायरी की डायरी, चश्मा, तीन-चार किताबें, मैग़ज़ीन, पैन, डायरी और छोटा-सा कटोरदान हमेशा हाथ में रहता। गले मिलने से पहले उसे अपनी और दूसरे शख़्स की टांगों के बीच में रख देते। एक लाइब्रेरी में नौकर थे। तनख़्वाह छोटी। छोटे-छोटे बच्चों का साथ जिनके ये बाप भी थे और मां भी। बीवी की मौत को कई साल बीत चुके थे। कभी कोई दूसरी शादी का मशवरा देता तो कहते कि बिजली एक ही जगह दोबारा नहीं गिरा करती। कभी उन्हें उदास नहीं पाया। शाम को किसी-न-किसी के साथ साँप-सीढ़ी का खेल खेलते और अपनी हार पे क़हक़हे लगाते ही देखा। टोकते ही हमारे साथ हो लेते, साथी सांप पीटता ही रह जाता।

तेज़ी कैसे मारी जाती है : गर्म चाय, ताज़ा ग़ज़ल और तेज़ चूने के पान से स्वागत करने के बाद फ़ारूक़ी साहब दिल्ली के कबाबिये की दुकान पर ले जाते और गोले के कबाब खिलाते। पेट भरने से पहले आंखें भर आती थीं। पहली बार दुकान पर ले गये, तो दिल्ली के कल्चर और क़ीमे की बारीकियों पर रोशनी डालते हुए कबाब खाने की तहज़ीब इतनी विस्तार से समझायी कि हम जैसे मारवाड़ी रांगड़ की समझ में भी आ गया कि सल्तनत हाथ से कैसे निकली। दिल्ली के कबाबियों का क्या कहना। बिलकुल वही तेज़ाबी मसाले जो बहादुरशाह ज़फ़र के ज़माने में थे, वही शाही बावर्चियों की तरकीबें सीना-ब-सीना चली आती हैं और वही बीमारियां पेट-ब-पेट। हालाँकि अब न वो तगड़े गोश्त हैं न वो क़द्रदान। कचरी और पपीते की ऐसी गलावट लगाते हैं कि मोटे से मोटा गोश्त पल भर में सुरमा हो जाये। यूं तो दुनिया में पीठ पीछे की बुराई से अधिक जल्दी हज़्म हो जाने वाली कोई चीज़ नहीं, लेकिन ये कबाब भी हलक़ से उतरते ही बदन का हिस्सा हो जाते हैं। इन्हीं से मालूम हुआ कि गोले के कबाब में एक हिस्सा क़ीमा, एक हिस्सा मिर्च और एक हिस्सा धागे (कबाब पे कस के लपेटे जाते हैं) पड़ते हैं। सीख़ से उतार के कड़कड़ाते घी का बघार देते हैं।

'सीख़ कबाब में बघार? ये किस ख़ुशी में?' हमने पूछा।

'इससे मिर्चों की तेज़ी मर जाती है। साथ में भरत की छोटी-सी कटोरी में मसाला रख देते हैं। फिर कबाब में बकरी का भेजा और उसकी नलियों का गूदा अलग से डालते हैं।

'ये क्यों?'

'गर्म मसाले और जायफल, जावित्री की तेज़ी मर जाती है। फिर बड़ी प्याज़ के लच्छे और अदरक की हवाइयां और उन पर हरी मिर्च कतर के डालते हैं। ये उपलब्ध न हों तो केवल सी-सी करने से भी लज़्ज़त बढ़ती है। ख़मीरी नान के साथ खाते समय बर्फ़ का पानी ख़ूब पीना चाहिये।'

'क्यों?'

'बर्फ़ से ख़मीरी रोटी और हरी मिर्चों की तेज़ी मरती है। कई नफ़ासत पसंद कबाबों पर ततैय्या मिर्च की चटनी छिड़क कर खाते हैं। फिर दही-बड़े या क़ुल्फ़ी फ़ालूदे की डाट लगाते हैं।'

'क्यों?'

'इससे चटनी की तेज़ी मरती है।'

'अगर ये सारे चोंचले केवल किसी-न-किसी की तेज़ी मारने के लिये है तो चटोरों के समझ में इतनी सी बात क्यों नहीं आती कि एक के बाद एक तेज़ी मारने की जगह शुरू में ही कम मिर्च डालें या फिर ज़बान पे रबर का दस्ताना चढ़ा के खायें।'

अदीब सहारनपुरी ने इस मौक़े पे शे'र की सफ़ेद पताका लहरा के युद्ध बंद कराया। हमारा हाथ अपने हाथ में ले के बोले कि हज़रत! दुनिया में हर बात अगर नियम क़ानून के मुताबिक़ होने लगे तो ख़ुदा की क़सम ज़िंदगी अजीरन हो जाये। इसी बात पर एक ज़ालिम का शे'र सुनिये-

सुपुर्दे-ख़ाक ही करना था मुझको
तो फिर काहे को नहलाया गया हूं

अज़ान के बाद इसी रहस्य को प्रोफ़ेसर क़ाज़ी अब्दुल क़ुद्दूस एम.ए. ने अपने बुक़राती ढंग से यूं कंठस्थ कराया कि जवानी दीवानी की तेज़ी बीवी से मारी जाती है। बीवी की तेज़ी औलाद से मारते हैं, औलाद की तेज़ी साइंस से और साइंस की तेज़ी मज़हबी शिक्षा से। अरे साहब तेज़ी का मरना खेल नहीं है, मरते-मरते मरती है।

फ़ारूक़ी साहब उन लोगों में से नहीं थे जो दस्तरख़्वान पर बिठाने की जगह सिर-आंखों पर बिठाते हैं। उन्हें खाने से अधिक खिलाने में मज़ा आता था। हर निवाले के साथ देहलवी दस्तरख़्वान की नज़ाकतें भी कंठस्थ कराते जाते। एक दिन कहने लगे कि दिल्ली में तो जो शख़्स शीरमाल और ताफ़तान में फ़र्क़ न कर सके उसे कल्चर्ड नहीं समझते।

'ये कौन सी मुश्किल बात है,' हमने कहा।

'बताइये, क्या फ़र्क़ होता है?'

'एक ज़ियादा बुरा होता है।'

अजरक : दीक्षा लेने के बाद फ़ारूक़ी साहब ने अपने शेख़ (गुरु) के इशारे पर हज़रत शाह अब्दुल लतीफ़ भट्टाई की सूफ़ियाना शायरी को समझने के लिये सिंधी सीखनी शुरू की। दिल पिघल चुका था। वैसे भी सुल्ह कुल आदमी थे। सिंधी की पहली किताब जगह-बेजगह पढ़ कर बोले कि साहिबो! मुझे तो उर्दू और सिंधी में कोई अन्तर नहीं दिखायी पड़ा। सिंधी के नुक़्तों को उल्टा लगा दिया जाये तो उर्दू बन जाती है। घर पर काला कुर्ता और टख़ने से ऊंची सलवार पहनने लगे थे। कंधे पर शेख़ की दी हुई एक छोटी-सी सिंधी अजरक जिसे लम्बा रूमाल या अंगोछा भी कह सकते हैं। इससे अधिक बहुद्देशीय चीज़ हमने नहीं देखी। हाइड्रोजन बम और चांद तक जाने वाले रॉकेट बनाने वाले ऐसी किसी वस्तु का आविष्कार करके दिखायें तो हम जानें। फ़ारूक़ी साहब उससे मुंह पोंछते। दस्तरख़्वान का काम लेते। कहीं पैदल मंज़िल मारते तो उसी से सफ़र की धूल झाड़ते। लू चलने लगे तो उसे पानी में तर करके अरबों के ग़ुतरा-ब-उक़ाल की तरह सिर पे डाल लेते। दोस्तों की महफ़िल में अगर रेशम की तरह नर्म हों और किसी अनुपस्थित दोस्त की बुराई करते समय नमाज़ का समय आ

जाये तो उसी को ज़मीन पे बिछा कर सिजदा करते और रब का शुक्र अदा करते जिसने इंसान को बोलने की ताक़त दी। दिन में बच्चे और रात को मच्छर सताते तो उसे मुंह पर तान कर सो जाते। जाड़े और जुकाम में यह मफ़लर का काम देती और रात को हलवाई की दुकान से बीमार बच्चे के लिये औटता हुआ दूध लाते तो उसका ऐंडुआ बनाकर हथेली पर रख लेते। बीवी को अचानक नंगे सिर दरवाज़ा खोलने जाना पड़े तो उसकी बुक्कल मार के ओढ़नी बना लेतीं। ख़ुद नर्वस या खिसियाये होते तो कोने को बल पे बल देते या यूं ही चश्मे का शीशा साफ़ करने लगते। सौदा-सुल्फ़ लेने बाज़ार जायें तो याद रखने के लिये बीवी उसमें गांठें लगा देती थीं मगर ये भूल जाते कि कौन सी गांठ कौन सी इच्छित वस्तु का सिम्बल है। पहली तारीख़ को महीने का सौदा लेने निकलते तो ये देहातन की चुटिया की तरह गूंधी हुई होती। रात को बच्चे उसका कोड़ा बना कर अगले-पिछले हिसाब चुकाते। जल्दी में हों या किसी ख़ास अभियान पर जा रहे हों तो कंधे से उतार कर हाथ में लेकर चलते। कोई घर मिलने आये तो बैठाने से पहले उसी से मूढ़े को साफ़ करते। ख़ानक़ाह में एक दिन नमाज़ के लिये हाथ-पांव धोते हुए मस्जिद के हौज़ में गिर पड़े और कोहनी चोटिल हो गयी तो अगले दिन उसी के 'सिलिंग' में हाथ को 7 के अंक की तरह रखकर बैंक आये। कोई भरी महफ़िल में अशोभनीय बात या मज़ाक़ कर बैठे तो उसे अपने मुंह में ठूंस कर खुस-खुस हँसी को छानते रहते। कहते थे कि एक बार रात को ख़ानक़ाह से एक जलाली वज़ीफ़ा (तेजस्वी प्रार्थना) पढ़ कर लौट रहे थे कि रास्ते में चार गुंडों ने घेर लिया। अब क्या था। उन्होंने इमाम ज़ामिन (अनन्त) का कलदार रुपया अजरक के कोने में बांध कर बिन्नौट के ऐसे हाथ दिखाये कि एक गुंडे की कनपटी में भम्बा खुल गया। वहीं खेत रहा। पिटे हुए गुंडे रपट लिखवाने भागे। हमारी मुस्कुराहट में उन्हें खिल्ली की झलक नज़र आयी तो तैश में आकर बोले, 'आप जैसों को तो चवन्नी में ढेर कर सकता हूं।'

दोपहर को फ़र्श पर खाना खाने बैठते तो बीवी उसी अजरक की चनौरी बना कर मक्खियां झलती रहतीं। रोज़ सुबह उसे धोकर शाम के इस्तेमाल के लिये तैयार कर देतीं। बड़ी बेटी की शादी तय हुई तो बैंक से पांच सौ रुपये क़र्ज़ लिये और एक दिन शाम को ख़ुश-ख़ुश अपनी बिटिया के दहेज़ के सारे कपड़े उसमें बांध कर दिखाने लाये। फिर वो घड़ी भी आयी जब सखी-सहेलियों ने ऐसी रुंधी हुई आवाज़ में 'लिखी बाबुल मोरे! काहे को ब्याही बिदेस रे, लिखी बाबुल मोरे' गाया कि दूल्हा वालों की आंखें भी नम हो गयीं। जिस बाप ने दहेज़ में चांदी का ज़ेवर, मलमल के दुपट्टे और एल्यूमीनियम के बर्तन दिये, उसके सीने से लग के बेटी जिस तरह फूट के रोयी है, हमने किसी अमीर की बेटी को इस तरह तड़प के रोते नहीं देखा। शादी शांति से निबट गयी तो मियां बीवी को चैन पड़ा कि बोझ हल्का हुआ।

लेकिन विधाता को कुछ और मंज़ूर था। तीन महीने भी नहीं बीते होंगे कि बीवी को टायफ़ायड हुआ। पांच-छह दिन तक तेज़ बुख़ार में खाना पकातीं, झाड़ू देतीं और

बच्चों को नहला-धुला कर स्कूल भेजती रहीं। क़र्ज़ में बाल-बाल बंधा हुआ था। शाम को घर जाते तो पाकिस्तान चौक से एक होम्योपैथ डॉक्टर से चार आने की पुड़िया लेते जाते। किसी से ज़िक्र तक न किया। रात की जगार से सूजी-सूजी आंखों को हथेलियों से मल-मल कर दिन भर काम करते रहते। दस दिन बीमार रह कर वो नेक बीवी अपने रब से जा मिलीं। दिल पर क्या कुछ न बीती होगी लेकिन क्या मजाल कि शिकायत का एक हर्फ़ भी ज़बान पर आये। यही शेख़ की हिदायत थी। जनाज़े में मुहल्ले के सभी लोग सम्मिलित थे। बेटा जो मुश्किल से नौ साल का होगा, इस अजरक में फूलों की चादर, अगरबत्ती, गुलाब जल और शमामातुल-अम्बर (इत्र) बांधे बेख़बर पीछे चल रहा था। उसमें अभी तक कुछ याद दिलाने के लिये एक नन्ही सी गांठ स्वर्गीया के हाथ की लगी हुई थी, जिसे उन्होंने तीन दिन से नहीं खोला था। डोला क़ब्र के बग़ल में उतारा गया और सिरहाने से काबे के ग़िलाफ़ का पारचा हटा दिया गया। मय्यत क़ब्र में उतारने लगे तो अपने हाथों से अजरक कमर में डाल कर दुख-दर्द के साथी को मिट्टी में सुला दिया। उसी से आंखों के किनारों को पोंछा, धीरे से गांठ खोली और फिर अपने शेख़ के इस प्रसाद को कफ़न पर डाल दिया।

क्या कोई वहशी और आ पहुंचा
या कोई क़ैदी छूट गया

सदा सुहागिन रागिनी : रात के दस बजा चाहते थे। बैंक में दस-बारह जागने वाले रह गये होंगे। बसें चलनी बन्द हो गयी थीं और अन्दर-बाहर सन्नाटा था। भूख भी थोड़ी देर ऐड़ियां रगड़-रगड़ कर मरी नहीं तो ऐसी गहरी नींद ज़रूर सो गयी थी जो सिसकियां ले-ले के रोने के बाद बच्चों को आ जाती है। अचानक अजीबो-ग़रीब आवाज़ें आने लगीं जैसे चील, मेंढक और बूढ़ी मेम मिल कर क़व्वाली गा रहे हों। हमने हॉल में आ कर देखा तो मालूम हुआ ये तमाम आवाज़ें एक नये भर्ती हुए, रिटायर्ड, सेकिंड लेफ़्टिनेन्ट यन.यम.यू.यम.यन.पी. कुंजू के गले से रिड़क रही हैं। उन्हें बैंक में अवतरित हुए कुल एक महीना हुआ होगा और इस समय वो मलयालम भाषा का एक रोमांटिक लोकगीत गा रहे थे। जिसके बारे में उनका दावा था कि कावेरी नदी के दूसरे किनारे पर खड़े होकर एक द्रविड़ी कुंवारी ने उन्हें सिखाया था। ये दावा ठीक ही होगा, इसलिये कि अगर वो वाक़ई कावेरी नदी के उस पार खड़ी थी तो उसके कुंवारेपन में शक नहीं किया जा सकता। उन्हीं की ज़बानी उनका नमकीन खंडित अनुवाद सुनकर हमारे तो पसीने छूटने लगे। उसके शृंगार रस के सामने उर्दू की सारी इश्क़िया शायरी बिलकुल नर्सरी राइम और गुड्डे-गुड़िया का खेल मालूम होने लगी। हक़ नवाज़ चमिया-एकाउन्टेंट स्ट्रॉन्ग रूम की बालिश्त भर लम्बी चाबियां छनका कर संगत कर रहे थे। हर मलयालम बोल के बाद यन.यम.यू.यम.यन.पी. कुंजू कुछ देर मुंह से मृदंग बजाते और जब वो गाना रद्द करके और ठाठ बदलकर मुंह से तबले की सी आवाज़ें निकालने लगते तो चाचा फ़ज़लदीन चौकीदार आटा गूंथने के तसले पर थाप लगा के जंग का ऐलान करता और पंजाबी टप्पे का टुकड़ा—

बारी बरसी खटन गया सी
खट के लेआन्दा झांवा

(तू बारह बरस कमाने गया और कमाके लाया झांवा) लगा के अहले-दर्द को लूट लेता।

पाकिस्तान ताज़ा-ताज़ा नक़्शे पर उभरा था और विभाजन की रौशनाई अभी अच्छी तरह सूखी नहीं थी। बैंक में लिखते सब अंग्रेज़ी में थे। बातचीत उर्दू में, लेकिन हर आदमी गाली अपनी मातृभाषा में देता था।

जबाने-ग़ैर से क्या शरहे-आरज़ू करते

(दूसरे की भाषा में क्या इच्छा व्यक्त करते)

अंग्रेज़ी की गाली बिलकुल फीकी, बेबास, और खुट्टल होती है। ये गाली आदमी अपने आप को भी दे सकता है। उर्दू की एक प्रचलित और प्रतिष्ठित गाली, जिसकी तरफ़ ग़ालिब ने अपने एक ख़त में इशारा किया है, बूढ़े आदमी को नहीं दी जा सकती। काट और बेहूदगी की तीव्रता के लिहाज़ से अलबत्ता मारवाड़ी गाली का जवाब नहीं लेकिन ये इतनी गन्दी और पेचीदा होती है कि इसके सही संबोधित केवल मारवाड़ी ही हो सकते हैं, जिनकी तादाद लेखक को मिला कर पाकिस्तान में इतनी कम है कि जी की भड़ास नहीं निकल सकती। इसी तरह उस ज़माने में बेसुरा गाना भी हर आदमी अपनी ही भाषा में गाता था और किसी को उससे ये शिकायत नहीं होती थी कि हमारी मातृभाषा में लोगों को यातना क्यों देता है। एक रात वाहिद बख़्श ख़ोसो ने शाह अब्दुल लतीफ़ भट्टाई का दैवीय कलाम भैरवी में सुना कर दिलों को ऐसा गरमाया कि उसी वक़्त ये तय हुआ कि बोल किसी भी भाषा के हों, संगीत के सभी उपकरण (जिनकी तरफ़ पहले इशारा हो चुका है) सदैव भैरवी ही बजाया करेंगे। यूं भी भैरवी और ख़ुशामद सदा सुहागिन रागिनियां हैं। हर समय, हर मौसम में मज़ा देती हैं। सुनने वाले का जी नहीं भरता। पक्के राग और रागिनियों में हमें भी भैरवी पसंद है, इसलिये कि संगीत सभा के नियमानुसार इसके बाद कोई और राग नहीं गाया जा सकता, इसलिये मारे-बांधे हमें किसी सभा में जाना पड़े तो छूटते ही इसकी फ़रमाइश कर देते हैं।

वाहिद बख़्श ख़ोसो हर बोल के बाद केवल 'अला' से कमाऊ पूत की मुश्कें कस के वादी ले में आते। मिली-जुली क़व्वाली के तेवर कुछ ऐसे होते थे।

नसीर अहमद ख़ां :

गुनाह का अपने मोतरिफ़ हूं
ये इल्तजा है कि पाकबाज़ो
करो मुझे संगसार लेकिन
गुनाह की दास्तां तो सुन लो

चाचा फ़ज़लदीन :

बारी-बरसी खटन गया सी
खट के लेआन्दा झावां

हक़नवाज़ चमया :

मूसा से ज़रूर आज कोई बात हुई है
जाने में क़दम और थे आने में क़दम और

कोरस :

बारी–बरसी खटन गया सी
खट के लेआन्दा गंठिया अला!

इबादुर्रहमान क़ालिब :

ये दाग़–दाग़ उजाला ये शब ग़ज़ीदा सहर
वो इन्तज़ार था जिसका ये वो सहर तो नहीं

कोरस :

बारी–बरसी खटन गया सी
खट के लेआन्दा बटेरा अला!

श्रोताओं में से अगर मेज़, कुर्सियों को निकाल दिया जाये तो जानदारों में ले दे के केवल हमीं थे जो उस गूंगे घेरे में आ सकते थे। सभी उपस्थितगण आर्केस्ट्रा के सक्रिय सदस्य थे कि इसी में चैन था। दूसरों की आवाज़ की यातना से बचने के लिये हर व्यक्ति अपना निजी शे'र सुनाता और कानों में उंगलियां दे के गाता था। कुछ दिन हमारी उपस्थिति बोझ हुई! मुंह से तो किसी ने कुछ न कहा, लेकिन बेज़ार निगाहें पुकारती रहीं।

चले भी जाओ कि गुलशन का कारोबार चले

एक दिन दबे शब्दों में शिकायत भी की कि इस तरह काम करने से हमारे शोर–शराबे में विघ्न पड़ता है। हम कटे–कटे से रहने लगे तो बोले, आप क्यों दिल छोटा करते हैं? और उन्होंने हमें मुंह से सीटी बजाने और उस पर मीराबाई के दोहे पेश करने का निमंत्रण दिया बशर्ते कि वो पंजाबी टप्पे की धुन में हों ताकि तसले वाले भाई को तकलीफ़ न हो और वो सदा की तरह अपने झांवे से दिलों का मैल दूर करता रहे। चाचा फ़ज़लदीन जब कभी ख़ुद ही बेसुरा हो जाता तो तसला फेंक कर कहता कि टप्पे का समां तो उस समय बंधता है जब दूर से हर बोल के साथ डाचियों और गाय, बकरियों के गले में पड़ी हुई हमेलों की, घंटियों की आवाज़ आती रहे।

फ़ज़लदीन चाचा को वो लोग भी चाचा कहते थे जो ख़ुद ताया कहलाने के लायक़ थे। हमें याद है कि पहली मुलाक़ात हुई और हमने नाम पूछा तो उसने सारा उद्धरण सुना दिया 'गांव थूइयां, दरबार बाबा हज़रत शाह कली, इलाक़ा थाना अलीपुर चठ, ज़िला गुज़रानवाला, निज़्द लाहौर, मार्फ़त अल्ला दित्ता साइकिल पंक्चर मिस्त्री पहुंच कर चौधरी फ़ज़लदीन पेन्शन याफ़्ता लांसनायक को मिले।

मज़दूरी का समय : बैंकों में उन दिनों सुबह साढ़े आठ बजे से रात के दस–ग्यारह बजे तक लगातार काम होता था। जबकि सरकारी दफ़्तरों में बेकार रहने का समय नौ से साढ़े चार तक था। पहले तो रात गये तक काम करने की कोई शिकायत नहीं करता था और अगर कोई सिरफिरा आवाज़ उठाता तो उसका तबादला बारिश में चटगांव, गर्मी में

सक्खर और सर्दी हो तो कोयटा कर दिया जाता था, जो उस समय उद्दंड बैंकरों के लिये काले पानी की हैसियत रखते थे, लेकिन जो गर्दन मार देने के लायक़ होते उनको लाइन हाज़िर कर दिया जाता था। यहां उनकी तुर्रा लगी पेचदार पगड़ी के सारे पेच एक-एक करके निकाले जाते। हमें याद नहीं कि दो-ढाई साल तक हमने और हमारे साथियों ने कभी चौदह घंटे से कम काम किया हो। दिन और रात का अन्तर मिट चुका था और अगर था तो हज़रत अमीर मीनाई के शब्दों में स्त्रीलिंग और पुल्लिंग की उलट फेर तक—

दिन मिरा रोता है तेरी रात को
रात रोती है मिरी दिन के लिये

दोपहर को कम ही लोग खाना खाते थे। घर-घर से साइकिल पर खाने के डिब्बे बटोर कर लाने वालों ने अपनी सर्विस और बारी-बारी से हर एक डिब्बे से बोटियां ग़ायब करने का धन्धा शुरू नहीं किया था। स्टाफ़ के अधिकतर लोग लेखक सहित, ईरानी होटलों की तरफ़ चहलक़दमी करके बेखाये-पिये वापस आ जाते। जहां तक हमारी याददाश्त का संबंध है, हवाख़ोरी का ये सिलसिला 1954 तक जारी रहा। कोई किसी से नहीं पूछता था कि आज भी तुमने खाना खाया कि नहीं। आठ-नौ बजे तक पेट का अलाव भड़क उठता। उसी को दबाने, बहलाने के लिये दरअस्ल ये क़व्वाली होती थी। सभी भूख को निकोटीन या पान से बहलाते रहते थे। अलबत्ता चाचा फ़ज़लदीन चौकीदार वुड स्ट्रीट के फ़ुटपाथ पर दो ईंटें रख कर आठ बजे मक्का की एक रोटी डाल लेता था, लेकिन जब तक दफ़्तर में एक आदमी भी ख़ाली पेट बैठा काम कर रहा होता, चाचा फ़ज़लदीन लुक़मा तोड़ना पाप समझता था। ग्यारह बजे से पहले उसे शायद ही रोटी नसीब होती थी। कभी-कभी वो सबको अपने हाथ से मलीर के भुट्टे भून कर खिलाता और अपने गांव के भुट्टों को याद कर के रुआंसा हो जाता।

कुछ दिन बाद ऐसा बिजोग पड़ा कि सिगरेट पीने की क्षमता भी न रही। क्षमता से हमारा अभिप्राय साठ-सत्तर है कि यही हमारा औसत था। बुरी बात और बुरी आदत का सही लुत्फ़ और लज़्ज़त दरअसल अधिकता में ही आता है। साहिबो! कमी पर इतना ही ज़ोर है तो नेकी में करो, कौन रोकता है? कमी को तबियत ने कभी न माना। हमने सिग्रेट कम करने के बजाय बिलकुल छोड़ दी और जुशांदे से काढ़ी हुई मालाबारी चाय के पियाले के पियाले चढ़ा कर भूख और नींद को भगाते रहे। चाय दरअसल इसी नेक काम के लिये बनी थी। कहते हैं कि छठी शताब्दी में एक तपस्वी बोधिधर्म धर्म प्रचार के लिये चीन गया और वहां एक दीवार पर निगाह जमा कर ध्यान करने लगा। एक दिन ध्यान के समय आंखें आप ही आप नींद से मुंद गयीं और सारी तपस्या खण्डित हो गयी। क्रोध में आ कर उस ध्यानी ने वहीं अपने पपोटे काट कर फेंक दिये ताकि आंखें कभी बन्द ही न हो सकें। धरती पर जिस जगह वो पपोटे और ख़ून की बूंदें गिरीं, वहां नई कोपलें फूट निकलीं जिन्हें उससे पहले किसी ने नहीं देखा था। उनका नाम चाय पड़ा। उसी की याद में ज़ेन मत वाले आज भी ध्यान और उपासना से पहले चाय का घूंट ज़रूर लेते हैं। सो हम भी इस घड़ी इस अमृत के घूंट ले-ले कर उस रात की बातें सुना रहे हैं।

हमने अहले-ज़बां (परिष्कृत भाषा बोलने वाली) से शादी क्यों की : सभा के अध्यक्ष का पूरा नाम (भूतपूर्व) सेकिंड लेफ़्टिनेन्ट नवाब मुहम्मद उमर मुजाहिद नहास पाशा कुंजू था। बैंक में ताज़ा अवतरित हुए थे। स्वयं को कर्नाटक का नवाब बताते थे। तेवर और तनतने से नवाब ही लगते थे मगर ऐसा मालूम होता था कि अपने नवाबी इलाक़े के नाम से पहले उन्होंने 'कर' की बढ़ोत्तरी कर ली है, हैदराबादी उर्दू भी मद्रासी ढंग से बड़े फ़र्राटे से बोलते थे। क़ का उच्चारण ख़ करते थे। कमसिन हसीना को क़ुमरी और क़ुमरी को ख़ुमरी कहते थे। अक्सर ख़ान सैफ़ुल मलूक़ ख़ान का मज़ाक़ उड़ाते कि वो ख़ुबानी को ख़ुरबानी कहता है और हक़ नवाज़ चमया क़ुरबानी को कुरबानी। ख़ुद क़ुरबानी को ख़ुरबानी कहते थे। अपने नाम का उच्चारण यन.यम.यू.यम.यन.पी.कुंजू फ़रमाते थे। एक दिन हमने छेड़ा, सरकार ने सारा कर्नाटक छोड़ कर यू.पी. की औरत से क्यों शादी रचायी?

'खट्टा सालन, इमली चावल, और बघारे बैंगन खाते-खाते दांत अमल गये थे, इत्तफ़ाख़ से मुलाख़ात हो गयी। सलीख़ामंद ख़ानदानी ख़ुमरी, लखनवी ख़लिया-ख़ोरमा पकाने में ताख़, ख़ुबूल सूरत, घर चलाने के ख़ायदे और ख़ानून से वाख़िफ़ और क्या चाहिये?' वो ख़ोंख़ियाये।

'तो गोया ये आपके पंच ख़ख़ार हुए,' हमने कहा।

'मगर आप भी तो मारवाड़ी रांगड़ हैं। आपने क्यों अहले-ज़बां से शादी की?'

'हमने तो यह गुस्ताख़ी केवल उर्दू ज़बान से अपनी झिझक निकालने के लिये की थी।'

'इही गल हुई जवानां वाली' चाचा फ़ज़लदीन ने हमारी बीवी से सम्बन्धित मन्सूबा बनाने की दाद दी।

(कर) नाटक का नवाब : बैंक में कुंजू शहज़ादा गुलफ़ाम कहलाते थे। इकहरा बदन, चन्दनी रंगत और बातों में उसी की सुगन्ध, तीखे नैन-नक़्श, ततैये जैसी कमर, नाक इतनी लम्बी और नुकीली कि उसमें मंगनी की अंगूठी पहनायी जा सकती थी। कान पर मन्नत की बाली का रुंझा हुआ छेद, अच्छे लिबास के शौक़ीन थे। प्रसिद्ध था कि सोते में भी करवट लेने से पहले अपनी मांग और पाजामे की क्रीज़ ठीक कर लेते थे। उनके सुन्दर कपड़े पहनने, सजने, संवरने और बरबादी में औरतों की तरफ़ उनके रुझान का बड़ा हाथ था। मई-जून में भी 'पोलका' बुन्दकियों का स्कार्फ़ बांधते थे। एक बार हमने टोका कि आपका 1/3 वेतन बज़ाज़ और 2/3 दर्ज़ी की नज़र हो जाता है। पिछले महीने आपने अपने घर के बजट के दूसरे पलड़े में हमारे वेतन का पासंग डाला, तब कहीं डंडी बराबर हुई। बोले, 'मैले, पुराने-धुराने कपड़े पहनने का अधिकार तो सिर्फ़ करोड़पति सेठों को है। नौकरीपेशा आदमी के तो अल्लाह ने चाहा तो यही अलल्ले-तलल्ले रहेंगे। मद्रासी भाषा में कहावत है कि हिजड़े ने सारी कमाई-मूंछ मुंडवाई में गंवाई। हमारे क़बीले की यह आस्था है कि जो रुपया छोड़ के मरे, वो असल बाप का नहीं। मेरे बाप ने न जाने कैसे आठ हज़ार रुपये जमा कर लिये थे, जिनसे एक कॉपरेटिव बैंक में एकाउन्ट खुलवाया। वो तो उनके मरने से एक महीना पहले बैंक फ़ेल हो गया वरना सारी वंशावली मिट्टी में मिल जाती। मौला ने बड़ा करम किया।

हर आदमी की अपनी निश्चित चाल और आवाज़ होती है। ये प्रकृति का चमत्कार ही है कि ऐन वैसी चाल और आवाज़ दुनिया में न किसी की हुई, न होगी लेकिन जैसी अजीबोग़रीब चाल इन हज़रत की थी, हमने इससे मिलती-जुलती भी नहीं देखी। लगभग घुटनों पर हाथ रखे चलते थे। हाथों की पोज़ीशन ऐसी होती थी जैसे आंधी में साइकिल का हैंडिल मज़बूती से पकड़े चढ़ाई चढ़ रहे हों। बहुत दिन बाद मालूम हुआ कि हारमोनियम के रसिया हैं और हर समय उसे गोद में उठाये-उठाये फिरने से उसी पोज़ में अकड़ कर रह गये हैं। हारमोनियम उठाये हुए न हों तो बैलेंस बनाये रखना मुश्किल हो जाता। क़दम-क़दम पर डगमगाते, लड़खड़ाते, कभी उलार हो जाते। अक्सर फ़रमाते कि पूरे मद्रास प्रान्त और कर्नाटक में मुझसे अधिक तेज़ कोई टाइप नहीं कर सकता। हारमोनियम इतनी विद्युतगति से बजाते कि उंगलियां नज़र नहीं आतीं। धुन भी कहीं नज़र नहीं आती थी। प्रति मिनट डेढ़ सौ अक्षरों की हत्या कर लेते थे।

क़र्ज़ लेने में उन्होंने कभी कंजूसी से काम नहीं लिया। कहते थे कि उधार से भाईचारा और समानता बढ़ती है। उस ज़माने में सबका हाल पतला था।

कौन है जो नहीं है हाजतमंद : जिसको देखो, पांव चादर से घुटनों तक बाहर निकले हुए हैं। ऐसों से क़र्ज़ लेना, लेकर न देना, फिर लेना उन्हीं का जिगरा था। किसी का हाथ तंग होता तो यार लोग उल्टा उसी से क़र्ज़ मांगने लगते—इस डर से कहीं पहले वो न मांग बैठे और कोई वाक़ई क़र्ज़ मांगता तो लोग अपनी मुश्किलों का ज़िक्र इस तरह करते कि मांगने वाला भी रोने लगता। हमदर्दी और दिल पिघलाने का इससे अधिक प्रभावकारी ढंग अभी तक नहीं खोजा गया। उपमहाद्वीप के कई दूर-दराज़ के पिछड़े इलाक़ों में अब भी ये रिवाज चला आता है कि बिरादरी की बड़ी-बूढ़ियां किसी की ग़मी में शरीक होती हैं तो लम्बा-सा घूंघट काढ़ के बैठ जाती हैं और अपने-अपने प्यारे का नाम ले के बैन करती, दहाड़ती हैं। सब अपने-अपने मर्दों की ख़ूबियां बयान करके सूखे आंसुओं से रोती हैं। अगर कोई अपरिचित पहुंच जाये तो वो एक घन्टे बैन सुन कर भी ये तय नहीं कर सकता कि रोने-पीटने की इस सभा में आज का विशिष्ट मृतक कौन है? उन दिनों बैंक में भी यही मेल-जोल की रीत थी। अपने-अपने सम्मुख से मिल कर दुआ-सलाम करने के बाद सब अपनी आवश्यकताओं और इच्छाओं को सामूहिक क़ब्रिस्तान में दफ़्ना देते मगर इस तरह कि दूसरे दिन छंगुलिया से खोद कर निकाली जा सकें।

कुंजू क़र्ज़ मांगने से पहले अपनी त्यागी हुई ज़मीनों का ज़िक्र ज़रूर करते और रक़बे दोहराते, तिहराते और चौहराते रहते। हर बार, पन्द्रह-बीस हज़ार एकड़ की बढ़ोत्तरी ही नहीं, बल्कि पैदावार बढ़ाने वाले बयान से ज़मीन की प्रति एकड़ पैदावार को भी दुगना-तिगुना कर देते। कर्नाटक के पथरीले इलाक़ों में घास का तिनका भी नज़र नहीं आता, वहां न सिर्फ़ गन्ने के जंगल के जंगल खड़े कर देते, बल्कि उनमें जंगली हाथियों और ख़ुमरियों के रेवड़ के रेवड़ घुसा देते। जिस दिन हमारा सारा वेतन बारह घंटे के लिये क़र्ज़ लिया उस दिन उनकी ज़मीनों का रक़बा फैल कर इतना हो गया था कि समूचा सिन्ध उसमें समा जाये और फिर भी इतनी गुंजाइश रह जाये कि पंजाब के पांच-छह

ज़िले अपने सरकारी अमले और बदज़बान पटवारियों समेत, उसमें खप जायें। अगले इतवार को पाक बोहेमियन कॉफ़ी हाउस में मिर्ज़ा ने पूछा, 'आपने कर्नाटक की जायदाद का क्लेम क्यों नहीं दाख़िल किया?' झुंझला कर बोले, 'मुझे क्या बावले चूहे (हैदराबाद में कभी प्लेग फैल गया था, मुहल्ले के मुहल्ले साफ़ हो गये तभी से मुहावरे में कुत्ते की जगह चूहा घुस आया) ने काटा है? मैं क्लेम में क़िले के बदले क्वार्टर नहीं लेना चाहता। रियासतें भी कहीं राशन कार्ड पर एलाट हुई हैं। अफ़सोस आपका कभी रईसों से वास्ता नहीं रहा। पोतड़ों के रईसों की ख़ू-बू सौ साल तक नहीं जाती' अगर लफ़्ज़ ख़ू (आदत) निकाल दें तो मुझे आपका दावा शब्द-शब्द स्वीकार है। मिर्ज़ा ने हुज्जत की।

इंडियन आर्मी से डिस्चार्ज हुए सात-आठ साल होने को आये थे लेकिन बलिदान देने और लेने की आग अपने 36 इंच के सीने में दबी रखते थे। एक दिन कहने लगे कि जब मैं केनरा बैंक में चीफ़ कैशियर था तो तीन डाके पड़े।

'डाके?' हमने किसी से पूछा।

'जी हां! बैंक में डाके नहीं पड़ते तो क्या ओले पड़ते? अपनी हाज़िरजवाबी से हमारा खुला मुंह बन्द करके उन्होंने बड़े विस्तार से पहले डाके में अपनी तेज़ दिमाग़ी का क़िस्सा सुनाया जिसका ख़ुलासा ये था कि जैसे ही डाकू ने 38 बोर का पिस्तौल निकाला, उन्होंने बड़ी दिलेरी से एक-एक हज़ार रुपये के नोटों की गड्डी उसकी कनपटी पे रख कर पिस्तौल लूट लिया।

इन्द्र का अखाड़ा : 1940 ईसवी में सेना में भर्ती होने से पहले कोचीन हो आये थे कि ज़िन्दगी का भरोसा नहीं। मरने के बाद तो गुनाह का मौक़ा स्वर्ग में भी नहीं मिलने का। बैंक में रोज़ शाम को इन्द्र सभा सजाते और एनार्कुलम की नारियों की छब दिखलाते। शोख़ बच्चे की गेंद की तरह टप्पा खाती हुई द्राविड़ी काठी, कॉफ़ी जैसी महकती-दहकती रंगत, उभरे-उभरे जामुनी होंठ। खाल जैसे कुंवारी थाप तले कसी हुई ढोलक, काले ग्रेनाइट की चट्टानें आदमी के रूप में। कहते थे कि वहां कोई गृहस्थिन, शरीफ़ औरत अपने सीने और पेट नहीं ढांकती। अंधेरे उजाले कोई औरत चोली पहने हुए नज़र आये तो इसका मतलब है कि बिकाऊ माल है और साथ रात बिताने की दावत दे रही है। भले घरानों में वो अंग जो रूप की राजधानी हैं, कपड़ों के अलंकार के मुहताज नहीं होते। हरचंद कि वो कोचीन में तीन रात से अधिक नहीं ठहरे लेकिन उसमें ही जो उनकी इच्छा भरी आंख ने देखा वो हमारे होंठों पे नहीं आ सकता। रोज़ एक रंग के विषय को सौ ढंग से बताते। हर शाम एक नई ख़ुमरी का नख-शिख वर्णन करते और हमारी विषयाग्नि को पेट्रोल से बुझाने की कोशिश करते।

मद्रास छोड़े मुद्दत हो चुकी थी लेकिन उसकी बुराई किसी तरह बर्दाश्त न थी। एक दिन मद्रासी कॉफ़ी, लुंगी, पापड़, सर राधा कृष्णन और अचार की तारीफ़ करते-करते मुंह से निकल गया कि बम्बई वाले गंवारों की तरह चीख़-चीख़ कर बोलते हैं और बम्बई के अलावा हर शहर को.........लन्दन, न्यूयार्क और पेरिस को भी ....बाहरगांव कहते हैं। इसका उत्तर बम्बई के प्रतिनिधि, कराची के वर्तमान निवासी, अब्दुल रहमान

हाजी सुतली वाले ने ये दिया कि मद्रास में यूनिवर्सिटी का वाइस चांसलर भी तहमद बांधे सड़क पर नंगे पैर घूमता है और औरतें साड़ी के नीचे पेटीकोट नहीं पहनतीं। इस पर दोनों में ख़ूब धर-पटक हुई। एक दूसरे को इस बेदर्दी से उठा-उठा कर फेंकने लगे जैसे क़ुली मालगाड़ी में से वो पेटियां उठा कर फेंकते हैं जिन पर 'fragile' लिखा होता है। जब दोनों में फेंकने और फिंकवाने की क्षमता न रही तो एक-दूसरे से गुत्थम-गुत्था होकर फ़र्श पर पड़ रहे। दोनों प्रान्त किसी तरह अलग होने का नाम नहीं लेते थे। अन्त में हमने ये कह कर बीच बचाव कराया कि साहिबो! हमें देखो, हमारे छोड़े और छूटे हुए वतन राजस्थान में ये सब ज़ब्त की जाने वाली वस्तुएं पायी जाती हैं मगर हमने तो किसी बाहरगांव वाले का सिर नहीं फोड़ा। हरी मिर्च के अचार और कच्ची राजस्थानी चुनरी से गाल लाल गुलाल, गले से एक बालिश्त नीची चोली जिसकी धाई में फिसलने के लिये निगाह भर का रास्ता, सिंघाड़ा से टख़ने से एक हाथ ऊंचा लहंगा और फिर—

रात जले कुछ जगमग-जगमग होवत है
कोई ओढ़े चुनरिया सोवत है

हमने तो इन चीज़ों पर कभी हाथापाई नहीं की। बोले कि असल लड़ाई तो हाथ-पैर की होती है। ये कमीनों की तरह ज़बान चलाता है।

प्रदर्शित आवारगी और हा हू के बावजूद अपनी तन्दुरुस्ती का बहुत ध्यान रखते। उल्टी-सीधी योग की कसरतें करते, सूरज निकलने से पहले पद्मासन में दम साधे, अपनी नाक पर निगाह जमाये संसार पर चिन्तन करते। अक्सर उपदेश देते कि अनावश्यक सांस न लो। सांस बचाओ। कल काम आयेगी। जितनी सांस कम लोगे, उतनी ही संख्या में सांसों में उम्र बढ़ जायेगी। उनके इस कार्य से दफ़्तर में ऑक्सीजन की काफ़ी बचत हो जाती। निहार मुंह दो गिलास नमक का पानी पी कर उल्टी करते फिर नथुने में सूत की डोरी का फ़तीला चढ़ाते, यहां तक कि उसका दूसरा सिरा हल्क़ से निकल आता। फिर उसे हौले-हौले खींच कर निकाल लेते। इस क्रिया को दोहरा कर दोनों नालें साफ़ करते। ये उन्हीं से मालूम हुआ कि इससे दिमाग़ रौशन और आत्मा विकसित, ऊर्जादीप्त होती है वर्ना हम तो अब तक इसी भ्रम में थे कि नाक साफ़ करने से नाक ही साफ़ होती है। अक्सर उपदेश देते कि सफलता के लिये स्वास्थ्य, परिश्रम, उदारता और बुद्धिमत्ता अत्यन्त आवश्यक है और इसके सुबूत में अपने आपको पेश करते।

उनसे छोटे-बड़े जितने भी स्कैंडल जुड़े हुए थे उनके आविष्कारक, निर्माता, व्यवस्थापक और प्रचारक वो स्वयं ही बताये जाते थे। अपने बारे में किये गये आधारहीन अनुमानों की वो हमेशा पुष्टि कर देते थे। अपनी शान में तमाम गुस्ताख़ियों और शरारतों के सूत्रधार दरअसल वो स्वयं थे। एक उम्र ऐसी भी आती है कि आदमी को तुहमत से ख़ुशी मिलती है कि चलो इस लायक़ तो समझा। अनगिनत तुहमतें अपने ऊपर लगा ली थीं जिनकी गिनती जोश साहब की आत्मकथा के 18 इश्क़ों से कहीं अधिक होगी।

प्रसिद्ध था कि हिरनियों का पीछा करने में ख़ुतन (चीन का एक नगर जहां की कस्तूरी प्रसिद्ध है) से भी आगे जा चुके हैं। 'पे डे' पर red light area में दिल में उजाला

कर लेते हैं। हालाँकि कराची के बाज़ारे-हुस्न में जितनी बदसूरती फ़ी-इंच कूट-कूट कर भरी है उसकी मिसाल दुनिया में शायद ही मिले सिवाय कराची टी.वी. के। मगर कुंजू इस मामले में रंग, नस्ल, मज़हब, ज़बान, क़द की भिन्नता से भी ऊपर थे।

तेग़ तो तेग़ है हम तोप से लड़ जाते थे

बल्कि इस मैदान में अधेड़ उम्र के चचा इब्तिसाम बेग की प्रान्तवादिता की खुल्लम खुल्ला खिल्ली उड़ाते कि 'बुड्ढा हो गया मगर ठिरक नहीं निकली, चलो माफ़ किया मगर शराब शौक़ फ़रमाने की गरिमा से भी परिचित नहीं। इस कूचे में सारे विरोध मिट जाते हैं। आवारगी में भी प्रान्तीय पक्षपात करता है। अपने प्रान्त की तवायफ़ के सिवाय किसी की इज़्ज़त नहीं लेता। हालाँकि वो अब बिलकुल खंडहर हो चुकी है जिसमें अब सिर्फ़ चमगादड़ें उल्टे पैर करके लटक सकती हैं। एक दिन मैंने बहुतेरा ललचाया कि हीरा मण्डी में कुछ अधकचरा-अधकतरा माल आया है। अपन के साथ जापानी रोड चलो, पर बेग चचा नहीं माना। कहने लगा कि नहीं मैं तो उसी के पास जाऊंगा। उसने मेरे अच्छे दिन देखे हैं...

निकाह का छुहारा : सुना है औरत जीवन में केवल एक बार मुहब्बत करती है। इसका मतलब शायद यह है कि औरत एक ही मर्द से जीवन में एक बार से अधिक मुहब्बत नहीं करती। इसे हमारी ग़लत सोच ही समझिये, वरना हम तो मर्दों के बारे में भी कोई बात भरोसे से नहीं कह सकते इसलिये कि जो दिन दिल के बेलगाम, बेमुहार छोड़ने के थे, उस ज़माने में क़रीब और दूर के बुज़ुर्गों ने दुआओं और उपदेशों से हमारी शारीरिक नाकाबन्दी कर रखी थी। फिर भी हमारा विचार है कि मर्द भी इश्क़-आशिक़ी सिर्फ़ एक ही बार करता है दूसरी मर्तबा अय्याशी और उसके बाद निरी बदमाशी। बक़ौल प्रोफ़ेसर क़ाज़ी अब्दुल क़ुद्दूस, एम.ए.—आदमी ख़ताओं और बुराइयों का पुतला है लेकिन नहास पाशा कुंजू के हर इश्क़ में उन्माद और ऊलजलूलपन का यह आलम कि जैसे ये दिल की पहली और आख़िरी वारदात है, इसके बाद ख़ुदकुशी कर लेंगे और अगर इसमें कामयाब न हो पाये तो निकाह कर लेंगे। चुनांचे सारी उम्र ख़ुदकुशी और निकाह की सरहद पर अंधा भैंसा खेलते रहे। एक दिन डींग मारने लगे कि यह मेरा तीसरा निकाह है। निवेदन किया कि हमें तो एक बीवी भी आवश्यकता से अधिक मालूम होती है, लेकिन शरअ में चूँकि एक से कम, यानी बट्टा या टोटे की अनुमति नहीं इसलिये इस ईश्वरी कृपा के शुक्रान और भुगतान के सिवा चारा नहीं।

क़हक़हे के बाद बोले, 'देहात में ऊंट को कोई भी मरज़ हो—दस्त, क़ब्ज़, बुख़ार, गठिया, अफ़ारा, रतौंधी हर मरज़ की दवा एक ही है, लोहे की दहकती सलाख़ से दाग़ दिया जाता है। जाड़े में मस्त हो जाये तो दाग़ देते हैं। मस्त न हो तब भी दाग़ देते हैं कि सुस्त क्यों है। इसी तरह अपने यहां हर मरज़ का इलाज, हर चिन्ता का निकास निकाह है। एक से पूरा न पड़े, चैन न आये तो दोबारा, तिबारा दाग़ते हैं।'

न मिरा इश्क़ फ़रिश्तों जैसा : कुछ दिनों से सुनने में आ रहा था कि तबियत फिर बहार पर है। एक ब्याही-त्याही पड़ोसन के गुलों में रंग भर रहे हैं। दिन भर लोहार

की धोंकनी की तरह आहें भरते और डूब कर इश्क़िया शे'र पढ़ते। स्त्री वशीकरण के लिये एक संन्यासी बाबा का दिया हुआ काजल लगाने लगे थे, एक दिन हमने टोका कि आपकी इच्छिता तो शादीशुदा है। बोले, 'जभी तो काजल लगाना पड़ रहा है वरना सुरमा ही काफ़ी था।'

उनके मियादी इश्क़ का काल एक घंटे से एक साल तक हो सकता था। लेकिन उस एक घंटे में जिसमें 3600 लज़ीज़ सेकिंड होते हैं, वो भूत-प्रेत की तरह चिपट जाते थे। बताते थे कि नीलगिरि पर्वत की तलहटी में एक पहाड़ी 'ख़ुमरी' ने उनसे बेवफ़ाई की तो उन्होंने वहीं कुल्हाड़ी से नाक काट ली। इस पर चाचा फ़ज़लदीन चौकीदार ने टोका कि भला कुल्हाड़ी से नाक कैसे काटी जा सकती है। टांग अलबत्ता काट सकते हैं। बोले, 'तो फिर टांग ही काटी होगी, कुछ काटा ज़रूर था।'

हसीनों की संख्या अधिक हो और कुंजू सिर्फ़ एक की अल्पसंख्या में हों तो हिम्मत नहीं हारते थे। क़साई कहीं भेड़ों की अधिकता से घबराता है, या प्रोफ़ेसर क़ाज़ी अब्दुल क़ुद्दूस के कथनानुसार, हाथी के सामने जितनी बार केला फेंको सूंड से उचक लेता है। उन दिनों कराची में पावन्दे आये हुए थे। उनके घर से दो फ़र्लांग दूर उन्होंने अपनी पैवन्द लगी छोलदारियां गाड़ रखी थीं। एक पावन्दे की बीवी पर जान-माल से फ़िदा हो गये। कहते थे कि जब वो चटकीली धूप में एल्यूमीनियम की उल्टी पतीली सिर पे ओढ़ के पानी भरने निकलती है तो बिलकुल मलिका मालूम देती है। पशमीने के ख़ेमे में रहती है। एक दिन बैठे-बैठे कुछ ध्यान आया तो अपनी कुर्सी से गद्दी निकाल कर हमारी तरफ़ फेंक दी कि जब वो प्याल के बिछौने पर सोती है तो मैं इस गद्दी पर किस तरह बैठ सकता हूं। वो सुबह-सुबह जाली का गट्ठर सिर पर रख कर अकेली बेचने निकल जाती। शौहर दिन भर रायफ़ल गले में लटकाये बकरी और मुर्ग़ियों की रखवाली करता। सुर्ख़ पिशवाज़ में ख़ंजर उड़से रखती थी। तीसरे-चौथे नहास पाशा कुंजू उससे एक आध गज़ कपड़ा ख़रीद लेते, जिसका लंगोट भी नहीं बन सकता था। इसलिये कि जहां तक हमारी अक़्ल काम करती है, जाली का लंगोट सिर्फ़ मच्छरों से कुश्ती लड़ने के लिये कसा जा सकता है। दिन भर जाली पर हाथ फेरते और सूंघते रहते।

शहज़ादा गुलफ़ाम और लन्दन : विश्वयुद्ध की समाप्ति के बाद न जाने किस खाते में दो महीने लंदन गुज़ार आये थे। दस पौंड का एक चैक भुनाने के उत्सव में वैस्ट मिनिस्टर बैंक का पांच मिनट तक ग़ौर से मुआयना किया। इन अनुभवों से दो घंटे तक हमें लाभान्वित करते रहे। हर शनीचर की शाम को एक नाइट क्लब के डांस की ऐसी तस्वीर खींचते कि क्या कहिये बल्कि कुछ न कहिये। एक बार नाच के दौरान हमें मुस्कुराते देख कर बोले कि आप क्या जानें? एक ही जलवे में आप जैसों की तो नकसीर फूट जाये। चश्मे के शीशे तड़ख़ जायें। स्ट्रिप टीज़ डांसर को इस तरह नचवाते कि वो बेपर्दा उनकी आंखों के सामने हुस्न की किताब के पन्ने पलटती चली जाती, यहां तक कि उनका पारा बिखर जाता।

कुंजू स्पेनिश और फ्रेंच भाषा पर फ़िदा थे। ऐफ़िल टॉवर की आख़िरी मंज़िल पर

उन्होंने हसीनाओं की उपस्थिति में कानों में उंगलियां देकर अज़ान दी थी जिसे चर्चा के दूसरे पक्ष ने कानों में उंगलियां दे कर सुना था। क्लिक, क्लिक, क्लिक फ़ोटो पे फ़ोटो खींचे गये। कहते थे, 'स्पेनिश बहुत आसान भाषा है, मैड्रिड में मैंने तीन साल के बच्चों तक को स्पेनिश बोलते देखा।' हमारी सान्त्वना के लिये उन्होंने स्पेनिश बोल कर दिखायी, लगता था सचमुच तीन बरस का बच्चा बोल रहा है।

पहला एशियाई : अगर शेख़ी बघारना और झूठ बोलना पुलिस के हस्तक्षेप के लायक़ जुर्म होते तो उनके हाथों में स्थाई रूप से हथकड़ी पड़ी रहती और हम मुजरिम की नक़ल करने के जुर्म में सारी ज़िन्दगी जंगले के पीछे मुंह पर रूमाल डाले गुज़ारते। तीसरे-चौथे महफ़िल जमती। वही हंगामे, वही हाओ-हू। एक दिन तरंग आयी तो कहने लगे कि मैं पहला एशियाई था जिसने 1944 में इंग्लिश चैनल क्रॉस करने की हिम्मत की, वरना उस ज़माने में तो कालों को स्विमिंग पूल में भी पैर भिगोने की अनुमति नहीं थी। जिस वक़्त उन्होंने कसरती बदन पर ग्रीस लगा के इंग्लिश चैनल में छलांग लगायी तो सैकड़ों गोरी 'ख़ुमरियां' उन्हें पानी के हवाले करने आयी थीं। एक लहर के बिल्लौर में लालची बगुला मछली की दुम चोंच में दबाये साफ़ नज़र आ रहा था। जैसे ही उन्होंने या अली! कह के छलांग लगायी, बर्फ़ की चादर में उनकी पूरी आउट लाइन तरश गयी। जिसमें उनके डौले और रानों की मछलियों के उभार साफ़ नज़र आते थे। 'ख़ुमरियां' भौंचक्की हो कर देख रही थीं। इसलिये कि मैं पहला एशियाई था...

वो फूलदार लंगोट बांधे प्रदर्शन करने में व्यस्त थे कि हमारी हँसी निकल गयी। उन्होंने ख़ुद को संभाला, आख़िर को घाघ थे। कहने लगे कि बात ख़त्म होने से पहले ही ही ही ही! ठीठी करने का क्या मतलब? मैं कह ये रहा था कि मैं पहला एशियाई था जो इंग्लिश चैनल में छलांग लगाते ही बेहोश हो गया था।

दूसरे विश्वयुद्ध के हीरो : महीने में एक-दो बार ऐसा भी होता कि रात के ग्यारह बज जाते और एकाउन्ट किसी तरह बैलेंस होने का नाम न लेता। हिसाब को हर ब्रांड के सिग्रेट की धूनी और चाय के तरेड़े दिये जाते, लेकिन दो और दो किसी तरह चार न हो पाते। फ़र्क़ कभी एक लाख का निकलता और कभी सिकुड़ कर तीन पाई का रह जाता जो इस पेशे में एक लाख से ज़ियादा जानलेवा और जोखिम का होता है। यह फ़र्क़ बारिश में भीगी हुई चारपाई की कान की तरह होता है। एक पाये पर बैठो तो दूसरा उठ खड़ा होता है। सारे मुहल्ले के लौंडों, लाड़ियों को कुदवाना पड़ता है। एक रात नहास पाशा कुंजू ने तरस खाके चुपके से अपनी जेब से एक पैसा डाल कर हिसाब बैलेंस कर दिया। उस रात तो सब ख़ुश-ख़ुश घर चले गये लेकिन दूसरे दिन असली ग़लती मिल गयी। तीन हफ़्ते तक उस पैसे के कारण एकाउन्ट बैलेंस न हो सका। ये पैसा फूली हुई लाश की तरह हिसाब की सतह पर तैरता रहा और हमारी रातें काली होती रहीं। जब ऐसी काली रात आती तो एक-डेढ़ बजे पटाख़े चलने की आवाज़ें आतीं। होता यह था कि नहास पाशा कुंजू जब तंग आ जाते तो हज़ार-हज़ार पेज के लैज़र इतने ज़ोर से बन्द करते और पटख़ते कि पटाख़े छूटने लगते। ये घोषणा होती इस बात की कि हिसाब-किताब

जाये भाड़ में। अब द्वितीय विश्वयुद्ध से सम्बन्धित आपबीती का ट्रेलर दिखाया जायेगा। सब अपने-अपने बिलों से निकल कर उनके आस-पास इकट्ठे हो जाते और वो अपने शाहनामे के अलग-अलग हिस्से सुनाते जिनसे साबित होता था कि जर्मनी की पराजय में उनकी केन्द्रीय भूमिका थी। सिद्दी रज़ीग़ में एक कुएं की मुंडेर की ओट लेकर उन्होंने थ्री नॉट थ्री रायफ़ल से एक ही गोली ऐसी मारी कि लुफ़्ट वाफ़े जहाज़ के दोनों पर झड़ गये और वो फड़फड़ाता हुआ पेट के बल कुएं में आन गिरा। तबरक़ में जनरल रोमेल ने उनसे टक्कर ली। सच और झूठ का संग्राम था। बुरी शक्तियां एक तरफ़, ख़ुदाई फ़ौजें दूसरी तरफ़। उन्होंने युद्ध के मैदान में ख़ुदा के पक्ष में एक जोशीला भाषण दिया जिसके बाद बड़ा ख़ून-ख़राबा हुआ। 'घमासान युद्ध हुआ। ऐसा कन्फ़्यूज़न था कि पता नहीं चलता था कि गोली ख़ुद को लगी है कि साथी को। जिधर नज़रां उठा के देखो बन्दूख़ां, तोपां ठांय-ठांय चल रही हैं। मौतां हो रही हैं। ज़िन्दगी का पहला मौख़ा था कि एक घंटे तक औरतां का ख़याल नहीं आया। मौत का फ़रिश्ता सिर पे चक्करां पे चक्करां लगा रहा है। घोड़ां और टैंकां एक दूसरे पर टक्करां पे टक्करां मार रहे हैं........।'

'घोड़े?' हमने आश्चर्य से पूछा।

'और क्या हाथी टक्करां मारते? हाथियां का इस्तेमाल तो पोरस की मौत के बाद ही बन्द कर दिया गया था। हां तो मैं ये कह रहा था कि चारों तरफ़ तोपां गोलाबारी कर रही थीं, तीन गोले तो मेरे डेन्टर पर लगे।'

उन्होंने बायीं आस्तीन उलट कर तीन बहुत स्पष्ट निशान दर्शकों को दिखाये। ऐसे तीन बहुत स्पष्ट निशान हमारी बायीं बांह पर भी हैं, आपकी बांह पर भी होंगे। हमने पूछा 'तीनों गोले एक साथ लगे?' तिलमिला उठे, कहने लगे 'जी नहीं ख़िबला! क्यू बना कर बारी-बारी पधारे थे।' सबने हमारे मूर्खतापूर्ण सवाल पर ज़ोरदार अट्टहास किया।

हमारी और उनकी पेशी : टेलीफ़ोन से दस मिनट का बिछोह भी सह्य न था। कितने भी व्यस्त हों...हमारा अभिप्राय है ग़प्प मारने में व्यस्त हों... फ़ोन ज़रूर कर लेते थे। चाहे 197 (पूछताछ) से यही पूछना हो कि यह टेलीफ़ोन डैड तो नहीं है। डायल घुमाते-घुमाते उनकी फ़ोन की उंगली में ठेक पड़ गयी थी। कहीं भी छेद दिखायी पड़े तो उसे घुमाने की कोशिश ज़रूर करते थे। दिन भर ग्राहकों से या आपस में ग़प्प लड़ाते रहते। शाम को छह-सात बजे क़मीज़ के कफ़ पर स्कॉचटेप से ब्लॉटिंग पेपर चिपका कर बैठ जाते। वाउचर्स और लेज़र पर तेज़ी से हस्ताक्षर करते जाते और कफ़ से रौशनाई सुखाते जाते। कुछ दिन बाद किसी मुंहजले ने जड़ दी कि बिना चैक किये अंधाधुंध हस्ताक्षर कर देते हैं। सबूत में रजिस्टर और लेज़र पेश किये जिनकी एन्ट्रियों पर चेकिंग के टिक मार्क नहीं थे। मिस्टर एंडरसन के सामने उनकी पेशी हुई। ख़ूब लताड़े गये लेकिन बाहर आकर कहने लगे कि मैंने जनरल मैनेजर का दरवाज़ा ठोकर मारकर खोला (सुबूत में अपना जूता दिखाया जिसकी नोक से पॉलिश ही नहीं, कुछ चमड़ा भी दो महीने से उतरा हुआ था। एन्डी बड़े प्यार से मिला। देर तक वर्ल्ड-वार की बातें होती रहीं।

दूसरे दिन उन्होंने अपने विशेषाधिकार चाचा फ़ज़लदीन को शिफ़्ट कर दिये।

चौकीदारी के अलावा अब उसकी यह भी ड्यूटी हो गयी कि बन्दूक़ को लालची बच्चे की तरह छाती से लगाये शाम को उकड़ूं बैठा झूम-झूम कर एन्ट्री के सामने चैकिंग के टिक मार्क लगाता जाये। जब वो काम करता तो ऐसा लगता कि लेज़र पर आटा गूंध रहा है। बेचारा अनपढ़ था। इसीलिये एक घण्टे में पांच सौ निशान लगा देता था। स्वयं उनकी हिम्मत साढ़े तीन सौ से अधिक नहीं पड़ती थी। ज़िम्मेदारी का अहसास बुरी बला है।

अभी इस पेशी के चर्चे बन्द नहीं हुए थे कि उनका फिर चालान हो गया। चपरासी ने सावधान किया 'बड़ा साहब आज शॉर्ट सर्किट की तरियों चड़-चड़ चिंगारियां छोड़ रिया है।' जुर्म का कारण ये कि इंस्टिट्यूट ऑफ़ बैंकर्स के तत्वावधान में 'राष्ट्रीय बचत और उसके प्रभावी उपाय' पर निबंध लेखन की प्रतियोगिता हुई थी। उसमें नहाश पाशा कुंजू ने एक चार लाइन का ज़ब्त किये जाने लायक़ लेख लिखा था जिसमें हमारी भी आत्मिक भागीदारी थी। चुनांचे हम भी सुलतानी गवाह के तौर पर पेश हुए। लिखा ये गया था कि शासन अगर नोटों पर प्राकृतिक दृश्यों, टेढ़े-मेढ़े पेड़ों और मरम्मत न किये जा सकने वाले ऐतिहासिक खंडहरों (जिन पर सैंट्रल बैंक के गवर्नरों के हस्ताक्षर इस तरह होते हैं कि जैसे इस बुरी हालत के बनाने और बिगाड़ने के वही ज़िम्मेदार हैं) के बजाय nudes (नंगी तस्वीरें) छापनी शुरू कर दे तो आजकल के नौजवान उन्हें स्वयं से अलग करके ख़र्च करने के बजाय अपनी जेब में सीने से लगाये रखने पर मजबूर होंगे। इस ज़माने में नई नस्ल को फ़िज़ूलख़र्ची से दूर रखने का यही एक उपाय है।

तांत्रिक साधना और लाल तोते : दो तीन महीने से कुंजू को हस्तलिपि समझने की झक लगी हुई थी। शाम को अलग-अलग हैंडराइटिंग और हस्ताक्षरों के नमूने सामने रख कर अपनी समझ-बूझ के आधार पर लेखन करने वाले के चरित्र के ढंके-छुपे कोनों पर रौशनी डालते। कहते थे कि मैं i पर नुक़्ता लगाने और t काटने के ढंग से बता सकता हूं कि लिखने वाले के जूते की ऐड़ी किस तरफ़ से घिसी हुई है। इतवार को किस समय सो कर उठता है। मोज़े कितने दिन बाद धोता है। गंजा है या खपरैला। कई बार तो सारा चाल-चलन एक डैश, एक कौमे में निचुड़ कर आ जाता है। यही नहीं, यहां तक दावा करते थे कि मैं नमूने की चार लाइनें लिख दूं और आदमी बिलकुल उसी स्टाइल में नक़ल करता रहे तो सारा चाल-चलन ख़ुद बदल जायेगा। हमने बड़ी बेसब्री से पूछा, क्या बाल भी उग आयेंगे? बोले कि जब कश्ती साबितो-सालिम थी, जब सिर पर पूरे बाल थे तो आपको कभी उनसे कोई फ़ायदा पहुंचा।

फिर एक दौर ऐसा आया कि वो चिन्तित रहने लगे। कोचीन की अलिफ़-लैला ख़त्म, मलयालम गीत रद्द, एक चुप सी लग गयी। रात को चार बजे तक बैंक में न जाने किस उधेड़बुन में लगे रहते और दिन भर जम्हाइयां लेते रहते। इस अचानक बदलाव का कारण पूछा तो कहने लगे कि मेरे अब्बा का इन्तक़ाल हो गया है। दूसरे एक जिन्नी मुझ पर आशिक़ हो गयी है, जिसके कारण मेरे सीने के तीन बाल सफ़ेद हो गये हैं। (रेशमी स्कार्फ़ हटाकर दर्शकों को चर्चित तीन अदद इश्क़ में डूबे बाल दिखाये।) जिन्नी के बेटे को अरबी का बग़दादी क़ायदा पढ़ा रहे थे। एक दिन फ़रमाया कि तीन माह पहले का

ज़िक्र है। मैंने टाट का कुर्ता पहना। मलेर के बाग़ में चालीस रात शेर की खाल पर बैठ के जलाली वज़ीफ़ा पढ़ा (तंत्र साधना की।) मलयालम गाली, प्याज़ और लहसुन बिलकुल छोड़ दिया। जिन्नी को बदबू आती थी। खजूर और ऊंटनी के दूध पर गुज़ारा था। ऊंटनी के दूध में बबूल के कांटे और आक का रस होता है। गंदे ख़ून और ख़यालात की सफ़ाई करता है। परिंदों की बोली समझने लग गया था। मुंह से तबला बजाता तो सारंगी और पायल की आवाज़ निकलती। ज़रा आंख बंद करता तो बिलकुल सामने आ खड़ी होती।

'कौन' हमने बेचैन होकर पूछा?

'मौत! और कौन।'

झुंझलाहट के बाद कुछ देर मौन रहे, फिर बिजली गिराने के सिलसिले को जारी रखते हुए बोले, 'उन्तालीसवीं रात को आधे चांद की रात थी। एक बजे के आस-पास खजूर खा कर गुठली थूकी तो वहीं पीपल का पेड़ उग आया। अब जो हौज़ में चलते हुए फव्वारे के ऊपर खड़े हो कर नहाने लगा तो देखता क्या हूं कि हर बूंद का एक लाल तोता बन गया है और पीपल के एक-एक पत्ते पर बैठकर अल्लाहू-अल्लाहू कर रहा है।'

'लाल तोता?' हमसे न रहा गया। ख़ान सैफ़ुल मलूक ख़ां ने हमें टहूका दिया। कहने लगे, 'चुपकर बदबख़्ता! यहां और कौन-सी बात साइंस के हिसाब से हो रही है जो तुझे तोते के रंग पर अचम्भा है।'

अपनी बात आगे बढ़ाते हुए बोले, 'अज़ानों के समय 101 तावीज़ पतंग के काग़ज़ पर केसर से लिखकर, सुहागन के हाथ के पिसे हुए आटे की गोलियों में लपेटता और सेठ ग़फ़्फ़ार भाई ने जो फ़ैंसी मछलियां हौज़ में पाल रखी थीं उन्हें खिला देता। जर्मनी से टैक्सटाइल मिल मशीनरी के साथ एक फ़ानूस और मछलियां, इत्यादि दिखाकर इम्पोर्ट की थीं। सब मुझे पहचानने लगी थीं। देखते ही दुम हिलाती आती थीं।'

'चालीस दिन बाद कुछ चमत्कार हुआ।'

'हुआ। सब मछलियां मर गयीं। मालियों ने मुझे धर लिया। ढाई सौ रुपये देने पड़े। इसे रिश्वत कह लो चाहे हरजाना। अब दूसरा मंत्र पढ़ रहा हूं। सुबह भुने कपूरे खाता हूं। बैंक से सुबह चार बजे सीधा क्लिफ़टन जाता हूं और सूरज निकलने से पहले कमर-कमर पानी में खड़े होकर अमल पढ़ता हूं। सौ के नोट को दस का तो इसी वक़्त बना सकता हूं, है किसी के पास? पूरनमासी की रात को श्मशान घाट जाता हूं और राख आंखों से मलता हूं। चैक पर किये हुए दस्तख़त को निगाह भरके देख लूं तो सारी रौशनाई उड़ जाये।'

चाचा फ़ज़्लदीन : उस ज़माने में टाइम भी बताते तो इस अंदाज़ से जैसे दैवीय अनुभूति हुई है। कलाई पर बंधी हुई घड़ी से इस सूचना का कोई संबंध नहीं। चचा फ़ज़्लदीन बड़ी श्रद्धा से उनकी बात सुनता। एक साल पहले उसने अपने गांव जाकर इस बुढ़ापे में तीसरी शादी की थी। निःसंतान था। दो बीवियां मर चुकी थीं, मगर वो अपनी नस्ल चलाने के लिये लड़का छोड़ना ज़रूरी समझता था। दुल्हन के मेहंदी लगे हाथों से बालों में मेहंदी का ख़िज़ाब (मूंछों पर हमेशा काला ख़िज़ाब लगाता था, कहता था कि मेहंदी लगी मूंछ को मुटियार और डाकू कुछ नहीं समझते) लगवाकर अजीब-सा हुलिया

बनाये लौटा। एक दिन कहने लगा कि बुढ़ापे की शादी और बैंक की चौकीदारी में ज़रा फ़र्क़ नहीं। सोते में भी एक आंख खुली रखनी पड़ती है और चुटिया पे हाथ रख के सोना पड़ता है। हमने गुजराती की कहावत सुनायी कि जवानी की बीमारी, बुढ़ापे की ग़रीबी, जाड़े की चांदनी और बुढ़ापे की शादी पे हुक़्क़े का पानी (यानी लानत)। हमने कहा, 'चाचा! तुमने तीन शादियां कीं और कोई सबक़ हासिल न किया।' बोला, 'क्यों न किया। आइंदा किसी की बीवी या पक्की उम्र की औरत से शादी नहीं करूंगा। मेरी तौबा है।'

चंद दिन पहले गांव से पोस्टकार्ड आया था कि आपकी सब गायें, ढोर-डंगर ख़ैरियत से हैं। पंच कल्याण भैंस के दो थन मारे गये। अल्ला दत्ता मिस्त्री की बायीं आंख फ़्यूज़ हो गयी और ये कि आपके बाल-बच्चे के यहां बाल-बच्चा हुआ है। बहुत होनहार और काला है। चचा फ़ज़लदीन ने चैक की सियाही उड़ाने वाली करामात बड़ी श्रद्धा और ध्यान से सुनी। उसकी इच्छा थी कि कुंजू नवजात के चेहरे की सारी सियाही चूस लें। वापसी डाक से उसका फ़ोटो मंगवाने को तैयार था।

अब कुंजू बताते कि मेरे दादा जान आज़ादी की लड़ाई के योद्धा थे। उन्होंने अंग्रेज़ों के ख़िलाफ़ जंग की, जिसमें उनका सिर शहीद हुआ। हज़रत अपना कटा सिर बायीं हथेली पर रखे और दायें हाथ से तलवार चलाते, ख़ूनम-ख़ून काले रंग के घोड़े पर सवार श्रीरंगापट्टम से बंगलौर आये। तेरहवें मील पर पहुंच के वो और मुश्की घोड़ा शहीद हुए। अपनी ज़नाजे की नमाज़ ख़ुद पढ़ायी और सलाम फेर के ग़ायब हो गये। पीर घोड़ा शाह का मज़ार आज भी वहां है।

इस सिलसिले में ख़ान सैफ़ुल मलूक ख़ान ने ये रिसर्च की थी कि इसका दादा एक अरबी घोड़े की चोरी के इल्ज़ाम में पकड़ा गया। कोतवाल ने मुंह काला किया और काले गधे पर उल्टा बिठाके शहर से निकाला। कालिख की वजह से पता नहीं लगता था कि दादा कहां ख़त्म होता है और गधा कहां से शुरू होता है। चर्चित गधे की टांगों में जब तक जान रही चलता रहा। अंत में तेरहवें मील पर पहुंचकर ऐसा बैठा कि फिर न उठा। यहीं उसकी क़ब्र बनी। दादा भी यहीं टिक गया। कुछ अर्से बाद जब उसकी मौत हुई तो यहीं दफ़नाया गया। बंगलौर वालों की बेध्यानी से क़ब्रें गडमड हो गयीं। बड़े बूढ़ों का कहना है कि उनका मज़ार काले गधे की पायंती है, मुज़ाविर कहते हैं कि सिरहाने। बहरहाल ये खोज न हो सकी कि किसमें कौन आराम कर रहा है। एक लाल बुझक्कड़ ने ये भी बताया कि दोनों एक साथ मरे और वो गधे पर बैठा हुआ, उसी पोज़ में दफ़ना दिया गया और उसी पर अनंत नींद में सो रहा है। चुनांचे मज़ार की ऊंचाई उसकी लम्बाई से ज़ियादा है। दूसरी क़ब्र ख़ाली है। ख़ुदा ही बेहतर जाने...

कम ख़र्च ऊंचे घर का रहन-सहन : तरह-तरह की ख़बरें सुनने में आ रही थीं। ख़ान साहब ही कहीं से ये ख़बर लाये कि सैकिंड लेफ़्टिनेन्ट एन.एम.यू. एम.एन.पी.कुंजू सरासर फ्रॉड है। पहले दर्जे का झूठा, लपटाई। सैकिंड लेफ़्टिनेन्ट नहीं है। हद ये कि कुंजू भी नहीं है, असल नाम कुछ और है। मद्रासी भी नहीं। वज़ीफ़े और जंतर-मंतर सब बकवास है। घटिया आदमी है। कपड़े के इम्पोर्टरों से एक गज़ लट्ठा तक लेने से

नहीं चूकता। चावल के गोदाम चैक करने जाता है तो हर बोरी में तीन बार सुम्मा घोंपता है और जो बांगी निकलती है उसे झोले में बटोर कर ले आता है। कपड़ा और चावल नज़ीर मुहम्मद चपरासी को बख़्श देता है। जिसके नौ बच्चे हैं। ख़ुद इंश्योरेंस कम्पनियों से कमीशन खाता है। बैंक के क़र्ज़दारों से क़र्ज़ लेता है। बीवी भी सगी नहीं है। एक यूं ही सी औरत के साथ यूं ही सा रहता है। इस इकट्ठे होने में दोनों ने शरअ (इस्लामी क़ानून जिसके नियमों से निकाह बंधता है) का हस्तक्षेप नहीं होने दिया।

मन तिरा क़ाज़ी बगोयम तू मिरा क़ाज़ी बगो : मुंहबोली बीवी है। वही उसकी ऊपरी आमदनी का ऊपर उतारती है। इसके अलावा क़र्ज़ के ज़ोर पर गली-गली, दर-दर, औरत-औरत मारा फिरता है। पिछले साल तो एक तवायफ़ ने उसे घर में डाल लिया था। कम ख़र्च ऊंचे घर का रहन-सहन।

हमने कहा, 'आवारगी अपनी जगह, मगर इसमें भी तो चमन के सौंदर्य का सुबूत दिया जा सकता है।'

मिर्ज़ा बोले, 'किस दुनिया की बात करते हो। बक़ौल अशरफ़ सुबूही, रोना तो यही है कि जिसमें रस है, उस पे बस नहीं और जिसपे बस है उसमें रस नहीं और दिल की बात पूछो तो जब तक सीख़ कबाब में से दहकते अंगारों और धुएं की लपट न आये, चटख़ारा नहीं आता। जैसे भरी पूरी सम्पूर्ण रागिनी होती है, वैसे ही सम्पूर्ण नारी होती है। सम्पूर्ण रागिनी इकतारे पर नहीं बजा करती। मेरे सरकार!'

ग़बन गाथा : ये आज से लगभग पचास बरस पहले की बात है लेकिन हमें अच्छी तरह याद है कि उस दिन जुमेरात (बृहस्पतिवार) थी। इसीलिये कि जुमेरात को वो काम शुरू करने से पहले अपनी डैस्क पर एक मैसूरी अगरबत्ती जलाते थे। उस दिन वो तबियत की ख़राबी का बहाना करके घर चले गये। दूसरे दिन भी नहीं आये। तीसरे दिन खाते बैलेंस किये गये तो एक लाख का फ़र्क़ आया। रात भर दस-बारह आदमी ग़लती की ख़ोज लगाते रहे, सुबह पांच बजे रहस्य खुला कि नहास पाशा कुंजू ने एक खाते से एक लाख रुपये अपने जाली एकाउन्ट में ट्रान्सफ़र करके ग़बन कर लिये। आदमी दौड़ाये गये, मगर उनका सुराग़ न मिला। इतवार को ग्यारह बजे रात पुलिस अपनी तफ़्तीश से इस निष्कर्ष पर पहुंची कि वो जुमेरात को बैंक से एक लाख रुपये निकाल कर सीधे एयरपोर्ट गये और ग्यारह बजे की फ़्लाइट से बम्बई चले गये जहां वो बैंक और क़ानून की पकड़ से बाहर थे। उस दिन चाचा फ़जलदीन बहुत रोया। ग़म में रोटी नहीं खायी। कभी तैश में आकर कहता, 'अगर तुझे चोरी ही करनी थी तो मर्दों की तरह गाय-भैंस चुराता। यह क्या झक मारी?' फिर सिर पीट कर कहता, 'बेटा यह तूने क्या किया। अगर तुझे पैसे की ही हवस थी तो मुझे बताया होता। मैं अपनी सारे महीने की तनख़्वाह तुझे दे देता। अब क्या होगा?' एक बार एकाउन्टेंट छुट्टी पर था और नया मैनेजर तिजोरी की दोनों चाबियां खुली दराज़ में रखी छोड़ गया। उस समय तिजोरी में दस लाख रुपये थे। चाचा फ़ज़लदीन चाबियों को सीने से लगाये रात भर ला इलाहा इल्लल्लाह रटता, टहलता रहा। उसकी बीवी टी.बी. की आख़िरी स्टेज में मुंह से ख़ून डालती, इलाज को तरसती

ख़ानेवाल में अपने मैके में दम तोड़ रही थी। चाचा को केवल चार सूरतें (*क़ुरआन* के भाग) और 73 तक गिनती आती थी कि यही उसकी तनख़्वाह थी। दस लाख रुपये में तो बक़ौल उसके इतनी भैंसें आ सकती थीं कि सारे का सारा गांव अपने प्यारों से ख़ाली कराना पड़ता और उसने तो सिर्फ़ आदमी कमाये थे।

उस ज़माने में एक लाख रुपये का ग़बन आज के एक करोड़ के बराबर होता था। बैंकों में बरसों ऐसी वारदात के चर्चे रहते बिलकुल उसी तरह जैसे बातूनी औरतें अपनी पिछली ज़चगी (बच्चा पैदा करने) की डींगें उस पल तक मारती रहती हैं जब तक उन्हें या श्रोताओं में से किसी को ताज़ातरीन ज़चगी न हो जाये। जिसने सुना, सिर पीट कर रह गया। उस प्रतिक्रिया से कुछ छुट्टी मिली तो एक दूसरे पर जुर्म की असावधानियों के आरोप लगाये गये। पुलिस ने पहले तो चार गवाहों के बयान क़लमबंद किये फिर ख़ुद उन्हें बंद कर लिया, मगर रुपया न बरामद हुआ। अलबत्ता कुंजू की दराज़ से इंक उड़ाने के कैमिकल के अलावा दो कॉपियां और चैक बुक भी बरामद हुईं। जिनमें वो जाली दस्तख़त बनाने का अभ्यास किया करते थे। उनमें लेखक के हस्ताक्षर भी शामिल थे।

पांच-छह महीने बाद बम्बई से आने वालों ने बताया कि उस रुपये से उन्होंने बारह टैक्सियां चलायीं। जब वो चलते-चलते पांच रह गयीं तो औने-पौने ठिकाने लगा कर फ़िल्म प्रोड्यूसर बन गये और कोचीन की एक लोक कहानी फ़िल्मानी शुरू की। लेकिन कहानी ख़त्म होने से पहले ओछी पूंजी ख़लास हो गयी। हमारा ख़याल क्या यक़ीन है कि फ़िल्म में हीरोइन की जगह जितनी सांवलियों और ख़ुमरियों को उन्होंने डाला होगा। उसके लिये तो कारूं का ख़ज़ाना भी अपर्याप्त होता। लक्ष्मी जिस चोर दरवाज़े से आयी थीं उसी से रातों-रात उघल गयीं। पैसे-पैसे और रात की बासी औरत के लिये मुहताज हो गये।

मगर वो यूं हार मानने वालों में से नहीं थे। गुत्थी खोलने के लिये पैसा न हो तो फिर ज़बान की क़ैंची चलती है। अल्लाह ने उनकी ज़बान को बला की तासीर दी थी और आंख में जादू। उसी का करिश्मा कहना चाहिये कि अब वो बम्बई के पीरों के पीर बने बैठे हैं और उनकी गिनती चमत्कारी पुरुषों में होती है। ख़ानक़ाहे-आलिया दुनिया के दर्शन की जगह है और उनके जलाली वज़ीफ़ों की सारे महाराष्ट्र और आन्ध्र प्रदेश में धूम है। आधी रात से तड़के तक मुसल्ले (नमाज़ की चटाई) पर बैठे रहते हैं और दुआ पढ़ते रहते हैं। अपना आपा मिट्टी में मिला चुके हैं। एक दिन क़व्वाली की महफ़िल में हाल (उन्माद, सूफ़ी मत के अनुसार तुरीय से पहले की अवस्था) आ गया तो उसी आलम में ख़ानक़ाह से बाहर निकल आये और सिर के बाल नोचते और सीना पीटते, नंगे पैर चल दिये। पीछे-पीछे मुरीद और क़व्वाल हारमोनियम उठाये 'बसद सामाने-रुसवाई सरे-बाज़ार मी रक़्सम' गाते जा रहे थे। आधा मील तक इसी तरह सड़क पर दीवानों की तरह से रक़्स चलता रहा। मैरीन ड्राइव पर ठठ लग गये। सारा ट्रैफ़िक जाम हो कर रह गया। 1970 में बम्बई से आने वाले एक इस्माइली परिचित के हाथों उन्होंने मद्रासी कॉफ़ी, चन्दन की माला, सुर्मे और अपनी तस्वीर की भेंट भेजी। तस्वीर के नीचे वो पंजाबी टप्पा लिखा था जिसने कभी दिलों को गरमाया और जीवन की कठिनाइयों को

आसान बनाया था। जाड़े-पाले में दिये की तरफ़ देखने से भी गरमाई आ जाती है। गुज़री हुई सुहबतें एक-एक करके याद आयीं और उनके साथ न जाने क्या-क्या याद आ गया। जब कोई किसी पुराने दोस्त को याद करता है तो दरअस्ल अपने को याद करता है। देर तक उस तस्वीर में अपने को देखा किये। वही चौड़ा माथा, वही हल्के से खुले होंठ, वही ज़हीन मुस्कुराती आंखें। पर न जाने किस ईर्ष्यालु जिन्नी की नज़र लगी है कि दाढ़ी सफ़ेद गाला हो गयी है, फिर भी यह देख कर ज़रा ढारस बंधी कि आजकल आंखों में सुर्मा नहीं लगाते। काजल लगाते हैं। दुम्बालादार।

नक़्शा हमारे पापी ताक़ का : हमें नाम, मर्दों के चेहरे, रास्ते, कारों के मेक, शे'र की दोनों पंक्तियां, पहली जनवरी की वार्षिक शपथ, बेगम की सालगिरह और सैंडिल का साइज़, ईद की नमाज़ के नारे, बीते साल की गर्मी-सर्दी, ऐश में ख़ुदा का नाम और तैश (ग़ुस्से) में नाख़ुदा का डर, कल के अख़बार के हैडिंग, दोस्तों से नाराज़गी के कारण और न जाने क्या-क्या याद नहीं रहता। नून. मीम. राशिद के भूगोल भूल जाने वाले हीरो की तरह हम इतना बड़ा दावा तो नहीं कर सकते कि—

उसका चेहरा उसके ख़द्दो-ख़ाल याद आते नहीं
इक बरहना जिस्म अब तक याद है

इसलिये कि इस स्थिति में याददाश्त की ख़राबी से अधिक चाल-चलन की ख़राबी दिखायी देती है।

8 का अंक और हम : दिन महीने और सन् याद नहीं रहे। सिर्फ़ इतना याद है कि 26 तारीख़ थी। वो भी इसलिये कि किसी सन् और महीने की 26 तारीख़ को ही एक ज्योतिषी ने यह वहम् हमारे दिल में डाला कि 8 का अंक या वो अंक जिनका जोड़ 8 हो जैसे 17, 26, 1961 वो कार, मकान या फ़ोन नम्बर जिनके अंकों का जोड़ 8 बने हमारे लिये बुरे साबित होंगे। हद ये कि 8 जैसे फ़िगर वालियों, आठवीं शादी, 62 साला औरत और सत्तरवीं सदी ईसवी से भी सावधान किया था। ये अजीब संयोग है कि जीवन की अधिकतर मायूसियां और नाकामियां उन्हीं तारीख़ों में प्रकट हुईं जिनका जोड़ ये मनहूस अंक बनता है। जिसे अब तो लिखते हुए भी दिल डरता है। इसका डर दिल में ऐसा बैठा है कि पिछले साल हम मनगोरा से पिण्डी रात के एक बजे पहुंचे और दिसम्बर की पूरी रात होटल इन्टरकॉन्टिनेंटल के लाउंज में बैठ कर गुज़ार दी कि मनहूस 575 नम्बर के कमरे में ठहरने की हिम्मत नहीं पड़ती थी और दूसरा कोई कमरा सुबह 7 बजे से पहले ख़ाली होने का चान्स न था। हम यह दृश्य देखने के लिये बिलकुल तैयार नहीं थे कि सुबह हम उस कमरे में मुर्दा हालत में पाये जायें।

यथा सम्भव हम कोई नया कपड़ा, नया काम या सफ़र, मनहूस तारीख़ (8,17, 26) को शुरू नहीं करते। उस दिन हमें जन्नत में भी जाने का अवसर दिया जाये (ज़बरदस्ती की और बात है) तो हम किसी उचित तारीख़ तक दुनिया ही में गुज़र-बसर करने को प्रधानता देंगे। होने को तो हमारे हक़ में 8 नम्बर का जूता भी अक्सर मनहूस साबित हुआ है लेकिन 7 नम्बर काटता बहुत है। लाख इस superstition को दिमाग़ से निकालने

की कोशिश करते हैं मगर कुछ-न-कुछ बात ऐसी हो जाती है जिससे इसकी पुष्टि होती जाती है। एक दिन हमने अपनी पैदाइश की तारीख़, महीने और सन् के अंक जोड़े तो हासिल 8 निकला। उस दिन से हमारा यह वहम् और पक्का हो गया। किसी ने सच कहा है कि जो बात भेजे में अक़्ल और तर्क के ज़रिये नहीं घुसी वो अक़्ल और तर्क से कैसे निकाली जा सकती है। इस कारख़ाने का निराला ढंग है। 'यां वही है जो एतबार किया।'

हमारे ज्ञान की परीक्षा : हम यह कह रहे थे कि हमें सिर्फ़ इतना याद है कि 26 तारीख़ थी और शाम के छह बज रहे थे। सुबह साढ़े छह बजे नाश्ते के बाद, पेट को पचाने की तकलीफ़ नहीं दी थी। बाहर सड़क पर एक ठेले वाला दिन भर दूधिया भुट्टों से रास्ता चलते लोगों को ललचाने के बाद अब ख़ुद ही भून-भून कर खा रहा था। सोती-जागती अंगीठी पर भट्टों और कोयले की चड़-चड़ से राल बनाने वाली ग्रंथियां इस बुरी तरह भड़कीं कि जब तक हमने अपनी इकन्नी को भुट्टे में परिवर्तित न कर लिया, 'यार को मैंने, मुझे यार ने सोने न दिया।'

अंगीठी से भुट्टा शाहजहानी छेद के रास्ते हम तक पहुंचा और हमने बेताबी से मुंह मारा (भुट्टे, मुर्ग़ी की टांग, प्यार और गन्ने पर जब तक दांत न लगें रस नहीं पैदा होता—मिर्ज़ा अब्दुल वदूद बेग) अभी दस-बारह दानों पर ही हमारी मुहर लगी होगी कि एंडरसन फ़ाइल हाथ में लिये आ धमका। उसे देखते ही हमारे रोंगटे खड़े हो गये। फिर ख़ुद हम खड़े हो गये, दोनों हाथ छोड़ कर अटेंशन। अलबत्ता भुट्टे को, जिसमें हमारी गाढ़ी कमाई का दूधिया रस भरा हुआ था, दांतों से पकड़े रखा। इस सूरत में भुट्टा उसकी पतलून पर गिराये बग़ैर 'गुड आफ़्टर नून' कहना एक ऐसे शख़्स के लिये, जिसके चेहरे पर प्रकृति ने केवल एक ही मुंह बनाया है, असम्भव था। इसलिये हमने आतुरता से अपना दायां हाथ, जो नमक और नींबू के रस से लगभग धुल चुका था मिलाने के लिये आगे बढ़ा दिया। जितना लम्बा हाथ हमने सम्मान से आगे बढ़ाया था ठीक उसी अनुपात में महोदय पीछे हट गये। तिस पर हमने अपना नींबू और सम्मान में लिथड़ा हुआ हाथ तह करके पतलून की जेब में रख लिया और केवल सिर और भुट्टे की समानान्तर चलने वाली डुबकी से सलाम किया।

कड़वी मुस्कुराहट के बाद फ़र्माया, 'हैलो! नीरो भुट्टे से बांसुरी क्यों बजा रहे हो?'

हमने इस वाक्य की दाद, बिना मुंह खोले, बंद हँसी यानी हलक़ की अंदरूनी हँसी को ऊपर ही ऊपर नाक से निकाल करके देनी चाही तो महोदय ने उंगली के इशारे से मना करते हुए फ़र्माया कि अपनी कटलरी डिसइन्फ़ेक्ट करके मुझसे मेरे चैम्बर में मिलो। इसलिये हाथ धो कर हम बैंक के माई-बाप के सामने पेश हुए।

बोले, 'ये चीज़ जिसके सिरे तुम्हारे दोनों कानों से बाहर निकले हुए थे, बताओ कहां पैदा होती है?'

'पाकिस्तान में।'

'शाबाश! तुम इसे जन्नत का मेवा भी बता देते तो मैं तुम्हारे भरोसे में हस्तक्षेप न करता लेकिन तुम्हारी जानकारी के लिये सूबा सरहद में बेहतरीन मकई पैदा होती है।

गन्ना भी। बताओ गन्ने से क्या चीज़ बनती है?

'शक्कर।'

दुबारा शाबाशी देते हुए फ़र्माया, 'तुम उन लोगों के ज़ियादा क़ाबिल हो जो तुमसे क़ाबिल हैं। हां ख़ूब याद आया शक्कर से। जिस दिन तुम लोग मीठी पुल्टिस बना कर मुर्दों को entertain करते हो, उसे क्या कहते हैं?'

'हलवा। शबे-बरात का!'

'शुक्रिया! अच्छा अब यह बताओ कि फ्रंटियर में और कौन-सी चीज़ ऐसी बहुतायत में पैदा होती है जो दूसरी जगह नहीं होती?'

'पठान।'

'शोख़ी और गुस्ताख़ी की विभाजक रेखा बाल बराबर होती है। मिस्टर ग़ौरी ने अभी आफ़्टरनून में शिकायत की है कि तुमने हिसाब के काग़ज़ों की ग़लती को बर्नार्ड शॉ के अश्लील वाक्य से ढकने की कोशिश की। यह शिकायत दुबारा न सुनूं। बर्नार्ड शॉ के ड्रामों के बजाय एकाउंटेंसी और कमर्शियल ज्योग्राफ़ी पढ़ा करो। ख़ाली दिमाग़ शैतान की वर्कशॉप होता है लेकिन तुम्हारा दिमाग़ तो उसका बैडरूम भी है।

'हा! हा! हा! चिमनी की तरह हर समय धुआं देते रहते हो और यह भी पता नहीं कि फ्रंटियर में सबसे उम्दा क़िस्म का वर्जीनिया तम्बाक़ू पैदा होता है। इंग्लैंड को तम्बाक़ू से आलिंगित कराने का श्रेय सर वाल्टर राले के सिर है। इसकी खेती, पैदावार, व्यापार और क़र्ज़ों से संबंधित तुम्हारा ज्ञान ज़ीरो है। क्यों न अगले सोमवार से अपने अज्ञान की सीमा को उचित सीमा तक सिकोड़ लो।

'सैफ़ुल मलूक ख़ान उसी क्षेत्र का रहने वाला क़बायली है। अली क़ुली ख़ान ने इसे बैंक में रखवाया था, तुम्हारी तरह भविष्य की चिन्ता और हिसाब-किताब से बरी है। अनथक मेहनत और मूर्खता का इससे सुंदर मिश्रण एशिया में मेरी नज़र से नहीं गुज़रा, मगर नेक आदमी है। ग़ौरी तुमसे अप्रसन्न है। आगामी चार सप्ताह ख़ान की डैस्क पर ट्रेनिंग लो और अपनी खुट्टल जानकारी का विस्तृत विवरण अगले महीने पेश करो।'

तम्बाक़ू पर हमारी रिसर्च के डायरेक्टर : और यूं हम ख़ान सैफ़ुल मलूक ख़ान के चार्ज में दे दिये गये। छरहरा बदन, चौड़ा हाड़, कन्धे कुछ झुके हुए जिसका कारण विनम्रता न थी। चम्पई रंग धूप से संवला चला था। नाक गन्धारा की मूर्तियों जैसी, सारा दिन आंखों से मुस्कुराते रहते, सुता हुआ मगर खिला-खिला चेहरा, मज़बूत ठोड़ी पर खिलंदड़े बचपन का अन्तर्राष्ट्रीय ट्रेड मार्क यानी चोट का निशान, कान जैसे किसी ने जग का हैंडिल लगा दिया हो। सिर पर क़राक़ुली टोपी बड़े टेढ़े ऐंगिल से पहनते, इन्द्र मांग उससे भी अधिक टेढ़ी होती थी। मंझले ब्रेकिट...को बहला-फ़ुसला कर चित्त लिटा दिया जाये तो उनकी मूंछ बन जाये। उंगलियां सिगरेट के धुएं से हल्की बैंगनी। इतने लम्बे थे नहीं जितने लगते थे। हँसी आती तो एकदम खड़े हो जाते। फिर विकेटकीपर की तरह झुक जाते और अपने घुटने पकड़कर गर्दन उठाते और वहीं से संबोधित की सूरत देख-देख कर क़हक़हे लगाते रहते। यह उनकी ख़ास अदा थी। सही उम्र नहीं मालूम लेकिन अपनी

कोऑपरेटिव ग़लतियों की मुद्दत को हमारी जवानी के बराबर बताते थे। अपने मां-बाप की चौथी औलाद थे। पश्तो, हिन्दको, पंजाबी, फ़ारसी और उर्दू फ़र्राटे से बोलते थे और एक भाषा से दूसरी भाषा में इस सफ़ाई से गीयर बदलते कि सुनने वाले को ख़बर भी न होती। अंग्रेज़ी उन विशेष अवसरों पर बोलते जहां आदमी कुछ न बोले तब भी बख़ूबी काम चल जाता है। अरबी की पकड़ का अंदाज़ा नहीं लेकिन हे और ऐन (दो विशेष ध्वनियां जो हलक़ से निकाली जाती हैं) सही स्थान से निकालते थे, यानी उस स्थान से जहां से हम जैसे अज्ञानी उल्टी करते हैं।

उर्दू ग़ज़ल, पित्ती और इतिहास : शे'रो-शायरी से तबियत बेज़ार थी। एक बार यार लोगों ने उन्हें *डॉन* अख़बार के वार्षिक 'अज़ीमुश्शान' मुशायरे में ले जाना चाहा। किसी तरह तैयार न हुए। हमारे मुंह से निकल गया, छोड़ो भी, टिकट ज़ियादा बिक गये हैं और जगह तंग। दंगा फ़साद का अंदेशा है। अब ज़िद पकड़े हैं कि ज़रूर चलूंगा। 'जिगर' मुरादाबादी के एक शे'र की दाद जम्हाई से दी और हफ़ीज़ जालन्धरी की 'रक़्क़ासा' को तो ख़र्राटों पर उठा लिया। हमने टहूका दे कर कहा, 'ख़र्राटे लेना मुशायरे की तहज़ीब के ख़िलाफ़ है।'

फ़र्माया, 'उर्दू की दो-तीन ग़ज़लें लगातार सुन लूं—ध्यान से—तो क़सम ख़ुदा की मेरे तो पित्ती उछल आती है।' ग़ालिब की हर ग़ज़ल का कम-से-कम एक शे'र पहचान कर ऐलान करते कि ग़ालिब ही का लगता है, हमारा इशारा मक़्ते (वो शे'र जिसमें उपनाम डाला जाता है) की तरफ़ है। भागने का अवसर न हो तो मारे-बांधे शे'र सुन लेते थे, समझ में आ जाये तो मुस्कुरा देते, समझ में न आये तो हाथ मिलाते।

साहित्यिक और ज्ञान की बातें सुन कर ख़ां साहब का क़बायली ख़ून खौलने लगता। अक्सर कहते, 'तुम्हारी ज्ञानभरी बातें सुनकर मेरे सिर में तो विद्वता के गूमड़ निकल आये। टोपी तंग हो गयी है।' कोई भी ऊटपटांग शे'र पढ़ दे तो इस तरह झूमने लगते जैसे—क्या नाम उसका—सांप का फन संपेरे की पोंगी के सामने! अलबत्ता इतिहास में शौक़ था लेकिन बस इस हद तक जहां वो मैट्रिक के कोर्स में आता हो या लापरवाह और बेध्यान लोगों को टोकने के लिये प्रयोग किया जा सके। हमें नसीहत करनी या सहमाना हो तो किसी नकारा मुग़ल बादशाह की नज़ीर पेश करते। अपने अंजाम से हम कांप जाते, इसलिये कि हमारे पास कोई पुश्तैनी सल्तनत भी न थी, जिसे खो सकें। मुग़ल बादशाहों ने अगर ख़ान साहब से मशवरा कर लिया होता तो आज भी सब पर हुकूमत करते होते और हम कमर में सुनहरे पटके और सिर पर राजपूती पगड़ियां बांधे बाअदब-बामुलाहिज़ा खड़े होते।

हाथ ला उस्ताद, क्यों कैसी कही : अजब स्वभाव और ताक़त पायी थी। दरवाज़े पर अगर Push लिखा हो तो अपनी तरफ़ खींचते और Pull लिखा हो तो बाहर ही तरफ़ धक्का देते। रोना इस बात का था कि अक्सर दरवाज़े उनकी मर्ज़ी के ऐन मुताबिक़ खुल और बन्द भी हो जाते थे। कभी कोई गन्दा चुटकुला सुनाने बैठते तो सुनने वाले की समझ में न आता कब कहां हँसे। हँसी की भूमिका बनाने के तौर पर चुटकुला शुरू करने से पहले ख़ुद हँसने लगते और सुनने वाले के पंजे में पंजा डाल कर बैठ जाते।

हम भी घंटों उनके चुटकुलों से पंजा लड़ा चुके थे। बायें हाथ को खुला रखते ताकि संबोधित की रानों पर मार-मार कर चुटकुले से लाल कर सकें। लोग उनके चुटकुलों पर शिष्टाचारवश भी नहीं हँसते थे। इस डर से कि झूठों भी दाद दे दी तो दूसरे चुटकुले की काठ में जकड़ दिये जायेंगे।

ग़ुस्सा नाक पर रखा था जो समय-असमय फिसल कर मुंह से गालियों की शक्ल में ढल कर निकलता रहता था। बाज़ीगर की तरह अपने मुंह के साइज़ से भी बड़े गालियों के गोले निकालते रहते थे। बुजुर्गों की गढ़ी-गढ़ाई तरकीबों, परम्परागत शैली से परहेज़ करते थे। गालियों की अपनी राह अलग निकाली थी, कभी कोई बहुत ही अशिष्ट विषय अंतरिक्ष से अवतरित हो जाये तो ज़बान का उपयोग नहीं करते थे, कैलीग्राफ़िक स्टाइल में लिख कर हमें दिखा देते थे। गालियों की लिखावट का इससे बेहतर नमूना आज तक हमारी नज़र से नहीं गुज़रा। वैसे मुहब्बती आदमी थे। ब्वाय स्काउट की तरह रोज़ाना कम-से-कम एक नेकी ऐलानिया करते थे। एक दिन कहने लगे कि कल रात मैंने एक शख़्स को बड़ी बेइज़्ज़ती और मां-बहन की ग़ालियों से बचा लिया।

पूछा, 'कहां? कैसे?'

बोले, 'मैंने अपने ग़ुस्से को कंट्रोल किया।'

देखने में आया है कि कई काहिल गलियर गाली को तकिया कलाम बल्कि गावतकिया कलाम की तरह प्रयोग करते हैं। लेकिन ख़ान साहब हर गाली समझ कर देते थे। जैसे फ़रीदा ख़ानम समझ के ग़ज़ल गाती हैं।

एक दिन ख़ान साहब ने बहस के बीच एक अवसरवादी लीडर और कुछ नौ-दौलतिये ठेकेदारों को दल्ले और भड़वे कह दिया। इस पर हसन डिबाइवी ने टोका कि 'ख़ान साहब कम-से-कम यू.पी. में शरीफ़ लोगों का यह ढंग नहीं कि किसी को भड़वा कहें।' बोले, 'आप भी उस ज़माने की बात करते हैं जब सारे शहर में कुल दो भड़वे हुआ करते थे।'

अब्दाली : शिकार का शौक़ दीवानगी की हद तक था। इतवार को तड़के साइकिल पर निकल जाते। कहते तो यह थे कि कीर्थर और मंघू-पीर की पहाड़ियों में जंगली बकरे मारने जा रहा हूं लेकिन कराची से बीस मील के दायरे में फ़ाख़्ता तक नहीं छोड़ी थी। आख़िर में चील-कव्वों पर ग़ुस्सा उतारने लगे थे। भरमार टोपीदार बन्दूक़ इस्तेमाल करते थे, जिसमें बारूद गज़ से ठोक-ठोक कर भरा जाता है। बन्दूक़ की लम्बाई हमारे क़द से दुगनी थी, बशर्ते हम पंजों के बल खड़े हो जायें। उसकी मक्खी हमसे इतनी दूर स्थित थी कि हमें तो चश्मे की मदद से भी दिखायी नहीं पड़ती थी। उनका दावा था कि इसी उपकरण से उनके परदादा ने अहमद शाह अब्दाली के साथ हिन्दुस्तान पर हमला किया था। इसी कारण हम इसे प्यार में अब्दाली कहते थे। फ़रमाते थे कि आदत सी पड़ गयी है, इसे अपने पहलू में लिटा कर, लिबलिबी पर उंगली रखे, दायीं करवट सोता हूं। एक पल को भी उंगली अलग हो जाये तो पट से आंख खुलती है। उनकी हालत उन ज़िद्दी बच्चों की-सी थी जो दूध छुड़ाने के बाद चुसनी मुंह में लिये-लिये सो जाते हैं।

हमने पूछा लिबलिबी पर उंगली रख कर सोने में आपको डर नहीं लगता? फ़रमाया कि विलायती बन्दूक़ थोड़ा है। आप ही तो उस दिन मज़े ले-ले कर बता रहे थे कि मौलाना शिबली नोमानी की बन्दूक़ भी उनकी तबियत की तरह निकली, बिना इरादा चल गयी, पर यह बन्दूक़ आजकल की कटखनी, बेकही बन्दूक़ों की तरह नहीं है जो छेड़छाड़ से ही बेचैन हो जाती हैं। बिना इरादा-बिना कोशिश, यह भी ख़ान साहब की विनम्रता थी वरना हमने तो यही देखा कि इरादे और कोशिश से भी नहीं चलती थी। हमारे जुमलों की तरह धूल चाट जाती थी।

दाल रोटी, यानी अन्न से अन्न खाना : तबीयत ख़राब होने या किसी और मजबूरी के कारण इतवार को शिकार खेलने न जा सकें तो सनीचर को दोपहर और शाम की नमाज़ के बीच के समय में क़ज़ा खेलते थे। इतवार को शिकार के गोश्त का नाग़ा हो जाये तो सुब्ह से बौराये फिरते। उस दिन मुर्ग़े के गले पर अल्लाह की बड़ाई बयान करते। ऐसा मुर्ग़ा हरगिज़ नहीं खाते थे जिसने अपनी अज़ान न दी हो। मुर्ग़ी को छूते तक नहीं थे। कहते थे कि गज़नी ख़ैल गांव में बालिग़ मुर्ग़ा ज़नाने में घुस आये तो औरतें झट बुर्क़ा ओढ़ लेती हैं। एम्पर्स मार्केट से ख़ुद देखभाल कर बालिग़ मुर्ग़ा ख़रीद कर लाते और क़िबलारू (पश्चिम) करके बन्दूक़ से ढेर करते, फिर हलाल करते। अक्सर कहते कि दूसरे का हलाल किया हुआ गोश्त खाने से आदमी बुज़दिल, एक बीवी वाला और वाचाल हो जाता है। इससे तो बेहतर आदमी दाल-रोटी खा ले मगर हम क़बायली भूखे भले ही मर जायें अन्न से अन्न नहीं खाते। जभी तो ये हाल है कि नसवार की चुटकी लेकर ज़रा छींक दूं तो सारे दफ़्तर की नाफ़ टल जाये। हम सुरक्षा के लिये घर से बांह पर ताबीज़ बंधवा कर नहीं निकलते। गले में पिस्तौल डाल कर निकलते हैं।

'फ़ायदा?'

'मुग़ल बादशाह जिस दुश्मन को अपने हाथ से मारना नहीं चाहते थे उसे हज पर रवाना कर देते या झंडा, घोड़ा, नक़्क़ारा और ख़िलअत (शाही पोशाक) देकर दक्खिन या बंगाल जीतने के लिये भेज देते। लेकिन हम दुश्मन को शॉर्ट-कट से जहन्नुम रसीद करते हैं।'

'दुश्मनों के दुश्मनी की तीव्रता के हिसाब से तीन दर्जे हैं। दुश्मन, जानी दुश्मन और रिश्तेदार।'

'ईमान से, ये जुमला आपका नहीं मालूम होता। पश्तो में कहावत है कि रिश्तेदार अगर क़त्ल भी करेगा तो लाश धूप में नहीं पड़ी रहने देगा।

तम्बाक़ू ख़ुर्दनी, दुख़ानी और चशीदनी : ये थे ख़ान सैफ़ुल मलूक ख़ां जिनके सामने हमारे घुटने एक महीने तक सुब्ह से शाम तक मुड़ते और सीधे होते-होते सुन्न हो चले थे। तम्बाक़ू पर एथोरिटी समझे जाते थे कि तम्बाक़ू पैदा होने वाले क्षेत्र से संबंध रखने के अलावा सिगरेट और हुक़्क़ा पीते थे। तम्बाक़ू खाते थे, नसवार लेते थे। ग़रज़ कि चर्चित वस्तु को अपने अस्तित्व में घुसेड़ने का जतन करते रहते थे। सलाम करने के बाद हमने अर्ज़ी लगायी कि हम तम्बाक़ू से संबंधित बुनियादी बातें जानना चाहते हैं।

जवाब में नसवार की डिबिया आगे बढ़ाते हुए बोले, 'हाज़िर है।'

'हमारी मुराद तम्बाक़ू ख़ुरदनी व नौशीदनी या तम्बाक़ू दुख़ानी से नहीं।'

'इसमें मेरी तरफ़ से क़िवाम चशीदनी का इज़ाफ़ा फ़र्मा लीजिये। थूकने वाला और फूंकने वाला तम्बाक़ू कहते हुए तकलीफ़ होती है?' उन्होंने हमारी फ़ारसी की थूथनी ज़मीन पर रगड़ते हुए कहा।

'हम इसकी खेती, व्यापार, आढ़त वग़ैरा के बारे में जानना चाहते हैं।'

'तम्बाक़ू के बारे में पहली बात तो ये याद रखिये कि कराची का हवा-पानी इसे रास नहीं आता, इसे ही क्या किसी को रास नहीं आता। अलबत्ता जैसा तंदुरुस्त, क़ीमती और ख़ालिस गधा यहां देखा, सारी धरती पर इसका जोड़ीदार नहीं मिलने का। अजब शहर है, हर बात उल्टी। वो क़िस्सा नहीं सुना धोबी वाला, बरेली से नया-नया आया था। एक हज़ार रुपये लेकर गधा ख़रीदने निकला तो गधे बेचने वाले ने झिड़क दिया, जा-जा! बड़ा आया गधा ख़रीदने वाला। अंटी में कुल हज़ार रुपल्ली ही हैं तो घोड़ा क्यों नहीं ले लेता। ना साहब तम्बाक़ू कराची के रेता-बजरी में जड़ नहीं पकड़ सकता।'

'ख़ान साहब! मनी-प्लान्ट बग़ैर मिट्टी, खाद और धूप के; केवल पानी की बोतल में उगता है। इसी तरह हमारे यहां कामयाब लोगों की जड़ें ह्विस्की की बोतल में बढ़ती और फैलती हैं।'

उठ कर खड़े हो गये फिर घुटनों के बल झुके और तीन बार 'सुब्हान अल्लाह! सुब्हान अल्लाह! सुब्हान अल्लाह!' कहने के बाद बोले, 'आप अच्छा डायलॉग बोल रहे हैं। ऐसा डायलॉग मैंने 1925 में पेशावर में सुना था। एक थियेट्रिकल कंपनी आयी थी। हीरोइन का पार्ट एक मर्द ने ग़ज़ब का किया था। आप ही की तरफ़ का था। ईमान से, आपकी तरफ़ के मर्द अनूठे और बड़े काम के होते हैं। हालाँकि आप तो जयपुर की मशहूर चीज़ें सिर्फ़ सांड, खांड, भांड और रांड ही बताते हैं। हां तो तम्बाक़ू के सिलसिले में याद रखने लायक़ ये है कि व्यापार के अलावा ये और किसी मतलब के लिये फ़ायदेमंद नहीं।'

'कुछ तो हवा पानी के बारे में बतायें, प्रति एकड़ पैदावार क्या होती है?'

'पहले सवाल का जवाब आठवीं क्लास के भूगोल में है। मेरे बेटे की किताब में लिखा है। सुअर की औलाद तीन साल से इसी क्लास में मॉनिटर है। दूसरे सवाल का जवाब चार सद्दे (एक तहसील) का पटवारी देगा। बड़ा बदमाश आदमी है। हम दोनों एक ही सिख मास्टर के हाथ से बरसों पिटे हैं।'

'तम्बाक़ू का पौधा कितना बड़ा होता है?'

'जितना आप समझ रहे हैं, उससे काफ़ी बड़ा। फ्रंटियर का सेर 105 तोले का होता है।'

रैड क्लिफ़ के कान काटे गये : हम काग़ज़ पैंसिल लेकर तम्बाक़ू पर नोट्स लेने लगे तो वो रूठ कर बैठ गये। कहने लगे कि अगर इल्म हासिल करने का ऐसा ही लपका है तो पहले चेला बनना पड़ेगा। छुट्टी के दिन कमरे पर आयें। शागिर्द बना कर जंगली बकरे के कबाबों पर नियाज़ दिलाऊंगा।

अगले इतवार को हम भोर में सात बजे बिहार कॉलोनी पहुंचे, जहां उनका कमरा घुटने-घुटने कीचड़ में चाकीवाड़ा और बिहार कॉलोनी के संगम पर हिचकोले खा रहा था। सुनने में आया था कि ये सारी कॉलोनी समुद्र के लैवल से कई फ़ीट नीचे स्थित है। कुआं खोदने की ज़रूरत नहीं पड़ती, ग़ैरतमंद सिर्फ़ मुंडेर खींच कर चुल्लू भर पानी निकाल कर मुहावरे के शेष हिस्से पर कार्यवाही कर सकते हैं। कमरे के सामने इसी खदबदाती दलदल में दस-बारह लड़के और मेंढक सूरज की तरह 'इधर डूबे उधर निकले, उधर डूबे इधर निकले' कर रहे थे। लड़कों के बेतहाशा बढ़े हुए पेट नीले कांच की तरह चमक रहे थे। एक लड़का पाजामा पहने हुए था, लेकिन क़मीज़ नदारद। शेष लड़कों की अर्धनग्नता का क्रम इससे उल्टा था। इसे कमरा इस लिहाज़ से भी कह सकते हैं कि ये एक कच्ची-पक्की मस्जिद से लगा हुआ था जिसकी दीवार पर गेरू से लिखा था, 'ये ख़ुदा का घर है। ख़ुदा के कोप से डरो। यहां पेशाब करना पाप है।' किसी ज़ालिम ने पहले वाक्य और अन्य कुछ शब्दों पर इस तरह कोयला फेरा था कि दूर से अब सिर्फ़, 'ख़ुदा के कोप से पेशाब करना पाप है' पढ़ा जाता था।

हमने कमरे की कुंडी खटखटायी। वो प्रकट हुए, मलेशिया की सलवार पर सफ़ेद बनियान जिस पर जगह-जगह ताज़ा ख़ून के टापू बने हुए थे। हाथ में शिकारी चाक़ू जिससे जीता-जीता ख़ून टपक रहा था। वो अपने कुत्ते का एक कान काट कर ज़ख़्म को हुक़्क़े के पानी से डिसइन्फ़ेक्ट कर चुके थे और दूसरे की कांट-छांट की तैयारी थी। कुत्ते की नाक ऐसी चमक रही थी जैसे अभी-अभी वार्निश का पुचारा फेरा हो। पूछा, 'ख़ान साहब! ये क्या?' बोले, 'हलवाई के इस हरामी पिल्ले को शिकारी कुत्ता बना रहा हूं। मरदान में जवान गबरू घोड़े को आख़्ता (वृषण काटना) कर दो। चूं नहीं करता, ये नामर्द कान कटवाने में इतना बावैला करता है। आपका कराची भी अजब शहर है। न मर्दों का स्वभाव न औरतों का रूप।' उनका ख़याल था कि कान कटवाने के बाद कुत्ता अधिक वफ़ादार हो जाता है, फिर कभी दग़ा नहीं करता। उसका नाम उन्होंने रेड क्लिफ़ रखा था। कुछ देर मसाला पीसने की सिल पर चाक़ू तेज़ करने के बाद हमारी हथेली पर एक पैसा रख कर कहने लगे, 'इस सुअर का ख़ून पतला है। ज़रा लपक कर फिटकरी तो ले आओ।' हाय वो भी क्या दिन थे जब एक पैसा एक पैसे के बराबर होता था और एक रुपया एक रुपये के ही बराबर होता था।

एक पैसे में फिटकरी का इतना बड़ा डला आया जो बक़ौल उनके, हमारे कानों के लिये भी काफ़ी था। सस्ता समां था। मिर्ज़ा कहते हैं कि आज केवल एक टब पर जितनी लागत आती है, इसमें उन दिनों पीर इलाहीबख़्श कॉलोनी में पूरा मकान बन जाता था। इसके बावजूद ख़ुदा के बन्दे झुग्गियों में रहते थे। वेतन कम ज़रूर थे मगर क़ीमतें भी तो कम थीं। फिर वेतन बढ़े। क़ीमतें भी चढ़ गयीं। वेतन और बढ़े, क़ीमतें और चढ़ गयीं। नौकरीपेशा वर्ग की हैरानी भी बढ़ती गयी। रहस की दो पंक्तियां—

बार-बार दरजन घर झगड़त ठारढ
जुई जुई अंगिया सीवत हुई सुई काढ़

नारी बार-बार दरज़िन के घर जा-जा कर झगड़ती है कि मैं तुझे रोज़ अंगिया ढीली करने के लिये देती हूं, मगर तू जब सीती है, और तंग कर देती है। जवानी ऐसी भर कर आयी है कि उसे ये भी होश नहीं कि दरज़िन बेचारी तो रोज़ उसे ढीला कर देती है मगर वो तो एक और वजह से (जिसका भला सा नाम है) तंग ही होती चली जाती है। तो साहिबो! यही हाल सफ़ेदपोशों के वेतन का है।

हमने कहा, 'ख़ान साहब! कहीं जानवरों के साथ अत्याचार करने में चालान न हो जाये।'

'मैं 1946 में हुंजा गया, सुनहरे मुर्ग़ और बर्फ़ानी चीते का शिकार करने। वहां न्यूज़ीलैंड का एक bird-watcher मिल गया। उसने बताया कि जब वह बच्चा था तो गड़रियों और ग़ल्लाबानों को दुम्बों को अपने दांतों से, जी हां अपने दांतों से काट-काट कर आख़्ता करते देखा। मैंने तो फिर छुरी फिटकरी इस्तेमाल की है।

एक झलक कमरे की : ख़ान साहब के कमरे को ग़ौर से देखा तो अपने मकान से कोई शिकायत न रही। छत टिन की नालीदार चादर की, जिसमें कनस्तर की चादर के तीन-चार पैवंद लगे हुए थे, हर पैवंद के चारों तरफ़ कोलतार का टापू। एक दीवार में, फ़र्श से छत तक टेढ़ी-मेढ़ी दरारें पड़ गयी थीं जिस पर प्लास्टर दुर्बल आदमी के हाथ की रगों की तरह उभर आया था। दीवारों पर नसीहत और प्लास्टर टपकने के अलावा पिछले किरायेदार के बच्चों की क्लासों और पढ़ाई की कठिनाइयों का बख़ूबी अंदाज़ा होता था। शहतीर के बीच में जो लोहे का कड़ा था उसमें एक खुली हुई छतरी उल्टी लटकी हुई थी। यही उनका छींका और अलगनी थी। एक कोने में अब्दाली इस ऐंगिल से पसरी खड़ी थी जैसे दो बजने में बीस मिनट हैं। पास ही एक बारहसिंघे का सिर लगा था जिसकी एक आंख और खाल झड़ चुकी थी। हर सींग पर कुछ-न-कुछ लटका हुआ था। एक पर प्लास्टिक मढ़ा हुआ सौला हैट, दूसरे पर बनियान सूख रही थी। तीसरे पर बैंक की चाबियां। दरवाज़े की कील पर टंगी हुई पतलून पर मक्खियां अपनी पाचन क्रिया का असर छोड़ गयी थीं। लेकिन कमरे में कहीं भी मक्खियां भिनभिनाती दिखायी नहीं देती थीं। सब हमारे मुंह पर बैठी थीं।

दरवाज़े से ज़रा हट कर एक चीड़ का खोखा रक्खा था। यह रैड क्लिफ़ का आराम घर था। इसकी छत पर मेहमान बिठाये जाते थे। सरकंडे का एक बड़ा मूढ़ा भी था जिसकी बान की सीट गल चुकी थी। उसमें एक छोटा मूढ़ा, जिसकी पीठ झड़ चुकी थी, जड़ दिया गया था। दूसरे कोने में फटे हुए नमदे पर एक मटका औंधा देख कर हम मुस्कुरा दिये तो बोले, 'आपके यहां तो मटके सिर्फ़ पीने, बजाने और सिर पे रखने के लिये प्रयोग होते हैं।' दालान (जिसका क्षेत्रफल दो चारपाइयों के बराबर होगा बशर्ते कि वो दूल्हा-दुल्हन की हों यानी पट्टी से पट्टी मिली हुई हो) की ओर खुलने वाले दरवाज़े में एक पिंजरा झूल रहा था जो शायद विनम्रता और शालीनता सिखाने के लिये लटकाया गया था। उसके नीचे झुक कर बड़ी सावधानी से निकलना पड़ता था क्योंकि पेंदें से पानी, बाजरे और बीट की फुहारें पड़ती रहती थीं। उसमें एक सहमा हुआ सुन्दर रंगों वाला पंछी

बन्द था। पूछा, 'इसे क्या कहते हैं?' बोले, 'चकोर।' पूछा, 'पंछी बावरा चांद से प्रीत लगाये—वाला चकोर? वही जो चांद के गिर्द चक्कर लगाता है?' बोले, 'आपकी तरफ़ लगाता होगा। फ्रंटियर का चकोर इतना उल्लू नहीं होता। ख़ैबर के पहाड़ों में चांदनी के अलावा उसका दिल बहलाने के लिये कुछ और भी होता है।' पूछा, 'हुज़ूर ने दिल बहलाने के लिये पाला है?' बोले, 'नहीं। हमारे यहां चकोर नेक शगुन के लिये पाला जाता है। मालिक की हर आफ़त को अपने ऊपर ले लेता है फिर अचानक एक दिन मर जाता है। जो उसकी बीमारी है कि मालिक की आयी उसको आ गयी। कराची भी अजीब शहर है। तीन चकोर मर चुके हैं। यह सुअर भी परसों से ऊंघ रहा है। इसे आप ले जाइये। आपकी हालत तो इससे भी ज़ियादा ख़राब है।'

हुज़ूर आहिस्ता-आहिस्ता, जनाब आहिस्ता-आहिस्ता : उन्हें कृपालु देखा तो हिम्मत बढ़ी, 'ख़ान साहब तम्बाक़ू की कितनी क़िस्में होती हैं?' बोले, 'दो, पहली वर्जीनिया दूसरी (हिचकिचाते हुए) ग़ैर वर्जीनिया।'

पूछा, 'सूबा सरहद में तम्बाक़ू कहां-कहां पैदा होता है?'

बोले, 'जहां-जहां खेती की जाती है, ख़ूब पैदा होता है।'

पूछा, 'सुना है मरदान, चार सद्दा, नवां कली और तहसील सवाबी में तम्बाक़ू के आढ़ती पाये जाते हैं।'

बोले, 'जहां माल है वहां व्यापार, जहां व्यापार है वहां आढ़त ज़रूर होगी।'

उन्होंने तम्बाक़ू का ज्ञान पानी कर दिया।

सरवर साहब ने कुछ दिन बाद तम्बाक़ू की तीसरी क़िस्म बता कर हमारे अज्ञान की खाई भरी तो नहीं, हां उस पर पुल ज़रूर बना दिया जिस पर से एंडरसन की सवारी निकल सकती थी। बोले, 'तम्बाक़ू का स्तर तो सरकारे-आलिया हर हाइनैस नवाब सुल्तान जहां बेगम के ज़माने में हम रामपुरी पठान बढ़ाते थे। चित्रित चिलम में पुराने गुड़ का क़िवाम और दो आतिशा तम्बाक़ू कड़वा दो रसा बग़ैर तवे के रख कर पूरी क्षमता से कश लगाते तो एक बालिश्त ऊंचा शोला लपक उठता। जिसके सुल्फ़े का शोला ज़ियादा ऊंचा जाता वही मर्द ठहरता। सबसे तेज़ तम्बाक़ू रमज़ानी कहलाता था। रमज़ान में हुक़्क़े के रसिया इसी से समूह में रोज़ा खोलते। पहला कश लेते ही हज़रते-दाग़ जहां बैठ गये बल्कि जहां लेट गये-लेट गये। रोज़ा रखने वाले बारी-बारी अपने स्तर के अनुसार दम लगा कर रोज़ा खोलते और उसी क्रम से बेहोश होते चले जाते। रामपुरी तम्बाक़ू से किसी को क़ैंसर होते नहीं देखा, हार्टफ़ेल होता था। उनकी फ़ातिहा भी इसी पर दिलाई जाती थी।'

ख़ान साहब की तबियत बिगड़ने लगी थी, हमने विषय बदलने में ख़ैरियत समझी।

'जबसे आपकी दायीं आंख खुली है (बायीं हमने तो हमेशा ही बन्द देखी, संबोधित का चेहरा भी निशाना बांध कर देखते थे।) आपको शिकार की लत है, हमें बचपन ही से हाथी और व्हेल के शिकार के क़िस्सों में दिलचस्पी है।'

दिल जीत लेने वाली मुस्कुराहट के बाद बोले, '8 नम्बर की बस में बैठ कर व्हेल का शिकार थोड़ा मुश्किल है। आप इल्म के बड़े लालची साबित हुए हैं। सब कुछ एक

ही हल्ले में जान लेना चाहते हैं। मेरा मास्टर सरदार गुरुबचन सिंह मस्ताना कहता था कि पुत्तर जी, इल्म भंग नहीं अफ़ीम है। इसका नश्शा धीरे-धीरे नस-नाड़ियों में उतरता है। क्या बताऊं हीरा उस्ताद था। कुल तीन मुल्ला थे। सबसे पास की डामर की सड़क सत्तर मील दूर थी। बहुतों के घरों में लालटेन तक न थी। मास्टर गुरुबचन सिंह कड़कड़ाते जाड़े में हैरीकेन लालटेन ले कर निकलता। घर-घर जा कर लड़कों को इकट्ठा करता। अपने घर ले जाता और वहां चटाई पर बिठा कर हमें रात के ग्यारह बजे तक इम्तहान की तैयारी करवाता। एक दिन अपनी किरपान पर हाथ फेरते हुए बोला कि ओये बुक़रात दे पुत्तरो। साइंस इल्म का दरिया है, भंग का गिलास नहीं कि सीधा दिमाग़ को चढ़ा और चंगा-भला बंदा भक से उड़ गया। और भंग छानने वाले कपड़े को रेशे-क़ाज़ी कहते हैं। क़ाज़ी क़हक़हे वाले क़ाफ़ से। जहां क़ाफ़ और काफ़ से ज़रा भी शक हो वहां क़ाफ़ लिखा करो।'

त से तिलेर, तीतर और तिलवर : तो आज मैं आपको सबसे छोटे परिन्दे (पंछी) के शिकार की तरकीबें बताऊंगा, फिर क्रमानुसार चरिन्दों (चौपाये), ख़तरनाक़ गज़िन्दों (डंसने वाले), फाड़ खाने वाले दरिन्दों और आख़िर में काले सिर वाले की बारी आयेगी। आपने तिलेर देखा है?

'शेव करते समय रोज़ दर्शन कर लेता हूं,' ख़ास अदा के साथ कमर दोहरी कर झुक गये और घुटने पकड़े-पकड़े हमारी सूरत देख कर देर तक हँसते रहे। फिर फ़र्माया 'चितकबरा होता है इसलिये अबलक़ा भी कहते हैं। मुट्ठी में दबा लें तो पता भी न चले कि ख़ाली है या भरी। आप उसे तन्हा कभी नहीं देखेंगे। दो-तीन सौ का झुंड बना कर बसेरा करते हैं। चुटकी भी बजा दो तो साथ भर्रा मार कर उड़ जायेंगे। तिलेर सिर्फ़ फ़सल के वक़्त नज़र आता है। फ़सल को नुक़सान पहुंचाने वाले कीड़ों-मकोड़ों को खा जाता है। इसीलिये शासन की सुरक्षा प्राप्त है। चोरी-छिपे मारना पड़ता है। प्रकृति ने कैमोफ़्लाज़ के लिये ऐसा रंग और शक्ल बनायी है कि पेड़ पर बैठा पत्तों में बिलकुल दिखायी नहीं पड़ता लेकिन दुनिया की कोई ताक़त इसे चोंच खोलने से नहीं रोक सकती। बस इसी पर मार खाता है। आवाज़ पर निशाना लगाया जाता है। इसे मरना स्वीकार है मगर चुप नहीं रह सकता। इसकी ज़बान का तीन आंच का काढ़ा बना कर गूंगे आदमी को पिलायें तो सात दिन में पटर-पटर बोलने लगे। बेज़बान बहू एक घूंट पी ले तो दो दिन में उसकी सास बावली हो कर मर जाये और मुर्दे की ज़बान पर दफ़्नाने से पहले एक बूंद टपका दी जाये तो मुनकिर-नकीर (मौत के फ़रिश्ते-यमदूत) उस क़ब्रिस्तान की तरफ़ ही न आयें।'

'बड़े छर्रों को बर्दाश्त नहीं करता, डस्ट इस्तेमाल करना पड़ता है। एक फ़ायर में सौ तिलेर गिरा लीजिये। दो तो छर्रे के कणों से घायल हो कर गिरते हैं, पचास-साठ केवल आवाज़ की धमक से जान छोड़ देते हैं, बाक़ी देखा-देखी। हां एक बात का ध्यान रहे, ज़मीन पर गिरने के डर से रास्ते में ही ठंडा हो जाता है। इसलिये कलमा पढ़ कर फ़ायर करें वरना मुरदार हो जाता है। ज़रा छुरी फेर दो तो बेर सी गरदन अलग हो जाती

है। अधिक ख़ुशबूदार गोश्त, हड्डियां सिवैयों से अधिक बारीक और कुड़कुड़ी, हड्डी समेत करर-करर खाते हैं। शक्ल और जुस्सा सबका एक सा। कम-से-कम आदमी की आंख नर-मादा में अन्तर नहीं कर सकती। तिलेर और उर्दू शब्दों के स्त्रीलिंग-पुल्लिंग पहचानने में छठी इन्द्रिय चाहिये। इसकी नस्ल बड़ी तेज़ी से बढ़ती है, इससे तो यही मालूम देता है कि इसमें नर भी होते हैं। ख़ुदा बेहतर जाने। उर्दू में तो तबले के भी नर-मादा होते हैं।'

'अच्छा! अब अगले इतवार को तीतर के शिकार पर बात होगी। मैदानी पंछी है, लड़ाका, सजातीय के अलावा किसी से नहीं लड़ता। दादू में एक अपाहिज रईस ने बेटे के अक़ीक़े पर बीस देग़ें काले तीतरों की पकवायी थीं। जश्न में पूरा क़स्बा निमंत्रित था। उसके अंदाज़ से तो मालूम होता था कि बच्चे की पैदाइश पर उसे ख़ुशी से अधिक हैरत है। अच्छा परिंदा है। सुब्हान तेरी क़ुदरत-सुब्हान तेरी क़ुदरत।'

निवेदन किया, 'अब तीतर सियाने हो गये हैं। सुल्तान तेरी क़ुदरत, सुल्तान तेरी क़ुदरत।'

बोले, 'इस ज़ुमले की दाद किसी और से लीजिये। मैं मौजूदा हुकूमत के ख़िलाफ़ नहीं।'

'फिर किसी दिन आपको सजावल ले चलूंगा। झील में पड़ी हुईं मुर्ग़ाबियां ऐसी लगती हैं जैसे अभी-अभी किसी सभा में लाठीचार्ज के बाद लोग जूते छोड़ कर भाग गये हों। सुन्दरवन चलें तो शेर का शिकार भी खिलवा सकता हूं। शेर के शिकार में दो-तीन सौ आदमी चारों तरफ़ से हांका करें तो सबसे पहले सुअर निकलते हैं।'

निवेदन किया, 'राजनीति में भी यही होता है,' बोले, 'फिर वही! आपने बस्टर्ड (तिलवर) देखा है। पहाड़ी चिड़िया है। ठट्ठा के पास बरादाबाद की पहाड़ियों में नवम्बर से उतरनी शुरू होती है।'

कहा, 'तो आज का सबक़ हुआ। त से तिलेर, तीतर और तिलवर...और तम्बाक़ू?'

फ़रमाया, 'कभी पठोर मोरनी के कोफ़्ते खाये हैं? बड़े ख़स्ता होते हैं।'

आप से तुम, तुम से तू होने लगा : अगले इतवार को शिकार पर जाने का वादा करके हम, तम्बाक़ू से संबंधित जिन बातों से उन्होंने हमारी ज्ञान वृद्धि की थी, को सीने से लगाये विदा हुए। सोमवार को बैंक में दोपहर तक दोनों ही लिये-दिये रहे। तीसरे पहर को पश्तो की तीन-चार दिल को आनंद देने वाली गालियों से अहम् और अस्तित्व के परदे उठ गये। आप से तुम, तुम से तू होने लगा। तीन चार दिन में हम दोनों एक दूसरे की ज़िन्दगी में इस तरह प्रविष्ट हुए कि स्वयं भी निर्णय करना कठिन था कि कौन किसमें घुसा हुआ है। हमारी क्या मजाल कि छोटे मुंह से बड़ी बात कहें। यह तो ऐसा ही होगा जैसे कोई ख़रबूज़ा दावा करे कि वो दस्ते तक छुरी में घुस गया है।

बृहस्पतिवार तक अंतरंगता इतनी बढ़ गयी कि हमने कहा, 'आप गुरु, हम चेले। किसी दिन ग़रीबख़ाने पर भी पधारिये।' बोले, 'आपका ग़रीबख़ाना कहां है?' निवेदन किया, 'पीरबख़्श कॉलोनी में। यहां से आठ मील।' बोले, 'रास्ते में कोई शिकार-शिकूर है?' हम चुप रहे। क्या कहते।

इन्हीं पत्थरों पे चलकर अगर आ सको तो आओ
मिरे घर के रास्ते में कोई .फ़ाख़्ता नहीं है

हमें उदास देखा तो दिल बढ़ाया, 'दावत सिर आंखों पर, मगर बुरा न मानियेगा, कराची में आप लोग पुलाव में बराबर का गोश्त डालते हैं। हम दुगने के आदी हैं।' हमने ज़रा बुरा न माना। इसलिये कि अपने बयान के उस हिस्से में जिसका संबंध हमारे पुलाव से था, उन्होंने पहले ही 90 प्रतिशत गोश्त अधिक डाल दिया था वर्ना क्या पिद्दी क्या पिद्दी का शोरबा। फिर बोले, 'आप चारसद्दा आयें तो रेता खिलाऊंगा। पूरे दुंबे को उसी की खाल में लपेट कर उसी की चर्बी में अंगारे पर भूनते हैं। काले दुंबे का गोश्त बड़ा मीठा और मुलायम होता है।'

गले में नथिया गली : शब्दों की दुर्गति–हमारे मुंह से निकल गया कि फ़ाख़्ता तो सुख–शान्ति की प्रतीक है और कबूतर तो बड़ा ही भोला पंछी है। इसे मारना महापाप है। कहने लगे, 'राम! राम! तू बेटी ब्राह्मण की, क्या जाने इसका स्वाद। मास्टर गुरुवचन सिंह, ख़ुदा उसे मुआफ़ करे, कहता था कि मुसलमान किसी जानवर को ज़िन्दा नहीं देख सकते, सिवाय सुअर के। आपको शायद जानकारी न हो, अगले वक़्तों में किसी रईस को अधेड़ उम्र में लक़वा हो जाता—जो अक्सर होता था—तो हकीम उसका इलाज जंगली कबूतर के बाज़ुओं की गर्म फड़फड़ाहट और हरियाली बन्नी के आंचल की हवा से करते थे। ख़ान साहब हर सोलहवें मिनट एक सिग्रेट पीते थे। उसमें पन्द्रह मिनट अपने हाथ से सिग्रेट मैन्यूफ़ैक्चर करने के लिये होते थे और एक सिग्रेट पीने का। सिग्रेट सुलगाने से पहले पंखा बंद कर देते। कहते कि तेज़ हवा से सिग्रेट ख़त्म हो जाता है और सारा धुआं बरबाद हो जाता है। महीन काग़ज़ पर तम्बाक़ू की तह जमाते। हर पत्ती हर कण की दिशा ठीक करते। बीच में पीपरमिंट की एक सलाई रखते और थूक से चिपका कर बर्फ़ीले क़श लेते और सिगरेट न पीने वालों की महरूमी पर एक मिनट तक मुस्कुराते रहते।

'आप इस खखेड़ में क्यों पड़ते हैं बने–बनाये सिग्रेट क्यों नहीं पीते?' हमने पूछा।

'रेडीमेड सिग्रेट? क्या, आपने तुख़्मी आम चूसा है?'

'जी हां! हज़ार बार!'

'अगर कोई तुख़्मी का रस निकाल कर बिल्लौरी गिलास में पेश करे तो क्या वही मज़ा होता जो ख़ुद दुहने में आता है?

'एक तुख़्मी की हम पर भी कृपा हो।'

फ़ौरन यानी पन्द्रह–मिनट में एक सिग्रेट बनाया और उसमें पीपरमेंट की सबसे बलिष्ठ सलाई रखी। हमने जो आंख मींच कर दम लगाया तो गला नथिया गली हो गया।

पूछा, 'आप पाइप क्यों नहीं पीते?' पाइप से सिर्फ़ उन लोगों को आराम आता है जो न सिग्रेट की क़ूवत रखते हैं, न हुक़्क़े की ताक़त। दस बरस पहले मरदान में उन्होंने हुक़्क़ा शुरू किया था लेकिन पहले तो उनकी बीवी ने ग़ालिब की बीवी की तरह उनके खाने–पीने के बर्तन अलग रखे फिर ख़ुद उन्हें भी अलग रखने लगीं।

सनीचर को पूछने लगे, 'तो फिर चल रहे हैं कल शिकार पर, शागिर्दी के लिये

कल का दिन अच्छा है। 8 तारीख़ है। 8 मेरा लकी नम्बर है।'

'चलने को तो चले चलेंगे मगर एक निवेदन है। वो ये कि सफ़र और शिकार में सरकार कोई गाली नहीं देंगे।'

'मंजूर मगर एक शर्त पर, आप भी कोई शे'र नहीं बकेंगे। दफ़्तर की बात और है। बाहर बन्दा कोई बेहूदी या बेतुकी बात बरदाश्त नहीं कर सकता।'

लैला भी हमसफ़र हो तो महमिल न कर क़ुबूल

'फिर वही—आपकी दुम कभी सीधी नहीं होगी। आपको मालूम है कि गोलकुन्डा के सुल्तान का एक बेतुका शे'र सुनकर जहांगीर बादशाह इस क़दर नाराज़ हुआ कि तुरंत गोलकुन्डे पर चढ़ाई करने की आज्ञा दे दी। जहांगीर आज ज़िन्दा होता तो ख़ुदा की क़सम मुग़ल फ़ौज सारी उम्र आपका घेरा डाले पड़ी रहती।'

सीढ़ी और नॉस्टेलजिया : बैंकों में इतवार रो-रो कर आता है और सोमवार रुला-रुला कर जाता है। इतवार को ज़रा देर से आंख खुली। हम बिहार कॉलोनी वाली बस से उतरे तो देखा ख़ान साहब हमारे स्वागत के लिये बस अड्डे पर आधे घंटे से खड़े सिग्रेट बना रहे हैं। आलिंगन, हाथ मिलाना और सलाम हुआ। ऐसी क़बायली गर्मजोशी से गले लगे कि हम बड़ी मुश्किल से शेष रस्मों की पूर्ति के लिये स्वयं को उनके प्रेम के शिकंजे से आज़ाद करा सके। अगर हम अपने सीने पर इस तरह हाथ न बांध लेते जैसे जन्नती बीबियां नमाज़ पढ़ते समय बांध लेती हैं, तो चार-पांच पसलियां टूट चुकी होतीं। क़बायली आलिंगन में परस्पर प्रेम का अनुमान उन पसलियों की गिनती से लगाया जाता है जो इस कार्य के समय टूट जायें और मर्दानगी का उनसे जो बच जायें। हमारे दुबलेपन और पसलियों का मज़ाक़ उड़ाते हुए बोले कि आपको सीने से लगाने पर यूं लगता है जैसे बांस की सीढ़ी से गले लग रहा हूं।

अज़ान के बाद बिजली के खंभे से लगी हुई साइकिल उठायी। हमने कहा, 'ये तो पितरस (प्रसिद्ध व्यंग्यकार जिनका साइकिल पर अद्‌भुत लेख है) की साइकिल मालूम होती है।'

'नहीं तो! मेरी ही है। क्या वो भी चाकीवाड़ा में रहता है?' उसके नंगी तलवार के से डंडे पर बिठा कर हमें अपने घर ले चले। हमने पीछे आरामदेह कैरियर पर बैठना चाहा तो उन्होंने अनुमति नहीं दी। कहने लगे, 'पहले तो ये सीट जंगली बकरे की लाश के लिये रिज़र्व है। दूसरे हमारे यहां मेहमान की तरफ़ पीठ करके बैठना शालीनता के विपरीत समझा जाता है। मेहमान किसी समय भी पीछे से छुरा घोंप सकता है। मालूम होता है आपने इतिहास का ठीक से अध्ययन नहीं किया। इतिहास पढ़ने के तीन लाभ हैं। एक तो यह कि पूर्वजों के विस्तृत हालात की जानकारी के बाद आज की हरामज़दगियों पर ग़ुस्सा नहीं आता। दूसरे याददाश्त तेज़ हो जाती है। तीसरे, लाहौल विला, तीसरा फ़ायदा दिमाग़ से उतर गया। कराची भी अजीब शहर है, हां! तीसरा भी याद आ गया। खाने, पीने, उठने, बैठने, भाइयों के साथ मुग़लिया बरताव की सभ्यता से परिचय होता है। आगे बैठने पर याद आया कि शाहजहां के समय में यह सवाल उठाया गया था कि

महावत शाही अम्मारी के आगे बादशाह की तरफ़ पीठ करके बैठता है जो सिर से पैर तक शालीनता के विपरीत है। इसलिये हमारे अपने इलाक़ा ग़ैर से एक शुद्ध रक्त के सय्यद साहब इम्पोर्ट किये गये जो महावत की पीठ से पीठ मिलाकर बादशाह की तरफ़ मुंह करके बैठते थे। आश्चर्य है! बादशाह को ये ध्यान कभी न आया कि ग़ुस्ताख़ हाथी उस की तरफ़ परमानेन्ट पीठ किये रहता है।'

इस पर हमने कहा, 'राजस्थान के राजपूतों में उल्टा रिवाज है, ऊंट पर बैठी हुई औरत के आसन को देख कर एक मील दूर से बता सकते हैं कि वो सवार की बहन है या बीवी। बहन को राजपूत सरदार हमेशा आगे बिठाते हैं ताकि ख़ुदा न ख़्वास्ता वो गिर पड़े तो फ़ौरन पता चल जाये। बीवी को पीछे बिठाते हैं।'

'और महबूबा को?'

'अपहरण के लिये देस में हमेशा घोड़े इस्तेमाल होते हैं।'

'देस में!!! आपका मन अभी तक मीरा बाई के देस में, अटका हुआ है पंडित यूसुफ़ी! रेत के टीले, बंजर धरती, ऊंट हद ये कि ट,ठ,ड,ड़ देख कर आप नॉस्टेलजिक हो जाते हैं। आपके देस जयपुर में ले दे कर एक झील थी, सांभर झील और यह सड़ांदी खारी झील है जो सारे हिन्दुस्तान को नमक सप्लाई करती है। आपको यह ध्यान नहीं रहा कि ब्राह्मणों का धर्म अपनी रसोई में मुसलमान के पाथे हुए उपले जलाने से भ्रष्ट हो जाता था। पाकिस्तान का दाना-पानी खाते इतने दिन हो गये मगर अब भी वही रट 'मैं चने मटर के खा लूंगी तू ले चल जमना पार' थान है थान। ये पाकिस्तान है। आप भी किस पोली, पिलपिली, पोपली धरती को याद करते हैं जिसमें दिग्विजयी घुड़सवार अपने भालों से तम्बू भी न गाड़ सकें। कभी आकर ख़ैबर की ज़मीन देखिये। ज़रा सी असभ्यता से पांव पड़ जाये तो टन-टन ख़तरे का एलार्म बजता है। गोलियों के मुंह फेर देता है।'

वो चमक गये थे। हमने कांटा बदल कर गंभीर दार्शनिक सवाल किया।

'औरत के बारे में क्या ख़याल है?'

'अक्सर ख़याल आता है,' उन्होंने जवाब दिया।

अजीब बात है, हमने बहुत बार राजपूतों के स्वाभिमान और बहादुरी की कथायें सुनायीं, ज़रा भी जो प्रभावित हुए हों। एक दिन बात करते हुए हमने कहा कि 31 दिसम्बर 1949 तक जब हम जयपुर से चले हैं; वनस्पति घी बेचना, ख़रीदना, बनाना, रखना और खाना राजस्थान की सीमा में दंडनीय अपराध था। छह महीने का सश्रम कारावास मिलता था। फड़क उठे। बोले कि यह बात हुई। इसके बाद कभी राजपूतों का ज़िक्र आता तो बड़े ध्यान और सम्मान से सुनते।

हम ताज़ा-ताज़ा हिन्दुस्तान से सफ़र और हिजरत की धूल झाड़ते हुए अवतरित हुए थे। एक नये जन्म और आदर्श की इच्छा में अपना कालावधि से बढ़ा नाल न केवल स्वेच्छा और सानंद बल्कि अपने हाथ से काटा। घाव भर चला था, पर भरते घाव की मीठी सलसलाहट का आलम ये कि 'जहां मालूम होती थी वहीं मालूम होती है' इसी आलम में एक दिन उनसे पूछा—

'आपको हिन्दुस्तानी कल्चर पसंद नहीं?'

'इसके जो हिस्से हमें पसंद आते हैं, उनसे बेशक निकाह कर लेते हैं?'

शिकार को रवाना होने लगे तो उन्होंने हमें सख़्ती से मना किया कि शिकार पर रवाना होने से पहले चाक़ू का नाम हरगिज़-हरगिज़ नहीं लेना चाहिये। शिकार नहीं मिलता। चुनांचे यही हुआ। फिर एक छागल पानी की अपने गले में डाली और एक थैला मूंगफलियों का हमारे गले में टांगना चाहा ताकि हमारे दोनों हाथ जिनसे आगे चल कर बहुत से काम लेने थे, ख़ाली रहें। हमने पीछा छुड़ाने के लिये कहा, 'हम मूंगफली नहीं खाते।' बोले, 'हमने तमाम उम्र बादाम खाये हैं मगर इस मेवे में ख़राबी क्या है?' निवेदन किया, 'मूंगफली और आवारगी में ख़राबी ये है कि आदमी एक बार शुरू कर दे तो समझ में नहीं आता ख़त्म कैसे करे?' हमारी राय से सहमत होते हुए मूंगफली का तोबड़ा उन्होंने अपनी गर्दन में लटकाया। हम चीख़ते-चिल्लाते ही रह गये और उन्होंने ये कहते हुए पखाल हमारे कंधे पर डाल दी। 'ऊंठ अड़ांदे ई लद्दी दे नी' (ऊंट को बिलबिलाते हुए ही लाद देना चाहिये। ये इंतज़ार नहीं करना चाहिये कि ऊंट बिलबिलाना बंद करे तो हम लादना शुरू करें।)

पूछा, 'मेवों में हुज़ूर को कौन-सा मेवा पसंद है?'

बोले, 'निकाह का छुआरा।'

साढ़े आठ बजे हम दोनों साइकिल पर मंघू पीर की पहाड़ियों की तरफ़ जंगली बकरे की तलाश में रवाना हुए। थोड़ी दूरी तय करने के बाद हमें कैरियर पर बैठने की इज़ाजत मिल गयी। ज़रा देर बाद हांफते हुए कहने लगे, 'अब आप पीछे बैठे-बैठे आराम से पैडिल मारिये, मैं हैंडिल चलाता हूं। ज़रा एहतियात से पैडिल मारियेगा, कराची का ट्रैफ़िक बावला है।

आदेशानुसार हम उनकी कमर पकड़ कर पैडिल से ज़ोर-आज़माई करने लगे। साइकिल चलाने के इस ढंग में एक निहायत बारीक क़ानूनी नुक़्ता उन्होंने ये बताया कि पुलिस डबल सवारी के जुर्म में दोनों में से किसी का चालान नहीं कर सकती। जो हैंडिल पकड़े हुए है वो पैडिल मारने में शरीक नहीं है और जो पैडिल मार रहा है उसका बाक़ी साइकिल से कोई क़ानूनी तअल्लुक़ नहीं है। अगर आपको मजिस्ट्रेट ने एक महीने की भी सज़ा की तो सुअर के पांव के नाख़ून खींच लूंगा और पैदल इलाक़ा ग़ैर में ले जाकर क़त्ल कर दूंगा।

साइकिल के वो तमाम अतिरिक्त बचे हुए पुरज़े और सजावटी टीम-टाम जिनकी गिनती मैकेनिकल अय्याशी में हो सकती थी, ख़ुद को मिट्टी में मिला चुके थे और देखने में अब यह ढांचा साइकिल का एक्सरे मालूम होता था। हैंडिल पर न जाने कैसे एक शीशा लगा रह गया था जिसकी पहली नज़र में यही उपयोगिता मालूम देती थी कि सवार को पता चलता रहे कि पिछला पहिया अभी तक साइकिल में लगा हुआ है कि नहीं। पूछा, 'इसमें तेल क्यों नहीं देते?' बोले, 'तेल देने में झंझट ये है कि फिर घंटी लगानी पड़ेगी।' साइकिल के मडगार्ड ही नहीं ब्रेक भी ग़ायब थे, लेकिन चलाने के बाद ब्रेक की कमी

महसूस नहीं होती थी, इसलिये कि साइकिल का जो पुरज़ा जिस जगह था, वहीं से ब्रेक का काम कर रहा था, फिर भी हमारे सुपुर्द यह काम था कि जैसे ही वो इशारा करें, हम जूते की एड़ी से नंगे पहिये को आगे बढ़ने से रोकें। चार-पांच मील ब्रेक लगाने के बाद हमारे जूते की दायीं ऐड़ी झड़ कर कहीं गिर गयी। ख़ान साहब ने बायीं ऐड़ी प्रयोग करने का संकेत किया तो हमारे पास आदेश का उल्लंघन करने के अलावा कोई विकल्प न रहा। उस्तादी शागिर्दी अपनी जगह, लेकिन इससे तो आप भी सहमत होंगे कि एक पांव से लंगड़ाना दोनों पांव से लंगड़ाने से अच्छा है।

वो जो पंजाबी कहावत है गधे का एक मील और कुम्हार का सवा मील, सो वो हम पर हर मील खरी उतरी। जब सहनशक्ति जवाब देने लगी तो हमने शिकायत की कि कैरियर बहुत चुभ रहा है। बोले, 'आप मेरी सीट पर बैठ कर देखें तो पता चले कि चुभना किसे कहते हैं। आपको ग़लतफ़हमी हुई है। आपके कूल्हों पर गोश्त नहीं है। ये असल में आपकी ही पर्सनल हड्डियां हैं जो आपको चुभ रही हैं। आपके अगर कूल्हे होते तो आज ये हालत नहीं होती कि ज़रा पायचां साइकिल की चेन में आ गया तो सारी पतलून उतर के टख़नों पे आ रही। दरअसल आपके यहां कमर से लेकर टख़नों तक पतलून के लिये कोई रोक है ही नहीं। ख़ैर से आपकी उम्र ही क्या है। इस उम्र में तो कूल्हे नई फ़सल के पहले गरमे (ख़रबूज़े) की तरह होते हैं। आपने लख़तई (लौंडों का) नाच देखा है? क़त्ल हो जाते हैं।'

'हमारा पालन बहुत पवित्र माहौल में हुआ है। जवानी में हमने मोर के नाच के अलावा और कोई नाच नहीं देखा।'

उतर कर घुटने पकड़कर झुक गये। 'फिर भी आप लोग ख़ुश होते हैं तो मुजरे, मुशायरे करवाते हैं। आतिशबाज़ी छोड़ते हैं, लेकिन हम हर भावना को बन्दूक़ से प्रकट करते हैं। हमारे यहां फ़िल्म का कोई गाना या डायलॉग पसंद आये तो दर्शक इसकी दाद पिस्तौल से देते हैं। डिश, डिश, डिशाऊं, हॉल में जितने अधिक पिस्तौल चलें, उतना ही मालिक ख़ुश होता है कि फ़िल्म हिट हो गयी।'

'गोली छत से टकरा कर उल्टी दर्शकों को नहीं लगती?'

'छत ऐसी बनाते हैं कि बारिश और गोली को गुज़रने में तकलीफ़ न हो।'

ख़ान ग़ुलाम क़ादिर ख़ान : फ़र्लांग भर डायलॉग के बाद हमने चुभन से परेशान हो कर स्वयं को हथेलियों के जैक पर उठा लिया तो कहने लगे कि आप ये बंदरों की-सी हरकतें क्यों कर रहे हैं? निवेदन किया, 'बंदर में हमें इसके अलावा कोई बुराई नहीं दिखायी पड़ती कि वो मनुष्य का पूर्वज है। शेष वर्णन ये कि कैरियर का एक इंच गहरा सांचा हमारे बदन पर छप चुका है और अब इसमें कई ऐसे कैरियर ढाले जा सकते हैं।'

हैंडिल से दोनों हाथ छोड़कर ताली बजायी फिर उस चमड़े की सीट को, जिस पर वो बैठे थे, अपनी रानों में दबाते हुए अपने दादा ख़ान ग़ुलाम क़ादिर ख़ान का क़िस्सा सुनाने लगे कि उन्होंने एक बार अपनी रानें भींच कर एक मुंहज़ोर घोड़े की पसलियां तोड़ दी थीं।

हमने कहा, 'आपके दादा जानी मरहूम...' बात काटते हुए बोले, 'दादा जानी? जान क्या मतलब? आप रेख़्ती (उर्दू की स्त्रैण शैली) कबसे बोलने लगे...वो ख़ान, इब्ने-ख़ान, इब्ने ख़ान था।'

'आपके दादा ख़ान और अब्बा ख़ान मरहूम तो बहुत गर्वीले और ख़ूंख़ार होंगे? तलवार, जी नहीं बंदूक़ के धनी होंगे?'

मूंगफली की काग़ज़ी झिल्ली उतारते हुए बोले, 'इस शक में आपको शुब्हा क्यों होता है?'

'एक बार की बात है, मेरा दादा गांव नवां-कली, तहसील सवाबी, ज़िला मरदान में (नोट कीजिये, यह इलाक़ा तम्बाक़ू का दिल है फिर न कहियेगा मैं तम्बाक़ू के बारे में कुछ बता के नहीं देता) हां तो मेरा दादा ख़ान ग़ुलाम क़ादिर ख़ान नवां-कली की सड़क पर गोली खेल रहा था। उर्दू वाली कच्ची गोली नहीं असल कांच की गोली। सात साल का था। इतने में अंग्रेज़ डिप्टी कमिश्नर सफ़ेद घोड़े पर सवार उधर आ निकला। गन्ने की औलाद ने बड़े अपमानजनक ढंग से अपने अर्दली को हुक्म दिया, इस डैम छोकरे को हमारे रास्ते से हटा दो। मेरा दादा ग़ुस्से से क़ंधारी अनार हो गया। ये बन्दूक़ तो ख़ैर घर पर थी। आव देखा न ताव, गले में लटकी हुई ग़ुलैल में वही शीशे की गोली भर कर ऐसी ताक कर मारी कि ठीक निशाने पर यानी सुअर की दायीं आंख में जा कर बैठ गयी और ऐसी फ़िट हुई कि निकाले से नहीं निकली। सारी उम्र वही लगाये फिरा।'

हमने पूछा, 'उस ज़माने में नवां-कली में वर्जीनिया तम्बाक़ू पैदा होता था?'

जवाब मिला, 'वो शेर दिल और ग़ैरतमंद पठान था, एक बार किसी काम से दर्रा गया। वहां एक कोठरी के सामने चारपाई पर शिमरोज़ ख़ान चादर ताने दोपहर की नींद ले रहा था। महमंद क़बीले का सरदार और पुराना परिचित था। मेरे दादा ने सलाम किया मगर उसने लेटे ही लेटे 'पख़ेर रा ग़ल्ले!' कह कर मिलाने के लिये हाथ बढ़ा दिया। कबायली तहज़ीब के अनुसार सम्मान को न उठा। मेरा दादा इस हतक से बहुत नाराज़ हुआ। इसके दो महीने बाद वो ज़िक्र है। बारिश के दिन थे, दादा ख़ान ग़ुलाम क़ादिर ख़ान कच्ची सड़क पर खड़ा औरतों से हँस-बोल रहा था कि सामने से शिमरोज़ ख़ान कीचड़ में फचाफच करता, आता हुआ दिखायी दिया। दादा वहीं कीचड़ में चादर ओढ़ कर लेट गया। लोगों ने पूछा, ग़ुलाम क़ादिर ख़ान! ख़ैर तो है? दादा ने जवाब दिया, उसका ख़ाना ख़राब हो, शिमरोज़ खान ने मुझसे लेटे-लेटे हाथ मिलाया था, मैं भी लेटे-लेटे ही मिलाऊंगा।'

'तम्बाक़ू की फ़सल मंडी में कब आती है?'

सवाल का नोटिस न लेते हुए बयान जारी रखा, 'ख़ान ग़ुलाम क़ादिर ख़ान सरदारों का सरदार था। बिना कुलाह के साढ़े छह फ़िट क़द, डौलों की मछलियां इतनी सख़्त कि नाई उन पर उस्तरा तेज़ कर लेता था। ९८ साल की उम्र पायी। एक महफ़िल में बनारस की बिब्बो तवायफ़ नाचते-नाचते उसके सामने आयी। न जाने कौन-सी अदा भा गयी, अपनी हथेली पर खड़ी-खड़ी को अधर उठा लिया। तख़्त पर सोता था मगर जब तक

उस पर उसका ख़ास गद्दा बिछा न हो, नींद नहीं आती थी। इसमें काफ़िर दुश्मनों की मूंछें भरी थीं। नाश्ते में बारह अंडे साबुत निगल जाता था।'

'साबुत?' हमारे मुंह से अनायास निकला।

'जी हां! मैंने तो किसी मुर्ग़ी को आधा अंडा देते नहीं देखा। आख़िरी समय तक दांतों से दुंबे की नली तोड़ कर गूदा निकाल लेता। भुना हुआ आधा बर्रा चट करके पारा चिनार के आधा दर्जन सेब खा जाता था। कभी देखे हैं? चितरालन के गालों जैसे होते हैं। पारा चिनार के आगे जो गगनचुम्बी पहाड़ ईरान, अफ़ग़ानिस्तान और पाकिस्तान की सीमा का संतरी है, उसे सफ़ेद पहाड़ कहते हैं। सारा पहाड़ काला और नंगा है, सिर्फ़ चोटी पर बर्फ़ की बिकनी (Bikini) बारह मास अटकी रहती है। दादा ने यहां दो बर्फ़ानी चीते मारे थे। ननिहाल की तरफ़ से उसकी रगों में तातारी ख़ून था। वो जब जोश मारता तो घोड़ी का दूध ज़रूर चख लेता था। चालीस सफ़ेद घोड़ियां अलग अस्तबल में बंधी रहती थीं, जहां मर्दों का जाना मना था, घोड़े के सिवा कोई पांव नहीं रख सकता था। उसके गालों पर सुनहरी रुआं चमका और आवाज़ दोशाख़ा होने लगी तो बाप के हुक्म के मुताबिक़ एक सौ एक चिड़ियां पर बांध कर सुबह ही उसके सामने डाल दी जातीं। वो अपने जूतों तले उनके सिर एक के बाद दूसरा कुचलता चला जाता था। कुरड़, कुरड़, कुरड़। एक साल तक यही चलता रहा ताकि दिल मज़बूत हो जाये। मेरा दादा भी घोड़ों पर जान छिड़कता था। दो मील दूर से, टाप से यह पहचान लेता था कि घोड़े पर कोई चौड़ी छाती वाला शेर, दिलेर सवार है या डरपोक। कभी रकाब पे पांव रख कर घोड़े पर नहीं चढ़ा। जब वो दुश्मन को ढूंढने के लिये तूरे-ख़म के पहाड़ी रास्तों में घोड़ा डालता तो दूर-दूर तक सुमों से छूटती हुई चिंगारियों की जगमग-जगमग बन जाती थी। रात-दिन घुड़सवारी के कारण उसकी टांगें ब्रेकिट की तरह मुड़ गयी थीं। उसने पूरे 49 साल यानी अपना आधा जीवन घोड़े की नंगी पीठ पर गुज़ारा।'

'और बाक़ी आधा?'

'उसने ग्यारह औरतें कीं। खरा, नर आदमी था। बग़ैर ढाल और कवच के तलवार चलाता था।'

'मगर आप तो कह रहे थे आपके स्वर्गीय दादा के पास यह बन्दूक़ थी।'

'हां! थी, मगर बन्दूक़ से सिर्फ़ काफ़िरों को जहन्नुम रसीद करता था। क़बायली रिश्तेदारों और मुसलमानों को तलवार से शहीद करता था।'

कुरेदते हो जो अब राख, जुस्तजू क्या है

हमारी तम्बाकू की खड़ी फ़सल को पाला मार गया। कुछ देर बाद हमने छेड़ा, 'उस्ताद कभी आपने इश्क़ किया है?'

बन्दूक़ छितियाते हुए बोले, 'ख़ुदा के लिये चुप रहिये, मुझे जंगली बकरे की मस्त बू आ रही है। बोक बकरा लगता है?'

हम मूली की भुजिया और परांठे की बाक़ी बची हुई डकार निगलते हुए चुप हो गये। थोड़ी देर बाद हमने राख को फिर कुरेदा, 'ख़ान साहब आपने कभी इश्क़ किया है?'

'आप लौंडे के बारे में पूछ रहे हैं या हिजड़े के?' वो ख़ुद ठिठोली पर उतरे।

'आपको कभी कोई औरत अच्छी लगी?'

'मैंने तो कोई जवान औरत बदसूरत नहीं देखी, मगर आप भी तो अपने पत्ते दिखाइये, कभी किसी से इश्क़ किया? शादी मां-बाप की पसंद से की या अपनी पसंद से की?'

'मैंने अपनी बीवी की पसंद से शादी की।'

घुटने पकड़ कर हँसने लगे, 'आपकी शादी तो इस तरह हुई जैसे लोगों की मौत घटित होती है। अचानक, बिना मर्ज़ी के।'

कुछ देर के बाद जिज्ञासा की, 'शादी के बाद कोई शिकार-शिकूर हुआ या मचान पे टंगे-टंगे हांका-शांका ही देखते रहे। कोई Affair?'

'मुफ़लिसी वज्हे-पारसाई है!' (निर्धनता आत्मनियंत्रण का कारण है)

'तो मुफ़लिस ही से सही।'

'बहम्दुलिल्लाह! (ईश्वर की कृपा से) हम बहुत संतुष्ट और मुक़मह हैं।'

'यह मुक़मह क्या बला होती है जी?'

'मुक़मह उस ऊंट को कहा जाता है जो सैर-सपाटा करते हुए हौज़ पर सिर ऊंचा करके खड़ा हो जाये।'

'*क़ुरआन* की क़सम खाके बताओ ये शब्द तुमने किससे सीखा?'

'जुमे की नमाज़ के बाद मौलवी ख़ैरुद्दीन ने इसकी अच्छाइयां बयान की थीं!'

'तो यूं कहो। मौलवी चाकीवाड़ा में ही रहता है। उसकी तो दो बीवियां हैं। तीसरी मौलवियाइन कुछ दिन हुए मौत के कुएं में मोटरसाइकिल चलाने वाले के साथ भाग गयी और क्या-क्या अच्छाइयां बयान की थीं उस मुक़मह ने?'

'जन्नत की शराब, हूर और ग़ुलाम के अलावा कई चीज़ों का ज़िक्र किया था और कहा था कि जो मुसलमान अपनी नज़रें नीची रखेगा और पवित्र रहेगा, उसको जन्नत में अपनी ही बीवी हूर की शक्ल में मिलेगी।'

'ख़ू!!!! फिर मरने से फ़ायदा ही क्या हुआ?'

रैड क्लिफ़ से हमारी आत्मीयता : इस अनूठे सफ़र में सबसे कम तकलीफ़ साइकिल को उठानी पड़ी बल्कि हमें तो साइकिल भी उठानी पड़ी। आगे-आगे रैड क्लिफ़ चल रहा था, उसके चरण चिन्हों पर हम। कुल मिलाकर फ़ायदे और ख़ूबियों के रैड क्लिफ़ का एक खुला फ़ायदा ये दिखायी पड़ा कि लौंडों ने साइकिल पर पत्थर नहीं मारे, कुत्ते के मारे। रास्ते में ख़ान साहब खूं-खूं खांसने लगे, पूछा, 'खांसी हो गयी है?' बोले, 'ऊंह कोई विशेष बात नहीं। सिगरेट का तम्बाकू ख़त्म हो गया। उससे निकोटीन की कमी हो गयी है।'

हमने कहा, 'नहीं आप कई दिनों से खांस रहे हैं। इलाज क्यों नहीं कराते?'

बोले, 'डॉक्टर शफ़ी को गला दिखाया था। फ़ीस लेकर कहने लगा कि सिगरेट छोड़ दो। मैंने कहा कि अगर सिगरेट ही छोड़नी होती तो तेरे पास क्यों आता?' ज़रा देर दम लेने के लिये एक पपीते के पेड़ की नाम भर की छांव में बैठे तो हमने रैड क्लिफ़

की पूंछ पर हाथ फेरा कि यही हिस्सा हमें उसके जबड़े से सबसे दूर नज़र आया। अलावा इसके, उसे खुजली भी हो रही थी। एक महीने पहले ख़ान साहब को हो चुकी थी। चलने से पहले उन्होंने इसे कार्बोलिक साबुन से ख़ूब रगड़-रगड़ कर नहलाया। लेकिन साहिबो! गीला नहाया हुआ कुत्ता सूखे कुत्ते से अधिक पलीद होता है।

हमें रैड क्लिफ़ की पूंछ सहलाते और चर्चा के प्रारंभ को चर्चा के अंत को हिलाते देख कर बहुत ख़ुश हुए। कहने लगे, 'ग़ौर कीजिये तो भौंकना कुत्ते का अधिकार और पूंछ हिलाना उसका कर्तव्य है। इस काफ़िर के सामने अफ़ग़ान ग्रेहाउन्ड (कुत्ते की एक नस्ल) भी पानी भरता है। आस-पास की गलियों की कुतियां इस पर जान छिड़कती हैं। इस कुत्ते की वफ़ादारी का अभी से ये हाल है कि जिस रास्ते से मैं गुज़र जाऊं—चाहे वो कितना उलझाव भरा हो इसके दो घंटे बाद आप इसे आंखों पर पट्टी बांध के छोड़ दें तो ये मेरी ख़ुशबू लेता इस लीक से एक इंच भी इधर-उधर नहीं होगा।'

'लीक न कहिये, नसवार का राजपथ कहिये।'

पान और कल्चर का रचाव : नसवार का नाम आते ही बिगड़ गये। 'सरकार मुजरा अर्ज़ है! पान, तंबाकू, गिलौरी, क़िवाम के बारे में हुज़ूर की क्या राय है?'

'पान की क्या बात है, पान में जब तक कत्था, चूना, छालियां और कल्चर एक ख़ास अनुपात और नफ़ासत से घोटे न जायें, पान पान नहीं बनता। हमने ये भी देखा कि आदमी को खाना अपनी बीवी के हाथ का पचता है और पान पराई के हाथ का रचता है। साजिद रज़ा लखनवी तो कहते हैं कि गंगा-जमनी ख़ासदान से वरक़ लगी गिलौरी उठा कर सही उच्चारण और अंदाज़ से 'आदाब अर्ज़' कहने के लिये तीन नस्लों का रचाव दरकार है।'

'गुस्ताख़ी मुआफ़! मेरा ख़याल है कि अगर तीन नस्लें इस तरकीब से पान खा लें तो चौथी नस्ल 'आदाब अर्ज़' करने के लिये पैदा ही नहीं होगी और हां! ये भी तो आप ही ने बताया था कि...रानी केतकी...की हीरोइन ने अपने मुंह की पीक से अपने प्रेमी को प्रेम पत्र लिखा था और ये भी आपने बताया था कि वाजिद अली शाह जिस ज़माने में मटिया बुर्ज में अंग्रेज़ों की क़ैद में थे तो उन्होंने लखनऊ से माशूक़ महल के हाथ के कटे हुए नाख़ून और अपनी एक चहेती लौंडी के पान का उग़ाल बतौर निशानी मंगवाया था। हम नसवार से कम-से-कम ये काम तो नहीं लेते। महबूबा को चिट्ठी हम मुंह की राल से नहीं, ख़ून से लिखते हैं। अपना ख़ून नहीं, दुश्मन का।'

'क़िबला! ख़त पत्तर तो पोस्ट ऑफ़िस के ज़रिये हम जैसे मजबूर, अपाहिज़ भेजते हैं। आप तो ख़ुद चर्चा के विषय को मय चारपाई उठा लाते हैं।'

'अगर एक शब्द भी ज़बान से और निकला तो यहीं तुम्हारा रेता (पूरे दुम्बे को भून कर बनाया गया अफ़ग़ानी गोश्त) बना दूंगा।'

अब्दाली की नाल का अगला हिस्सा पतलून की बैल्ट से हैंडिल के साथ बांध दिया गया। उसका धड़ कभी हम बायें हाथ से थाम लेते कभी कंधे पर रख लेते। कुंदा पिछले पहिये से तीन फ़ीट पीछे निकला हुआ था। टाई ज़ियादा फड़फड़ाने लगी तो हमने उस

पर बांध दी—जिस तरह लोहे और सरियों के ट्रक के पीछे लाल झंडी लहरा दी जाती है। हमने पूछा कि हमारी ग़ैर-मौजूदगी में आप अब्दाली किस तरह ढोते थे?

बोले, 'आप भी कैसे अजीब से सवाल करते हैं।' निवेदन किया, 'हम तो केवल अपने ज्ञान को बढ़ाने के लिये पूछ रहे थे।'

हमारे ज्ञान की प्यास पर धीरे से मुस्कुरा दिये, बोले, 'बिहार कॉलोनी का एक मलंग इतवार के इतवार मंघू पीर "दे उसका भला, जो न दे उसका भला" करने जाता है। उसे पीछे बिठा लेता हूं। अंधा है। आंख वाले सभी फ़क़ीर उससे जलते हैं। फ़क़ीर के लिये आंखें न होना बड़ी नेमत है।'

अगर फ़िरदौस : आख़िरी ब्रेक लगा कर इधर-उधर देखा तो विश्वास न हुआ कि ये जगह उनकी शिकारगाह हो सकती है। मंघू पीर के उथले तालाबों के किनारे जंगली बकरों के पगमार्क कहीं न दिखायी दिये। अलबत्ता कुछ बूढ़े मगरमच्छ और उनसे भी अधिक बूढ़े कछुए ग़ोते लगा रहे थे और इस भयानक बीमारियों के पानी को मामूली खाल की बीमारियों के रोगी अपने बदन पर डाल रहे थे। यहां साइकिल एक तंदूरवाले के सुपुर्द करके और चार तंदूरी रोटियों की एडवांस बुकिंग कराके शिकार की तलाश में हम पैदल निकले। ख़ान साहब ने मंघू पीर की पहाड़ियों पर नज़र डाली तो देर तक अफ़सोस किया किये कि सैकड़ों साल से फ़िज़ूल, बेकार पड़ी हैं वरना क़बायली जंग के लिये इससे बेहतर जगह क़सम ख़ुदा की, ज़मीन पर तो क्या फ़िरदौस में भी नहीं मिलेगी।

हमीं अस्तो हमीं अस्तो हमीं अस्त

अब्दाली चलती है : उन्होंने अब्दाली के कुंदे को एक तीन फ़ीट गहरे गड्ढे में टिका दिया और ख़ुद उसकी कगार पर खड़े हो गये। तब कहीं नाल उनके कानों तक आयी। अब बंदूक़ भरने की क्रिया शुरू हुई। बंदूक़ भरते जाते और उसकी प्राण लेने वाली ख़ूबियां बयान करते जाते।

'हॉलैंड एण्ड हॉलैंड, वैब्ले स्कॉट और परडी की बंदूकें तो इसके सामने टीन की फुकनियां हैं, फुकनियां।'

टॉयलेट पेपर, गत्ते की टिकलियां, ऊंट की मेंगनी, बबूल के पीले-पीले फूल, बारूद, छर्रों और गालियों की अनगिनत तहें जमायी गयीं। हर तह के बाद लोहे के गज़ से ठोंकने, कूटने का काम हमारे सुपुर्द हुआ और हम तह को कूटते रहे, कूटते रहे जब तक कि सारा मसाला और हम एक जान न हो गये।

आख़िर में टोपी चढ़ायी गयी अगर हम ये कहें कि इस कार्यवाही में एक घंटा लगा तो अतिशयोक्ति होगी, इसलिये कि 55 मिनट लगे थे जिनमें नाबालिग़ ऊंट की मेंगनी तलाश करने के 10 मिनट हमने शामिल नहीं किये। तीन-चार बार फुस्स होने और उतनी ही भाषाओं में गाली खाने के बाद अब्दाली चली तो एक आलम था।

हमने ऐसा धमाका ज़िंदगी में नहीं सुना था। हम तो हम, चरिंदे, परिंदे और गज़िंदे तक अपनी पांचों इंद्रियां या उनकी जितनी भी इंद्रियां होती हैं, खो बैठे। भेड़ों को हमने जीवन में पहली बार अलग दिशाओं में भागते देखा। मंघू पीर के मगरमच्छ घबरा कर

तालाबों से बाहर निकल आये और दर्शक तालाबों में कूद पड़े। जिस जगह हम पानी की छागल छाती पे रखे चकरा कर गिरे थे वहां से हमने कुछ देर तक एक पहाड़ी को भी क़लाबाज़ी खाते देखा। वो तो ख़ुदा ने ख़ैर की वरना बीच में अगर गड्ढा बाधा न बनता तो ख़ान साहब बंदूक़ के धक्के से उस पार न जाने कितनी दूर पत्थरों में जाकर गिरते। भूचाल ही तो आ गया। वातावरण में दूर-दूर काग़ज़ के टुकड़े, सिगरेट की पत्ती, गत्ते के डॉट, धूल, धुआं और न जाने क्या-क्या उड़ने लगा। उन तमाम चीज़ों की मदद से उन्होंने छर्रों को शिकार तक पहुंचाया। हर तरफ़ धुआं ही धुआं था। जहां तक नज़र काम करती थी—यानी छः इंच तक—कुछ नज़र नहीं आता था। हमने अपने चेहरे पर जमी हुई कालिख को रूमाल से पोंछा। अभी तक माहौल में अनगिनत चीज़ें मय हमारे होश के उड़ रही थीं। छर्रे तो छर्रे, नाबालिग़ ऊंट की मेंगनी तक मय टॉयलेट पेपर शिकार का पीछा कर रही थी। अब कुछ-कुछ समझ में आया कि मराठे पानीपत में मैदान छोड़ कर क्यों भाग खड़े हुए थे। ख़ान साहब ने कुछ देर रुकने का इशारा किया ताकि हर उड़ने वाली चीज़ धरती पर गिरे तो पता चले कि उनमें कौन सी अपंछी थी। फिर 5 मिनट तक दोनों ने हर गिरी हुई चीज़ को उठा-उठा कर देखा कि ये भूतपूर्व पंछी तो नहीं। बहुत ढूंढने के बाद, कीकर की ओट में एक तीतर का बच्चा दिखायी पड़ा जिसे हमने रूमाल डाल कर आसानी से पकड़ लिया। ये उड़ नहीं सकता था और उसके बदन पर छर्रे का कोई निशान नहीं था।

खिसियाने हो गये। फ़रमाया! कि पैंतालीस साल पहले मैं अपने सौतेले भाई के सिर पर अखरोट रखकर उड़ा देता था लेकिन अब ध्यान नहीं बैठता। निशाना चूकते ही वो पंछी की वंशावली की ज़नाना शाख़ों पर हल्ला बोल देते। सब जानवरों और पंछियों को पश्तो में गाली देते लेकिन कबूतर से उर्दू में संबोधित होते। कहते थे कि कबूतर सैय्यद होता है।

हमारी चपाती का उल्टा-सीधा : तीन फ़ाख़्तायें गिराने के बाद उन्होंने हमें सूखी टहनियां, तिनके, छपटियां और झाड़-झंखाड़ जमा करने का हुक्म दिया और ख़ुद चूल्हे का डोल डाला। अब्दाली में परिंदे के पर नोचने और पेट के अंदर की चीज़ें निकालने का ऑटोमेटिक इंतज़ाम था। वो इस तरह कि दस फ़ीट की दूरी से (यही बंदूक़ की लंबाई होगी) छर्रों की बाढ़ से उसके सारे पर मय बाज़ू उड़ जाते थे। कई बार तो मरहूम का क़ीमा और बची चीज़ें देखकर ये बताना मुश्किल हो जाता था कि उसका संबंध किस नस्ल से है। ख़ान साहब ने नुची-नुचायी फ़ाख़्तायें बंदूक़ के गज़ में पिरो कर आग पर भूनीं। भूनते-भूनते कहने लगे कि पतीली से सभ्य आदमी वो काम लेता है जो पुराने समय में पेट से लिया जाता था यानी खाने को गलाना। आपकी कराची में तो क़ीमे में भी पपीते की गलावट लगाते हैं। हद ये है कि सादा पानी पचाने के लिये उसमें फ्रूट सॉल्ट मिलाते हैं। हमारे यहां तो रोटी भी पत्थर पर पकती है और आटे का तो क्या कहना। जिस चक्की का पिसा हम खाते हैं वो नदी के किनारे फ़ाख़्ता की तरह कू-कू-कू-कू करती है और आदमी को जन्नत से निकलवाने वाली चीज़ (गेहूं) पीसती है। गुस्ताख़ी मुआफ़!

कराची की रोटी तो दोनों तरफ़ से उल्टी मालूम देती है। कराची भी अजीब शहर है। आप हमारी नान खाकर बाड़ा का दो घूंट पानी पी लें तो क़सम ख़ुदा की या तो हुकूमत के ख़िलाफ़ बग़ावत कर दें या क़ाज़ी के सामने फिर से हार-फूल पहन कर बैठ जायें।

ख़ान साहब ने दो फ़ाख़्तायें इनायत कीं और एक छोटी सी टोटर और फ़ाख़्ता पर सब्र किया। हमने संकोच में एक बड़ी फ़ाख़्ता वापस करनी चाही तो उन्होंने ये कह कर इन्कार कर दिया कि ये ठीक से हलाल नहीं हुई थी। रोटी के बारे में ये तय हुआ कि उसका सूखा भुगतान तंदूर पर पहुंच के कर देंगे। हमारी साबुत फ़ाख़्ता में छर्रे ही छर्रे भरे हुए थे, जिन्हें हम पपोल-पपोल कर इस तरह थूक रहे थे जैसे जिनंग फ़ैक्ट्री बिनौले फेंकती जाती है कि रूई की रूई, बिनौले का बिनौला अलग हो जाता है।

खाने के बाद छागल से पानी निकाल कर तामचीनी के मग में उबाला, थैले से चाय की पत्ती और चीनी निकाली और एक बकरी को पकड़ कर चौथा तत्व निकाला।

हमारा कच्चे घड़े से दरिया पार करना : शिकार ख़त्म हुआ तो हम फिर अपना मतलब ज़बान पर लाये। तंबाक़ू के बारे में भी कुछ हो जाये। कहने लगे, 'इस हराम फ़सल के बारे में एक बात ये और याद रखिये कि अकेला पौधा है जिस पर कोई पंछी चोंच नहीं मारता। इसलिये आज तक कोई पंछी गले के क़ैंसर और आर्थिक परेशानियों में नहीं पाया गया। आप नोट्स लेने के शौक़ीन हैं, बेशक नोट कर लीजिये।'

हमारी हिम्मत बढ़ी। पूछा, 'इसकी खेती के लिये क्या-क्या ज़रूरी है?'

बोले, 'तंबाक़ू के पौधे के लिये मिट्टी और खाद बहुत ज़रूरी हैं।'

पूछा, 'और पानी?'

बोले, 'हां वो भी होना चाहिये।'

ये थी अमृत की वो बूंद जो सारे सागर को मथ कर हमने निकाली। वापसी में इधर-उधर के विषयों की ओट से निकल कर हमने आख़िरी वार किया।

'ज़िला मरदान में तंबाक़ू सबसे पहले किस सन् में उगाया गया?'

बोले, 'ये कौन सा सन् है?'

'याद नहीं।'

'नूरजहां का बाप कौन से सन् में अपनी बेटी को सामान में बांध-बूंध कर हिन्दुस्तान में टपका था?'

'याद नहीं।'

'सिकंदर लोधी की मां ने बाबर को कौन से सन् में कोहेनूर हीरे की भेंट दी थी?'

'याद नहीं।'

'आप कितने साल पहले पैदा होते तो नादिरशाही क़त्ले-आम में मारे जाते?'

'ख़बर नहीं।'

'तो फिर तंबाक़ू की खेती का सन् जाने बग़ैर आप अपनी मूली की भुजिया हज़्म नहीं कर सकते? इल्म के ज़ोर से आप स्कूल मास्टरी कर सकते हैं, बैंक में अफ़सरी नहीं कर सकते। कच्चे घड़े से ये दरिया पार नहीं होने का। फ़लसफ़ा पढ़ के आदमी

सिर्फ़ एक काम कर सकता है, दूसरों को फ़लसफ़ा पढ़ा सकता है। फ़लसफ़ा पढ़ने के बाद ब्याज खाने से सर्दी-गर्मी हो जाती है।

लो वो भी कहते हैं कि ये बेनंगो-नाम है

शाइस्ता लोग कैसे गाली देते हैं : पाकिस्तानी बिज़नेसमैन, ब्यूरोक्रेट और बैंकर की डिक्शनरी में 'इंटेलेक्चुअल' से ज़ियादा सड़ी गाली कोई नहीं और हम ये बात सारी उम्र यही गाली खाके बेमज़ा हुए बग़ैर कह रहे हैं। शुरू-शुरू में ये अजीब-सा लगा था कि डिप्टी जनरल मैनेजर से लेकर चपरासी तक, सभी हमारी एम.ए. की डिग्री का मज़ाक़ ज़रूर उड़ाते हैं। हालाँकि हमने कई बार समझाया कि हमने फ़िलॉसफ़ी में एम.ए. केवल समय काटने के लिये किया था। शिक्षा बिलकुल उद्देश्य नहीं था। ज्ञान की बढ़ती लम्बाई पर आर्थिक पोशाक तंग ही नहीं चुटकियों से जगह-जगह से मसकने लगी थी। हद ये कि बैंक के एकाउंटेंट भी जो एक मिडिल स्कूल से फ़ारिग़ हुए थे और ख़ुद को घोषित तौर पर अंडर-ग्रेजुएट कहते थे, वो भी जहां हमसे जोड़-घटाने की कोई छोटी-बड़ी ग़लती हो जाये तो इसी डिग्री पर हाथ डालते थे। एल.एल.बी. को तो फिर भी लोग एक पूरा अपाहिज समझ कर माफ़ कर देते थे मगर फ़िलॉसफ़ी का एम.ए. ??? हमारे यहां मज़ाक़ काने का उड़ाया जाता है। अंधे को अंधा और नाई को नाई नहीं कहते, हाफ़िज़ जी और ख़लीफ़ा कहते हैं। शालीनता की सीमा ये कि फ़ैज़ साहब मुश्किल पसंद आदमी ठहरे, अपनी शायरी के बदले में वस्ल के अलावा कुछ और भी राहतें मांगते हैं। सूली और फांसी से कम की बातें नहीं करते लेकिन हम तो अपने आप को धरती की सत्ह से इतनी ऊंचाई पर देखने के इच्छुक न थे। फिर ये बुजुर्ग क्यों हमें रोज़ सुबह 9 बजे से शाम के 7 बजे तक उस डिग्री की सूली पर चढ़ाये रखते थे। हम ख़ुद भी नीचे उतरना अधिक जानलेवा समझते थे। इसलिये कि नीचे तो वो ख़ुद होते थे। हमने कहीं पढ़ा था कि रूस के बादशाह ज़ार ने अपनी मलिका कैथरीन को ये सज़ा दी थी कि उसके प्रेमी का सिर काट कर स्प्रिट के शीशे के मर्तबान में उसके कमरे में बिलकुल आंखों के सामने सजा दिया था, सो हमारी डिग्री भी कुछ इसी तरह की चीज़ निकली।

हमने कहा, 'आप सही कहते हैं। जो कुछ पढ़ा-लिखा वो हमारे कुछ काम न आया। फ़िलॉसफ़ी में एम.ए. तो बाद की बात है हम तो जीवन की कोई गुत्थी मैट्रिक के एलजबरे की मदद से भी न सुलझा सके। तीन दिन हुए बच्ची सख़्त बीमार थी। उसके लिये इंजेक्शनों की ज़रूरत पड़ी। हमने यूनिवर्सिटी में फ़र्स्ट आने का गोल्ड मेडल, जो कई साल से बेकार पड़ा था, प्रोफ़ेसर क़ाज़ी अब्दुल क़ुद्दूस के हाथ सर्राफ़े में बिकवा दिया। ढाई तोले का गोल्ड मेडल 27 रुपये में बिका। आगरा यूनिवर्सिटी ने चांदी पर सोने का पत्तर चढ़वा दिया था। क़ाज़ी अब्दुल क़ुद्दूस ने सात रुपये नक़द और 27 रुपये की पूरी रसीद हमें थमा दीं। कहने लगे कि बीस रुपये ज़रा ख़र्च हो गये। बड़ी सख़्त ज़रूरत थी।'

ख़ान साहब चौंक कर साइकिल से उतर पड़े। 'अच्छा हम पर भी ज़रा पैग़म्बरी वक़्त आन पड़ा है। ये अंगूठी बेचनी है। सर्राफ़ का पता क्या है? भरोसे का आदमी है?'

दूसरे दिन लंच की छुट्टी के बाद हमारे पास आये और अलग ले जाकर एक

लिफ़ाफ़ा हमें थमा दिया। उसमें हमारा गोल्ड मेडल था, उनकी उंगली में अंगूठी नहीं थी।

शिकार तो एक बहाना था वरना अस्ली उद्देश्य तो अपनी तबीयत और अब्दाली का ज़ंग दूर करना था। उस सहेली को कंधे पर रखते हुए एक बार बोले, 'ख़ैर मैं तो फिर भी पित्ता मार लूं मगर इस पठानी को तो साप्ताहिक वर्ज़िश चाहिये। मंघू पीर की जिन पहाड़ियों को उखाड़ कर क़बायली इलाक़े में ले जाना चाहते थे, हमें तो ऐसी लगीं जैसे रेगिस्तान को गर्मी दाने निकल आये हों, बारिश के एक ही छींटे में भूसी सी उड़ जायेंगी। इस ऐतिहासिक शिकार के बाद समानता सी हो गयी।

न कोई बंदा रहा और न कोई बंदानवाज़

उस्ताद शागिर्द का अंतर मिट गया। मतलब ये कि दोनों एक दूसरे के उस्ताद हो गये और निजी विषयों में एक-दूसरे को न सिर्फ़ ग़लत मशवरा देने लगे बल्कि उन पर दृढ़ता से अमल भी करवाने लगे। शाम को तोड़ के समय एक-दूसरे के काम में हाथ बंटाते। आपसी सलाह-मशवरे के बिना कभी कोई ग़लती नहीं करते। बैंक के लेज़र-पन्नों पर सामान्यत: तीस-पैंतीस एन्ट्रियां होती हैं। उन्हें तेज़ी के साथ टोटल करने में उन दिनों में हमें ख़ासी मुश्किल होती थी। कभी पाई खा जाते, कभी आने बढ़ा देते और रुपयों का सही हासिल लगाना तो कभी याद ही नहीं रहता था। ख़ान साहब तो खींच-तान के हमारे आनों की नाभि (नाफ़) तो बिठा देते मगर दोनों तरफ़ की पसलियां तोड़ देते यानी पाइयों और रुपयों का टोटल नहीं मिलता था। प्रोफ़ेसर क़ाज़ी अब्दुल क़ुद्दूस एक शाम अपने दर्शन करवाने बैंक आये तो हमने हासिल भूल जाने की आदत का ज़िक्र किया। इर्शाद किया, 'आप भी वही कीजिये जो वाजिद अली शाह करते थे।'

यहां बैंक में? : 'और क्या वाजिद अली शाह मटिया बुर्ज में नज़रबंद होने के बाद नमाज़ पढ़ने लगे थे मगर रकअतें भूल जाते थे। इसका हल ये निकाला गया कि एक चोबदार हर रकअत के बाद एक बादाम जानमाज़ के हाशिये पर रख देता था। अवध के नवाब हर सिजदे के बाद कनखियों से बादाम गिन कर यह फ़ैसला करते उन्हें फिर ख़ुदा के हुज़ूर रुकूअ और सजदे करने हैं या आराम से घुटनों के बल बैठ कर अत्तहियात पढ़नी है।'

हमारा अर्ज़ी लिखना : एक दिन कहने लगे कि आपकी अंग्रेज़ी हालाँकि इतनी अच्छी नहीं जितनी मेरी पश्तो फिर भी एक अर्ज़ी अंग्रेज़ी में इस विषय की लिख दीजिये कि मुझे फ़ौरन तरक़्क़ी दे कर मरदान का मैनेजर बना दिया जाये। ज़ोर पैदा करने के लिये अंत में यह बढ़ा दीजियेगा कि उस इलाक़े में जो रक़में डूबेंगी उन्हें सिवा मेरे कोई सुअर वसूल नहीं कर सकता। पश्तो में एक कहावत है कि जिस इलाक़े का हिरन होता है वहीं के कुत्तों के क़ाबू चढ़ता है। इसका शाब्दिक अनुवाद कर दीजियेगा। हमने कहा कि मगर मरदान में तो बैंक की कोई ब्रांच नहीं है। बोले कि मुझे तरक़्क़ी देनी है तो फटीचर बाप की औलाद को ब्रांच भी खोलनी पड़ेगी, और हां यह भी साफ़-साफ़ लिख दीजिये कि अगर मेरी तरक़्क़ी नहीं हुई तो मैं पड़ौसी की लड़की को ट्यूशन पढ़ानी शुरू कर दूंगा। हमने कहा कि ये धमकी तो पड़ौसी को दहला सकती है, अंग्रेज़ जनरल मैनेजर इससे

नहीं डरेगा। झल्ला कर बोले, 'तो फिर ये वार्निंग दे दीजिये कि मैं Spanish civil war में चला जाऊंगा।' हमने कहा कि मगर ये गृहयुद्ध तो बंद हो चुका। बोले, 'ओफ़्फ़ोह! मैंने दो दिन से अख़बार नहीं देखा।' निवेदन किया, 'इसे ख़त्म हुए तो तेरह साल हो गये।' बोले, 'अच्छा तो फिर कोई और धमकी लिख दीजिये।'

हमने एक निहायत विनम्र अर्ज़ी एक उंगली से हिज्जे कर-कर के इस तरह टाइप की, जैसे मलिका पुखराज और ताहिरा सय्यद गाना टाइप करती हैं। इसमें माननीय का ध्यान निवेदक की क़ाबिलियत, बुढ़ापे, अधिक औलाद और ग़बन से पैदायशी नफ़रत की तरफ़ आकृष्ट कराया। तकलीफ़ के साथ दस्तख़त करने के बाद उन्होंने उसके चारों तरफ़ अपने हाथ से काला मातमी हाशिया खींचा। अब एक-एक से कहते फिर रहे हैं कि मैंने जनरल मैनेजर से जवाब तलब कर लिया है कि मेरी तरक़्क़ी तीन साल से क्यों रुकी हुई है। कल ही सुअर ने मुझे बुलाया। मेरे शोकॉज़ नोटिस को अक्षर-अक्षर पढ़ा। अपना पार्कर हथेली पे रख के मुझे पेश किया और कहने लगा कि ख़ुद अपना प्रोमोशन ऑर्डर लिखो और जहां चाहो ख़ुद को पोस्ट कर लो।

आश्चर्य हमें इस बात पर हुआ कि छह सप्ताह के अंदर-अंदर मरदान में बैंक की ब्रांच खुल गयी और वो सचमुच उसके मैनेजर बना दिये गये। उन्होंने हमें कामयाब दरख़्वास्त लिखने पर बधाई दी और वो उंगली चूमी जिससे हमने टाइप किया था। उस दिन से वो हमारी अंग्रेज़ी की योग्यता और हम उनकी अंग्रेज़ी की योग्यता की गुणग्राहकता के क़ायल हो गये। ये उनकी मुहब्बत थी कि उठते-बैठते हमारी अर्ज़ी लिखने की दाद देते वरना उन्हीं के कथनानुसार, फंसी हुई घोड़ी निकलवाने के बाद कौन किसी को पहचानता है।

हमने इस घटना का ज़िक्र करते हुए मिर्ज़ा से कहा, 'देखा ये सब आत्मसंकल्प के करिश्मे हैं। आत्मसंकल्प से पहाड़ भी अपनी जगह से हिल जाते हैं।'

बोले, 'अगर तुम पहाड़ के आत्मसंकल्प की बात कर रहे हो तो मैं भी सहमत हूं।'

स्वतंत्र-स्वभाव नियम, क़ानून की पाबंदी नहीं मानता था। रमज़ान में हमारे साथ स्टेशनरी रूम में चाय पीते हुए बोले, 'रमज़ान में ज़रा ये परेशानी है कि सहरी (रोज़े रखने से पहले भोर में खाया जाने वाला खाना) और इफ़्तारी (शाम को रोज़ा खोलने का खाना) करने से लंच और डिनर भूख में फ़र्क़ आ जाता है।' हमने पूछा, 'हुज़ूर ने कभी खाना भी छोड़ा है।'

बोले, 'हां! बारह साल पहले तीन रोज़े रखे थे। हर एक से तक़रार, जिससे देखो गाली-गुफ़्तार, इसको झिड़का, उसको डांटा और तो और अपने बॉस को तमांचा मार दिया कि रोज़ा रखता है, नमाज़ क्यों नहीं पढ़ता? इसके बाद दोनों लोगों ने रोज़ों से तौबा की। चौथे रोज़े से बासी ईद तक एक-एक के घर जा कर अलग-अलग माफ़ी मांगता रहा। अब मुझमें इतनी क्षमता नहीं कि हर ऐरे-ग़ैरे की ठोड़ी में हाथ दे-दे कर माफ़ियां मांगता फिरूं।

नौशेहरा की लड़ाई : जिस समय का यह ज़िक्र है उसके अट्ठारह-उन्नीस साल बाद 1970 में नौशेहरा जाने का अवसर मिला। जनवरी की एक निहायत ठंडी सुब्ह

थी। झुके कंधे वाले तूरे-ख़म के पहाड़ों पर दो दिन से बर्फ़ पड़ रही थी। हम बैंक की निर्माणाधीन बिल्डिंग के सामने धूप में नक़्शा फैलाये ठेकेदार से उलझ रहे थे। झगड़े का पहला कारण तो यह था कि दूसरी मंज़िल पर जहां ज़ीना ख़त्म होना था, सीढ़ी से छत की ऊंचाई ठेकेदार के क़द के बराबर थी। जिसका मतलब यह था कि पांच फ़ीट एक इंच से अधिक लम्बा कोई शख़्स रात को तेज़ी से चढ़ता चला जाये तो आख़िरी सीढ़ी पर उसके घमंडी सिर का ज़रूरत से ज़ियादा हिस्सा अपने-आप अलग हो जायेगा। ठेकेदार का पक्ष था कि पहले तो नक़्शा पास करते समय हमारी आंखें खुली हुई थीं दूसरे ये तो एक तरह का safety device है। बैंक से सेंध लगाने वालों और डाकुओं की सिर कटी लाशें आये दिन ऐसे निकलेंगी जैसे गरदनतराश चूहेदान से लालची चूहों की लाशें। दूसरी समस्या यह थी कि ड्राइंग रूम ऊपरी मंज़िल पर था और ज़ालिम ने ढलान ऐसा रखा था कि उस मंज़िल के सारे कमरों और सारी छत का पानी पिछली बारिश में ड्राइंग रूम में खड़ा हो गया। ख़ैर, इसका हल तो उसने यह निकाला कि ड्राइंग रूम में एक बड़ी नाली निकाल दी जायेगी। उससे पानी की आख़िरी बूंद तक खिंच कर नीचे खड़ी हुई कार पर गिरेगी। जिससे वो धुलधुला कर चमाचम करने लगेगी। नक़्शे में यह कार बराबर दिखायी गयी थी। बेध्यानी में हमने यह नोटिस नहीं किया था कि यह इतनी चमक क्यों रही है?

तीसरा सिरदर्द यह था कि बिल्डिंग के सामने एक शीशम का पेड़ था। जिसने मुख्य दरवाज़े और साइन बोर्ड को इस तरह अपनी ओट में लिया था कि बैंक के नाम का सिर्फ़ the पढ़ा जा सकता था। ठेकेदार का विचार था, अक़्लमंद को इतना ही इशारा काफ़ी है, इसलिये कि और कोई बैंक अपने नाम से पहले the नहीं लगाता। फिर यह भी कि पाला-पोसा पेड़ काटना गुनाह होता है। ये पेड़ नक़्शे में अखरोट का दिखाया गया था, जिसकी छांव में कुछ क़र्ज़ न लौटाने वाले सुस्ता रहे थे और कुछ नये क़र्ज़दार उसकी छाल के दंदासे से दांत उजाल कर बैंक पर मुस्कुराते, तेज़-तेज़ कदमों से जाते दिखाये गये थे। एक अखरोट पर तो शाहीन अपनी चोंच रगड़ रहा था। सच तो यह है कि नक़्शे पर इस पेड़ से पूरी बिल्डिंग में जान पड़ गयी थी मगर वास्तविक स्थल पर प्रकृति इस पेड़ को नक़्शे के मुताबिक़ उगाने में नाकाम रही थी।

यूसुफ़ी का कुआं : चौथा झगड़ा यह कि निचली मंज़िल में मेहमान के कमरे के सामने बल्कि ऐन दहलीज़ पर एक 25 फ़ीट गहरा कुआं था जिसे वो भरने के लिये किसी तरह तैयार नहीं था, इसलिये कि इसका पानी बहुत मीठा था। नक़्शे में उस कुएं की जगह एक गोल निशान O बना हुआ था, जिसे हमने खम्बा समझ कर नक़्शा पास कर दिया था। इस घटना के डेढ़ साल बाद हमने एक अमरीकी महिला आर्किटेक्ट से कराची के एक ऑफ़िस का नक़्शा बनवाया तो उसमें हमें बीस ऐसे निशान O दिखायी दिये। हमारा माथा ठनका। हमने पूछा, 'बीबी! इतने सारे कुओं का क्या करेंगे? ठंडे, मीठे पानी के हैं?' वो हक्की-बक्की रह गयीं। शादी की अंगूठी को तेज़ी से उंगली पर घुमाते हुए बोलीं, 'मुझे पाकिस्तान में दफ़्तर डिज़ायन करते हुए आठ साल हो गये मगर ऐसा मज़ाक़ किसी ग्राहक ने आज तक नहीं किया। आपको यह ख़याल कैसे आया? फिर यह कि

पांचवें फ़्लोर पर कुएं कैसे खोदे जा सकते हैं? सुना है कि आप उर्दू में चुटकुले लिखते हैं, क्या उर्दू में खम्बे को कुआं कहना मज़ाकिया बात होती है?'

चर्चा नौशेह्रा के ठेकेदार और मीठे कुएं की हो रही थी, बात किसी और मीठे धारे में बह निकली। काफ़ी देर झक-झक के बाद समझौता हमारे इस सुझाव पर हुआ कि कुएं को soak pit में बदल दिया जाये। ठेकेदार इस शिष्ट विजय पर बहुत प्रसन्न और रोमांचित था कि गढ़ा अपनी जगह क़ायम रहेगा। नाम में क्या रखा है।

निर्माण कला की बारीकियों पर बहस और द्वंद्व का दरवाज़ा (जो अब तक बारादरी बन चुका था) बंद नहीं हुआ था कि बिल्डिंग के सामने एक तांगा, जिसका दायां पहिया भेंगा था, आकर रुका। उससे ख़ान साहब प्रकट हुए। हमें रास्ते पर ज़ोर-ज़ोर से झगड़ते देखा तो दुआ-सलाम के तकल्लुफ़ को बंदूक़ की नोक पर रख कर पहले ठेकेदार से उसका और उसके बाप का नाम पूछा और फिर उसका नाम वल्दियत के साथ ले ले कर गालियां देनी शुरू कर दीं। उन्हें इससे ग़रज़ नहीं थी कि झगड़ा क्या है और कौन सच पर है। वो दोस्त के साथ थे, गालियां और रेता बनाने (पूरी भेड़ को भून कर बनाया गया गोश्त) की धमकियां बढ़ने लगीं और उनकी आंखों में ख़ून उतर आया तो हमने मध्यस्थ बन कर बीच-बचाव कराया। उसे मौखिक सज़ा देने के बाद उन्होंने 'बाई दी वे' गड़बड़ समझने की कोशिश की और चुटकी बजाते समस्या नं. 3 और 4 का एक जुड़वां हल पेश किया कि बैंक के सामने जो शीशम का घना पेड़ बिल्डिंग की ख़ूबसूरती को ख़राब कर रहा है उसे उखाड़ कर विवादित कुएं में लगा दिया जाये।

फूल की पराकाष्ठा : क्रोध की लाली चेहरे से विदा हुई तो ख़ान साहब को देख कर कलेजा धक से रह गया। रिटायर होने के बाद एक अरसे से एकांतवास कर रहे थे। शायद बैंक के ही किसी आदमी ने उन्हें हमारे आने की सूचना दी और वो तांगा पकड़ कर ऐसी घोर ठंड में आठ-नौ मील नौशेह्रा मिलने आये थे। सिर पर कत्थई रंग का ऊनी कन्टोप जिसे पूरा खोल लें तो मुंह का लैटर बाक्स सा बन जाता है। मलेशिया की सलवार, क़मीज़ तह की हुई। सफ़ेद चादर का सीने पर क्रॉस बनाये हुए। कफ़ के बटन और नक़ली दांत ग़ायब। मुंह की पुड़िया सी बंध गयी थी। हाथ और उंगलियां जैसे बूढ़े पेड़ की जड़ें। एक आंख पर हरे रंग का छज्जेनुमा कपड़ा जो रौशनी से बचने के लिये आंख बंधवाने के बाद कई लोग बांधते हैं। कंधे झुके हुए, चेहरा दुखों की धूल से अटा हुआ। अंगीठी के सामने भी हमने अपने दोनों हाथ बग़ल में दे रखे थे और लग रहा था जैसे जूतों में उंगलियों की जगह बर्फ़ की डलियां रखी हैं। पेशावरी चप्पल में उनके पांव बिना मोज़ों के थे। वो हमारे लिये धूप छोड़ कर एक तरफ़ साये में बैठ गये।

वक़्त ने कैसी इमारत ढायी थी। दुबारा आंख भरकर देखने की हिम्मत नहीं पड़ती थी। बहुत सोचा, कुछ समझ में न आया कि क्या कहें। आख़िर ये मुश्किल उन्होंने आसान कर दी। कहने लगे, 'हाय! यूसुफ़ी साहब! यह आपको क्या हो गया? वो हमारा दिलदार कहां गया?'

हमने कहा, 'आपने बड़ी तकलीफ़ की, मैं कार भेजकर बुलवा लेता।'

जवाब में उन्होंने अब्दाली की तरफ़ इशारा किया जो कार में उस सूरत में खड़ी की जा सकती थी कि छत में एक छेद कर दिया जाये जिसमें से नाल चिमनी की तरह निकली रहे और सुलगती गालियों का धुआं निकलता रहे।

पूछा, 'आजकल क्या चल रहा है?' बोले, 'इसी हराम फ़सल को उगाया था। पूरी खाद, पूरा पानी और प्रोविडेन्ट फ़ंड डाला मगर अजब बावली मंडी है। जब फ़सल ज़ोरदार हुई तो क़ीमतें गिर गयीं और जब मेरी सारी फ़सल को पाला मार गया तो चढ़ गयीं। बस इसी ज्वार भाटे में सब कुछ बह गया। अब तबीयत में मंदी का रुझान पाया जाता है।'

हमने आंख के ऑप्रेशन पर हमदर्दी और अफ़सोस ज़ाहिर किया तो दूसरी आंख से मुस्कुराते हुए बोले, 'जी हां! मेरी आंखें अब इतनी कमज़ोर हो गयी हैं जितनी आपकी बीस साल पहले थीं।'

कुछ देर बाद उन्होंने एक ट्रे से कपड़ा हटाया, कहने लगे, 'आपके लिये रेता लाया हूं। बेटी ने सारी रात जाग कर पकाया है।'

'और भाभी... ?'

उन्होंने दृढ़ता से अब्दाली को थामा और सिर झुका लिया।

हमें अपने से अधिक उदास देख कर कहने लगे, (मैं तो तुम्हारे पास रोने को आया था मगर तुम्हारी आंखें तो पहले ही लाल हैं।) 'यह आपको क्या हो गया? आधा घंटा गुज़र गया। आपने एक पंक्ति तक नहीं पढ़ी। कोई शे'र सुनाइये। जी बहुत उदास है।'

'वो बातें, वो रातें सब ख़्वाब हुईं। वो जवान मर गया, अब तो आप सुनाइये।'

(ऐ ख़ुदा! मुझे गुलाब का फूल बना दे कि मैं महबूब की गोद में पत्ती-पत्ती होकर बिखर जाऊं)

विदा होने लगे तो मलेशिया की क़मीज़ पर मोतियों की माला बिखर गयी। अब्दाली पर सिर टेक कर कहने लगे, 'बच्चे सब घर बार के हुए। वक़्त नावक़्त हुआ चाहता है। मंज़िल अब दूर नहीं। बाबा ने यह बंदूक़ पहले-पहल चलवायी थी तो मेरी उम्र सात साल की थी। 65 साल की संगी साथी है। इसने बहुत दुख बंटाये हैं, कभी-कभी आहट सी इच्छा होती है कि इसे मेरे साथ ही दफ़्न कर दिया जाये लेकिन कल रात ध्यान आया कि आपसे पहली बार वतन में भेंट हो रही है। एक दोस्त, एक पठान की तरफ़ से ये तुहफ़ा क़ुबूल कर लीजिये। माना कि अनुपयोगी है।'

'लेकिन एक शर्त पर, आप मेरी तरफ़ से वो सोने का ठीकरा-तमग़ा स्वीकार कर लेंगे जो जीवन में किसी काम न आया।'

ज़िन्दगी ने उन्हें क्या दिया? कुछ भी तो नहीं। अपने अलावा कुछ भी तो नहीं मगर हां; जीने का एक निराला बांकपन; हर हाल में ख़ुश रहने का और ख़ुश रखने का हौसला, सांत्वना और हमदर्दी का एक सलीक़ा, उन्होंने अपनी टेढ़ से ज़िन्दगी को सम्मानित बना दिया। यादों और बातों के इन पन्नों को अभी पलट कर देखा तो ख़ुद चौंक पड़ा।

इक महक सी लिखते हुए कैसे आयी

ज़िन्दगी को उन्होंने क्या दिया? अब जो ग़ौर करता हूं तो आश्चर्य होता है कि

इतनी तंगी, इतने अभाव और ऐसी तन्हाई के बाद भी कितने प्रसन्न, कितने आनंदित। कितनी ख़ुशियां, कैसी-कैसी ख़ुशबुएं बिखेरते चले गये कि आज दामन में नहीं समातीं। फूल जो कुछ धरती से लेते हैं उससे कहीं अधिक लौटा देते हैं।

....बहुत काम रफ़ू का निकला : चपरासी ने आकर कहा, 'साहब सलाम बोलता है, हरामी का चश्मा खो गया है। आपको इंग्लिश गालियों का अनुवाद करने के लिये बुला रहा है।'

एंडरसन के सामने पेश होने से पहले हमने एक असम्बन्धित फ़ाइल हाथ में ले ली। जिसे casual ढंग से पीछे लगा लेने से गर्म पतलून की सीट के छेदों, हवादानों और रफ़ू के ऊपर किया हुआ रफ़ू छिप जाता था। उसने कभी नहीं पूछा कि तुम इस फ़ाइल को हर समय सीने बल्कि कूल्हों से क्यों लगाये फिरते हो।

तुम हँस दिये, तुम चुप रहे
मंज़ूर था पर्दा मिरा

मेज़ के सामने हम उसकी नाक की सीध में खड़े हो गये। यह इसलिये कि जहां उसके अस्तित्व, अंगों-प्रत्यांगों से और बहुत सी बुराइयां जोड़ी जाती थीं, वहां यह भी प्रसिद्ध था कि एक कान से ऊंचा सुनता है कोई दायां बताता कोई बायां। शायद वो ख़ुद भी स्पष्ट नहीं था। हाथ का प्रश्नवाचक चिह्न कभी दायें, कभी बायें कान से पास बना कर बात दुबारा सुनता। चपरासी के अनुसार, जो स्वभाव से न्यायप्रिय था, दोनों कान आधे-आधे बहरे हैं। इसलिये श्रवणशक्ति ठीक रखने के लिये हमने यह निष्पक्ष ऐंगिल ढूंढ लिया था।

चेहरा औरत का धड़ ? : बोला, 'पहली बात तो ये कि सुब्ह से मेरा चश्मा ग़ायब है। इस बास्टर्ड से पूछता हूं तो मुंह ही मुंह में वर्नाक्यूलर (देसी) गालियां बकता है। दूसरे यह कि कुछ दिन से देख रहा हूं कि तुम्हारे चेहरे का रंग पीला पड़ गया है। मुझे पीले रंग से कोई विरोध नहीं लेकिन इस रंग की सही जगह वो नहीं जहां तुमने लगा रखा है। तुम्हारे चेहरे का एक्सप्रेशन हर वक़्त ऐसा रहता है जैसा बजट के बाद बिज़नेसमैन का। दुबले होते जा रहे हो। तुम्हारी पतलून की कमर ढीली हो गयी है जिसमें तुमने बैंक के स्टेशनरी डिपार्टमेंट की पिन लगा रखी है। पांयचे भी ढीले हो गये हैं। तुम्हें खुले वातावरण और समुद्री हवा की आवश्यकता है...बेहद। परसों तीसरे पहर एक जर्मन मालवाहक जहाज़ से मिसेज़ शिवारिज़ पहुंच रही है। पहुंच रही है का क्या अर्थ...पहुंच चुकी है। जहाज़ कल से बर्थ के इंतज़ार में खड़ा है मगर न जाने क्यों डिसएम्बार्क होने की अनुमति परसों मिलेगी। उसका पति खुलना में पोस्ट है। तुम और यासूब पश्चिमी किनारे पर उसका सम्मान के साथ स्वागत करो। इस यात्रा में सवा दो महीने लगे हैं। आराम और स्वादिष्ट खाने के लिये कार्गो बोट से अधिक रईसाना यात्रा की कल्पना भी नहीं की जा सकती। केवल एक केबिन होता है। जहाज़ का सारा स्टाफ़ इकलौते यात्री के आगे-पीछे फिरता है। ड्रिंक न केवल मुफ़्त बल्कि इतने अधिक कि लगता है कि व्हिस्की के ड्रम में बैठे हज़ारों मील बहे चले जा रहे हैं। जी चाहता है कि ख़ुदा करे मंज़िल कभी न आये।

समुद्री जहाज़ की एक विशेषता यह है कि इसका एयर क्रेश नहीं होता, कम-से-कम मेरी जानकारी में तो नहीं। परसों समय से पहले गोदी पहुंच जाना। तुम्हें उस औरत को पहचानने में अधिक कठिनाई नहीं होगी। एक तो तुम बहुत योग्य हो, दूसरे उस जहाज़ में उसके अलावा सभी मर्द हैं। दो साल पहले मिली थी, तब अपनी उम्र 35 साल बताती थी, अब का पता नहीं। 35 तक पहुंचते-पहुंचते औरत मिस्री sphinx हो जाती है। चेहरा औरत का और धड़ इत्यादि बबर शेर के। हा! हा! हा! तुम्हारी आयु क्या है? अच्छा तो प्रोटोकोल में कोई चूक नहीं होनी चाहिये। तुम मेरा प्रतिनिधित्व करोगे और यासूब पाकिस्तान का। प्रोटोकोल की जानकारी ज़रूरी है। एक दिन तुम्हें ब्रिटिश हाईकमिश्नर से भी मिलवाऊंगा। तुम्हारी ट्रेनिंग मेरा दायित्व है। नियमानुसार तो मेहमान को लेने मुझे स्वयं जाना चाहिये था लेकिन मैं उन गोभी खाने वाले नाज़ियों का दिमाग़ ख़राब नहीं करना चाहता। तुम्हें शायद मालूम न हो, हम जर्मनी को Kraut Land यानी गोभीख़ोरों का देश कहते हैं। उसके सामने गोभी का नाम न लेना वरना मुंह नोच लेगी और तुम्हारे मुंह पर नुचवाने के लिये चश्मे के सिवा कुछ भी नहीं, कुछ भी नहीं।

मशवरे हो रहे हैं आपस में : पिछवाड़े फ़ाइल का घूंघट डाले हम इस कूचे से यूं बेआबरू होकर निकले। बाहर आकर हमने अपने बॉस मिस्टर यासूबुल-हसन ग़ौरी को ये जानकारी दी तो उनकी कलग़ी ढलक कर ऐड़ी से आ लगी, मुसीबत यह थी कि हमने कोई समुद्री जहाज़ नहीं देखा था और उन्होंने 35 साल की जर्मन औरत। इसलिये स्वागत के मोर्चे पर निकलने से पहले दोनों ने एक दूसरे के ज्ञान के गड्ढे को भरने की कोशिश की। उदाहरण के लिये हमने पूछा कि समुद्री जहाज़ गंतव्य तक पहुंचने के बाद भी शायद पानी में खड़ा रहता है या 'लेंड' करता है। रेल की तरह सीटी देता है या हवाई जहाज़ की तरह बिना हॉर्न के छुट्टा फिरता है? अरब सागर के पानी की ऊंचाई कराची की ऊंचाई और जहाज़ की ऊंचाई, इन दोनों से कितनी ऊंची या नीची होगी? सीढ़ी लगानी पड़ेगी? मालवाहक जहाज़ से पैसेंजर कैसे छुड़ाया जाता है? तूफ़ान और बिजली के डर से अकेली औरत लोहे-लक्कड़ से लदे हुए कार्गो स्टीमर में किससे चिपटती होगी? जहाज़ में खम्बा होता है? उन्होंने भी 35 साल की जर्मन औरत के बारे में कुछ ऐसे ही बेसिक सवाल उठाये। हम तो ख़ैर थे ही रेगिस्तान के रहने वाले लेकिन वो भी कुछ कम प्यासे नहीं निकले। उनका बचपन एक छोटे से गांव में बीता था और वो आज भी औरत की कल्पना घड़े के बिना कर ही नहीं सकते थे। जैसे-जैसे सवाल हुए, एक-दूसरे के अज्ञान पर तरस आने लगा। उस समय उनकी एक दाढ़ में भयानक दर्द था, जिसके कारण उनका जबड़ा कान तक सूजा हुआ था। चेहरे का यह आधा हिस्सा बिलकुल नॉर्मल और भला मालूम देता था। दूसरे आधे हिस्से में अनगिनत झुर्रियां और एक गढ़ा था जिसे केवल सूजन से भरा जा सकता था। बंबई से कराची तक की यात्रा एक मालवाहक जहाज़ में करके पाकिस्तान आये थे जिसका भला-बुरा स्केच बनाकर हमारी खोजबीन की थोड़ी-बहुत संतुष्टि कर दी वरना हमें तो बचपन में पानी के उद्देश्य और निर्माण के बारे में कुछ और ही जानकारी दी गयी थी, जिसमें जहाज़

और जर्मन औरत दूरबीन से भी दिखायी नहीं पड़ते थे।

पानी में तैरने को मछली बनायी तूने
मछली के तैरने को तूने बनाया पानी

लेकिन हमें महसूस हुआ कि जब तक उनकी दाढ़ जबड़े से बल्कि जबड़ा दाढ़ से अलग न कर दिया जाये जर्मन औरत का नख-शिख उनके सूजे हुए भेजे में नहीं घुस सकता। उन्होंने केवल माल ले जाने वाला जहाज़ और हिटलर का फ़ोटो देखा था और उन्हीं से जर्मन औरत का अनुमान लगाने की कोशिश कर रहे थे।

सच तो ये है कि हमें ज़िंदगी की बेसिक जानकारी और अधूरी जवानी के अभावों का ज्ञान फ़िल्मों के द्वारा होता है। निकटता और भेद भरी बातें तो दूर हमने तो किसी मदमाती के सामने अपने मोज़े भी नहीं उतारे। आज भी हमारे विचार मुंह खोल कर अपना नाम नहीं बता सकते। जिन पत्थरदिल सुन्दरियों पर हमारी जवानी की हाय पड़ी उनके मुंहासे निकल आये, कइयों के तो जुड़वां बच्चे भी हुए।

अन्त में यह निर्णय हुआ कि हम परसों यानी इतवार को उनके होटल पहुंच जायें। वहां आपसी सलाह-मशवरे से एक-दूसरे के ज्ञान की प्यास बुझायी जायेगी।

हम ठीक दस बजे सिंध इस्लामिया होटल पहुंच गये। कमरे के तीन कोनों में तीन चारपाइयां पड़ी थीं और चौथे में एक माचा। हमारा सिर उसके पायों के कंधे तक आता था। यह बैंक के चार अफ़सरों का कछार था, जिन्हें विभिन्न ब्रांचों से अधेड़ावस्था, निकम्मेपन, उद्दंडता, रिश्वतख़ोरी के कारण तबादला करके यहां एक-दूसरे पर छोड़ दिया गया था। जेल में अनाड़ी चोर-उचक्के और साधारण जेबकतरे आदि मुजरिमों और ख़ूनियों के सामने थर-थर कांपते हैं सो यही हमारी हालत थी। दो चारपाइयां और माचा तो बसे हुए थे, हां यासूबुल-हसन ग़ौरी की झलंगी चारपाई अंधेरी पड़ी हुई थी। टूटे हुए बानों की दाढ़ियां कहीं ख़शख़शी, कहीं चुग्गी, कहीं भरवां, कहीं एक मुट्ठी दो उंगल और कहीं ज़मीन पर झाड़ू दे रही थीं। उसी की पट्टी में टांग का आंकड़ा अटका कर हम भी झूलने लगे। हमारे घुटने आंखों को छू रहे थे। मुहावरा कुछ भी कहता रहे मगर उस समय कोई हमारे घुटने पर मारता तो आंख ज़रूर फूटती। ग़ौरी साहब को पूछा तो पता लगा कि कुछ दिन पहले उन्होंने अपनी दाढ़ फ़ुटपाथ पर प्रेक्टिस करने वाले एक दांत-उखाड़ से 3½ आने में प्लास से निकलवायी थी, उसमें सेप्टिक हो गया। अब उसका इलाज करवाने एक होम्योपैथ के यहां गये हैं, आते होंगे।

चार दरवेश : न्यूनाधिक 6 महीने से यह जीजोड़ा कुनबा इस स्वर्ग में खा-पी रहा था। पेटूपन के अतिरिक्त हमें उनमें कोई चीज़ साझी नज़र नहीं आयी। सुब्ह नाश्ते में पाव भर हलवा और एक-एक दर्जन पूरियां प्रति व्यक्ति। हां किसी का पेट ख़राब हो तो तीन परांठे। खाना बोल्टन मार्केट के 'अल्लाह की रहमत का मुहम्मदी होटल' (जी हां आज भी इसका यही नाम है। अब तो फ़ोन भी लग गया है) में खाते। इसलिये कि वहां पांच आने में एक भुना हुआ तीतर मिल जाता था। दस आने में पेट भर जाता था। पन्द्रह आने में नीयत भी भर जाती थी। जिस चीज़ को हमने माचा कहा है वो वस्तुतः

एक मचान थी जैसी खेत के बीचों-बीच दिखायी पड़ती है, जिनके नीचे से ग्याभन भैंस सरलता से निकल जाती है। इसके नीचे पहियों वाली एक अस्पताली चारपाई पार्क्ड थी। जो रात- बिरात अचानक आने वाले मेहमान के लिये लुढ़का कर कमरे के बीच में ऐन पंखे के नीचे बिछा दी जाती थी। पंखे के नीचे चारों में से कोई नहीं सोता था, इसलिये कि छत के जिस लोहे के कुंडे में बीस साल से वो हिल रहा था, वो 3/4 घिस चुका था। चारों अपनी चारपाई पर सोते और वो उस पर जागता था।

दरवाज़े के दायीं तरफ़ वाली चारपाई पर मौलूद अहमद तिरमिज़ी नहाने के बाद तौलिया बांधे बैठे थे। हमने उनके कंधों पर कुहनियां रख कर सम्मान में उठने से रोका। किसी समय उनके भतीजे की चीनी के बर्तनों की अच्छी बड़ी दुकान थी। नालायक़ को रेस खेलने का चस्का लग गया। उसे पकड़ने हर इतवार को रेसकोर्स जाते थे। वो ख़ैर तवायफ़ों के फेर में पड़ कर रेस छोड़ गया लेकिन चचा जान वहीं के यानी घोड़ों के हो रहे। हर घोड़े की वंशावली और उसके बाप-दादों की ख़रगर्मियां उन्हें डेटवाइज़ कंठस्थ थीं।

मुझे याद है वो ज़रा-ज़रा
उन्हें याद हो कि न याद हो

चारपाई के सिरहाने वाली दीवार पर एक फ़ोटो था जिसमें वो जिताने वाले घोड़े की गर्दन में हाथ डाले होंठों पर होंठ रखे खड़े थे। होंठों वाली बात समझ में नहीं आयी, इसलिये कि चूमना आवश्यक था तो संबंधित सुम चूमते।

दायीं ओर की चारपाई पर अहमदुल्ला 'शशदर' पसरे थे। कहते थे कि अहमदुल्ला कुछ अधूरा-अधूरा सपाट-सा लगता था। पैंतीस साल पहले बम्बई में नौकरी की तो अंग्रेज़ एकाउन्टेन्ट मिस्टर उल्ला कह कर पुकारने लगा इसलिये मैंने नाम के साथ शशदर जोड़ लिया। वैसे उसी काल में दस-बारह ग़ज़लें कह कर उतने ही मुशायरों में ख़ुद को हूट करवा चुके थे। अक्सर बताते कि बम्बई में अच्छे सुनने वाले दुर्लभ हैं। लखनऊ में तो उस गये-बीते काल में भी ऐसे-ऐसे श्रोता शेष थे जो कि तीन दिन के मुशायरे में दाद देते-देते बेहोश हो जाते थे। दो-तीन ग़ज़लें हमें भी सुनायीं। 25 प्रतिशत शे'र छन्द से बाहर थे, शेष शालीनता से। आयु 57 के लगभग होगी। सारा जीवन कुंवारे रहे मगर निठल्ले नहीं रहे। अब पाप करने की क्षमता चुक रही थी। दो साल पहले अन्तिम प्यार में नाकामी हुई और सुन्दरियों के सामीप्य की संभावना न रही तो पीर हज़रत सय्यद गुलम्बर शाह का दामन पकड़ लिया।

गर नहीं वस्ल तो हज़रत ही सही

गुलम्बर शाह किसी ख़ानदानी या पैदाइशी विवशता के कारण नहीं बल्कि अपनी इच्छा व क्षमता से सय्यद बने थे। हमारे देखते-ही-देखते सय्यद हो गये फिर रहमतुल्ला अलैह।

हर आदमी के साथ एक शैतान पैदा होता है। अहमदुल्लाह शशदर ने अपने शैतान को मुसलमान करके उसकी लवें कतर दी थीं और टख़नों से ऊंचा पाजामा पहनवा दिया था। अब आके न जाने वाले बुढ़ापे ने चेहरे पर गहरी ख़न्दकें खोद दी थीं। वैसे सेहत और काठी मज़बूत थी अगर वो जन्म-वर्ष जो उन्होंने नौकरी के फ़ार्म में भरा था, वाक़ई

ठीक था तो उन्होंने 3.5 साल की उम्र में मैट्रिक कर लिया होगा। जिस दिन उनकी पतलून में से पाजामा झांकता दिखायी देता वो जुमे का दिन होता था। हकीमी में भी थोड़ा-बहुत हाथ डालते थे। हर बीमारी का इलाज अंजीर से करते थे, पुराने और गुप्त रोगों का इलाज सड़े अंजीर से करते थे।

मचान पर कम्बर अली शाह विराजमान थे। गर्म जलेबी खा रहे थे। पट्टी से आधा धड़ नीचे लटका कर चिपचिपाते हुए हाथ को हमसे हाथ मिला कर साफ़ किया। शाह जी का सही वज़न कभी निश्चित न हो सका। सुनने में आया था कि एक बार किसी के 'बाथरूम स्केल' पर चढ़ गये तो सुई बावली हो गयी। चलना-फिरना तो बहुत बाद की बात है उठना-बैठना दूभर था। हर समय हांफते रहते। ग़प के शौक़ीन, हालाँकि एक सांस में तीन शब्दों के बाद चौथे पर पंक्चर हो जाता था। आठ-दस थोते सांस लेकर ताज़ा दम होते तो यह भूल जाते कि किस विषय पर वाक्य का दम टूटा था, इसलिये नये विषय पर फिर से नये वाक्य बनाते। इसी तरह दिन भर चिकने खंभे पर चढ़ते, फिसलते रहते। पूरा शरीर एक स्थायी कराह था जिस पर काली बैल्ट से भूमध्य रेखा खींच लेते थे ताकि उत्तर और दक्षिण पहचानने में आसानी रहे। रूप-स्वरूप मौलवी मुहम्मद इस्माइल मेरठी के आसमानी गुम्बद की तरह—

बनाया है क्या दस्ते-क़ुदरत ने गोल
चुरस है न झुर्री न सिलवट न झोल

कछुआ प्रोफ़ेसर से जीत गया : शाह जी का सारा जीवन एक स्लो मोशन फ़िल्म था सिवाय उन तीव्र क्षणों के जब मन खाने या दूसरे की बुराई पर लगा हो। एक बार कुर्सी पर दोपहर के खाने के बाद की नींद ले रहे थे कि सपने में एक मोटी रसीली सी जलेबी देख कर आंख खुल गयी। हमें मुस्कुराते देखा तो बोले 'लो जी! मध्य एशिया और तुर्की में संसार के सबसे दीर्घजीवी पाये जाते हैं। मालूम है क्यों? लम्बी उम्र का राज़ वस्तुत: लम्बी नींद, मोटी खाल और slow living में छिपा है। प्रो.फ़ेसर क़ाज़ी अब्दुल क़ुद्दूस उसे उड़े। वाक्य जोड़े 'उदाहरण के लिये कछुए को ही लीजिये, सैकड़ों साल जीता है। अकबर के समकालीन कुछ कछुए आज भी जीवित हैं। यह मैकेनिज़्म प्रकृति ने कछुए में ही रखा है कि कोई चीज़ ज़रा भी अरुचिकर लगी तो सट से गर्दन अन्दर कर ली, दूसरी स्थिति में 'जब ज़रा गर्दन निकाली देख ली।' सूखे से जी ऊब गया तो घंटों पानी में दम साधे पड़े हैं। हद ये कि शार्क मछली तक कछुए को सुअर बराबर समझती है। अगर मैं आवागमन में विश्वास करता तो परमात्मा से यही प्रार्थना करता कि हे भगवान! तेरी लीला न्यारी है, मुझे तू अगले जन्म में कछुआ बना दे। इंसान और वो भी प्रो.फ़ेसर बिलकुल न बनाइयो।'

इन्द्रधनुष रंग : हँसी बिलकुल बच्चों जैसी, हँसते तो हँसते ही चले जाते। ज़रा सी बात पर सारा शरीर जेली की तरह थुलथुलाता। दूसरे को लम्बी बात नहीं करने देते थे। कोई स्वभाव से अपरिचित बात को तूल देता तो केवल अपना विशेष नोट 'काम अधिक है और समय कम है' देकर बैठे-बैठे सो जाते। थोड़ी-थोड़ी देर में आंख खोल

कर सभा का रंग देखते और मुस्कुरा कर फिर सो जाते। शाह जी ने सारा जीवन संसार को इस तरह देखा जैसे किसी ने कच्ची नींद उठा दिया हो।

खिला स्वभाव, मीठी भाषा, महफ़िल सजाने में महारथ, बाहर-भीतर एक। किसी को परेशान नहीं देख सकते थे। अक्सर कहते थे कि कई आलोचक तो संसार में ऐसे कमी निकालते हैं जैसे P.W.D. का बनाया हुआ हो। उन्होंने स्वयं तो कभी नहीं कहा लेकिन सुना और बाद में देखा भी कि उनका इकलौता बेटा अविकसित और अल्पबुद्धि है। शाहजी से पहले-पहल परिचय हुआ तो चेहरे पर चेचक के गहरे-गहरे गड्ढे देखे थे, फिर कभी दिखायी न पड़े। बस मुस्कुराहट का एक इन्द्रधनुष याद है जिसके दोनों किनारे इसी धरती से फूटे थे।

जेहलम के रहने वाले थे। वही जियाला, मर्द ही मर्द उगाने वाला जेहलम, जिसके लोग ख़ुदा के बारे में कल्पना के लिये थानेदार को देखते हैं। लम्बाई वही जिसका ज़िला जेहलम में कोई नोटिस नहीं लेता यानी छह फ़ीट। पच्चीस साल टांगानिका में बिता गये थे लेकिन दिल अभी भी खजूर में अटका हुआ था। इसलिये जब वो यह भूमिका बांधते कि 'हमारे हां तो चलन यह है कि...' तो यह समझा नहीं जा सकता था कि उनका मुंह टांगानिका शरीफ़ की ओर है या जेहलम की ओर। उदाहरण के लिये जब वो यह कहते कि 'हमारे हलवाई की जलेबी अंगूठे के बराबर मोटी होती है,' तो उनका इशारा जेहलमी पांव के अंगूठे की ओर और प्रशंसा पात्र टांगानिका का हलवाई मूलचंद होता था।' होंठ छुआते ही शीरे की पिचकारियां छूटने लगती हैं,' (यह कह कर अपनी जीभ फ़र्ज़ी शीरे में लिथड़े हुए होंठों पर बार-बार फेरते। इस चीज़ पर जान देते थे) और जब वो यह कहते कि 'हमारे हां कोई B.A. फ़र्स्ट डिवीज़न में पास कर ले तो प्राइमरी स्कूल में मास्टर हो जाता है और फ़ेल हो जाये तो फ़ौज में कप्तान।' तो उनका संकेत जेहलम की शिक्षा प्रणाली के निकम्मेपन की ओर होता था।

पच्चीस साल वतन से बाहर रहे। घाट-घाट का पानी पिया नहीं तो चखा ज़रूर था लेकिन लहजे में पोठोहारी मिठास बाक़ी थी और बोली पर अब भी देहात की सोंधी शब्दावली चढ़ी हुई थी। नमूना देखिये, 'मैं टांगानिका से बाई एयर फ़्लाई करके गांव आया। तरीख़-शरीख़ तो याद नहीं। हमारे चक के दूधिया भुट्टों में रस पड़ गया था पर दाना कठोर नहीं हुआ था। दीया-जले हवाई जहाज़ ने रनवे पर तीन खेत दौड़कर एक दम टेक ऑफ़ किया। अभी चार बांस ही ऊपर उठा होगा कि ऐसी घुमेर आयी कि क्या बताऊं। जैसा कि बचपन में पाख़ाने में पहला सिग्रेट पीकर हाल हुआ था। तीन बार सूरा-ए-यासीन (*क़ुरआन* का हिस्सा) के बाद दस हज़ार फ़ीट ऊपर पहुंचे तो वाह-वाह! बादलों के ये मोटे-मोटे ग़ोले ऐसी आपाधापी से उड़ रहे थे जैसे ग़ुस्से में भिन्नाये हुए अपने दुल्ला धुनिये की धुनकी हुई रुई। जब उसकी औरत शैदां और अलिफ़दीन पटवारी परस्पर सहमति से एक-दूसरे का मुंह काला करते हुए पकड़े गये और परिणामतः वो ख़ुदा बख़्श जुलाहे के साथ भाग गयी। अजी उधर अपने टांगानिका में अपहरण की आवश्यकता ही नहीं पड़ती। करना ख़ुदा का क्या हुआ कि अचानक एक एयर पॉकिट आया और जहाज़ ने हाइट लूज़

की, लो जी 1/100 सेकिंड में पच्चीस-तीस कुएं नीचे उतर गया। लगा जैसे दिल हलक़ में आकर फंस गया है। जैसा कि मैट्रिक का रिज़ल्ट देख कर हुआ...'

शाह जी के बारे में प्रसिद्ध था कि मैट्रिक में फ़ेल होने के बाद आत्महत्या की कोशिश की, उसमें भी फ़ेल हुए।

हर चारपाई के नीचे एक टीन का ट्रंक, खड़ाऊं और लोटा रखा था। सिवाय शाहजी के मचान के। शाहजी अपने तमाम पतलून तकिये की प्रेस के नीचे, और बुशर्ट खूंटी पर रखते थे। कहते थे कि मोज़े केवल शादी के दिन पहने थे। सेहरे के बिना बिलकुल बेकार मालूम देते हैं। उन्हें जब चौथे चांद से उतरना होता तो साथी बारी-बारी अपना ट्रंक बतौर पायदान रख देते और वो उस पर पांव रख कर सहारे से नीचे उतर जाते। पहले यहां मौलूद अहमद तिरमिज़ी का बक्सा स्थायी रूप से पड़ा रहता था लेकिन एक दिन शाहजी ने बेध्यानी में पूरा भार उस पर डाल दिया तो लचक कर चपाती हो गया और कपड़ों में दबी हुई ह्विस्की की बोतल चूर-चूर हो गयी। मौलूद अहमद तिरमिज़ी बहुत बिगड़े कि शाहजी ने मेरी जुमे की अचकन अपवित्र कर दी। इस दुर्घटना के बाद हर ट्रंक की बारी तय कर दी गयी। शाह जी को बाथरूम जाना होता तो बारी वाला अपना ट्रंक रख कर निजी निगरानी में उतरवाता-चढ़वाता। तीनों रूममेट शाह जी को पानी नहीं पीने देते थे, इसलिये बैंक पहुंचते ही वो पानी और बाथरूम पर टूट पड़ते।

एक खिड़की खुली हुई है अभी : शाह जी के ज़िम्मे हमें दूसरे देशों के कैरेन्सी-एक्सचेंज के भेदों और नख़रों से परिचय कराना था लेकिन वो दूसरे देशों के भौगोलिक विवरणों में कानों तक धंसे हुए थे और कैरेन्सी एक्सचेंज पर नज़र डालने की न तो मुहलत थी न ज़रूरत और 'दूसरे देशों को' तो हम रवानी में लिख गये वरना वो टांगानिका (अब इसे तंजानिया कहते हैं) से एक इंच भी आगे-पीछे बढ़ने-हटने को तैयार न थे। हम उनसे टांगानिका के ब्रिटिश बैंकों के काम करने के ढंग के बारे में पूछते तो वो शेरों, घड़ियालों, अजगरों और दूसरे नरभक्षियों के शिकार करने के ढंग बताने लगते। कई बार तो प्रश्न पूछने का अवसर ही न मिलता, इसलिये कि वो हमें देखते ही कहते कि आज तो ऐसा लगता है कि आप काम करने के मूड में नहीं हैं। रज के गल-बात होती। जब कोई रसभरी बात कहनी होती तो दो वाक्य पहले ही मंगलाचरण या भूमिका के रूप में सिसकारी भर के एक आंख मींच लेते और दूसरी से उसकी प्रतिक्रिया देखते रहते। क्रियात्मक रूप से वो नेक और बदचलनियों से दूर रहने वाले आदमी थे। अपने चारों ओर पवित्रता की एक आसमान चूमने वाली दीवार खींच रखी थी लेकिन उसकी चिनाई इस कारीगरी से की थी कि थोड़ी-थोड़ी दूरी पर झिर्रियां, छेद और झरोखे छोड़ दिये थे। इन मोखों में से वो एक आंख बन्द करके दूसरी तरफ़ का हाल कुछ इस तरह देखते और दिखाते कि हमारी तो दोनों बन्द हो जातीं। जंगली अफ़्रीक़ा के नंगी तलवार के से हालात वो उम्मीद का लंगर थामे हमें कुछ इस तरह सुनाते कि तड़प के जी चाहता कि गृहस्थ जीवन को धता बता कर शेष आयु मध्य अफ़्रीक़ा के जंगल में एक सलाद का पत्ता बांध कर और उसी को खा कर गुज़ार दें। पिछली पीढ़ी के इस अधेड़ की चंचलता बड़ी ग़नीमत थी।

अभी पिछली शरारत के नमूने पाये जाते हैं

हमारी ट्रेनिंग में हाथी कूद पड़ा : यासूबुल हसन ग़ौरी की दाढ़ की चर्चा निकली तो हमने उस्ताद ज़ौक़ का शे'र पढ़ दिया।

जिन दांतों से हँसते थे हमेशा खिल-खिल
अब दर्द से हैं वही रुलाते हिल-हिल

शे'र सुन कर शाह जी पहले तो खिल-खिल हँसे फिर आंख बन्द करके जेली की तरह थल-थल हिले। आंख खुली तो अफ्रीक़ा में थे और हाथियों ने घेरा था। शुरू हो गये। उनके हां हाथी-दांत की लम्बाई कितनी होती है? हाथी बूढ़ा हो जाये तो पहले उसके खाने के दांत गिरते हैं या दिखाने के? मस्ती से हाथी के दांत का रंग कैसा हो जाता है? उसको देख कर हथिनी कैसी मतवाली चाल चलती है। उन्होंने मौलवी अहमद तिरमिज़ी का काला कम्बल ओढ़ के मचान पर ही गजगामिनी चाल चल कर दिखायी जो वाक़ई ऐसी थी कि अगर हम हाथी होते तो हमारे दांतों का रंग बदल जाता।

हाथी से प्यार का ये हाल कि अक्सर कहते, 'आप क्या जानें हाथी कितना मूल्यवान जानवर होता है। मलाया के एक कवि ने एक प्रेमी से कहलवाया है कि अगर मुझे अपनी प्रेमिका के बदले में हाथी भी दिया जाये तो न लूं।'

हमने मस्त हाथियों से कुचले जाने से बचने के लिये पूछा, 'अच्छा यह बताइये कि पूर्वी अफ्रीक़ा में बैंक के अंग्रेज़ अफ़सर, काले और सांवले ग्राहकों और अधीनस्थ कर्मचारियों से कैसा व्यवहार करते हैं।' उत्तर में वो उद्दंड हाथी पकड़ने की तरकीबें बताने लगे। हमने प्रश्न दुहराया पर ख़ुदा जाने सुना भी या नहीं। बोले, 'आहो जी! हमारे हां ख़ास सत्कार में सांप के सीख़ कबाब और समूचा भरवां हाथी परोसा जाता है। इसके चारों तरफ़ इंसानी खाल से मढ़ी हुई ढोलक पर नाच होता है। नंगा!'

'नंगा?' हमने बड़े चाव से पुष्टि और विवरण चाहा।

'हां जी! देखने वाले सब नंगे होते हैं।'

उन्हें विवरण पर उतारू देख कर हमने अफ्रीक़ी बैंकों के अफ़सरों के व्यवहार के बारे में अपनी कुरेद बंद कर दी जिससे शाहजी ने बेचैन हो कर जंगली जानवरों के अनेकानेक पत्नीव्रती-जीवन के भेद खोलने शुरू कर दिये। बारह बजे यासूब ग़ौरी एक ईंट बग़ल में दबाये कांखते-कराहते होटल लौटे। होम्योपैथ को तो पुलिस एक गुप्त रोग के लाइलाज रोगी के साथ मारपीट करने की वज्ह से दफ़ा 307 में बंदी बना कर ले गयी। हाथों-हाथ उसके बाप ही से मशवरा किया और उसके मशवरे और फ़ीस के बदले में बेटे की ज़मानत का इंतज़ाम अपने ज़िम्मे लिया। बुढ़ऊ अपने बत्तीस दांतों के अलग-अलग दर्द और एक-एक के साथ छोड़ जाने का अलग-अलग अनुभव रखते थे। वो उस समय अपनी हालत के वास्तविक कारण को खरल में कूट रहे थे अर्थात् पान की अलग-अलग चीज़ों को कूट कर मसूढ़ों की मुश्किल आसान कर रहे थे। उन्होंने सुर्ख़ ईंट या भाड़ की भूबल से जबड़ा सेंकने की हिदायत की थी। मुसीबत कि कराची में दोनों ग़ायब, मुहावरे के लिये भी अनुपलब्ध। कराची वाले भाड़ में जाओ के बजाय

दूसरी असंतुलित आसमानी जगह का हवाला देते हैं। इस शहर में ईंट का मतलब हमेशा ताश की ईंट होता है। पत्थर का जवाब भी इसी से दिया जाता है और इसी से एक-दूसरे की ईंट से ईंट बजायी जाती है।

बड़ी खोज के बाद एक बूढ़े पारसी की उससे भी अधिक बूढ़ी कोठी मिली। जिसकी आधी पोपली कम्पाउन्ड वाल से उन्होंने आंख बचा कर नुस्ख़े का मुख्य अवयव खींच निकाला। अब सवाल यह था कि परदेस में यानी होटल में ईंट को गर्म किस तरह किया जाये। मौलवी अहमद तिरमिज़ी ने सुझाव दिया कि जबड़े और ईंट को लाल तार से बांध कर ईंट में बिजली का करंट 'पास' कर दिया जाये। यह सुनते ही शाह जी अपने जबड़े पूरे खोल कर इतना हँसे कि देर तक उनके हलक़ में फुदकता हुआ कव्वा दिखायी देता रहा। हँसी रुकी तो बोले, 'हमारे यहां तो ईंट ऐसी आलीशान और तुरंत असर करने वाली होती है कि हाथी की दाढ़ की टकोर भी की जा सकती है। हमने पूछा, 'आपके हां क्या बुड्ढा बेदांत हाथी भी गन्ने का शौक़ीन होता है?'

गो दांत को जुम्बिश नहीं...

इस पर यासूबुल हसन ग़ौरी ने हमें ऐसी प्रकोपित दृष्टि से देखा कि अगर हम मोम के बने होते तो जहां-जहां उनकी दृष्टि पड़ी थी वहीं से पिघल जाते। शाह जी का जवाब मुंह के मुंह में रह गया। बस बायीं आंख मींच कर मुंह में गंडेरी चूसने की-सी आवाज़ निकाली और स्वीकृति में सिर को इस तरह हिलाया किये जैसे स्वयं गन्नों के खेत के खेत रौंदते-मसलते मस्ती में चले जा रहे हैं।

ने हाथ बाग पर है ने पा है रकाब में

इसलिये कि स्वयं हाथी हैं और दांतों का रंग है कि हर क्षण बदलता जा रहा है। स्वयं हांफे, देर तक हमें भी हंफाते रहे। हाथी की निजी भावनाओं का इससे बेहतर प्रकटन हमारी तो क्या हथिनी की नज़रों से भी न गुज़रा होगा।

किराये के हार : उन चार दरवेशों के सलाह-मशवरे से मेहमाननी (शाह जी आने वाली के लिये यही स्त्रीवाचक संबोधन प्रयोग कर रहे थे) के स्वागत का विवरण तय हुआ जिन्हें वस्तुतः जहाज़ और औरत से सम्बन्धित 251 साल की ग़लतफ़हमियों का निचोड़ कहना चाहिये। (हम पांचों की उम्रों का जोड़ 251 साल बनता था) अंत में यासूब ग़ौरी ने कहा कि तीन गोटे के हार अवश्य लेते आना। हमने पूछा, 'एक औरत के लिये एक पर्याप्त न होगा।' बोले, 'मिस्टर यह स्वयंवर नहीं है कि गले में एक जयमाला डलवायी और कुंवारी कन्या को सुरमई घोड़े पर आगे बिठा के ऐड़ लगायी और यह जा वो जा।'

हमने हां में हां मिलाते हुए कहा, 'जैसे नाटक में पृथ्वीराज चौहान सिर पे मुकुट सजाये संयोगिता को भगा कर ले जाता है, मगर हमने जो खेल देखा उसमें तो पृथ्वीराज घोड़े की बजाय संयोगिता के ऐड़ लगा रहा था।'

'लाहौल विला,' उन्होंने तिरस्कार से कहा, 'ग़ौरी होने के कारण वो स्वयं को पृथ्वीराज का प्रतिद्वन्द्वी और शत्रु समझते थे। इसलिये जब पृथ्वीराज को बाग खींचनी होती तो वो संयोगिता को खींचता था। बाग काफ़ी छोटी थी। संयोगिता को पूरी क्षमता से

खींचने के बाद भी घोड़ा आगे नहीं बढ़ रहा था। जिसका एक कारण यह भी हो सकता है कि घोड़ा काठ का था और दूसरी सवारी की काठी का क्या कहना।'

'यह खेल कहां चल रहा है?'

उन्हें उग्र सुरमई घोड़े से बड़ी कठिनाई से विषय की ओर लाये तो देर तक हिनहिनाया किये।

बोले, 'तुम्हारी खोपड़ी में इतनी सी बात नहीं घुसती। एक हार तुम्हारी तरफ़ से भी तो होना चाहिये। क्या केवल दुआओं का हार उसके गले में डालोगे?'

'और तीसरा हार?'

'एक बात अनुभव की आज बताता हूं, जीवन में काम आयेगी, कभी किसी V.I.P. को हार पहनाने जाओ तो एहतियातन एक हार अतिरिक्त ले जाया करो। पता नहीं ऐन मौक़े पर कौन एक्स्ट्रा हरामी निकल आये जिसे हार न पहनाओ तो नुक़सान पहुंचा देगा। मैंने यह बाल पाउडर से सफ़ेद नहीं किये हैं। चालीस बरस बैंक में झक नहीं मारी। तुम्हें जुमे-जुमे आठ दिन हुए हैं अंडे से निकले और अण्डे की पूर्णता बस यही है कि मुर्ग़ा बन जाये। और हां! गोटे का नया हार आठ रुपये का आता है। बैठे-बिठाये 24 रुपये की हत्या हो जायेगी।' निवेदन किया, 'सेठ तय्यब भाई वली मुहम्मद के पास 1949 से हज़ार-हज़ार के रद्द किये हुए नोट पड़े हैं। उनके हार बनवा कर क्यों न पहना दें।' बोले, 'वो तो उन्हें नई मस्जिद के चंदे में देना चाहता है। तुम यह करो कि बॉस के बैरे से तीन हार किराये पर ले आओ। डेढ़ रुपये में काम बन जायेगा। बॉस को अब तक जितने हार पहनाये गये हैं वो सब उस बेईमान ने जमा कर रखे हैं। उन्हें किराये पर चलाता है। पिछली बार जब बॉस लंदन से छुट्टी बिता कर लौटा था, तब भी हमने उसी बेईमान से हार किराये पर ले कर पहनाये थे लेकिन ऐसा न हो कि मेहमाननी हार पहने-पहने ही सटक जाये। बहाने से तुरंत उतरवा कर अपनी safe custody में ले लेना।'

हाथों-हाथ : अगले दिन हार लेकर दोनों बैस्ट-व्हार्फ़ पहुंचे। जहाज़ हमारे आशंकित-भयभीत अनुमान से कुछ अधिक ही बड़ा निकला। हमारा विचार था कि जब हम उस पर एक क़दम जमा कर रखेंगे तो झोंक से उलल कर हिचकोले खाने लगेगा लेकिन हमें अपने भार से मायूसी हुई। जहाज़ पर इधर-उधर हट्टे-कट्टे मल्लाह ख़ुश-ख़ुश फिर रहे थे—परम्परागत मल्लाहों की तरह, जिनकी मिंची-मिंची आंखें धूप में नहाये हुए टापुओं को तरसती हैं। जहां गर्म दिन और अंगारा औरतें मुस्कुराती रहती हैं। जहाज़ पर एक मल्लाह से पूछा कि मिसेज़ शिवारिज़ कहां मिलेंगी?

बोला, 'रात तीन बजे तक तो उसकी नाइटी कप्तान के केबिन की खूंटी पर टंगी देखी गयी थी, वो भी कहीं पास ही पड़ी होगी।'

एक और विश्वसनीय चेहरे वाले मल्लाह से, जिसकी दाढ़ी और नेकर औरों से लम्बी थी, पूछा तो उत्तर मिला, 'कल तक तो sailors उसे बास्केट बाल की तरह उठाये-उठाये फिर रहे थे। उसी के कारण जहाज़ दो दिन बर्थ पर नहीं लाया गया।'

तीसरे ने कहा, 'आप उस fragile cargo की डिलीवरी लेने आये हैं। पानी के ख़ज़ाने

को सूखे पर उतारना चाहते हैं? क्या आप दोनों मुझे एक करारी लौंडिया से मिलवा सकते हैं? प्लीज़! मेरे पास डॉलर हैं।'

हमारे होश और यासूब साहब का चालीस साल का अनुभव उड़ गये।

'मास्टर ऑफ़ सैरीमनीज़ तो ख़ैर वो थे लेकिन कार्य-विभाजन यह तय हुआ था कि निर्णय के क्षणों में निर्णय वो लेंगे। विचार वो रखेंगे। उन विचारों को अंग्रेज़ी कपड़े हम पहनाते चलेंगे। इसलिये कि उन्होंने खुले दिल से स्वीकार कर लिया था कि हमारी बुद्धि और उनकी ग्रामर कमज़ोर है। बहरहाल दोनों ने अच्छे रखरखाव से काम लिया। न हमने उनके जबड़े पर वाक्य चिपकाया जिस पर आज उन्होंने हींग का लेप लगा रखा था और न उन्होंने हमारी पतलून पर आक्षेप की उंगली उठायी। थोरियो का कथन है, 'हर ऐसी मुहिम पर शक करो, फ़ज़ीहत भरी जानो जिसके लिये नये कपड़े पहनने पड़ें।'

हमारे आनन्ददायक कर्तव्य : फिर उसका केबिन भी मिल गया। वो उसके दरवाज़े पर अपना सिर हाथों से थामे खड़ी थी। हमें देख कर न जाने क्या दिल में आया कि अन्दर जाकर बर्थ पर लेट गयी। हल्के मेहंदी रंग का लम्बा स्कर्ट पहन रखा था। उस ज़माने में शरीर-दर्शी hot pants, minis, hipsteo साड़ियों का चलन नहीं हुआ था। दिलवालियां ऐसे अवसरों पर बत्तियां बुझा देती थीं।

यासूब ग़ौरी ने अपनी राष्ट्रीय इच्छाओं के अनुवाद के लिये हमें आगे कर दिया। हमने मिलाने के लिये हाथ बढ़ाया तो उसने नींद भरी आंखों से मुस्कुराते हुए अपना हाथ सीने पर रख लिया।

नज़रिया से भर दूंगी छूने न दूंगी शरीर

यासूब ग़ौरी लेटी हुई मेहमाननी को हार पहनाने झुके तो उसने उनकी गर्दन में बाँहें डाल दीं और उनकी गुद्दी पर सारा बोझ डाल कर उठना चाहा। वो नशे में धुत्त थी। एक हाथ न जाने कैसे उनके दुखते हुए जबड़े से टकरा गया। इस पर उन्होंने ऐसी चिंघाड़ मारी कि वो दुबारा लेट गयी और लेटे-लेटे अपनी फूलों की टहनी सी कलाई आगे बढ़ा दी। वो दृश्य देखने लायक़ था, जब यासूब ग़ौरी ने हमें धक्का देकर अपने रास्ते से हटाया और फ़र्श पर 'नील डाउन' हो गये जिस तरह अंग्रेज़ी फ़िल्मों में प्राचीन काल के knights हुआ करते हैं। अपनी हींग लिपटी नाक से उस मरमेड के हाथ को चूम कर हमें भी यह प्रोटोकॉल कर्तव्य पूरा करने का इशारा किया। हमने उसका हाथ चित्त करके शादी की दूसरी लकीर को चूमा।

क़यामत के दिन हमें हसीनों को भी मुंह दिखाना है। कैसे कह दें कि हसीन चेहरों को देख कर जो ठंडक पड़ती है उससे हमने स्वयं को वंचित रखा। उसके बायें कंधे पर एक ताज़ा नील था। पिंडलियों पर महीन-महीन सुनहरी रुवां जैसे खटमिट्ठे आड़ू पर होता है। नाख़ून इतने नुकीले जैसे पेन्सिल शार्पनर में डाल कर उंगलियों की नोकें बनायी हों। एक नाख़ून टूटा हुआ था। उम्र पैंतीस से ऊपर ही होगी कि आवाज़ में एक ठसक आ गयी थी। मुंह से अजीब तरह के भभके निकल रहे थे। यासूब ग़ौरी ने तसल्ली दी कि असली जर्मन बियर है। वो बुरी तरह लड़खड़ा रही थी। यासूब ग़ौरी ने आंखों ही से हर

क़दम पर कौली भर-भर ली।

गले में गोटे का हार डालते हुए हमने 'वैलकम टू पाकिस्तान' कहा। उसने भी पश्चिमी जर्मनी की तरफ़ से शुभकामनायें दीं और आशा प्रकट की कि दोनों देश बहुत जल्द एक-दूसरे के और पास आ जायेंगे। इस भविष्यवाणी को पूरा होने में अधिक देर नहीं लगी इसलिये कि वाक्य समाप्त होने से पहले ही वो हमारे मुंह से मुंह मिला कर, दोनों के कंधों पर हाथ रखे पैंडुलम की तरह झूलने लगी। अलबत्ता हमारे सुख को बढ़ाते हुए अपने फूल बदन का सारा झोंक इस प्रकार डाला कि हमारी चाल, शतरंज के घोड़े जैसी हो गयी। अगर यासूब ग़ौरी के जबड़े पर हींग का लेप न होता तो यह आनन्द वर्षा उन पर होती और फूल बदन का बोझ उठा कर ढाई घर की चाल उन्हें चलनी पड़ती। कुछ देर बाद कहने लगी, 'दो महीने से यह जहाज़ भंवर में है। बंदरगाह पर भी ठीक से खड़ा नहीं हो सकता और उन लहरों को तो देखो, कैसी शोख़ियां मार रही हैं। उफ़्फ़ोह! तुम्हारे क़दम भी बहके-बहके पड़ रहे हैं। तुम्हें तो चक्कर आ रहा है। (अपना लाल पर्स खोलते हुए) तुम्हारा जी मिचला रहा है। लो यह गोली खा लो। मतली बंद हो जायेगी। नन्हा ऐरिक पेट में था तो रोज़ सुब्ह खाती थी।' ख़ैर गोली तो हमने शर्मा-शर्मी में खा ली लेकिन तीन-चार दिन तक हौल उठते रहे। सुब्ह उल्टी होती और ऐसा लगता जैसे पतलून कमर पर से तंग होता जा रहा है।

उसने मुहब्बत भरी फुसफुसाहट में लगभग हमारा कान चबाते हुए पूछा कि 'मुझे लेने वो कच्चा बीफ़ और मारम्लेड खाने वाला बुड्ढा जॉन बुल क्यों नहीं आया?' हमने एंडरसन की ओर से झूठी क्षमा याचना की कि आज उसे कहीं कॉकटेल पर जाना है। कराची मैट्रोपोलिटन शहर ठहरा, रोज़ कहीं-न-कहीं पार्टी होती है। कराची बड़ा शहर है। फ्रेंकफ़र्ट से तीस गुना बड़ा। कराची पाकिस्तान का दरवाज़ा है। बोली, 'जहाज़ का कप्तान कह रहा था कि कराची पाकिस्तान का फ़ुट स्टूल है। बड़ा सुअर है वो।'

झूम-झटक आधा रास्ता ही तय किया होगा कि वो कंधों के झूले से छलांग लगा कर खड़ी हो गयी। कहने लगी, 'हाय मैं कैसी भुलक्कड़ हूं। तुम्हारा परिचय कप्तान से तो कराया ही नहीं। बहुत डैशिंग है। बिलकुल Gregory Pack लगता है। दोनों कहारों ने कंधों की जोड़ी की दिशा कप्तान के केबिन की ओर कर ली। हर छह-सात झोंकों के बाद वो हमारी टाई पकड़ कर नीचे उतरती और हमारी चाल ठीक करके वापस चढ़ जाती।

ग्रेगरी पैक ने हमें भी सीने से लगाकर प्यार किया : मशहूर फ़िल्म अभिनेता ग्रेगरी पैक ने उस समय केवल सफ़ेद नेकर और हवाई चप्पल पहन रखी थी, माथे से पसीने के रेले बह रहे थे, उसके गाल और पेट पर जो ख़रोंचें थीं उन पर कत्थई खुरंड आ गये थे। सीने पर एक बहुत बड़ा दिल गुदा हुआ था और उसके अन्दर किसी भूतपूर्व प्रेमिका की नग्न तस्वीर tattoo की हुई थी। तस्वीर के पेट पर हसीना का नाम भी लिखा था जो अब पढ़ा नहीं जा सकता था, इसलिये कि उस पर अमरीकी झंडे के सितारे गुदवा कर नाम मिटा दिया गया था।

शेवा-ए-इश्क़ नहीं हुस्न को रुसवा करना

बायें हाथ पर ग्रेगरी पैक ने अपना पूरा नाम गुदवा रखा था ताकि किसी दुर्घटना या जंग में कट कर गिर जाये तो जिन साहब को मिले वो अख़बार में विज्ञापन देकर असली मालिक को लौटा दें। वो हमें देख कर बहुत मुस्कुराया। ऐसी गर्मजोशी से हाथ मिलाया कि हमारी उंगलियों की हड्डी से हड्डी बजा दी। कहने लगा, 'आइये। जश्न मनायें। आप इस ख़ूबसूरत बोझ के सैंडिल में ड्यूटी फ्री शैम्पेन का सेहत का जाम पीना पसंद करेंगे या अच्छे मुसलमान की तरह डिसेन्ट्री के रोगाणुओं से भरपूर कराची वाटर?'

यासूबुल हसन ग़ौरी ने पासपोर्ट लेते और फ़ार्म आगे बढ़ाते हुए पूछा, 'कस्टम में डिक्लेयर करने के लिये कुछ है?'

ग्रेगरी पैक नज़रों से मिसेज़ शिवारिज़ के अंग-प्रत्यंग की तलाशी लेते हुए बोला, 'ऑफ़ कोर्स। 38-29-36 और मंझली संख्या में एक गैलन duty free liquor'

वो उसे अलविदा कहने सीढ़ी तक आया। विदा के समय हमें भी सीने से लगा कर देर तक चिंचोड़ा। ग़ौरी को हींग के लेप ने एक बार फिर बचा लिया। ज़ीने से उतरने लगी तो न जाने क्या दिल में आयी कि दोनों हार उतार कर ग्रेगरी पैक के गले में डाल दिये और हम देखते के देखते रह गये। ग़ौरी ने जिन क़र्ज़ में डूबी नज़रों से हमें देखा उसकी तस्वीर खींचना हमारे बस का काम नहीं। वो सिर से पांव तक साक्षात् गाली बने खड़े थे। तीसरा हार उन्होंने हमें पहना दिया।

प्रोफ़ेसर क़ाज़ी अब्दुल क़ुद्दूस ग़ालिब की विभिन्न पंक्तियों को फेंट कर अक्सर कहते हैं कि तंगदस्ती (तंगी) न हो तो तंदुरुस्त आदमी की तमन्ना का दूसरा क़दम गृहस्थी की सीमा के बाहर पड़ता है। यूं तो कोई इच्छा न होगी जिसका जुर्म हमने न किया होगा।

हज़ारों ख़्वाहिशें ऐसी कि हर ख़्वाहिश पे घर बिगड़े

सीमा ये है कि तंदुरुस्ती की इच्छा भी की है लेकिन ख़ुदा गवाह है कि अनकिये पापों की इस चर्चा न करने योग्य सूची में मालवाहक जहाज़ का कप्तान बनने की इच्छा कभी सम्मिलित नहीं हुई थी। अब रह-रह कर पछतावा हो रहा था कि हाय! यूं सूखी धरती पर समय नष्ट न किया होता तो क्या-क्या मज़े करते। भाग्य में अगर जहाज़ का कप्तान होना नहीं लिखा तो कम-से-कम कछुआ ही होते।

रह गया दिल में जो कुछ था ज़ौक़-ख़्वारी हाय, हाय!

'अजब हरियाल औरत है!' हमने कहा।

'मिस्टर! तुम अभी bankers और sailors को नहीं जानते। कट्टे को भी दुह कर फेंक दें।'

इस इंतज़ार में किस-किस से प्यार हमने किया : यासूबुल हसन ग़ौरी को दाढ़ के दर्द का सहारा लेकर वैस्ट व्हार्फ़ नम्बर 37 में छोड़ा तो रात हो चुकी थी। हल्की-हल्की बारिश हो रही थी। फ़्लड लाइट्स की रौशनी में फुहार ऐसी लगती थी जैसे सामने मोतियों की लड़ियों का पर्दा पड़ा हो। समुद्री हवा से पाम के पत्ते मंजीरे बजा रहे थे। दूर लंगर डाले जहाज़ों की रोशनियां आसमान के नीचे झिलमिल-झिलमिल कर रही थीं। मिसेज़ शिवारिज़ कहने लगी, 'तुम लाउन्ज में प्रतीक्षा करो। मैं सामान संभाल-सुंघवा कर

दो मिनट में आती हूं। हम प्रतीक्षा करते रहे। आध घंटे बाद बैरे से अपने कमरे में ही बुलवा लिया। बन-संवर कर निकली तो आलम ही कुछ और था, हम भी दिल मज़बूत किये बैठे रहे। उसमें हमारी प्रिय ऐक्ट्रेस अदा गार्डनर की छब मारती थी। उस समय उसके आर-पार संक्षिप्त कपड़ों के संकोच और उनसे प्रकट और अप्रकट...को देख कर बड़ा तरस आया कि ओफ़्फ़ो! जर्मनी में कपड़े की इतनी तंगी है। मालूम होता है कि वहां की मिलें अभी हमारे जैसा मोटा सूत भी नहीं बना सकतीं। शालीनता का विषय है, मुहावरे की ओट लेकर बस इतना निवेदन कर सकते हैं कि 'ओछे के घर तीतर, बाहर रहे न भीतर।' तराशी हुई भौंहों की कमान खींचते हुए बोली, 'तुम्हारा बहुत क़ीमती समय नष्ट हुआ। किस तरह तुम्हारा धन्यवाद दूं। थकन से चूर हूं, यहां फ्रेंच ब्रन्ड मिलती है? कप्तान आने ही वाला है। मिस्टर शिवारिज़ को भी खुलना ट्रंक-काल करनी है। उसे बहुत miss करती हूं। कल तीसरे पहर जहाज़ चला जायेगा। शाम को तुम यहीं मेरे साथ खाना खाओ। परसों सुब्ह की फ़्लाइट से ढाका जाना है। मगर याद रहे, मैं साढ़े दस से पहले डिनर को हाथ नहीं लगा सकती। ड्रिंक्स का सत्यानाश हो जाता है।'

'धन्यवाद! मगर उस समय तो हम बैंक में होंगे।'

खिल उठी, 'वंडरफ़ुल! क्या वहां ड्रिंक्स की व्यवस्था होती है? हा! हा! कराची इज़ ए वंडरफ़ुल सिटी! गेट वे टू पाकिस्तान! अच्छा तो।'

'गुट नाइट!'

'See you!'

रक़म डूबने का दृश्य : सारे बैंक में खलबली मची हुई थी। हमने अहमद नवाज़ चीमा से पूछा, 'यह क्या शोर-शराबा है?' बोले, 'यहां तो रोज़ एक न एक सियापा होता रहता है। क़ब्र खोदने वाला हर मुर्दे पर आंसू बहाने बैठ जाये तो रोते-रोते अंधा हो जाये। मिट्टी पाओ, बादशाहो!' मिस्टर कैन्टीन वाला से पूछा, 'साहब ये क्या हल्ला-गुल्ला है?' बोले, 'इधर तो चौबीस क्लॉक हाहाकार मचेला है। अभी जूना टंटा ख़त्म नहीं हुआ कि नवा फ़ड्डा हो गया। बैंक का भट्टा बैठ गया। जब तलक साला लोग हमारा पगार नहीं बढ़ायेंगा, अक्खा दिन, डेली इसी तरह लफ़ड़ा रहेगा। अभी तो तुम साला इंस्पेक्टर ऑफ़ ब्रांचेज़ हुआ है। आगे-आगे देखिये होयेंगा क्या।'

हुआ यह कि एक ब्रांच मैनेजर ने जंजीबार इलैक्ट्रिक कम्पनी को एक रेडियोग्राम और प्रेस की भेंट के बदले में साढ़े चार लाख रुपये हैड ऑफ़िस की अनुमति और स्वीकृति के बिना चुपचाप ऋण दे दिया और उस ऋण को मासिक रिपोर्टों में भी नहीं लिखा। आठ-नौ महीने बाद यह लाश बदबू देने लगी। जांच से पता लगा कि जंजीबार इलैक्ट्रिक कम्पनी ने जाली इन्वायस और शिपिंग कम्पनी के बिल ऑफ़ लीडिंग (जिनसे पता चलता था कि उसने साढ़े चार लाख रुपये की क़ीमत का सामान अपने ढाका ऑफ़िस को भेजा है) से जुल देकर बैंक से साढ़े चार लाख रुपये हथिया लिये। ढाका में जब नौ महीने तक हुंडी नहीं सकारी गयी तो माल की ढुंढैया पड़ी। बैंक की चट्टोग्राम ब्रांच ने सूचना दी कि जो क्रेट, बोरियां और पट्टियां बन्दरगाह पर पड़ी हैं उन्हें सर्वेयर ने खोला

तो अन्दर पत्थर, कोयले, लोहे के टुकड़े और *डॉन* अख़बार की रद्दी निकली। कुछ शव भी बरामद हुए। यह उन चूहों के थे जो उल्लेखित समाचार-पत्र का सम्पादकीय खाते ही ढेर हो गये और जांच की तो पता चला कि इस कम्पनी ने इसी तरह तीन और बैंकों के साथ धोखा किया है और अब इसका मालिक नूरुल-हसन शेख़ स्थान व दुकान का स्थानांतरण करके ढाका चला गया है। जहां उसने एक बंगाली लीडर को अपना स्लीपिंग पार्टनर बनाकर पूर्वी पाकिस्तान की सरकार से बिजली के सामान बनाने की फ़ैक्ट्री लगाने के लिये पचास लाख रुपये के आयात लाइसेन्स प्राप्त कर लिये हैं, जिन्हें धड़ाधड़ ब्लैक में बेच कर रातों-रात करोड़पति बन गया है। हाल ही में एक और बंगाली स्लीपिंग पार्टनर मिसेज़-को पांच लाख रुपये के सुन्दर सपनों की भेंट देकर जूट मिल का लाइसेन्स प्राप्त कर लिया है, जिसे पन्द्रह लाख में बेचकर पाकिस्तान से जाने वाले वरिष्ठ अधिकारियों के लिये रोम में एक कैडीलेक कार, शानदार फ़्लैट और यात्री को 'होम-सिक' होने से बचाने लिये एक सुन्दर सी सेक्रेटरी का प्रबन्ध किया है, जिसकी अंग्रेज़ी उसके चरित्र से अधिक टूटी-फूटी थी, लेकिन उसकी गिनती अपव्यय में नहीं की जा सकती। देखा गया है कि व्यापार में एक चौथाई पूंजी के साथ तीन-चौथाई सैक्स का निवेश कर दिया जाये तो फिर कारख़ाने और फ़ैक्ट्रियां हर साल बच्चे देती चली जाती हैं।

ये सब बातें सामने की सही परन्तु नूरुल हसन शेख़ बैंकों की रक़में वापस नहीं करता। कहता है, 'उतावला सो बावला। रक़में सुरक्षित हैं। (यह कुछ झूठ भी नहीं था इसलिये कि रक़में स्विट्ज़रलैंड के बैंक में नम्बरी एकाउंट में वास्तविक रूप से सुरक्षित थीं।) जब मेरे बनाये हुए रेडियो, पंखे, रेफ्रीजरेटर और एयरकंडीशनर बाज़ार में गर्म पकौड़ों की तरह बिकने लगेंगे तो उन सूदख़ोरों की पाई-पाई चुका दूंगा।' वह उनमें से था जिनकी सबसे बड़ी पूंजी उनकी ज़ुबान होती है। जब तक वह चलती रहे, सोने की बरसात होती रहेगी। उसने बैंकों की आंखों में धूल नहीं झोंकी, बड़ी सफ़ाई से सुर्मा लगाया था लेकिन ऐसे काण्ड बैंकों में होते रहे हैं। बैंक के बड़े अधिकारियों के चेहरों पर चिंता और व्यग्रता के कोई लक्षण नहीं थे। यूं भी बैंक में नौकर होने के बाद करोड़पतियों के धन का हिसाब रखते-रखते आठ अंकों से कम की रक़म आंखों में जंचती ही नहीं और अपना वेतन तो बिलकुल रेज़गारी लगता है।

फिर भी हमारी खाल आवश्यकतानुसार मोटी नहीं हुई थी और हम सारे समय सिस्मोग्राफ़ की तरह कांपते रहते थे कि उसका काम ही भूकम्पों के झटके रिकॉर्ड करना है। तेईस वर्ष इस व्यवसाय से संबंधित रहने के बाद हम इस परिणाम पर पहुंचे हैं कि आदमी अपनी आंखों के सामने किसी को करोड़पति बनता देख ले तो मानवता और उच्चादर्शों पर से उसका भरोसा पूरी तरह उठ नहीं जाता तो हिल ज़रूर जाता है। बैंकर की पथराई हुईं आंखें रोज़ यही दृश्य देखती हैं और उस बेचारे को बक़ौल मिर्ज़ा अपने विश्वास को रोज़ हुक़्क़े की तरह ताज़ा करना पड़ता है। शनैः शनैः उसकी आवश्यकता भी नहीं रहती। शासन और धन की प्राप्ति की यही शैली रही है। सदा से यूं ही होता आया है कि जिस मिट्टी से फूल खिल सकते हैं, जिस कोख से धान फूट सकते हैं—वह तपती

धरती जो इस प्रतीक्षा में है कि कोई प्यासा इस्माईल एड़ियां रगड़े और उसकी छाती से ज़मज़म के धारे फूट निकलें—उसे हमने पत्थर होते देखा है और फिर उसी पत्थर को हीरा बनते देखा है। जिससे हर चीज़ कट जाती है। जिसे कोई चीज़ नहीं काट सकती।

इस समय हमारे साथी जीलानी साहब मद्रास में छपी हुई पुस्तक *Bank Frauds And Forgeries* अपनी दराज़ से निकाल कर खोले बैठे थे। पुस्तक क्या थी, जालसाज़ी और धोखाधड़ी की सम्पूर्ण निर्देशिका थी। इसमें बैंक से संबंधित हर प्रकार की ठगी और धोखाधड़ी के काण्ड इतने विस्तार और मनोहर ढंग से वर्णित थे कि बैंक में जो बेचारे यह तक नहीं जानते थे कि ग़बन क्या होता है, वे भी दस-पन्द्रह मिनट में इस कला की बारीकियों से काम-चलाऊ परिचय प्राप्त करके स्वयं को ग़बन के आरोप में गिरफ़्तार करवा सकते थे। पांच-छः मिनट तक पन्ने पलटने के बाद जीलानी साहब ने ऐलान किया कि अगर बैंक के हर अधिकारी को उसका पृष्ठ 43 पढ़वा दिया गया होता तो आज बैंक की तिजोरी से साढ़े चार लाख रुपये अधिक होते। पंजाब बैंक लिमिटेड अमृतसर के एक कैशियर ने इसी तरह पच्चीस हज़ार रुपये का ग़बन किया था। सरदार मोहन सिंह, सब इंस्पेक्टर ने इस जालसाज़ी मार्गदर्शिका की सहायता से उसके घर से 35 हज़ार रुपये बरामद कर लिये। इसके बाद अमृतसर में कोई फ्रॉड नहीं हुआ।

शाम तक आदेश हुआ कि इस केस की जांच और रक़म की वसूली के लिये हमें पहली फ़्लाइट से ढाका जाना होगा। चुनांचे इस उद्देश्य से हम दूसरे दिन ढाका पहुंच गये। तारीख़ अब स्मृति से उतर गयी। इतना याद है कि पहली बार होटल शाह बाग़ की खिड़की से झांक कर देखा तो कृष्ण चूरा (मौलश्री) के पेड़ों में आग सी लगी हुई थी। एक-एक पत्ती फूल और हर फूल अंगारा बन गया था। नीचे हर ओर हरियाली ही हरियाली थी या काई की मख़मली चादर ताने ठहरा हुआ पानी। धरती कहीं नहीं दिखायी देती थी। ऐसा लगता था कि किसी पत्ती या पत्ते को छू भी लिया तो पानी टपक पड़ेगा। हरियाली के इतने भिन्न-भिन्न शेड हमने जीवन में कभी नहीं देखे थे। इस खिले-खिले दृश्य के जिन हिस्सों में जान पड़ गयी थी वे चिड़ियों के रूप में चहचहाने लगे थे। बारिश थमने के बाद बिजली के तारों पर तले ऊपर बैठी हुई चिड़ियां ऐसी लग रही थीं जैसे पाश्चात्य संगीत की नोटेशन। शाम को मिटफ़ोर्ड रोड और नवाबगंज की सैर को जाने लगे तो एक मित्र ने चेताया कि 'रास्ता भूल जाओ तो किसी से उर्दू में न पूछना। ढाका शहर को यह गौरव प्राप्त है कि उसने हमारे युग के सर्वाधिक विशिष्ट और सम्मानित धार्मिक विद्वान को उर्दू के समर्थन पर सरे-बाज़ार जूतों का हार पहनाया।'

गाय बकरी के बराबर और बकरी बिल्ली के बराबर देखकर बड़ा प्यार आया। बिल्लियां नहीं दिखीं। अलबत्ता मच्छर बहुत स्वस्थ और बलिष्ठ दिखे-ततैये के बराबर। ज़रा ध्यान दिया तो हर शोर मचाने वाली चीज़—मेंढक, मैना, नदी, कौवे, बादल और लीडर—अपने साइज़ से बड़ी दिखायी दी। ढाका मस्जिदों का नगर कहलाता है। शाम की अज़ान के बाद हर तीसरे घर से लड़कियों के गाने और हारमोनियम की आवाज़ सुनायी दी। दफ़्तर पहुंचे तो बैंक के जर्मन मैनेजर ने शिकायत की कि स्टेट बैंक ऑफ़

पाकिस्तान का बंगाली मैनेजर कॉमर्शियल बैंकों की दिन–प्रतिदिन की आवश्यकताओं के लिये भी ढाका से कराची रुपया भेजने में आनाकानी करता है। कहता है कि बंगाल का रुपया बंगाल ही में रहना चाहिये। याद रहे! पाकिस्तान बने अभी दस साल भी नहीं हुए थे।

एक आविष्कारक से भेंट : नूरुल हसन शेख़ (जिन्हें ढाका में सब नूरुल कहते थे) के संतोष और प्रफुल्लता को देखकर विचार आया कि संभवत: हम ही स्नायु–दुर्बलता का शिकार हैं कि अकारण घबराये फिर रहे हैं। प्रसिद्ध अर्थशास्त्री लार्ड कींस ने बड़े पते की बात कही थी कि अगर आप बैंक से एक हज़ार पौण्ड का ऋण लें तो आप बैंक की दया पर निर्भर होंगे परंतु यदि आपने दस लाख पौण्ड ऋण ले लिया तो बैंक आप की दया पर निर्भर होगा। यह भी कुछ इसी प्रकार का मामला था। नूरुल का दफ़्तर और शोरूम अत्यन्त शानदार और बैंक के हैड ऑफ़िस से कई गुना बढ़िया था। उन्होंने अपने गोदाम का निरीक्षण करवाने से साफ़ इनकार कर दिया। कहने लगे कि आप को इसका अधिकार नहीं है। मैं दर्ज़ी को दाई के उत्तरदायित्व पूरे करने की अनुमति नहीं दे सकता। अलबत्ता अपनी फ़ैक्ट्री का निरीक्षण कराया जिसे वह अपनी प्रयोगशाला कहते थे परंतु जो वास्तविक रूप में बैंक के रुपये का वधस्थल था। रेफ्रीजरेटरों के बीस–पच्चीस खोखे पड़े थे जिन्हें वह स्व–रचित कहते थे। उनकी मशीन का आविष्कार करना शेष था। इसी प्रकार एयरकंडीशंड के स्विच का आविष्कार कर लिया था। उनके कथनानुसार स्विच ही में सारी मशीन की जान होती है। आपने इस संसार रूपी प्राकृतिक कार्यशाला के सिवाय कोई और कार्यशाला बिना स्विच के चलते देखी है? बस दस लाख के और ऋण की कसर थी। क़र्ज़ों को पुरज़ों में ढालना इस आविष्कारक के बायें हाथ का खेल था, परंतु क़र्ज़ ब्याज रहित हो। यह नहीं कि—

रक़म बढ़ती गयी जूं जूं अदा की

मैं एशिया का व्यस्ततम व्यक्ति हूं, अत: गिरवी, माल और ज़मानत का प्रतिबन्ध भी न हो। साहब! अमेरिका में तो बैंक मुस्कान पर ऋण दे देते हैं।

अलबत्ता एक इलेक्ट्रिक शेवर का आविष्कार पूर्ण कर चुके थे जिसकी लम्बाई छ: फ़ीट होगी। हमारे विचार में इससे खड़े हुए ऊंट की हजामत आसानी से की जा सकती थी। कुछ और रुपया होता तो वह इस उपकरण को और छोटा करके मानवीय हजामत पर राज़ी कर सकते थे। ये और बात कि कुछ दिन पहले उसके काम–काज का प्रायोगिक प्रदर्शन एक भीड़ के पक्ष में मारक सिद्ध हुआ था। इस शेवर को ऑटोमैटिक जंबूर, मोचने, बाल उखाड़ने वाले रंदे और मुंह तोड़ने वाले विद्युतीय वसूले जैसा देखकर हम जैसा विज्ञान का अज्ञानी भी तुरंत मान गया कि यह उपकरण आदमी तो आदमी जटाधारी वट्वृक्ष की दाढ़ी–मूंछ को भी जड़–सहित उखाड़ कर फेंक देने की सामर्थ्य रखता है। वह अपने आविष्कार के लाभ देश में ही सीमित रखना चाहते थे अन्यथा अमेरिका में तो यह उपकरण इलेक्ट्रिक चेयर के स्थान पर सुविधापूर्वक इस्तेमाल हो सकता था।

नूरुल देर तक राष्ट्र के दुर्भाग्य पर शोक प्रकट करते रहे जो उनकी बुद्धि से पूरा लाभ उठाने को तैयार नहीं था। प्रादेशिक संस्थाओं ने अलबत्ता उनकी भरपूर आर्थिक सहायता की

जिससे उनकी बर्बादी में और वृद्धि हुई। उन्होंने एक और उल्लेखनीय आविष्कार दिखाया। यह एक छोटी-सी डिबिया थी जिसमें एक अच्छाई और सौ बुराइयां थीं। इसका उपयोग यह बताया गया कि अगर आप इसे अपने टेलीफ़ोन के तार से जोड़ दें तो जो व्यक्ति भी आपको फ़ोन करेगा उसका फ़ोन डैड हो जायेगा। पूछा, इससे फ़ायदा। फ़रमाया, विज्ञान का काम तो आविष्कार करना है, लाभ की खोज संसार स्वयं करे। नोबेल पुरस्कार के संस्थापक एलफ्रेड नोबेल ने जब डायनामाइट का आविष्कार किया तो उसको इसके उपयोग का अनुमान तक न था। ईजाद (आविष्कार) और औलाद के लच्छन पहले से ही मालूम हो जाया करते तो संसार में न कोई बच्चा होने देता न आविष्कार।

एक्स-रे चश्मा : कहने लगे कि एक 'एक्स-रे चश्मे का प्लान भी कल्पना में बिलकुल तैयार है। शेवर छोटा हो जाये तो इसकी बारी आये। पूछा, 'यह क्या वस्तु होती है?' कहा, 'आपके मतलब की चीज़ है। आपने गुजरांवाला का "अफ़ीम छोड़" गोलियों का विज्ञापन देखा है? यह भी वास्तव में एक सुधारजनक उपकरण है।' हम और चकराये। उनका उद्‌बोधन हुआ, 'इस चश्मे को लगाकर जिसे देखा जाये, उसकी मांसपेशियां, नयन-नक़्श, रंग-रूप सब ग़ायब हो जायेंगे। मात्र शरीर की 206 हड्डियां दिखायी देंगी। पेरिस के नाइट क्लबों, समुद्र-तट, न्यूड कॉलोनीज़ और नृत्यागारों में प्रवेश से पहले दर्शकों को बलात् यह शिक्षा देने वाले चश्मे पहना दिये जायेंगे।' पूछा, 'यह चश्मा पहनकर ब्लू फ़िल्म देखी जाये तो क्या सिर्फ़ हड्डियां नज़र आयेंगी?' हमारे अनाशातीत प्रश्न पर क्रमानुसार आश्चर्य, असमंजस, मुस्कान दर्शाने के बाद बोले कि जब इस चश्मे का उपयोग सार्वजनिक रूप से हो जायेगा तो ब्लू फ़िल्मों की शूटिंग एक्स-रे कैमरों से हुआ करेगी।

ये सब अधूरे आविष्कार ड्राइंग-बोर्ड पर पैसे के लिये जीभ निकाले पड़े थे। सामान्य उपकरण जैसे रेफ्रीजरेटर, रेडियो, पंखे इत्यादि का विवरण हमने इसलिये नहीं दिया कि उन पर तो वह पहले ही ऋण लेकर ठिकाने लगा चुके थे। उन्होंने हमारी बातों को बड़े ध्यान और असम्मान से सुना और हमारे तक़ाज़े के उत्तर में इच्छा प्रकट की कि अगर हमारा बैंक अतिरिक्त पच्चीस लाख ऋण दे दे तो दूसरे ओछे बैंकों के ऋण चुका दें। इससे यह सुविधा रहेगी कि इकट्ठे चार बैंकों से चौमुखी के स्थान पर केवल एक ही से सुलटना, एक ही से दीवानी फ़ौजदारी करनी पड़ेगी।

सट्टे की प्रचलित विधायें : नूरुल एक समय में रूई के सट्टे में भी बैंकों की क़िस्मत आज़मा चुके थे। अपना ही दीवाला नहीं निकाला। तीन-चार बड़ी तगड़ी पार्टियों को भी ले डूबे। कारण यह बताते थे कि बैंक अनाप-शनाप ऋण देते चले गये। चुनांचे मैंने ख़रीदने के मामले में जल्दी और बेचने में देरी कर दी। यहां तक कि जुलाई का महीना आ गया। मुलतान की गर्मी बिनौले के जिगर तक उतर गयी। गर्मी खायी हुई रूई और लड़की का कौन लिवाल होता है? उन्होंने इसके अलावा सट्टे की अन्य प्रचलित विधाओं में भी हाथ आज़माया। उस ज़माने में तो नींव-चाली में इस पर भी शर्तें बदी जाती थीं कि अब जो कार सामने से निकलेगी उसका नम्बर एकल होगा या जोड़ा।

अमुक महिला उम्मीद से है, बताओ लड़का होगा या लड़की। जान-पहचान के गर्भ-धारी घराने और जचगियों में लम्बे-लम्बे अंतराल उनके अनुमान और जुए-बाज़ी के लिये बिलकुल अपर्याप्त सिद्ध हुए तो अस्पताल के मेटरनिटी वार्ड में प्रवेश लेने वालियों पर शर्तें लगायी जाने लगीं। उसी वार्ड में किसी पठान गनमैन के यहां लड़की पैदा हो गयी तो एक सेठ का ऐसा दिवाला निकला कि जच्चगी समाप्त होने से पहले उसके अपने बच्चे रोटी को तरसने लगे।

दावे से मुल्ला नसरुद्दीन और रसीले नैन तक : हमने हिम्मत करके पूछा, 'आपने कराची से जो स्विच, प्लग, तार, इलेक्ट्रिक मोटर और पम्प पूर्वी पाकिस्तान भेजे थे, वे कोयले में किस तरह बदल गये?'

'यह प्रश्न तो मुझे करना चाहिये। आख़िर बैंक मुझे उत्तरदायी है। मैं अपने स्लीपिंग पार्टनर को क्या मुंह दिखाऊंगा। आपने चटगांव पोर्ट ट्रस्ट से भी पूछा?'

'यह तथ्य है कि आपने उस माल के बिल ऑफ़ लोडिंग पर हमारी कराची ब्रांच से साढ़े चार लाख रुपये वसूल किये।'

'आप ठीक कहते हैं।'

'फिर आपने हुण्डी नहीं छुड़ायी और माल नौ महीने चटगांव में सड़ता रहा।'

'आप फिर ठीक कहते हैं। माल नौ महीने सड़ता रहा और आपका बैंक सोता रहा। आपने साइंस पढ़ी है?'

'मैं दर्शनशास्त्र का विद्यार्थी था।'

'जभी! तो गोया आप कोयले की खान में सुर्मा लगाकर जाते हैं। लेकिन श्रीमान पर सुक़रात से अधिक बुक़रात की छाप है। तो कृपानिधान आप इसे नौ महीने और पड़ा रहने देते तो आश्चर्य नहीं कि कार्बन की प्रक्रिया से कोयले हीरे बन जाते।'

'क्रेट और पट्टियां आपने बन्द की थीं?'

'मगर खोलीं किसी और ने। बैंक ने माल बदल दिया है। मेरे साथ धोखा किया गया है। मैं लुट गया। मैं बर्बाद हो गया। मैं दावा कर रहा हूं। (एक फ़ीट लम्बा केला बढ़ाते हुए) लीजिये। ग़ुस्सा थूकिये और इसका स्वाद लीजिये। अरे साहब तीन-चार इंच ही सही। मुंशीगंज का है।' नूरुल ने एकाएकी अपनी शैली बदल कर कहा। केले की लम्बाई को चार-इंच प्रति बकोटा कम करते हुए निवेदन किया, 'नालिश पर याद आया। मुल्ला नसरुद्दीन पर एक पड़ोसी ने दावा दायर किया कि मुल्ला मुझसे एक बहुत क़ीमती सुराही मांग कर ले गये, मगर जब लौटायी तो चटख़ी हुई थी।' मुल्ला ने जवाब दावा में लिखा कि पहले तो मैंने दावेदार से सुराही ली ही नहीं। दूसरे, मैंने जिस समय सुराही वापस की तो बिलकुल सही-सलामत थी। तीसरे जब मैंने सुराही ली तो वह पहले ही चटख़ी हुई थी।'

फड़क गये। हाथ पर हाथ मारकर कहने लगे, 'इसी बात पर अनन्नास की एक फांक हो जाये। कोमिल्ला से मंगवाया है और यह देखिए इस कच्चे नारियल की डाब मज़ेदार है। पेट को ठीक करती है। नज़र बढ़ाती है। आंखें चमकने लगती हैं। आपको

बंगाली नयन दिखायें? नयन रसीले, बाण कटीले, (मुस्कान मय अंतराल) अच्छा कल सही। हा! हा!, हाथ लाओ यार!'

टेबिल फ़ैन और फ़ैन टेबिल का अंतर : यहां हम अपने निरपराध पाठकों को ऋण की वसूली और डूबी हुईं रक़मों की वापसी के अभियान में अकारण और अवैतनिक रूप से सम्मिलित नहीं करना चाहते कि झगड़ा अपनी जगह और हँसी-दिल्लगी अपनी जगह। इनमें से पहला हमारा व्यवसाय है और दूसरा मिशन। बहरहाल उनकी जादुई कार्यशाला में हम अपनी आंखों से सोने को पीतल होते देख चुके थे। एक आविष्कार ऐसा निकला जिसकी नवीनता और उपयोगिता के हम क़ायल ही नहीं ख़रीदार भी हो गये। यह एक पंखा-मेज़ थी जो अपने आविष्कारक के दस वर्षीय बैंक-तोड़क अनुभवों का निचोड़ थी। तीन भारतीय कोऑपरेटिव बैंक उसके शॉक से सात वर्ष से कलकत्ते में मूर्छित पड़े थे। उनका दावा था कि इसमें कहीं कोई जोड़, कोई कील नहीं है। सीधे पिग आयरन से ढाली गयी थी। तेज़ाब और हमारी कहानियों की कुमारियों की तरह थी यानी किसी इंसानी हाथ ने नहीं छुआ था। उसके पायों के बीच में चार बिजली के पंखों को मेज़ के तख़्ते पर उल्टी फांसी दी गयी थी। सार यह कि हमारी तुच्छ क़लम उसका शब्द-चित्र बनाने में असमर्थ है, इसलिये तूलिका का सहारा लेना पड़ रहा है।

हमने टेबिल फ़ैन तो भाँति-भाँति के देखे परंतु यह फ़ैन टेबिल उन सबकी उलट थी। वह इसे फ़ैन टेबिल के नाम से ही पेटेंट कराना चाहते थे। इसका संक्षिप्तीकरण 'फ़ैनी' किया। अधिक प्यार उमड़ता तो डार्लिंग कहते। इसका भोला-भोला डिज़ाइन देखा तो अनायास आविष्कारक पर प्यार आने लगा। पूछा, 'साहब! पंखे तो मेज़ पर ऊपर रखे जाते हैं। आपने इन्हें नीचे उलटा क्यों लटका दिया?' बोले, 'बड़ी देर बाद आपने एक सही सवाल किया है। आम बाज़ारी पंखे फ़िज़िक्स के घिसे-पिटे सिद्धांतों पर बनाये जाते हैं। मैंने यह पंखा एनोटोमी के उसूलों पर बनाया है। इसीलिये आपको समझने में देर लग रही है। कड़ाके की सर्दी पड़ रही हो तो बताइये सर्वाधिक ठंड किसे लगती है?'

'हमें!'

'लाहौल विला क़ूव्वत। मेरा तात्पर्य था शरीर के किस भाग को? आपने देखा होगा कि सर्दी में सबसे पहले पांव ठंडे होते हैं। दम भी पहले पैरों ही का निकलता है। अत: सिद्ध हुआ कि अगर मानव-शरीर को ठंडक पहुंचानी है तो पंखे का मुंह पांव की ओर होना चाहिये न कि सिर की ओर। छत और मेज़ के पंखे विज्ञान की दृष्टि से सरासर अवैज्ञानिक हैं। मैंने इस पर बड़ी माथा-पच्ची की है। पंखे को सिर से पैर तक उतारने में साढ़े तीन लाख रुपये लगे हैं। अच्छा अब यह बताइये कि जब आप रात को लॉन पर बैठे हों तो आपको सबसे अधिक किस बात से तकलीफ़ पहुंचती है?'

'महिलाओं के चेहरे साफ़ नहीं दिखायी देते।'

'ए क़ुरबान जाऊं! मगर यह तो अंदरूनी तकलीफ़ हुई। बाहरी बताइये?'

उधर जाता है देखें या इधर परवाना आता है : हमने अपनी मंदबुद्धि पर बहुतेरा ज़ोर डाला मगर कोई और उपचार के लायक़ तकलीफ़ याद न आयी। हमें असमर्थ देखकर

स्वयं भेद खोला कि लॉन पर सबसे बड़ी न्यूसेन्स मच्छर होते हैं जो पैरों पर डंक मार-मार कर लाल चुनरी बना देते हैं। टेबिल फ़ैन की हवा केवल चेहरे और धड़ को लगती है और ऊंचे पेडस्टल फ़ैन से कोई दूसरा पेडस्टल फ़ैन ही लाभान्वित हो सकता है। परिणाम आपने स्वयं अपनी आंख से देखा होगा कि पार्टियों में महिलायें एक हाथ से बड़े सलीक़े से पल्लू ढलकाती रहती हैं और दूसरे से पिंडली के ददोड़ों की जलन मिटाती रहती हैं; तो उन्हें इस दशा में देखकर आपकी क्या प्रतिक्रिया होती है?'

'मच्छरों से ईर्ष्या होती है।' हमने नूरजहां की तरह दूसरा कबूतर भी छोड़ दिया।

'भाई! आप तो शायरी करने लगे। इसे कल रात पर टाल दीजिये। तो! निवेदन यह है कि जब फ़ैनी पूरी रफ़्तार से चलेगी तो मजाल है कि एक मच्छर भी हम जैसे लालचियों की नज़र की लपेट में आ गया तो वहीं भस्म हो जायेगा।'

बाज़ार हम गये थे, इक चोट मोल लाये : तत्पश्चात् उन्होंने मेज़ पर दो मन के बांट रखवाये और स्वयं भी उस पर टांगें लटका कर बैठ गये। फिर स्विच ऑन किया गया। फ़ैक्ट्री के निरीक्षण और अकोमल बहस के मध्य हम पसीने से सराबोर हो चुके थे और 'कार्डराय' की पतलून में से पसीना छूट रहा था। यूं भी ढाका में कपड़े छः महीने बारिश से तर रहते हैं और छः महीने पसीने से। लेकिन फ़ैनी ने दो ही मिनट में न केवल हमारा सारा पसीना सुखा दिया बल्कि हमें तो शंका होने लगी कि अगर यह दो-चार मिनट और चलती रही तो आन्तरिक नमी भी खींचकर हमें खड़ंक कर देगी। हमारी भीगी हुई क़मीज़ पापड़ हो गयी थी और ज़रा चले तो वही पतलून सुइश-सुइश करने लगी।

हमने बिलकुल केजुअल अंदाज़ में इसका मूल्य पूछा। घाघ थे। भांप गये।

'भेंट है, सरकार! दो बनायी थीं। एक तो गवर्नर, पूर्वी पाकिस्तान हेलीकॉप्टर में डाल कर ले गये। दूसरा दाना आपकी भेंट। बढ़िया चीज़ है फ़ैनी डार्लिंग!' उन्होंने प्रियतमा को चुमकारते हुए कहा।

'क़ीमत क्या है?' हमने फिर पूछा।

'माचिस होगी?'

'जी नहीं।'

उन्होंने अपनी सेक्रेटरी से माचिस मंगवा कर हमें पकड़ा दी और डपट कर बोले, 'जलाइये!' हमने डरते-डरते एक तीली जलायी तो कहने लगे, 'अब इस फ़ैक्ट्री में आग लगाइये।' हमने हक्का-बक्का होकर पूछा, 'क्यों?' बोले, 'पहले आग लगाइये, फिर जिरह। जल्दी कीजिये, आपकी उंगली जल रही है।' पूछा, 'मगर क्यों?' फ़रमाया, 'इसलिये कि ब्रदर! यह सब कुछ आप ही का है। आप मुझे अपने स्लीपिंग पार्टनर से भी अधिक प्रिय हैं। यक़ीन न आये तो ख़ुदा की क़सम! फ़ैक्ट्री में आग लगा दें।'

'यह आपकी मुहब्बत है मगर क़ीमत क्या है?' हमने इधर-उधर देखा। आस-पास कोई ऐसी चीज़ नज़र न आयी जिसमें अकेली माचिस से आग लगायी जा सके। चारों तरफ़ लोहा ही लोहा था। 'पिग आयरन'

'अर्ज़ तो किया! साढ़े तीन लाख रुपये लागत आयी है। आपको रिआयत से नौ

सौ में दे दूंगा। घर की बात है ब्रदर!'

हमने पांच सौ नक़द और चार सौ का चेक प्रस्तुत किया। जिन्हें झपट कर जेब में रखने के बाद वह दस मिनट तक स्वीकार करने से इन्कार करते रहे।

उन्होंने हमारे विज़िटिंग कार्ड पर छियालीस साल की गारंटी लिखते हुए कहा कि इस अवधि में पंखों की कार्यक्षमता में बाल बराबर भी अन्तर आ जाये तो मेरी क़ब्र पर जुमेरात की जुमेरात जूते मारना। 46 साल से अधिक की गारंटी पर हमने भी अनुरोध नहीं किया इसलिये कि फिर बात सन् 2000 से आगे निकल जाती और इक्कीसवीं शताब्दी तक केवल इस उद्देश्य के लिये ज़िंदा रहने का हमारा कोई इरादा नहीं था कि बस बैठे क़ब्र पर जूते मारते रहें और वह भी ढाका में। पंखों के स्थायित्व का कारण यह बताते थे कि यह उन्होंने अर्ध जल-मग्न जहाज़ से 'साल्वेज़' किये थे जो चटगांव के निकट एक द्वीप से टकरा कर नाकारा हो गया था। ये उसके exhaust fans थे। डूबा हुआ जहाज़ तो हमने नहीं देखा लेकिन रेलवे कम्पार्टमेंट ज़रूर देखे हैं जहां बिलकुल ऐसे ही पंखे मात्र सजावट और यात्रियों को आपस में लड़वाने के लिये लगाये जाते हैं। जैसोर सिल्क, जामदानी की साड़ी, ढाका मलमल के दुपट्टे, बेंत की पिकनिक बास्केट, शाही क़िवाम, दरियाई मोती, अजगर की खाल का पर्स, सजावटी ट्रे और सम्पान, रसगुल्ले और चमचम, मिर्ज़ा के लिये कोमल कोंपलों की चाय जिसमें सिलहट की नवयौवनाओं के हाथों की सुगंध बसी हो—हमारा पर्स ऐसी फ़रमाइशों की पर्चियों से भरा हुआ था। परंतु फ़ैनी की क़ीमत चुकाने के बाद हमारे पास इतने पैसे भी न रहे कि मुंशीगंज का आधा केला या जुमे की नमाज़ के बाद आजीविका में वृद्धि की दुआ के लिये ढाका मलमल की एक दुपल्ली टोपी भी ख़रीद सकें।

...ख़ैर से हम घर को आये : घर वापस आये तो उपहारस्वरूप केवल स्वयं को लाये। लेकिन जब हमने थोड़ा विस्तार से बताया कि करनाफ़ली पेपर मिल्स में हमारे समकक्षों को किस तरह छांट-छांट कर बेदर्दी से क़त्ल किया गया और फिर देखते-देखते हज़ारों-हज़ार आदमी हैज़े में कैसे चटपट हुए तो सबने हमारी ख़ाली हाथ वापसी को काफ़ी जाना। बीवी और बच्चों ने ख़ुदा का शुक्र अदा किया कि हमने अपनी चालाकी से उनको क्रमशः विधवा और अनाथ होने से बचा लिया। फ़ैनी की ख़रीदारी की सूचना हमने जान-बूझकर किसी को नहीं दी ताकि 'सरप्राइज़' का तत्व बना रहे।

बालम गाड़ी : एक महीने बाद क्लियरिंग एजेन्ट ने सूचना दी कि फ़ैनी सकुशल पहुंच गयी है। हम उसके स्वागत को स्वयं गोदी पहुंचे। अब सवाल यह पैदा हुआ कि इसे घर कैसे पहुंचाया जाये। ट्रक के लिये यह बहुत छोटी थी। ऐसा ही था जैसे कोई क्रेन से माचिस की डिबिया उठवाये। फिर किराया तीस रुपये। ऊंट-गाड़ी के मुंह में यह ज़ीरा लगती थी। गधा-गाड़ी वाला कहता था कि ज़मीन पर उंगली से नक़्शा बनाकर पता समझा दो। सात रुपये डेढ़ आने में घर पहुंचा दूंगा। (डेढ़ आना बीड़ी के बंडल का भी हमारे ही मत्थे मढ़ा गया। उसकी औरत बड़ी चांडाल थी) हम फ़ैनी को गधा-गाड़ी में अकेला नहीं छोड़ना चाहते थे, हालाँकि वह बेचारा तो हमें ड्राइवर की मानद सीट पर बैठा कर बन्दर

रोड और जमशेद रोड होता हुआ, दस मील पीर इलाही बख़्श कालोनी तक हमारा जुलूस निकालने को तैयार था। लेकिन गधे पर बिना मुंह काला किये बैठना हमें अधूरा-अधूरा सा लगा। अन्ततः यह हल निकाला कि हमने ख़ान सैफ़ुल मुलूक ख़ां की साइकिल ली और अटकाव से लगे-लगे चलने लगे। थोड़ी ही देर में पसीने के रेले बहने लगे तो इस विचार से बड़ी ताज़गी महसूस हुई कि अगर ट्रक से ले जाते तो अकारण तीस रुपये का ख़ून हो जाता। 23 रुपये की बचत दिल्लगी नहीं (इससे पन्द्रह पैकेट सिगरेट ख़रीदे जा सकते थे)। मात्र गणितीय बचत के ज़ोर से हमारी जेब फटी पड़ रही थी। सचमुच की बचत तो ख़ुदा जाने इंसान को कितना घमंडी बना देती होगी।

पुरानी नुमाइश के पास बालम-गाड़ी (गधे का नाम बालम था) वाले ने ताली बजा कर कहा, 'बाबूजी! तुम्हारे टायर में बड़ा सुन्दर फुंकना निकल रहा है।' इससे पहले कि इस दृश्य से हम भी मज़ा लेते, ट्यूब का ग़ुब्बारा इतने ज़ोर से फटा कि हम एक फ़ीट हवा में उछल कर बालम की पीठ पर गिरे और वह हमें लेकर तीन फ़ीट उछला। साइकिल बिना सवार के पन्द्रह बीस क़दम आवारा चल कर एक अमरीकन टूरिस्ट महिला (जो गधा-गाड़ी का फ़ोटो ले रही थी) की सुडौल टांगों के बीच हैंडिल की बनावट के कारण रुक गयी। महिला के हाथ में कैमरा और मुंह में गाली थी।

हमने अमरीकन गाली और गेहूं का मज़ा चखा : हम भी इस अमरीकन नार को कुछ उत्तर देते लेकिन हमारा नमकहलाल पेट इस समय अमरीकन गेहूं की रोटी पचाने में व्यस्त था।

सुनकर जो पी गये ये मज़ा मुफ़लिसी का था

ख़ूब याद आया! अमरीका से पहले-पहल दान के गेहूं की खेप आयी तो प्रधानमंत्री मुहम्मद अली बोगरा ने कराची के ऊंटों के गले में 'थैंक यू अमरीका!' की तख़्तियां लटकवा कर नगर में परेड करा दी थी। अमरीका को यह गेहूं का नशा और ऊंटों द्वारा राष्ट्रीय कृतज्ञता की भावना को व्यक्त करना बहुत भाया। चुनांचे उसने मुनासिब ही बशीर ऊंटवाले को प्रधानमंत्री के स्थान पर अमरीका यात्रा का निमंत्रण दिया। मिर्ज़ा अब्दुल वुदूद बेग का क़ौल है कि अमरीकी गेहूं बिलकुल शुद्ध और असली होता है। असली से उनका आशय है कि इसके बीज ख़ास उसी बाली से प्राप्त किये गये थे जिसका एक दाना खाते ही हज़रत आदम स्वर्ग से निकाले गये।

इससे, ख़ुदा न करे, आदम के पाप के अपमान का उद्देश्य नहीं। यह आदम ही का पाप था कि एक सुनसान, निर्जन बियाबान गृह, पृथ्वी को उपवन बनाया गया। वरना न जाने कितने चांद-सूरज होंगे कि अंधे अंतरिक्षों में हज़ारों बरसों से, आदि से अंत तक अपने आदम की खोज में यूं ही चक्कर काटते रहेंगे।

क़सम की रोटी : वेस्ट-व्हार्फ़ से पीर इलाही बख़्श कॉलोनी तक की यात्रा पूरी करने में साढ़े तीन घंटे लगे। घर आया तो बालम-गाड़ी वाले ने नया मुद्दा उठा दिया। कहने लगा कि चार मन वज़्नी कारख़ाना ढोया है। चार रुपये चढ़ाने-उतारने के अलग से देने होंगे। हमने कहा, 'ख़ुदा के बन्दे! यह तो ग्यारह रुपये बन गये। इतने में तो हम

इसे नई विक्टोरिया गाड़ी में ठाठ से ला सकते थे।' बोला, 'बरोबर ला सकते थे। पर वह घसियारा भी चढ़ाई-उतराई के दाम ऊपर से ले लेता, घोड़े-घास के पैसे अलग। पन्द्रह रुपये ठाठ से धरवा लेता। क्या नाम उसका—

सब ठाठ पड़ा रह जावेगा-जब लाद चलेगा घसियारा

बाबूजी, सात रुपये तो अकेले बालम ही की मजूरी हुई। मैं तो इसकी आधी दिहाड़ी मांग रिया हूं। किरांची में गधा आदमी से ज़ियादा कमावे है।' हमने कहा, 'मुसलमान हो, ख़ुदा से डरो। सामान उतारने-चढ़ाने की मज़दूरी तो किराये में ही शामिल होती है।'

हमारा ये कहना था कि उसने गधे के तोबड़े से रोटी का एक सूखा टुकड़ा निकाला और हमारे हाथ पर रखकर बोला, 'तुम्हारा मिज़ाज शरीफ़ चाहे तो भले ही गधे का हक़ मार लो, पर मेरे मासूम बाल-बच्चों के गले पे काये को छुरी फेर रिये हो। बाबूजी! तुम भी मुसलमान, मैं भी मुसलमान। ला इलाह इल्लाह। जो बेफ़ुजूल अड़ी करे, अल्लाह उस पे उसकी आल-औलाद पे रिज़्क़ का दरवाज़ा बंद कर दे। उसे पुल सिरात पर अंधे सुअर की सवारी नसीब हो। तुम ख़ुद ही इस रिज़्क़ को हाथ लगा के बताओ मजूरी-किराये में फ़र्क़ है कि नहीं?' हमने रोटी का टुकड़ा हाथ में लेकर स्वीकार किया कि है तो। यह सुनकर वह विजयी ढंग से मुस्काया। अब हमने टुकड़ा उसके हाथ में थमाकर पूछा, 'अब तो ईमान से बताओ कि चढ़ाने-उतारने की उचित मज़दूरी क्या होती है?' रोटी को होंठों और माथे से लगाते हुए बोला, 'साईं! डेढ़ रुपया!' यह कहकर टुकड़ा हमारी हथेली पर स्थानांतरित किया और हमारे सामने हाथ जोड़ कर कहने लगा, 'तुम्हें यह भी मंजूर नहीं तो बाबा रिज़्क़ को हाथ लगा के जो कुछ दे दोगे, ले लूंगा। दोनों समय मिल रहे हैं।'

दोनों धर्म-संकट में थे। हमने शीघ्रता से यह बूमरैंग-रोटी का टुकड़ा उसके हाथ पर रखकर अपने दोनों हाथ पतलून में छिपाते हुए कहा, 'लो ये डेढ़ रुपया। मगर अन्न तुम्हारे हाथ में है। क़सम खा के कहो मैंने लादने-उतारने में बराबर की मेहनत की थी या नहीं?' उसने सूखे टुकड़े को सिर पर रखकर स्वीकार किया और डेढ़ रुपये में से हमारी आधी मज़दूरी बारह आने, हमारा पसीना सूखने से पहले हमें चुका दी और इससे पहले कि क़समें खा कर हम एक-दूसरे को धर्म-संकट में डालें, उसने लपककर अपने गधे का जबड़ा खोला और कुहनी तक अन्दर हाथ डाल कर रोटी का टुकड़ा उसके हलक़ में झंड कर दिया।

पहुंची वहीं पे नान जहां का ख़मीर था

थोड़ी दूर जाने के बाद वह चित्त-प्रसन्न मज़दूर कुछ सोचकर वापस आया और शेष बारह आने भी लौटाते हुए कहने लगा, 'बाबूजी! दोनों समय मिल रहे हैं। रोज़े-क़यामत के दिन ख़ुदा को आक़बत में मुंह दिखाना है। क़यामत के मैदान में बालम तुम्हारा दामन पकड़ेगा, पर ये तुम्हारा और उसका निजी मामला है। तुम जानो वो जाने। अपनी-अपनी क़ब्र, अपना-अपना जवाब। मैं तो ये जानूं तुम तो मुझसे भी ज़ियादा पसीने में लहूलुहान हो रहे हो। तुम्हारे बच्चे मेरे बच्चों से भी छोटे हैं।'

हम भैंस से क्यों चमक गये : फ़ैनी को जब उतार कर ढोया जा रहा था तो कुछ

पड़ोसी टोह लेने के लिये अपनी एकरूपी, एकरंगी और एकभाषी औलादों के साथ फ़ैनी के चारों ओर इकट्ठे हो गये थे। बालिश्त-बालिश्त भर के लौंडों ने जिन परामर्शों और प्रश्नों के सींगों पर हमें धर लिया, उनकी एक झलक देखिये :

'अंकल इसे दरी पे लिटाल के उतारिये।'

'अबे! ये तेरी नानी की मय्यत थोड़े है।'

'पाक एयरवेज़ का जो जहाज़ गिरा था ना! ये विसी के इंजन की अगाड़ी है। क्यों न अंकल?'

'साले! सिड़ी हुआ है। बैंक के गोदाम से आयी है। अंडे फेंटने की फ़ैक्ट्री है। अंधे को भी नज़र आवे है। आंखें हैं या भैंस के...'

'चोट्टी के! इससे क्या शुतरमुर्ग़ के अंडे फेंटेगा?'

'तुझे कुछ पता भी है। आंटी भैंस के घी के लौंदे के लौंदे डाल के अंडे का ऐसा हलवा बनावे हैं कि बस स्टैंड तक भबके जावे हैं। एक ही चम्मच खाके मरखने से मरखने आदमी के मुंह पे रुआब आ जावे है। क्या नाम, ठठ्ठा से खोया आवे है। फिर बर्नस रोड की मलाई के साथ तर निवाला खिलावे हैं...'

'देखो लमड़े की दिल्लगी। भैंस का नाम आते ही साला रवां हो गया।'

फ़ैनी को बरामदे में रखवा कर हम नहाने चले गये। छोटे से 6'×6' के ग़ुस्लख़ाने में हमारे ही नाप की एक पानी की टंकी रखी थी जो हर नहाने वाले के साथ कंधे से कंधा मिलाकर स्नान करती थी। उसे स्नान करवा के निकले तो देखा कि मुहल्ले की मदद से फ़ैनी कमरे के बीच में पहुंच चुकी है और चमगादड़ की तरह छत की ओर पांव किये पड़ी है। हमने बेगम से पूछा, 'इसे उल्टा क्यों कर दिया?' बोलीं, 'और लो! मैंने तो पंखे सीधे लगाये हैं। मगर यह है क्या?'

हमने कहा, 'तुम्हारे बर्थडे का पेशगी तुहफ़ा है फ़ैनी—तुम्हारी फ़ैनी।' फ़ैनी के एक उल्टे पाये को सहलाती, चुमकारती हुई बोलीं, 'बर्थडे में तो अभी ग्यारह महीने हैं ख़ैर, मगर यह करती क्या है?' हमने कहा, 'बिजली से चलती है।' बोलीं, 'यह तो अंधे को भी नज़र आता है।' हम चुप हो गये, इस डर से कि अंधे के माध्यम से संवाद में फिर भैंस अपने सारे अंगों सहित न कूद पड़े।

बिना लॉन का घर : थोड़ा सा भुलावा देकर हमने बेगम को धीरे-धीरे फ़ैनी की कार्यक्षमता का परिचय देते हुए बताया कि गर्मियों में शाम के समय लॉन पर इससे अधिक काम की चीज़ की नारी-बुद्धि कल्पना भी नहीं कर सकती थी। इस पर उन्होंने बड़ी 'मैटर ऑफ़ फ़ैक्ट' शैली में सूचना दी कि जिस क्वार्टर में हम पांच साल से रह रहे हैं उसमें लॉन नहीं है। निकटतम लॉन गांधी गार्डन में स्थित है जो यहां से चार मील है।

वह जो कहते हैं कि नारी में Intuition होता है वह संभवत: इसी चीज़ का नाम है, जिसका वह इस समय प्रदर्शन कर रही थीं। ख़ुदा जानता है कि फ़ैनी से पहली नज़र में मुहब्बत के बाद से इस पल, इस खोज तक हमें यह ख़याल ही नहीं आया था कि हमारे दो कमरों वाले क्वार्टर में लॉन नहीं है। जिस जगह एक खुला हरा-भरा लॉन लग

सकता था, वहाँ यार लोगों ने हमसे पहले अपने क्वार्टर खड़े कर लिये थे। कइयों ने तो पगड़ी पर भी उठा दिये थे। स्वयं हमने सोने के बटन बेचकर 350 रुपये पगड़ी पर रातों-रात क़ब्ज़ा लिया था। पगड़ी में मकान के अलावा एक अदद लोटा जिसकी टोंटी जड़ से झड़ गयी थी, दो झाड़ू मगर एक बढ़िया डबल बैड जिस पर पिछले किरायेदार की मृत्यु हुई थी, शामिल थे।

इन मकानों की दीवार से दीवार ही नहीं, बल्कि रात को रहने वालों के सिर से सिर और कान से कान मिले हुए थे, इसलिये कि उनके बीच केवल काग़ज़ी ईंट का पर्दा होता था। चुनांचे जब रात ढले खुसर-पुसर इधर होती तो किसी बुज़ुर्ग के खंखारने की आवाज़ उधर से आती।

तुझे अठखेलियां सूझी हैं, हम बेदार बैठे हैं

कभी-कभी यह अंतर करना कठिन हो जाता है कि आधी रात को जो बच्चा पेट के दर्द से चीख़-चीख़ कर हमें मुसीबत में डाल रहा है वह अपने दिल का टुकड़ा है या पड़ोसी के घर का चराग़—जब तक कि अंधेरे में अपने हर बच्चे के मुंह पर हाथ रखकर यह जांच न कर ली जाये कि चीख़ का ध्वनि-केन्द्र दीवार के इस पार है या उस पार। काफ़ी समय पहले की बात है मगर अच्छी तरह याद है कि पड़ोसी अब्दुल ग़फ़ूर के अलार्म से हमारा मुर्ग़ा जागता था और वो मुहल्ले की मस्जिद के मुल्ला को जगाता, फिर प्रलय आती।

मगर जैसे किसी की कुछ कमी महसूस होती है : हमें इसका बड़ा दुख था कि जहां जेल की बनी हुई दरी बिछी है वहां घास होती और घास में मच्छर होते तो सुखी हो जाते। यह शॉक अपने सिस्टम में आत्मसात करने के लिये कि जिस घर में हम पांच साल से रह रहे हैं उसमें लॉन नहीं है, हमें तीन-चार दिन लग गये। सरफिरे 'मीर' पर तो इतना ही आरोप था कि उसने कभी झरोखा खोल कर उस ओर नहीं देखा कि बाग़ में वसन्त कैसी धूमें मचा गया मगर हमने तो खिड़की के इस तरफ़ वाली स्थिति का नोटिस नहीं लिया, जहां फ़र्श पर चार प्यारे-प्यारे बच्चे दीवार से दीवार तक लोटते-लुढ़कते और उनके सिर एक-दूसरे से बिलियर्ड की सुन्दर गेंदों की तरह टकराते रहते थे।

इस घटना के कई वर्ष बाद की बात है। हमने बड़े रोमांटिक मूड में एक गोष्ठी में कहा, 'अब हमें हर सुख हर सुविधा प्राप्त है, मगर ज़िंदगी में किसी चीज़ की कमी महसूस होती है।'

मिर्ज़ा, जो हमारे अज्ञान और अयोग्यताओं का पूर्ण ज्ञान रखते हैं, सुनकर बोले, 'जिस वस्तु की तुम्हें कमी हमेशा महसूस होती है उसे प्राचीन विद्वानों की शब्दावली में 'अक़्ल' कहते हैं।

हमारी मच्छरदानी : दो-तीन दिन तो जी उदास रहा। फिर एकाएक विचार आया कि अगर चित्त की मस्ती; धन-दौलत, बादल, वसन्त, हरियाली और फूलों पर ही निर्भर होती तो कितने हैं कि स्वयं को प्रसन्न और सुखी कह सकते। जिस अनजानी महक के सहारे यह सारा जीवन गुज़ारा, उसे हवा का झोंका कहीं से उड़ा कर नहीं लाया। सारी

पागल सुगन्ध आकांक्षा की कस्तूरी से ही फूटी।

जो बहार आयी मिरे गुलशने-जां से आयी

इस फ़क़ीराना गर्वोक्ति को वर्तमान परिस्थिति पर जो निराशाजनक होने के अलावा हास्यास्पद भी थी, लागू किया तो चित्त पर जो ज़ंग लग गया था उसके छिलके एक-एक करके उतरने लगे। स्पष्ट था कि जो उपकरण लॉन पर अपना करतब दिखा सकता था, वह हमारे कमरे में भी वैज्ञानिक गुण प्रदर्शित करने से रुक नहीं सकता था। बस इतनी सी बात पर दिल पकड़ के बैठ गये। मच्छरों की जनगणना करके हिसाब लगाया तो इस नतीजे पर पहुंचे कि गांधी गार्डन के पूरे लॉन पर जितने मच्छर होंगे उससे दोगुने तो हमारे 12'×12' के कमरे में पले हुए थे। लॉन की ज़रूरत तो हमें इसलिये महसूस हुई थी कि उस पर मच्छर होते हैं। गांधी गार्डन की कोई बपौती तो नहीं। सच सुनने वाले कानों से सुना तो कराची के मच्छर अपनी जगह से उलाहना दे रहे थे कि हम ही स्थान की शर्त की इच्छा में घिरे हैं, वो नहीं। सच पूछिये तो कराची में मच्छरदानी भी इस अर्थ में उपयोग की जाती है, जिसमें सुरमेदानी, तिल्लादानी (सूई-धागों का बटुआ) चायदानी, दूधदानी, हमदानी, समदानी (दोनों वंश-परंपरा), उर्दूदानी इत्यादि जिनमें संबंधित वस्तुओं को सुरक्षात्मक ढंग से बन्द किया जाता है कि निकलने न पायें।

चाय के चोंचले : वेतन से क़र्ज़ की पहली क़िस्त कटते ही हमने फ़ैनी की मुंहदिखाई का इंतज़ाम किया। 12'×12' के कमरे में जितनी देवियां और सज्जन गले मिले बिना समा सकते थे उससे कुछ अधिक ही चाय पर न्योत दिये। कराची में चाय के आतिथ्य का एक गुण है कि चाय ही पेश की जाती है। चाय के बहाने दूध नहीं पीते। लाहौर की तरह नहीं कि मुर्ग़-मुसल्लम और कबाब पर कबाब चले आ रहे हैं और एक नहीं कई साहब हैं कि दूध से लबालब कप में तीन बूंद चाय टपकवा कर कह रहे हैं, 'मैं ते हमेशां स्ट्रांग चाह पीनावां (मैं तो हमेशा स्ट्रांग चाय पीता हूं)। हम इसमें केवल इतना सा परिवर्तन करेंगे कि चाय दूधदान में होनी चाहिये और दूध चायदानी में। जापानी अपने चाय के शिष्टाचार और उसके सदियों पुराने चोंचलों की बड़ी डींगें मारते हैं लेकिन उन्हें चाहिये कि चाय, बातें और स्वास्थ्य एक साथ बनाने का हुनर लाहौर के ज़िंदादिल लोगों से आ कर सीखें। कराची में चूँकि पपीते और ख़रबूज़े की गिनती सब्ज़ियों में नहीं होती इसलिये अगर हम यह कहें कि हमने चाय पर फलों की व्यवस्था भी की थी तो इसे अतिशयोक्ति न समझा जाये। आम, स्पागेट्टी, शरीफ़े और ख़स्ता पैटीज़ खाने का शालीन ढंग अभी चलन में नहीं आया था इसलिये शरीफ़ों और पैटीज़ की चर्चा हमने जानबूझ कर नहीं की और हां एक तरबूज़ भी था। बहुत मीठा तो नहीं मगर ख़ालिस। ख़ालिस से हमारा अभिप्राय यह कि उस काल में कराची के तरबूज़ गुलाबी रंग और सैक्रीन के इंजेक्शनों के आदी नहीं हुए थे और तरबूज़ की फांकों ने ग्राहकों को रिझाने के लिये लिपस्टिक लगानी नहीं सीखी थी। तरबूज़ का छिलका अगर गहरा-हरा हो तो सामान्य लोग संतुष्ट हो जाते और अन्दर का हाल भाग्य पर छोड़ देते। तरबूज़ उस काल में ऐसे ख़रीदा जाता था जैसे आजकल शादी की जाती है—केवल सूरत देख कर मगर साहब

अगले वक़्तों की बात ही कुछ और होती थी। कच्ची सुराही भी ख़रीदनी होती तो यही नहीं कि बुज़ुर्ग सरेआम टन-टन बजा कर रस्ता चलते हुओं तक की संतुष्टि कर देते थे कि देख लो कहीं से तड़ख़ी हुई या झोझरी नहीं है बल्कि कुम्हार के चाक और कुम्हारी के चाल-चलन पर भी एक निगाह डाल लेते थे।

वो इक निगह जो बज़ाहिर निगाह से कम है

ये किनारा चला कि नाव चली : आख़िरी मेहमान के आने तक आमंत्रितों के आधे श्रेष्ठ हिस्से का मेकअप पसीने से बह कर रूमालों में सुरक्षित होने लगा था।

फिर क्या-क्या रंग बहे इस दम
कुछ ढलक-ढलक कुछ चिपक-चिपक

सब पसीने में नहा चुके तो हमने फ़ैनी पर से कम्बल का घूंघट उठाया, जिसकी कानी ओट में वो हमारे आदेश की प्रतीक्षा में खड़ी थी। जैसे ही स्विच ऑन किया, चारों पंखे बड़े ज़ोर से चलने लगे और उसके साथ फ़ैनी भी चलने लगी। कुछ पल तेज़ी से चक्कर काटने के बाद वो पलक झपकते में धड़धड़ाती हुई एक महिला की कुर्सी के पायों में जा कर ऐसी फ़िट हुई कि वो वहीं सैंडविच होकर रह गयीं। उठ कर झपाक से बरामदे में भी न जा सकीं। वो तो ख़ुदा ने बड़ी ख़ैर की वर्ना अगर उनके लाल चुने हुए दुपट्टों में उलझ कर जाम न हो जाते तो हमें बड़ी शर्मिंदगी उठानी पड़ती।

शुक्र है दुपट्टे से फ़ैनी को कोई ठीक न हो सकने वाली हानि नहीं पहुंची। दुपट्टे के इस बीच में बिलकुल उपयुक्त साइज़ के लाल रिबन बन गये थे। जिससे स्कूल जाने वाली बच्चियों की चोटियां चार-पांच साल तक गूंथी जा सकती थीं। फ़ैनी को तो मना कर हम फिर करतब दिखाने के लिये बीच में ले आये मगर वो महिला कम्बल का घूंघट काढ़ के ऐसी बैठीं कि फ़ैनी को नाख़ुन तक न दिखाया।

अब हमें एकाएकी ध्यान आया कि जिस समय ढाका में फ़ैनी के करतब दिखाये गये थे तो अल्लाह उसका भला करे 250 पौंड का नूरुल हसन शेख़ इस पर जम कर बैठ गया था जैसे सरकस में करतब दिखाने वाली हसीनायें घोड़े की पीठ पर दोनों टांगें एक तरफ़ करके बैठ जाती हैं। इसलिये इस बार हम इसी आसन से बैठ गये। अब जो बेगम ने स्विच ऑन किया तो फ़ैनी हमें उठाये-उठाये फिरकी की तरह घूमने लगी। एक बच्चा मम्मी की गोद से उतर कर ज़िद करने लगा मैं भी अंकल के साथ merry go round पर बैठूंगा। चार पंखों की हार्स-पावर के ज़ोर से फ़ैनी इतनी तेज़ी से घूम रही थी कि अपना संतुलन बनाये रखने के लिये हमने अपनी टांगें अंतिम इंच तक फैला दीं और हमारी revolving लात की मार से बचने के लिये मेहमान और उनकी बेगमें निकटतम कोने में मुंह देकर खड़े हो गये।

फ़ैनी पर से छलांग लगाकर हमने स्विच ऑफ़ किया। अब की बार हमने बेगम को भी फ़ैनी पर बिठा के पंखा ऑन किया तो क्या मजाल है कि फ़ैनी अपनी जगह से ज़रा भी हिल जाये। अब जो फ़ैनी जम कर, जी लगा कर चली है तो प्रलय आ गयी। चौतरफ़ा झक्कड़ चलने लगे। कमरा वाक़ई इतना छोटा था कि उसमें इतनी अधिक

ऑक्सीजन की समाई भी नहीं थी। ऐसी तूफ़ानी हवायें हमने तो जीवन में केवल एक बार देखी थीं, जब चटगांव में लाल साइक्लोन आया था। ऐसा लगता था कि कमरे की हर वो चीज़ जिसका भार फ़ैनी और हम मियां-बीवी के भार से कम हो, हवा में उड़ रही है। दीवार पर टंगे हुए कैलेंडर के सारे पन्ने एक ही समय में पढ़े जा सकते थे। मर्दों के गाल अपनी ही टाइयों के थप्पड़ खा-खाकर लाल हो गये। सिग्रेटों के जलते सिरे सिग्रेटों से अलग होकर जुगनुओं की तरह उड़ने लगे। जैसे ही फ़ैनी ने अपनी पूरी स्पीड पकड़ी कमरे में नीली-पीली आंधी आ गयी। खिड़की-दरवाज़ों के परदे इस तरह लहराने लगे जैसे एयरपोर्ट पर नारंगी रंग की हवा की दिशा बताने वाली बादनुमा सूंड लहराती रहती है। एक महिला की चोटी एरियल की तरह खड़ी हो गयी। एक साहब की दाढ़ी में हवा से प्राकृतिक मांग निकल आयी। फ्रेंच शिफ़ान और बम्बई से स्मगल की हुई बनारसी साड़ियों में कुछ देर तो ठंडे झक्कड़ चलते रहे फिर ऐसी हवा भरी कि भरी की भरी रह गयी। औरतें गले-गले तक उन रंगीन बुलबुलों में डूब गयीं। कुछ ने पंजों से बॉर्डर और दांतों से पल्ला दबाने की कोशिश की तो बनारसी ग़ुब्बारे और फूल गये। एक...पति ने पहले तो अपने हाथों से उन बुलबुलों को आग की तरह बुझाने की कोशिश की और फिर एक ही झपट्टे में दूसरी औरत के सिर से कम्बल उतार के अपनी बीवी पर डाल दिया। लेकिन कब तक...?

जब उठती थीं चोबें तो झुका जाता था ख़ेमा
भरती थी हवा जब तो उड़ा जाता था ख़ेमा

लेकिन शाबाश है उस साहसी महिला पर जिसने इस आंधी में कमरे से भागने की कोशिश की। उसकी फूलदार साड़ी का जो हाल हुआ वो देखने योग्य और वर्णन से परे है। आपने आंधी-पानी में कभी रंगीन छतरी को एकाएक ऊपर उलटते देखा है? कमल सा खिल जाता है।

इस घटना को सोलह-सतरह साल होने को आये। घर भी अरसा हुए हमने बदल दिया और अब छत के पंखे प्रयोग करते हैं लेकिन उस बीबी ने फिर कभी हमारी चौखट पे पैर नहीं रखा, हालाँकि अब तो वो तंग मोरी का पाजामा पहनने लगी हैं।

इस अफ़रा-तफ़री में हम फ़ैनी डार्लिंग का अंजाम तो बताना ही भूल गये। इस मुंहदिखाई के कुछ हफ़्ते बाद हमें ओकाड़ा-मंडी जाना पड़ा। वहां गुड़ की एक दुकान का स्टॉक चैक करने पहुंचे तो माल कहीं दिखायी न पड़ा। मालिक दुकान से पूछा, 'मियां साहब! गुड़ कहां है?' उन्होंने अपने मुंह पर अंगोछा डाला और दोनों हाथों से ज़ोर-ज़ोर से खजूर का पंखा झला तो ज़िंदा मक्खियों के नीचे से बोरियां और भेलियां प्रकट हुईं जिनमें मुर्दा मक्खियों को गुड़ में घोटा गया था। मन में आया, आइन्दा स्टॉक चैकिंग में आसानी रहेगी, फ़ैनी इस ग़रीब को ही क्यों न पहुंचवा दें, लेकिन एक दिन मिस्टर एंडरसन से यूं ही ज़िक्र आ गया तो उन्होंने केवल इस कारण गहरा अनुराग दिखाया कि उसके पंखे कभी समुद्री जहाज़ का हिस्सा रह चुके थे। 'समुद्री-जहाज़ शाही-सवारी है क्या कहना! और फ़र्स्ट क्लास में तो ड्रिंक्स इतने कि कोई गधा ही होगा जो ठोस आहार को

हाथ लगाये।' दूसरे दिन हमने पंखे निकलवा कर उन्हें भेंट कर दिये और उन्होंने दोबारा उल्टा करके गुस्लख़ानों में (जहां आनन्द के कुछ पल बीते थे) एक्ज़ॉस्ट फ़ैन्स के तौर पर लगवा दिये। चूँकि उसूलन वो अधीनस्थों से मुफ़्त चीज़ें लेने के विरोधी थे, इसलिये बदले में उन्होंने हमें अपना पासपोर्ट साइज़ फ़ोटो हस्ताक्षर करके दिया।

कोई क़ुल्ज़ुम, कोई दरिया कोई क़दरा मद्दे

सात आफ़तों का कमरा : ज़ीनत मेंशन में एक घुटा-घुटा सा अंधेरा केबिन था जिसमें ढंग की एक मेज़ भी इस स्थिति में समा सकती थी कि कुर्सी का खटराग न हो। इसमें चार आदमियों की कंधे से कंधा जुड़ी हुई बैठक की इस तरह व्यवस्था की गयी थी कि दीवार में चीड़ का एक आठ फ़ीट लम्बा, डेढ़ फ़ीट चौड़ा तख़्ता कीलों से जड़ दिया गया था। जिसे इसलिये काउंटर कहते थे कि डिक्शनरी में इस चीज़ के लिये अलग से कोई शब्द नहीं था। बैठें तो कंधे से कंधा, जांघ से जांघ बल्कि क़लम से क़लम छिलता था। जब तक दोनों सिरों के आदमी ज़ोर लगा के स्वयं को अपने जुड़वां पड़ौसी से अलग न कर लें, बीच वाले उठ भी नहीं सकते थे। सब एक साथ उठते-बैठते थे। बिना नोटिस दायें-बायें सिर हिला कर लतीफ़े की दाद देने की अनुमति न थी। सौ साल पुरानी छत पर छिपकली भी ज़रा बेध्यानी से चलती तो हमारे सिर पर पलस्तर के लेवड़े गिरते। दीवार भुरभुरी और सीली-सीली। कीलें बार-बार उखड़ जाती थीं। अधिकतर समय हम तख़्ते को गोद ही में लिये बैठे रहते। इस ब्लैक-होल में किसी तरफ़ से रौशनी नहीं आती थी। हवा के झोंके अलबत्ता बाथरूम से गुज़र कर बराबर आते थे और हर बार ताज़ा बदबू लाते। मच्छर-मक्खी यहां ज़िंदा नहीं रह सकते थे। खटमलों की चर्चा हमने जान-बूझ कर नहीं की वो इसलिये कि उनके जो हरावल दस्ते कॉलरों पर रेंगते हुए पकड़े गये, वो स्थानीय न थे। उनके ख़ून के मुआयने से पता चलता था कि उनका संबंध पीरबख़्श कॉलोनी, लालू खेत और आर्टिलरी मैदान के निवासियों के ब्लड गुप से है। सबसे दूर के कोने में 15 वाट का एक नंगा बल्ब लटका हुआ था। सब लोग उसे सुतली से खींच कर ऐसे निष्पक्ष बिन्दु पर ले आये थे कि सबको बराबर तौर पर धुंधला दिखायी पड़े। यह बैंक का रजिस्टर्ड ऑफ़िस था। तीनों अफ़सर अलग-अलग अस्तित्व रखते थे लेकिन एक ही कमीज़-पतलून की गागर में बंद थे। बैंक में नौकरी करते हुए हमें मुश्किल से तीन ही साल हुए होंगे कि एंडरसन ने कृपा करके हमें चीफ़ एकाउन्टेंट बना दिया। सेक्रेट्री और इंस्पेक्टर ऑफ़ ब्रांचेज़ के पदों पर हम पहले ही से नियुक्त थे। हमारी दिन-दुगनी, रात-तिगुनी उन्नति से बैंक को कुल 15 आने की हानि हुई, इसलिये कि तीन रबड़ के स्टैम्प बनवाने में उस ज़माने में यही लागत आती थी। जैसा कि हम विस्तार से कह और बयान कर चुके हैं, इस उन्नति से हर चीज़ में एक आनंददायक बदलाव आ गया, सिवाय वेतन के; वो वही का वही रहा। एंडरसन डिसिप्लिन, दफ़्तरी नियम-क़ानून रखरखाव का इतना पाबंद था कि कभी हमें नाम लेकर नहीं पुकारता था। बल्कि फ़ाइल का विषय देख कर चपरासी को आदेश देता, 'इंस्पेक्टर ऑफ़ ब्रांचेज़ को बुलाओ।' 'एकदम चीफ़ एकाउन्टेंट को लेकर आना मांगटा' और जिस मद के कारण

तलब करता केवल उसी से संबंधित प्रश्न करता। दूसरे मद से संबंधित कुछ पूछना हो तो दो–तीन मिनट का गैप दे कर दुबारा बुलाता। एक बार उसने एक रिपोर्ट–शीट में, जिसे हमने स्वयं बनाकर स्वयं ही चीफ़ एकाउन्टेंट की हैसियत से हस्ताक्षर किये थे; एक मोटी सी ग़लती पकड़ी और हमें धमकी दी कि मैं चीफ़ एकाउन्टेंट के काम के अभी इन्स्पेक्टर ऑफ़ ब्रांचेज़ से सरप्राइज़ चैकिंग करा के परख़चे उड़वा दूंगा। कभी शाबाशी देनी हो तो यह नहीं कहता था कि मैं तुम्हारे काम से ख़ुश हूं, बल्कि केवल इतना स्वीकार करता कि जनरल मैनेजर पहली नज़र में इन्स्पेक्शन डिपार्टमेंट से असंतुष्ट नहीं हैं। बातचीत सर्वनाम या उत्तम पुरुष में ही होती थी। हालाँकि चर्चित डिपार्टमेंट हमारे अकेले व्यक्तित्व पर आधारित थे और उनकी अलग दवात तक न थी। वैसे तो घंटी भी न थी लेकिन इसकी कमी हमने कभी महसूस न की। इसलिये कि उसे बजा कर बुलाने के लिये कोई अलग चपरासी न था। एक साझा चपरासी को हम निजी जेब से चार रुपये महीना देते थे। वो हमें सुब्ह–शाम सलाम करने के अलावा कभी–कभी ऑफ़िस का काम भी कर देता था।

हमारी मेहनत और रगड़ाई : अन्तिम पदोन्नति से पहले हमें याद नहीं कि ढाई–तीन साल तक कभी ग्यारह बजे रात से पहले बैंक से छुट्टी हुई हो। कभी दैवयोग से सात–आठ बजे घर पहुंच जाते तो बेगम परेशान और हम स्कूल से भागे हुए बच्चे की तरह खिसियाने हो जाते। 'ख़ुदा ख़ैर करे! तबियत तो ठीक है', काम कभी इतना अधिक होता कि एक–डेढ़ बजे तक ख़त्म होने की सूरत दिखायी न देती तो नींद उड़ाने की गोली खा लेते थे। हमें इन गोलियों से साजिद साहब ने परिचित कराया था, जो एक फ़ार्वर्डिंग एजेंसी में काम करते थे। दिन भर आया हुआ माल छुड़वाते और रात को यह गोली खा कर जहाज़ों पर जाने वाला माल लदवाते। एक बार यह हुआ कि बीती रात की जगार से निढाल होकर हमने शाम ही को यह गोली खा ली। अनुमान के विपरीत काम दस बजे ही निबट गया और घर आकर हम चारपाई पर सुब्ह तक आंखें फाड़े मैडिकल साइंस की खोजों पर चिन्तन करते रहे। जनरल मैनेजर ने यह फ़ैसला कर लिया था कि जब तक स्टॉक एक्सचेंज में बैंक के शेयरों की क़ीमत नहीं बढ़ेगी, कर्मचारियों में एक चपरासी की भी बढ़ोत्तरी नहीं होने दी जायेगी। उधर कराची स्टॉक एक्सचेंज हमारी आधी रात की बद्दुआ से डरने वाला नहीं था।

काफ़ी अरसे तक खड़े हो कर ऊंचे काउंटर पर स्वयं का काम किया या औरों का चैक किया। धीरे–धीरे सेहत गिरी तो शाम तक पैरों पर इतनी सूजन आ जाती कि सात बजे के बाद जूते उतारने पड़ते। कुछ महीनों से सीने में भी दायीं तरफ़ दर्द रहने लगा था, जिसका नोटिस लेना हमने शान के ख़िलाफ़ समझा कि दिल तो बायीं तरफ़ होता है। तकलीफ़ जब इतनी बढ़ गयी कि महसूस होने लगा, चौबीस घंटे कोई बरमे से सीने में छेद कर रहा है जो पीठ के आर–पार हुआ जाता है, तो एक डॉक्टर को दिखाया। उसने नर्मी से कहा कि दायां फेफड़ा एफ़ेक्टिड मालूम होता है। पूछा, 'काहे से?' रुखाई से बोला, 'ऑफ़ कोर्स, टी.बी.।' फ़ौरन एक्स–रे, ख़ून और थूक टेस्ट करवाने और तीन महीने की छुट्टी पर कोयटा या मरी जाने के लिये कहा। डेढ़ साल बाद जब हमारे आर्थिक

कष्टों में आराम आया तो एक्स-रे करवाया, इससे पुष्टि हुई कि दायें फेफड़े पर एक घाव था जो अपने आप भर चुका है।

उस ज़माने में इस रूट पर कुल तीन लंगड़ी बसें चलती थीं। एक तो कानी भी थी। वो भी दस बजे बंद हो जाती थीं। दिन भर उनकी बीच सड़क पर यात्रियों के धक्कों और सुझावों से मरम्मत होती और रात को गैस की लालटेन की रौशनी में मालिक स्वयं उनकी आंत, ओझड़ी बाहर निकाल कर मुआयना और प्लास्टिक सर्जरी करता था। दस बजे के बाद रिक्शा, जिसमें साइकिल सवार जुता हुआ होता था, हैक्लो रोड से पीर इलाही बख़्श कॉलोनी तक, दस आने से कम में नहीं मिलता था। यारों की जेब में इतने फ़ालतू पैसे होते तो दोपहर का खाना ही न खा लेते या कम-से-कम सिग्रेट के दो टुकड़े करके तो न पीते। लेकिन जब से एक करोड़पति हृदय-रोगी को सिग्रेट के दो टुकड़े करके सोने के सिग्रेट होल्डर में उड़स कर पीते देखा तो अपने टोटों के साइज़ पर ईर्ष्या होने लगी। अक्सर सात मील पैदल घर जाना पड़ता। चाहे रात के तीन बज जायें। आंधी आये...बारिश आये...और चाहे तो बस ही क्यों न आ जाये, हम घर ज़रूर जाते थे। हालाँकि बैंक में किस चीज़ की कमी थी। लाखूखा रुपया, पंखे, कमर सीधी करने के लिये मेज़ें, सुरक्षा के लिये गार्ड, रात भर काम करने के बाद सुब्ह मुंह धोने और उसे देखने के लिये वाश बेसिन और शीशा...सब कुछ अल्लाह ने दे रक्खा है, बीवी के सिवा। लेकिन साहिबो! जो सुख छज्जू के चौबारे, ओह ना बलख़-बुख़ारे। घर पहुंचते तो बीवी आंखें मलती हुई उठतीं। तामचीनी के तसले में सुहाता-सुहाता गर्म पानी और दो चमचे नमक डालतीं और हम उस सलोने तसले में सांवले पांव डाल कर बैठ जाते। किसी ने बताया था कि इससे पैरों की सूजन उतर जाती है। ठीक ही होगा, इसलिये कि सुब्ह शीशे में चेहरा कॉफ़ी सुता दिखायी पड़ता था। सुब्ह भी इतनी थकान महसूस होती जैसे शाम हो। मेहनत ही मेहनत! थकन और ऐसी अटूट थकन कि एक-एक पसीने के छेद में उतर जाये और हड्डियों तक को चटख़ा दे। रुआं-रुआं कराहने लगता। कभी-कभी अनायास जी चाहता, अब के ऐसे सोयें कि फिर न उठें।

कुछ उढ़ा दीजिये मौला मुझे नींद आती है

फिर खाना गर्म किया जाता और दोनों साथ-साथ खाते। वो एक प्राइवेट स्कूल में पढ़ाने लगी थीं। वेतन दोनों बच्चियों के दूध के डिब्बों के बराबर। अलबत्ता स्कूल के मालिक को तिगुने वेतन की रसीद देनी पड़ती थी। हमारे बीच एक मौन अनुबंध था कि कोई यह नहीं बतायेगा आज दिन कैसे कटा। उनके लिये हमारे दिल से दुआयें निकलती हैं। ख़ुदा उनका सुहाग रहती दुनिया तक बनाये रखे। उन्होंने हमारी आदतें ख़राब कर दी हैं और हम घर गृहस्थी से इतने बेख़बर हैं कि आज भी यह नहीं बता सकते कि हमारे कुर्ते में कितना कपड़ा लगता है? करेला कौन से मौसम में आता है? गोश्त कहां से आता है? चेचक का टीका किस उम्र में लगवाया जाता है? एक सेर बिरयानी में कितने सेर नमक पड़ता है?

फिर सुब्ह छह बजे उठ जाते और सात तक तैयार होकर पैदल गुरु मन्दिर पहुंचते।

वहां से बस आसानी से मिल जाती थी। अनुभव ने सिद्ध किया था कि ढाई-तीन मील पैदल चलने में, पीर इलाहीबख़्श कॉलोनी के बस स्टैण्ड पर धींगामुश्ती करने की तुलना में आधा पसीना भी नहीं आता। साढ़े-आठ तक दफ़्तर पहुंच जाते और फिर उस चक्की में पिसते जिसके दो पाटों में आज तक कोई साबुत नहीं बचा।

शाहजहानी छेद : बैंकों में उस समय दीवार की ओर मुंह करके बिठाने की परम्परा थी। इसमें शायद यह लाभ छिपा हुआ था कि ध्यान इधर-उधर नहीं भटकता। आदमी एकाग्रता से घंटों दीवार और काम को घूरता रहता है। अफ़सर का मुंह भी नहीं देखना पड़ता। ख़ैर हमें इस बैठक से चर्चा के योग्य कठिनाई नहीं हुई, इसलिये कि हम तो यूं भी सारी उम्र दीवार का लिखा पढ़ते रहे हैं। दायीं ओर एक खिड़की थी जिसमें ज़ंग खायी सलाख़ों का इस्पाती सेहरा लटक रहा था। यह सड़क की तरफ़ खुलती थी, लेकिन जनरल मैनेजर बहादुर के हुक्म से हमेशा बंद रहती थी। श्रद्धेय का विचार था कि खिड़की खुलने से बैंक के सिरढके राज़ अनुपयुक्तों पर खुल जायेंगे। कभी पट खुला रह जाता तो बाक़ायदा इन्क्वायरी होती—

किसने खोला? कब खुला? क्यों कर खुला?

शाम को श्रद्धेय अक्सर अपने हाथ से कुछ दराज़ों की तलाशी लेते। ज़ंग और दीमक ने तरस खाकर उस खिड़की में एक उपखिड़की बना दी थी जिसमें से चाय का कप और सिर आसानी से निकल सकता था। उसके सामने की एक सलाख़ किसी उद्दंड ने निकाल दी थी। जी घबराता हो तो हम उस छेद में से बारी-बारी सड़क की सैर देखते। यह शाहजहानी छेद कहलाता था। जनश्रुति है कि शाहजहां जब क़िला आगरा में क़ैद हुआ तो क़ैदख़ाने की दीवार में लगे हुए एक नगीने पर से नज़रें नहीं हटाता था कि उसमें उसकी चहेती के मक़बरे की पूरी आकृति दिखायी पड़ती थी। हमें सर्दी, गर्मी, फुहार पड़ने, धूप ढलने और चांदनी फैलने का अनुमान इसी छेद से लगता था। वरना अंदर तो हमेशा झुटपुटे का दृश्य रहता था। सूरज ढलने के बाद इसे झाड़न से ढक दिया जाता था। इसलिये कि सुनसान सड़क और घुप्प अंधेरा देख कर दिल बैठने लगता था।

कुछ दिन से हम देख रहे थे कि एक सफ़ेद बिल्ली शाहजहानी छेद के नीचे फ़ुटपाथ पर अपने बच्चों समेत आकर बैठ जाती है। एक दिन उसने बहुत मियाऊं-मियाऊं की तो हमने फ़ुटपाथ पर बैठे मलबारी चायवाले को इकन्नी फेंक कर उसे दूध पिलवा दिया। इसके बाद यह दैनंदिन का क्रम हो गया कि वो शाम पड़ते ही वहां आ जाती और हम उसका अधिकार उसे दे देते। उसके बच्चों की बढ़वार देख कर जी ख़ुश होता। कभी हम वहां न होते या उसकी पुकार पर ध्यान न देते तो वो जंगले पर चढ़ कर छेद से झांकती। उसकी नीली आंखों से बड़ी बेबसी झलकती थी। दूध पी-पिला कर कुछ देर अपने बच्चों से हमारा जी बहलाती, फिर उठ कर चली जाती और दूसरे दिन छह बजे से पहले दिखायी न पड़ती। घर पर बच्चे रोज़ पूछते कि वो बच्चे आज कितने बड़े हुए। अगर हमें रविवार को बैंक न आना होता तो सनीचर की शाम को उसके दूध की इकन्नी चायवाले

को एडवान्स दे देते। कुछ दिन में तीसरे पहर से ही हमें उसका इंतज़ार रहने लगा। पालतू जानवर की चुप-दुसराथ और उसका प्यार कितना भरपूर होता है इसका अनुमान तभी लगता है जब आदमी दुखी हो या अकेला। उसके भी चार बच्चे थे।

सीमेंट का बम : बारिश के दिन थे। झड़ लग रही थी। ऐसी बारिश और ऐसी छत कराची में फिर कभी नहीं देखी। लगता था कि आसमान का पेंदा छलनी हो गया है। मकान की छत भी छलनी हो रही थी और कमरे के एक कोने से दूसरे कोने तक जाने के लिये छतरी लगानी पड़ती थी। कोई जगह ऐसी न बची जहां आदमी मौसम से बेख़बर हो कर सो सके। इसके बावजूद हमने उस बेचैनी और फुर्ती का प्रदर्शन नहीं किया जिसका 'नज़ीर अकबराबादी' मज़ाक़ उड़ा गये हैं।

मुद्दत से हो रहा है जिनका मकां पुराना
उठ के हैं उनको मींह में हर आन छत पे आना

छत पर जाने से एक तो पड़ोसनें मच्छरदानी ओढ़ लेती थीं और उनके मर्द मच्छरदानी के बांस ले कर बाहर निकल आते थे। दूसरे कोई ज़ीना सिरे से बनाया ही नहीं गया था, इसलिये कि छत को अपने ही बोझ की सहार नहीं थी। दूसरे कमरे की छलनी के छेद इतने बड़े थे कि उसका परनाला ही सूख गया था।

एक रात ऐसी बीती कि छत रात भर रोती रही उसकी देखा-देखी बच्चे भी और उन्हें देख कर हमारी आंख भी भर आयी। इन सब को रोने से बचाने के लिये हमने दूसरे दिन लंच के समय में आठ पौंड सीमेंट ख़रीदा और शाम को उसे लिफ़ाफ़े में डाल कर, बौछार से बचाते-छिपाते बस स्टैंड की तरफ़ चले। इतने में एक गज़ों लम्बी कार दायीं तरफ़ से हमारे आधे शरीर और लिफ़ाफ़े पर बरसाती पानी की कीचड़ का स्प्रे पेंट करती हुई ज़ूंऽऽ से गुज़र गयी। कुछ देर बाद एक और कार आती दिखायी दी तो हमने दूसरा गाल भी पेश कर दिया, ताकि हमारे कपड़ों का बायां हिस्सा भी दायें के रंग का हो जाये। अंत में 19 नम्बर की बस भी आ ही गयी। कीचड़ में लथपथ होने का लाभ यह हुआ कि जीवन में पहली बार कुश्ती लड़े बिना बस पर चढ़ने में सफल हो गये। किसी ने फ़ाउल नहीं मारा। किसी ने कमर में हाथ डाल कर पीछे नहीं खींचा। हम सीट पर बैठने ही वाले थे कि एक साहब जो हमारे बाद चढ़े थे, अपने ब्रीफ़केस के बम्पर से हमें धकेल कर हमारी सीट पर बैठ गये। उन्होंने सफ़ेद शार्क स्किन का सूट पहन रखा था जो तर-ब-तर था मगर बेदाग़। हम उनके पहलू में छत का डंडा पकड़ कर बस के झटकों के साथ झूलने लगे। उनकी निगाहें हमें झिड़कती, परे हटने की हिदायत करती रहीं। बस बड़ी तेज़ी से कीचड़ उछालती जा रही थी और हम गीले लिफ़ाफ़े को सीने से लगाये झूम रहे थे कि एक बुढ़िया ने अचानक सड़क पार करने की कोशिश की और बस दो ज़बरदस्त झटकों के साथ रुकी। खड़े हुए यात्रियों की लाइन में हर सिर पहले पीछे फिर आगे वाले सिर से टकराया। चोटिलों ने एक-दूसरे को 'ज़रा होश करके खड़े हो' की चेतावनी दी। हमने लिफ़ाफ़े को गिरने से रोकने के लिये उसमें मज़बूती से उंगलियां गड़ा दीं। अचानक भीगा हुआ लिफ़ाफ़ा फटा और सीमेंट का परनाला शार्क

स्किन के सूट पर धुआंधार गिरा। कुछ देर तक तो हमारे अतिरिक्त किसी की समझ में न आया कि सीमेंट का बम क्यों और कैसे फटा। लेकिन जब हवा में उड़ते हुए ग़ुबार का अंतिम कण तक शार्क स्किन के सूट पर जम गया और हमारे हाथ में ख़ाली लिफ़ाफ़ा रह गया तो दो साल का बच्चा भी बता सकता था कि क्या हुआ। दो साल की क़ैद हमने इसलिये लगायी है कि इससे कम उम्र का बच्चा सिचुएशन को समझ सकता है मगर शब्दों में व्यक्त नहीं कर सकता। बच्चे बोलने से पहले हँसना सीखते हैं। जैसे ही इन साहब पर इस दुर्घटना की गहराई और लम्बाई-चौड़ाई प्रकट हुई उन्होंने रूमाल से अपने सूट को रगड़-रगड़ कर साफ़ करने की कोशिश की। लेकिन गीले सूट पर बढ़िया क्वालिटी का सीमेंट इल्ज़ाम की तरह ऐसा चिपका कि—

फैलता है इस क़दर जितना कि रगड़ा जाये है

उसने उस स्थिति में उर्दू, अंग्रेज़ी में जो कहा, ख़ुदा उसे माफ़ करे, हमने तो उसी समय माफ़ कर दिया था। छापने योग्य वाक्य यही था कि परसों ही दरज़ी को 75 रुपये नक़द सिलाई दी थी। बस और उसकी ज़बान चलती रही। थोड़ी देर बाद अंतिम सीट से एक साहब ने ठेठ करख़न्दारी लहजे में हिदायत दी, 'भाई जान! फ़ौरन से पेश्तर नलके के नीचे नहा लो। झट देनी सीमेंट जम गया तो फ़ट देनी मलिका टूरिया (क्वीन विक्टोरिया) की मूरत बन जाओगे। मुहल्ले के लौंडे लू-लू बना देंगे। बीवी साहब भी नहीं पछान पावेंगी। सीमेंटमय साहब ने मुंह से तो कुछ नहीं कहा लेकिन पहले ही परनाले पर बस से उतर गये।

चार-पांच दिन बाद हम फिर उस बस में चढ़ने लगे तो हमारे आगे-आगे चार्टेड बैंक के मैनेजर की सेक्रेट्री—38-24-38—थी। कन्डक्टर ने हमें आंख मार के सिक्कों का थैला बजाते हुए हांक लगायी। 'बाबूजी! ज़रा संभल के। आगे-पीछे के बम्पर से होशियार! हां जी मैक्लो रोड, पोस्ट ऑफ़िस, सदर, गुरु मंदिर, जमशेद रोड, बड़ा घर (जेल) कॉलोनी। मेहरबान, क़द्रदान बस में छुरी, चक़्क़ू, चरस, गांजा और सीमेंट ले जाने की इजाज़त नहीं है...'

कराची की बरसात : पांच-छह साल बाद ऐसी भर के बरसात होती है जो कराची के इतिहास और कीचड़ का हिस्सा बन जाती है। जीवन की सारी व्यवस्था ध्वस्त हो जाती है। इसे ढर्रे पर लाने में पांच-छह साल लगते हैं। झुग्गीवासियों के लिये यह संकट, दैवीय प्रकोप का दरजा रखता है। देखा जाये तो ग़ालिब भी बारिश को इसलिये नहीं पसंद करते थे कि जल स्तर बढ़ता है, खेती-बाड़ी को लाभ होता है बल्कि—

ख़ुशी है ये आने की बरसात की
पियें बादा-ए-नाब और आम खायें

मौसम विभाग बारिश का वार्षिक औसत चार इंच बताता है। मगर यह ऐसा ही है जैसे हमारे वेतन, आदम जी सहगल और दाऊद सेठ की आमदनी को जोड़ कर हमारा औसत छह करोड़ निकाला जाये और उस पर हमसे इन्कम-टैक्स मांगा जाये। फिर घर के सामने कुर्की का ढोल बजा कर हमारी रचनाओं की अनबिकी कॉपियां,

दवायें और टाइयां नीलाम कर दी जायें।

'बुलबुल के आंसुओं' का मुहावरा तो फिर भी ग़नीमत है, कराची में तो बारिश इस तरह होती है जैसे कोई मगरमच्छ आंसू बहा रहा हो। कराची के पुराने मकानों की छतों पर अक्सर आपको परनाले और मोरियां दिखायी नहीं पड़ेंगी। बहुत सी सड़कों पर बरसाती पानी बल्कि ट्रैफ़िक के निकास की भी कोई व्यवस्था नहीं मिलेगी। कराची को संसार के सारे नगरों के मुक़ाबले यह अनूठापन प्राप्त है कि यहां कभी छतरियां और बरसातियां नहीं दिखायी पड़तीं। भूले से किसी प्रोग्राम डायरेक्टर की खिड़की खुल जाये तो रेडियो स्टेशन सावन के गीत प्रसारित करने शुरू कर देता है। कराची के आसमान पर सावन-भादों में गहरे बादल और मौसम विभाग की भविष्यवाणियों की धुंध छायी रहती है।

सूखती फ़स्लों ने देखे हैं वो काले बादल
जो कहीं और बरसने को इधर से गुज़रे

जब नदियों में बाढ़ आती है और पंजाब के लगभग सारे क्षेत्र पानी से तृप्त हो जाते हैं तो कराची के होटलों और बोतलों में से कई हज़ार क्यूसेक प्रति घंटा बादा-ए-नाब (शराब) की निकासी होने लगती है। ग़ालिब होते तो यह हाल देख कर कितने ख़ुश होते। कलकत्ते और उसके 'वो बादा हाय नाब गवारा कि हाय-हाय' को भूल जाते।

लेकिन इस साल सारे रिकॉर्ड टूट गये। बारिश और ऐसी बारिश हमने सिर्फ़ मसूरी में अपनी शादी के दिन देखी थी। दुल्हन वाले पुलावों की देग़ों में बैठ कर आ-जा रहे थे। स्वयं हमें एक परात पर बिठा कर क़ाज़ी के सामने पेश किया गया। फिर न हमने ऐसी हरकत की और न बादल ऐसा टूट कर बरसा। अजब दृश्य था, जिधर देखो पानी ही पानी। उस दिन हमें दुल्हन की आंख के अतिरिक्त कोई चीज़ सूखी न दिखायी पड़ी। हमने टूहका दिया कि विदा के समय दुल्हन का रोना परम्पराओं में आता है। उन्होंने पलकें टपटपायीं मगर एक आंसू न निकला। फिर कार में सवार कराते समय हमने सेहरा चेहरे से हटाया। ख़ूब फूट-फूट कर रोयीं।

ऐसी ही बारिश उन दिनों कराची में हो रही थी। प्रोफ़ेसर क़ाज़ी अब्दुल क़ुद्दूस ने किसी से सुना था कि पिण्डी में तो मुक्के के बराबर ओले पड़े हैं। ऐसा मूसलाधार बरसा कि हर तरफ़ जल-थल हो गया। सड़कें नदियों की तरह बह रही थीं। मैक्लो रोड पर चार्टेड बैंक के सामने ईरानी ख़ानदान के एक बुजुर्ग की कार डुबकियां लगा रही थी और वो उसकी छत पर बैठे कराची म्यूनिस्पिल कार्पोरेशन को पुरानी फ़ारसी में गालियां दे रहे थे। स्टाफ़ को साढ़े तीन बजे ही छुट्टी दे दी गयी थी और हम भी छह बजे तक ही उठने का इरादा रखते थे। तय समय से काफ़ी पहले मोती (बिल्ली का नाम) आयी, हमने जेब में हाथ डाला तो केवल तीन आने। अब उसे और उसके टब्बर को तीन आने का दूध पिलवा देते तो बस के टिकिट के पैसे न रहते। वो खिड़की के नीचे भीगती रही, रोती रही। हमने परवाह नहीं की। फिर उसने पंजों से खुर-खुर की और बार-बार छेद से झांकने लगी तो हमने उसे झाड़न से ढक दिया ताकि एकाग्रता से काम समेट सकें। कुछ देर बाद वो अपनी भूख की तलाश में कहीं और निकल गयी। बारिश थोड़ी थमी। हम उठने की तैयारी कर रहे थे कि चायवाला,

जिसने अपनी दुकान एक दरवाज़े की आड़ में शिफ़्ट कर ली थी, खिड़की खटखटाने लगा। हमने पूछा, 'क्या बात है?' कहने लगा, 'बाबूजी तुम्हारी बिल्ली रैली ब्रदर्स के ट्रक के नीचे आकर मर गयी। ये लो इसके बच्चे बिलख रहे हैं।' ये ख़ून हमारी गर्दन पर था। अगर हम आज भी पैदल चले जाते तो कौन सी प्रलय आ जाती, चारों बच्चे बारिश में सराबोर थर-थर कांप रहे थे। हमने सबसे छोटे को मेज़ पर बिठा कर डस्टर से सुखाया तो उसकी आंखों की तरफ़ न देखा गया, बिलकुल मां जैसी थीं। बारिश फिर तेज़ हो गयी और हमने खिड़की खोलकर तीन आने बहते नाले में फेंक दिये। उन्हीं के कारण वो अपनी जान से गयी। हफ़्तों उसकी उदास नीली-नीली आंखें उस छेद से झांकती दिखायी दीं। अंत में हमने तंग आ कर उस छेद पर बादामी काग़ज़ चिपका दिया।

बोल मेरी मछली कितना पानी : चाचा फ़ज़लदीन (चौकीदार) सुब्ह हमारे लिये फिर सीमेंट ख़रीद लाया था और इस गारंटी के साथ कि इस बार लिफ़ाफ़ा सीमेंट से अधिक मज़बूत है। उसने कहीं से टोकरी भी ढूंढी जिसमें लिफ़ाफ़ा और मोती के चारों बच्चे रखकर हम बरसते मेंह में पैदल रवाना हुए। वो तीन आने हमारे पास होते भी तो कुछ काम न आते, इसलिये कि बसें चलनी कभी की बंद हो चुकी थीं। पानी की चादर चल रही थीं। पहले तो कुछ समझ में न आया कि सड़क कहां है। लेकिन सात-आठ डुबकियों के बाद आसान पहचान हाथ में आ गयी। जहां-जहां पानी अधिक गहरा और गड्ढे थे, वहीं सड़क थी। बन्दर-रोड बाढ़ पर आयी हुई थी और हम उसकी लहरों और कूड़े के थपेड़ों से बचते-बचाते गलियों-गलियों जा रहे थे। लाइट-हाउस सिनेमा के पास कमर-कमर पानी था, बशर्ते कि कमर वाले की लम्बाई साढ़े छः फ़ीट हो। लेकिन गली बहुत बेहतर थी। वहां सिर्फ़ कीचड़ था, इसलिये हम उधर हो लिये। अभी कुछ डग ही भरे होंगे कि लगा, किसी ने सिर पर मशक छोड़ दी। लेकिन मशक में से दिल्ली की निहारी का धोवन तो नहीं निकलता। वो तो ख़ुदा ने ख़ैर की कि सिर पर पहले तरबूज़ का हैलमेट आ कर फ़िट हो गया वरना फ़जरी आम की एक सेर वज़्नी गुठली से सिर टुकड़े-टुकड़े हो जाता। गर्दन उठा कर देखा तो एक लड़की बाल्टी उल्टे, चौथी मंज़िल की बालकनी में खड़ी खिलखिला रही थी। कहीं से आवाज़ आयी '...हरा समंदर, बोल मेरी मछली कितना पानी' इसके बाद हमने बंदर-रोड पर डूबने को गलियों में नहारी में नहाने और फिसलने पर प्रधानता दी। लेकिन इससे ये न समझा जाये कि हमें फिसलने से ख़ुदा न करे कोई विरोध है। नज़ीर अकबराबादी की तरह, हम तो कीचड़ न हो तब भी फिसलने के लिये जी-जान से तैयार हैं।

कीचड़ से हर मकां की तो बचता बहुत फिरा
पर जब दिखायी दी खुले बादलों की इक घटा
बिजली भी चमकी हुस्न की मेंह नाज़ का बरसा
फिसलन जब ऐसी आयी तो फिर कुछ न बस चला
आख़िर को वां 'नज़ीर' भी आ कर फिसला

जूतों का इकलौता जोड़ा पानी में भीग कर मख़मल की तरह मुलायम हो गया था।

उसे और अधिक मख़मली होने से बचाने के लिये हमने टोकरी में रख लिया। पानी में न केवल आनंद आया बल्कि उसकी उंगली पकड़े-पकड़े, बचपन भी लौट आया। हमें उन पर बड़ा तरस आता है जो बचपन में कभी नंगे पैर नहीं फिरे और न बारिश में नहाये। उन्होंने अपना बचपन गंवाया। वो क्या जानें कि जब बादलों के झमाझम तीर गर्मीदानों से भरे हुए बदन को बाढ़ पर रख लेते हैं तो कैसी गुदगुदी होती है और धरती का हर क़दम पर बदलता हुआ स्वभाव और कोर पिण्डा, उसकी नर्मी, गर्मी और कंटीलापन क्या चीज़ होती है। धरती अपना आपा और भेद जूते के तले को नहीं दिखाया करती।

जहां क़तरे को तरसाया गया हूं : रास्ते भर गहरी चिंता और पानी में डूबे रहे कि सुब्ह तक जूते कैसे सूखेंगे? 'उजले कपड़े लांड्री रजिस्टर्ड' भी बारिश के कारण दो दिन से बंद थी। बारिश से पहले उसके कर्मचारी शहर के धोबी घाट पर गंदे नाले में अर्जेन्ट धुलाई करते थे। बारिश के बाद यह सुविधा गली-गली उपलब्ध होगी। यह लांड्री कमख़र्च यानी ढाई आने में दिन के दिन क़मीज़ धो देती थी। जबकि शहर की और लांड्रियां उस ज़माने में क़मीज़ की अर्जेन्ट फड़वाई के छह आने लेती थीं। हम सोचने लगे कि घर में इतना पानी कहां कि कपड़े धो कर सुबह कोयले की प्रेस से सुखा लें। घर में कोई मज़बूत अलगनी भी नहीं थी जिस पर स्वयं को लटका कर कपड़े पहने-पहने सुखा लेते। कॉलोनी में नलके नहीं थे। मगर यह 'अकबर इलाहाबादी' का ज़माना नहीं था कि नलके लगने को सामाजिक विपत्ति समझ कर सम्राट एडवर्ड की दुहाई दी जाये कि क्या ज़माना आ लगा है—

पानी पीना पड़ा है पाइप का
हर्फ़ पढ़ना पड़ा है टाइप का

अल्लाह के करम से म्यूनिस्पिल कॉर्पोरेशन ने हमें पहली दुर्घटना से मशक के द्वारा बचाये रखा। कॉलोनी की कोऑपरेटिव सोसायटी टैंकों के द्वारा पानी तो क्या बांटती बूंद-बूंद को तरसाती थी। हमें तीन मशक दैनिक के कूपन मिलते थे। जान पड़ता था कि ये मशकें विशेष रूप से बकरी के समय से पहले पैदा होने वाले बच्चों की खाल से बनवायी गयी थीं। इन तीन मशकों में भी भिश्ती अपनी क्षमता भर फूंक भर देते थे। रबर की खोज से पहले ऐसी मशकें तैरने के लिये प्रयोग होती थीं। कभी धौंस-धपट या रोया-पीटी या आठ-दस आने की भेंट से एक मशक अतिरिक्त मिल जाती तो ईद बल्कि होली हो जाती। तीन दिन से सड़कें कट जाने के कारण टंकियां नहीं आयी थीं और पानी पीने का भी सब्र करना पड़ रहा था। घर के सामने वाली सड़क के नाले की सही गहराई अंतिम दशमलव तक तो हम नहीं बता सकते। इतना ज़रूर ध्यान है कि एक लहर हमारा चश्मा बहा कर ले गयी और हम अब इस क़ाबिल भी न रहे कि डुबकी खाये बिना पानी और सूखे में अंतर कर सकें। गली के नुक्कड़ पर शेख़ रहीम बख़्श, मालिक रहीम बस सर्विस ने तरस खा कर एक पुराना ट्यूब दिया जिसे कमर में बांध कर हमने चढ़ती नदी पार की। कॉलोनी के सारे मकान एक-दूसरे की नक़ल थे और बिना चश्मे के तो हर मकान अपना लगता था। नतीजा यह कि तीन-चार जगह मुहल्ले वालों ने पान की

एक-एक गिलौरी खिला कर वापस पानी में छोड़ दिया। जगह-बेजगह लंगर डालने के बाद घर आया तो देखा कि बरामदे और कमरे में नाले का पानी ठाठें मार रहा है। जिन नालियों का काम घर का गंदा पानी बाहर निकालना था, वो अब बिलकुल उल्टा काम करने में लगी हुई थीं। यानी बाहर का गंदा पानी इनके माध्यम से भल-भल अंदर घुस रहा था। पानी के ऊपर जगह-जगह रुई के ग़ाले तैर रहे थे। हुआ यह कि एक दिन हमने अपनी औलाद को समझाया कि शरीफ़ों के बच्चे गिलासों और चप्पलों से नहीं लड़ा करते। ख़ुदा उनकी उम्र लम्बी करे। उन आज्ञाकारियों ने ऐसी गांठ बांधी कि फिर तकिये से अधिक कठोर चीज़ इस्तेमाल नहीं की। एक चारपाई पर दोनों बच्चियां अपनी गुड़ियों पर छतरी लगाये सहमी बैठी थीं। छोटी के मुंह पर अभी तक दूध की मूंछें बनी हुई थीं। दूसरी चारपाई किताबों के मचान तले बिछी थी। जो कबाड़ी से ख़रीदे हुए 'सिबग़े एंड संस पुस्तक विक्रेता एवम् पब्लिशर्स' के साइन बोर्ड को दीवार पर रेलवे के ऊपरी बर्थ की तरह लटका कर बनाया गया था। इस पर फ़क़ीर की सारी पूंजी—किताबें-तीन लाइनों में सजी हुई थीं और उनके ऊपर अन्य अनुपयोगी वस्तुएं। इस फ़ाल्स सीलिंग के नीचे चारपाई पर दोनों बेटे शर्मिंदा बैठे थे। बड़े ने सोते में निकर से बाथरूम का काम लिया था और अब अग्रिम बचाव कर रहा था कि देखिये अम्मी! मेरी निकर में आपके गुड्डू ने पेशाब कर दिया है। आश्चर्य इस पर था कि गुड्डू मियां सुबकियां ले-ले कर विश्वास दिला रहे थे कि अम्मी अब नहीं करूंगा। लालटेन एक कोने में लटकी हुई, एक काली ज़बान बन गयी थी। टूटे हुए ग्लोब पर जो काग़ज़ आटे से चिपकाया गया था वो आधा जल चुका था। उसकी आंख मरती हुई रौशनी में हमारे बच्चों ने बिल्ली के बच्चों को देखा और दोनों के बच्चे एक-दूसरे को देख कर बहुत ख़ुश हुए।

आज हमने अपना चेहरा देखा : बेगम बहुत प्रसन्न दिखायी दे रही थीं। कुछ देर बाद हमें कच्चे आंगन में ले गयीं और कहा, 'देखो आज मैंने दो टंकियां पानी से भर ली हैं। बिलकुल मोती की तरह, ढेरों कपड़े धुल जायेंगे।' तीन दिन से पानी बिलकुल बंद था और लोग बूंद-बूंद को तरस गये थे। ये दो टंकियां उन्होंने बरामदे के परनाले के नीचे रख कर पानी से भरी थीं। उन्हें देख-देख कर बीवी इतनी प्रसन्न हो रही थीं, जैसे कोई ख़ज़ाना मिल गया हो। यह दिखाने के लिये कि दोनों लबालब भरी हैं, उन्होंने लालटेन अपने चेहरे तक उठायी तो मांग में एक सफ़ेद बाल दिखायी दिया जो इससे पहले हमने कभी नहीं देखा था। पानी ओले की तरह ठंडा-ठार और मोती की तरह झिलमिल-झिलमिल कर रहा था। हमें उसमें अपना चेहरा दिखायी दिया।

कंगाली में जूता गीला : घर का सारा संसार चारपाई पर सुरक्षित कर लिया गया था। बच्चे एल्यूमीनियम की पतीली को तैरता देख कर ख़ुशी से तालियां बजाने लगे। मिट्टी के चूल्हे से पानी उबल रहा था। देखा कि आज पैरों में सूजन नहीं है। इतनी देर ठंडे पानी में रहने से तलवे इतने गोरे हो गये कि हमें शक होने लगा कि किसी और के तो नहीं आ गये। सिलवटें पड़ने से गुड्डू मियां के अनुसार क्रेप सोल बन गये थे। थोड़ी देर में नाला उतर गया और सारे घर में उजली-उजली मुलायम मिट्टी की भारी तह छोड़

गया। बच्चे अपने पैरों के नन्हे-मुन्ने निशान देखने के लिये उस पर ख़ूब चले। बिलकुल ऐसे ही निशान पलंग की चादर पर भी थे मगर वो अधिक स्पष्ट और देर तक टिकने वाले थे। सोने से पहले हमने दोनों जूतों को फ़ीते से बांध कर लालटेन की गर्दन में हार की तरह लटका दिया ताकि सुब्ह तक सूख जायें।

सुब्ह साढ़े चार बजे बिजली के कड़कने से आंख खुली तो कमरे में चमड़ा जलने की चिरांद फैली हुई थी। उठ कर देखा तो मालूम हुआ कि जो जूता ग्लोब के टूटे हुए हिस्से पर था, उसकी ऐड़ी के ऊपर का पुश्ता जल कर अब पेशावरी चप्पल बन गया है। हम लालटेन और जूता बुझा कर ऐसे सोये कि सुब्ह के पौने सात बजे आंख खुली। उस समय तक बीवी हमारे कपड़ों पर इस्तरी करके अपने स्कूल पढ़ाने जा चुकी थीं। कपड़ों पर एक पर्चा रखा मिला जिस पर लिखा था कि रात में तुम्हें बता न सकी। डॉक्टर ने मुझे पीलिया बताया है। बेकार में ढेर सारी दवायें और इन्जेक्शन लिख मारे हैं। मैं वापसी में पाकिस्तान चौक के होम्योपैथ डॉक्टर से दवा लेती आऊंगी। सफ़ेद रंग तुम्हारा फ़ैवरेट रंग भी तो है।

चोट की यात्रा : जूता ऐसी चीज़ नहीं कि ज़ेवर की तरह मांग-तांग कर पहन लिया जाये। इसके सिवाय कोई उपाय न सूझा कि चप्पल पहन कर बैंक जायें और तीन दिन बाद वेतन मिले तो नया जूता ख़रीद लें। फिर ध्यान आया कि अगर एंडरसन पूछ बैठा कि आज इंस्पैक्शन डिपार्टमेंट चप्पल पहने क्यों फिर रहा है तो क्या उत्तर देंगे। एक बार एक अफ़सर बैंक में बिना टाई के आ गया तो एंडरसन ने उससे पूछा, 'आज क्या बैंक हॉलीडे है जो यूं नंग-धड़ंग फिर रहे हो।' इसी तरह एक क्लर्क का तीन दिन का बढ़ा हुआ शेव देख कर दुअन्नी पकड़ाते हुए कहने लगा कि अपना केमोफ़्लाज मुंडवा कर आओ ताकि चेहरा पहचान करके रजिस्टर में उपस्थिति लगायी जा सके।

दिमाग़ पर ज़ोर डाला तो इसका हल भी निकल आया। चप्पल पहन कर एक पैर पर पट्टी बांध लेंगे। किसी ने पूछा तो कह देंगे कि चोट लग गयी है और ये कुछ ऐसा झूठ भी नहीं, आख़िर आन्तरिक चोट तो आयी ही थी जिसके बारे में नूह नारवी सादा-बयानी कर गये हैं—

जिगर की चोट ऊपर से कहीं मालूम होती है
जिगर की चोट ऊपर से नहीं मालूम होती है

एक मूढ़े पर नीले रंग का झाड़न पड़ा दिखायी दिया। उसमें से एक लम्बी सी धज्जी फाड़ कर पट्टी बांध ली। तीसरे पहर एंडरसन की नज़र पड़ी तो कहने लगा, 'चोट पर कभी रंगीन पट्टी नहीं बांधनी चाहिये, पक जाती है। विशेषकर बरसात में।'

दूसरे दिन सुब्ह काम पर जाने के लिये तैयार होने लगे तो बेगम दुपट्टा ओढ़ते हुए कहने लगीं कि तुम्हारे इन लाड़लों ने नाक में दम कर दिया है और कुछ नहीं तो कमबख़्त आधा दुपट्टा ही फाड़ कर ले गये। उनका दायां कान एक खोंते में से बाहर निकला हुआ था। हमने पट्टी तुरन्त वापिस कर दी और जल्दी-जल्दी एक फटे पाजामे के लट्ठे की सफ़ेद पट्टी बांध कर बैंक चले गये। ग्यारह बजे किसी काम से एंडरसन ने बुलवाया।

वापस आने लगे तो चश्मे को नाक की फुंगी पर रख कर उसके ऊपर से देखते हुए बोला, 'Just a minit तैमूर लंग। तुम्हारी चोट ने 24 घंटे में काफ़ी यात्रा की है। दायें से बायें पैर में शिफ़्ट हो गयी है।'

अब जो हमने देखा तो धक से रह गये। जल्दी के कारण आज दूसरे पैर में पट्टी बांध कर आ गये थे।

जाना हमारा कॉकटेल पार्टी में, डी.जे. और अँगरखा : तुम्हारे पास डी.जे. है, मिस्टर एंडरसन ने पूछा 'यह क्या होती है?'

'डिनर जैकेट। ब्लैक टाई।'

'वही जिसका कॉलर काली साटन का होता है और पतलून पर बैंड बजाने वालों की सी रेशमी पट्टी लगी होती है?'

'सिलवा तो लो। बैंक से डिसमिस होने के बाद बैंक के व्यवस्थापकों की तरफ़ से बैंड बजाने पर कोई रोक नहीं। तुमने सुना होगा डिनर जैकेट पहन कर तो बैंकर की भी शरीफ़ लोगों की सी सूरत निकल आती है।'

'सर! मैं डिनर जैकेट पहन कर कहां जाऊंगा? उर्दू में मुहावरा है कि जंगल में मोर नाचा किसने देखा।'

'How stupid' 'जानना चाहिये कि मोर तो सिर्फ़ अपनी मादा को दिखाने के लिये नाचता है। उसे आदमियों से क्या लगाव हो सकता है? प्रमोशन के बाद तुम बोट क्लब या सिंध क्लब के मैम्बर नहीं बने? क्या सारा वेतन दाल-रोटी पर ही बरबाद कर देते हो? अब तो ग़ैर योरोपियन भी मैम्बर हो सकते हैं।'

'मैं बस से आता-जाता हूं। पीर इलाही बख़्श कॉलोनी के बस स्टॉप के भीड़-भड़क्के, कुश्तम-पछाड़ से दिल डरता है। दो-ढाई मील चल कर गुरु मंदिर से बस पकड़ता हूं ताकि ऑफ़िस बिना क़मीज़ के न पहुंचूं।'

'बैंक के जनरल मैनेजर को इससे कुछ लेना-देना नहीं कि तुम अपने अर्ध-सहमत अस्तित्व को ड्राइंग रूम से बैंक में किस तरह ढो कर लाते हो।'

'बाई दि वे, मेरे क्वार्टर में कोई ड्राइंग रूम नहीं। हमारे हिस्से में एक कमरा आया है। जिसमें कोई क़ालीन भी नहीं, "wall to wall" बच्चे बिछे रहते हैं।'

'मैं तुम्हारे अभावों के चित्रण की शैली से बेहद प्रभावित हुआ। लेकिन याद रहे कि पश्चिम में निजी कठिनाइयों का ''स्ट्रिप टीज़'' अशिष्टता समझा जाता है, अच्छा तो 27 तारीख़ को मेरे साथ कॉकटेल में चलना। फिर तुम्हें "Caledonian Society" के "Annaul Ball" में भी ले चलूंगा। स्काट कल्चर और पहनावे देख कर आंखें फटी रह जायेंगी। डिनर जैकेट फ़ौरन बनवा लो। दुख है कि तुम्हारा कोई उपयुक्त फ़ॉर्मल ड्रैस नहीं। तुम्हारे जितने भी पहनावे हैं सब के सब unscientific।'

'कैसे?' हमने बात को तूल दी कि वो बातें करने के मूड में था।

'अजीब बात है, औरतें तो अपने ख़ूबसूरत चेहरे को नक़ाब से और साथ में लगे हुए उन्नतिशील सामान को दुपट्टे से ढांक लेती हैं और मर्द? बुरा न मानना मैंने कलकत्ता

म्यूज़ियम में अवध के नवाब की तस्वीर देखी थी। ढाका मलमल के अंगरखे में से एक अदद नवाबी चूची नमूने के लिये बाहर निकाल रखी थी, दूसरी भी वैसी होगी। Very unscientific, अपने कपड़ों पर ध्यान तो करो। 116 डिग्री टैम्परेचर में सिर पर बीस गज़ लम्बा साफ़ा और दक्खिन में दस गज़ घेर की सलवार। मानसून की उमस में अचकन और नाभि से ऐड़ी तक सरकस वालों का सा अन्डर-वियर। क्या कहते हैं उसे?'

'चूड़ीदार पाजामा।'

'All very unscientific.'

'लेकिन योरोपियन कपड़े तो इससे भी अधिक unscientific हैं। योरोप में बर्फ़ गिर रही हो और टैम्परेचर शून्य से 20 डिग्री कम हो तो हट्टे-कट्टे मर्द तो घुटनों तक दोहरे ऊनी मोज़े, leggings और गर्म पतलून पहनते हैं और कोमल औरतों की टांगें रानों तक खुली रहती हैं।'

'सूदख़ोर मुल्ला! तुम्हें नंगी टांगों पर क्या एतराज़ है?'

'सर! मुझे तो बाक़ी कपड़ों पर एतराज़ है।'

'तुमने मुझे कल बेल्जियम फ्रैंक का भाव ग़लत बता दिया। भविष्य में ऐसी ग़लती न हो,' उसने इस तरह कहा जैसे वाक्य सुना ही नहीं।

मय से ग़रज़ निशात है किस रूसियाह को : ये वो काल था जब ब्रिटिश कम्पनियों, सेना, आई.सी.एस. और अंग्रेज़ों के अधीन काम करने वाले देसी अफ़सर अपने आपको प्रगतिवादी, सोशल और योग्य सिद्ध करने के लिये दिल पर पत्थर रख कर शराब पीना सीखते। कुछ दिन के अभ्यास के बाद ऐसे गति पकड़ते कि न पीने के लिये दिल पर पत्थर रखना पड़ता था। रोज़ कहीं-न-कहीं कॉकटेल पार्टी होती थी और आदमी थोड़ा सोशल और शालीन हो तो साल के 365 दिन दूसरों के ख़र्च पर स्वयं को हर शाम उल्लू बनवा सकता था। कॉकटेल पार्टी एक साथ अंग्रेज़ों से भेंट, मुफ़्त की शराब पीने और प्रभावी लोगों तक पहुंच का पासपोर्ट थी। अजीब ऊधम था। कुछ मुसलमान अफ़सर तो इस आरोप में निकाल दिये जाते कि वो सोशल नहीं यानी शराब नहीं पीते। शेष अफ़सरों को इस आधार पर निकाल दिया जाता कि वो 'alcoholic' हो गये हैं और मिक्स पार्टीज़ में हुड़दंग मचाने लगे हैं। दो चार ही भाग्यशाली ऐसे होते थे जो बर्ख़ास्त होने के अपमान से बच पाते थे। यह वो होते थे जो डिसमिस होने से पहले ही लिवर के सिरोसिस के कारण सम्मानजनक ढंग से प्राण त्याग देते थे। एक कथावाचक के अनुसार पुराने समय में इंग्लैंड के लोग भूत, प्रेतों में बहुत विश्वास करते थे। हर औरत पर चुड़ैल, डायन का संदेह करते। फिर यह जानने के लिये कि वो वास्तविकता में चुड़ैल है या निर्दोष, गांव के पंच-पटेल उसके हाथ-पांव रस्सियों से कसते और भारी पत्थरों से बांध कर निकटतम नदी में फेंक देते। अगर वो डूब जाये तो यह इस बात का सबूत था कि वो चुड़ैल नहीं बिलकुल मासूम थी और अगर न डूबे तो उसका चुड़ैल होना तय। इस स्थिति में उसे पानी से निकालते। गर्म कपड़े पहनाते, अच्छे-अच्छे खाने खिलाते और फिर आग में जीवित जला देते कि चुड़ैल की उस काल में यही सज़ा थी। आरोपों का

रूप बदलता रहता है मगर समय का दंड विधान आज भी वही है।

बना है शह का मुसाहिब फिरे है इतराता : मिस्टर एंडरसन कुछ दिन से हम पर कृपालु थे। हम उनके विश्वस्त परामर्शदाता थे। मतलब यह कि हर विशेष-विषय पर हमसे परामर्श करते और हमेशा उसके विपरीत काम करके सफल होते। दूसरे दिन उन्होंने फिर याद दिलायी, 27 तारीख़ न भूलना। ऐसी कॉकटेल पार्टियों के निमंत्रण प्राप्त करना तुम्हारी प्राथमिकताओं में से है। चोटी के अंग्रेज़ों से मैं स्वयं तुम्हारा परिचय कराऊंगा। इधर कुछ समय से हम स्वयं महसूस कर रहे थे, हालाँकि हमारे वेतन में एक पैसे की भी बढ़ोत्तरी नहीं हुई लेकिन जब से हम चीफ़ एकाउन्टेंट, सेक्रेट्री और इंस्पेक्टर ऑफ़ ब्रांचेज़ के पदों पर एक ही समय में नियुक्त हुए हैं, हमारी इमेज में एक सुन्दर परिवर्तन आ गया है। हमारा मतलब यह है कि इसी वेतन में अच्छे सिगरेट के दो टुकड़े कर के पीने लगे हैं। डालडा छोड़ कर अब शुद्ध घी के नाम पर धोका खाना शुरू कर दिया है। कपड़ों तथा अन्य वस्तुओं से भी स्तरीयता झलकती थी। यानी टाई की गांठ फूली हुई होती थी। अब ऐसे मोज़े भी नहीं पहनते थे जिनमें ऐसा छेद हो जिसमें से गर्दन निकाल कर अंगूठा आज़ादी की सांस ले सके।

जिस मुहल्ले में था हमारा घर : चाव में अगले सप्ताह मकान भी बदल लिया। उस मुहल्ले में एक नहीं कई सौदागर रहते थे। इलाक़े के posh होने का अनुमान इससे लगा लीजिये कि हमारी छोटी बिटिया पड़ौसी के बच्चों के बारे में हमसे पूछने लगी, 'बाबा ये हर दिन ईद के कपड़े क्यों पहने फिरते हैं।' गुड्डू मियां ने पड़ौसी की दीवारों पर सागौन की panelling अपने 6 वर्ष के जीवन में पहली बार देखी तो हमसे कहा कि 'उन्होंने दीवारों पर भी फ़र्नीचर लटका रक्खा है।' कुछ दिन बाद दायें हाथ वाली पड़ौसिन ने बताया कि बायें हाथ वाली पड़ौसिन कह रही थी कि हम अपने बच्चों को उसके क़ालीन पर आवश्यक कार्यों से निवृत्त कराने ले जाते हैं। मिलना-विलना तो केवल बहाना है। कोई पूछे, इन्हें इस locality में आने की क्या मार पड़ी थी, ईरानी क़ालीन देखे बिना लाड़लों का पेशाब नहीं उतरता। हमारे बाथरूम में अब गर्म और ठंडे पानी की व्यवस्था थी यानी वाश बेसिन की टोंटी से गर्मियों में गर्म और सर्दियों में ठंडा पानी निकलता था। महीने के अन्तिम दिनों में कोयले से दांत नहीं मांजते थे बल्कि ट्यूब पर कूद-कूद कर टूथपेस्ट निकालते थे। संक्षेप में हर चीज़ से अफ़सरी शान टपकने लगी, बैंक एकाउन्ट से भी लाली झलकने लगी।

इन्हीं दिनों एंडरसन ने अपना पुराना फ्रिज पालने-पोसने के लिये चार सौ रुपये में हमें बेच दिया। नया साढ़े सात सौ में आता था। हमारे यहां महीनों उसमें पपीते लुढ़कते रहे और बैंगन बर्फ़ाते रहे। पहले दिन तो हमने उसमें कोरी सुराही भी रक्खी देखी। तीन-चार दिन प्रयोग करने के बाद मालूम हुआ कि उसका स्वभाव एंडरसन की तरह है यानी चार-पांच मिनट चल कर आगबबूला हो जाता और शोर मचाने लगता। उसे ठंडा रखने के लिये हमने उसी कम्पनी का बना हुआ पंखा सवा तीन सौ में ख़रीदा। नये फ्रिज की तुलना में कुल सौदा फिर भी 25 रुपये सस्ता पड़ा। पंखा चौबीस घंटे फ्रिज के ब्लडप्रेशर

को बिगड़ने से रोकता था। गर्मी अधिक पड़े तो हम अपनी समझौता-चारपाई पंखे और फ्रिज के बीच डाल लेते थे।

यूसुफ़ी के कपड़े : अब हम 'उजले कपड़े लांड्री रजिस्टर्ड' में आठ आने दैनिक दण्ड दे कर अपने कपड़े इस अर्जेन्ट बेदर्दी से नहीं धुलवाते और फड़वाते थे कि जो क़मीज़ सुब्ह दफ़्तर जाते हुए दे कर गये वो उसी शाम घर डिलीवर कर दी गयी। उस काल में हम अपनी मैली क़मीज़ रात को धोबी के पास बिलकुल नहीं रहने देते थे। अब हमने आठ रुपये सैकड़ा में अपनी तीन क़मीज़ें धोने के लिये एक नया धोबी लगा लिया। कपड़ों की चोरी भी नहीं करता था। बल्कि स्वभाव से इतना चौंकन्ना था कि पहली ही धोब में दो क़मीज़ों के कॉलरों की दोनों नोकों पर सामने की ओर धोबी मार्का लगा दिया ताकि उन निशानों को देख कर परिचित पहचान जायें कि क़मीज़ के नीचे हम ही हैं। पिछला धोबी कॉलर पर तो अच्छी प्रेस नहीं करता था, मोज़ों और अन्डरवियर में ख़ूब क़लफ़ लगाता था। बनियान में क़लफ़ लगा कर सुकेड़ने की शिकायत हमने जानबूझकर नहीं की। इसलिये कि 36 इंच का जो बनियान धुलने जाता था वो 46 इंच का होकर आता था। मियां वाली के इस धोबी की चौड़ी छाती से तंग आ कर हमने ख़ुद ढूंढ-ढांढ कर यह लखनऊ का धोबी लगाया था कि उसके नाप हमसे मिलते थे। लेकिन हम यह देख कर भौंचक्के रह गये कि बनियान पहली ही धोब में 56 इंच का हो गया और उसमें बॉस्केट बॉल की सी दो टोकरियां भी बन गयीं। अगली धुलाई पर वो एक लड्डू, चांद सा बेटा होने की ख़ुशी में लाया। नवजात का वज़्न एक पंसेरी बताता था, जिसकी पुष्टि हमारे बनियान से भी होती थी।

शेष रहा ऑफ़िस, तो वही क्लर्क जिनकी ख़ुशामद करके हमने काम सीखा था, अब हमें तमीज़ से सर कहते फिर आंख मार कर हमारी जोड़-घटाने की ग़लती निकालने की हिम्मत करते। जमादार अजमल ख़ां अब हमें तुम कहने लगा। पहले तुसी कहता था। यानी जैसा कि आपने ध्यान किया हमारा स्तर अपनी दृष्टि में ही काफ़ी बढ़ चुका था। कई पल ऐसे भी आने लगे जब यूं लगता जैसे हम हिन्दू देवमाला की वो गाय हैं जिसके सींगों पर पृथ्वी ठहरी हुई है। जब वो थकन से झुरझुरी लेकर सींग बदलती है तो भूकम्प आ जाता है। कराची की बड़ी-बड़ी पार्टियों में हम निमंत्रित होने लगे थे, बड़ी पार्टियों से हमारा अभिप्राय ऐसे कार्यक्रम हैं जिनमें मेहमानों की संख्या 4 हज़ार से अधिक हो और जहां मेहमानों की सूची टेलीफ़ोन डायरेक्ट्री देख कर बनायी जाती हो। इनमें हमें, मेज़बान सहित कोई नहीं पहचानता था, केवल तम्बू-क़नात वाले निज़ामे-दीन के आदमियों के जिनसे दैनिक मिलने के कारण अच्छी ख़ासी बेतकल्लुफ़ी हो गयी थी।

कॉकटेल के नियम : ख़ुदा और उसके बन्दे मारें या छोड़ें, झूठ नहीं बोलेंगे। जब एंडरसन से ये सुना कि यहां शराब पीना आवश्यक कार्य है तो एक बार तो अजब रूहानी आनन्द महसूस किया। धीरे-धीरे पार्टी की तैयारियां होने लगीं। अभी दो सप्ताह शेष थे। प्रोफ़ेसर क़ाज़ी अब्दुल क़ुद्दूस M.A. (Gold Medallist) से कॉकटेल पार्टी के मदमस्ती के नियमों के बारे में पूछा तो उन्होंने न्यूनाधिक वही जानकारी दी जो शेख़ सादी

के काल में भी उपलब्ध थी। जैसे कि शराब, शबाब और धन पाकर जो मस्त न हो वही मर्द है। निवेदन किया, 'जिन बिचारों को ये लानत उपलब्ध न हो उनके मर्द होने का भी कोई चांस है कि नहीं?' बोले, 'क्यों नहीं। ''मर्द बायद कि हिरांसा न शुद'' हिरांसा पर उर्फ़ी का एक शे'र सुनो।' जो शे'र उन्होंने सुनाया उसका उर्फ़ी से ही नहीं हिरांसा होने से भी कोई संबंध नहीं था। शे'र का नशा बढ़ा और ज़बान खुली तो बोले कि ग़ालिब ने शराब की तुलना में शहद को मधुमक्खी की उल्टी कहा है। शे'र और शराब दोनों ही पर्दे में रहनी चाहिये और यह न भूलो तुम्हारे पेशे में पर्दा हराम है। कभी तुमने ध्यान दिया, शराब को ड्रिंक्स कहा जाये तो कम हराम होती है। हां जब नज़रें-नज़रों से और शराबें-शराबों से मिलें तो कॉकटेल हरजाई के प्यार की तरह तीखी और तेज़ हो जाती है। 'क्या लोग शराबों का भी दीने-इलाही बनाते हैं?' हमने उनके हीरो अकबर महान पर चोट की।

'इसी को तो कॉकटेल कहते हैं। ऑक्सफ़ोर्ड डिक्शनरी में आया है कि... ?'

उनकी ज्ञान की उड़ान बढ़ती चली गयी तो हमने बैली लैडिंग कराते हुए पूछा, 'प्रोफ़ेसर! कॉकटेल पार्टी में गिलास कौन से हाथ में पकड़ते हैं?' बोले, 'ऑफ़ कोर्स! दायें हाथ में।' पूछा, 'फिर हाथ कौन से हाथ से मिलायेंगे?' थोड़ी देर सोच में पड़ गये। फिर बोले, 'अगर दूसरे ने भी गिलास दायें हाथ में थाम रखा हो तो फिर बायें हाथ से ही हाथ मिलाना उपयुक्त है।'

मिर्ज़ा अब्दुल वदूद बेग से सलाह की तो इस प्रारम्भिक घोषणा के बाद कि कॉकटेल पार्टी देश की सबसे शक्तिशाली पार्टी है। बोले कि दो प्रेक्टिकल टिप देता हूं। पहला यह कि ये चीज़ कड़वी होती है। मुंह नहीं बिगाड़ना चाहिये। तुम्हारा तो सारा बचपन जुशांदे, क़ुनैन के मिक्सचर, कैस्टर आइल, टिंक्चर आयोडीन और चक्रवर्ती की अर्थमैटिक से ही उलझते बीता है। फिर क्या डरना? हाय! क्या ख़ूब कहा है ज़ालिम ने—

जो पीने वाले हैं वो पीके मुंह बनाते हैं
जनाबे-शेख़ हैं जो मुंह बना के पीते हैं

पूछा, 'और अगर हम बिलकुल न पियें तो किस समय मुंह बनाना उचित होगा?'

'मगर ये तो आपके चेहरे का नॉर्मल एक्सप्रेशन है। ख़ैर दूसरा टिप मैंने *Man Only*' मैगज़ीन में देखा था। लिखा था कि कॉकटेल पार्टी में कोई भी बैठ कर शराब नहीं पी सकता।'

'वर्जित है।'

पूछा, 'क्यों?'

पहले तो चकराये। फिर संभल कर बोले, 'हां। कॉकटेल में सब खड़े हो कर पीते हैं। ताकि जब गिर पड़ें तो अंदाज़ा हो जाये कि अब सब्र आवश्यक है।'

काले चावल, रम और घमंडी गरदन वाली : जैसे-जैसे 27 तारीख़ पास आती गयी, हमारी घबराहट में बढ़ोत्तरी होती गयी, सीधे रास्ते से भटकाने वाला कोई मार्गदर्शक न मिला कि हमारी दौड़ पाक बोहेमियन कॉफ़ी हाउस तक थी। अन्त में नवाबज़ादा

ग़ुफ़रानुल्ला ख़ां से सम्पर्क किया जो कराची के हर क्लब के मैम्बर थे और जिनके बिना कोई कॉकटेल पार्टी पूरी नहीं समझी जाती थी। हर वाक्य पर चाहे अपना हो या पराया, अट्टहास लगाने के कारण The laughing cavalier कहलाते थे। एंडरसन के हमपियाला थे। हम पर कृपा रखते थे। बातों में रस और वो रचाव जो महफ़िलों में जाने, छके-छकाये शारीरिक आनन्द, मीठे स्वभाव और पन्द्रह हज़ार एकड़ ज़मीन से पैदा होता है। शहर से बाहर उनका बहुत बड़ा बाग़ था, जिसमें बोगनवेलिया की 100 से अधिक क़िस्में थीं। वैसे बड़े नियमों को मानने वाले और संकोची व्यक्ति थे। बड़े प्यार से पेश आये। जापान से मंगवाये हुए गुलाबों की सैर करवायी। वो टुकड़ा भी दिखाया जिसमें उन्होंने काले चावल बोये थे, हमने पूछा, 'यह कोई अफ़्रीक़ी वैरायटी है।'

बोले, 'नहीं। दक्षिण अमरीका गया था तो दो-चार मुट्ठी बीज ओवरकोट में छुपा कर ले आया। लन्दन में hydrangea फूल के बल्ब भी ऐसे ही स्मगल किये थे। मिशीगन में भी जंगली चावल होता है, मगर वो बात कहां, इस साल बीस सेर चावल निकले। सात हज़ार लागत आयी। जाते समय 1/2 पौंड भेंट ले जाना न भूलना।'

हमने पूछा, 'इन्हें खाते कैसे हैं?'

बोले, 'काले चावल तो घमंडी गरदन वाली मुर्ग़ाबी और गुलाबी रम के साथ मज़ा देते हैं। दिसम्बर में याद दिलाना। उनकी भी व्यवस्था कर दूंगा। इस्क़न्दर मिर्ज़ा बड़े शौक़ से खाता है।' निवेदन किया, 'अगर ज़रूरत पूरी करना ही उद्देश्य है तो अबकी महावट में सरकार केवल घमंडी गरदन वाली की व्यवस्था करवा दें।' कहने लगे, 'पहुंचाने की भी एक ही कही। तुम्हारा विचार है कि चूहेदान स्वयं चल कर चूहे के पास जाता है? हां! खाना पचाने के लिये तुम्हें आधा घंटे डारूथी (उनकी सेक्रेट्री) के साथ डांस करवा दूंगा, आगे तेरे भाग लछिये। उसी की recipe से एक नयी डिश भी खिलवाऊंगा जो फ्रांस में अंगूर की बेल की सूखी डंडियों की नशीली आंच पर पकायी जाती है। इस पर शेरी का छींटा देते हैं।'

अज़ान के बाद अपने भूमिगत बार में ले गये। चार-पांच बटन दबाये तो रंग बिरंगी रौशनियों से उनके चेहरे पर वो दिल को जीत लेने वाली नर्मी और हरीतिमा दिखायी देने लगी जो हल्के पेस्टल रंगों में होती है। एक कोने में नीग्रो औरत की लाइफ़ साइज़ नग्न मूर्ति रखी थी। उसके एक हाथ में काले रंग की माला थी और दूसरे में इंसानी खोपड़ी का पियाला। औरत का सिर उठा कर दो पैग डाल दें तो उसके स्तनों से व्हिस्की रिसने लगती। एक ममता भरी निपल पर लिपस्टिक का ताज़ा निशान और दूसरी से सिगार की गंध आ रही थी। गले में एक बिब बंधा था जिस पर मरदानगी के देवता हरक्यूलिस की तस्वीर कढ़ी थी। बायीं ओर ताक़ में गोथिक स्टाइल की एक ख़ानक़ाह बनी हुई थी और उसके अधखुले दरवाज़ों पर सैक्यूएल जानसन के ये शे'र खुदे हुए थे। जिन्हें हम शराब पीने को बढ़ावा देने के लिये नहीं बल्कि केवल इस कारण लिख रहे हैं कि यह इस कथानक के केन्द्रीय पात्र एंडरसन का जीवन दर्शन था। जिसका वो प्रचार करते रहते थे। ये था वो यूनानी दर्शन जो स्कॉटलैंड की भट्ठियों से होकर हम तक पहुंचा था।

Hermit hoar, in solemn cell,
wearing out life's evening greys;
Smite thy bosom, Sage, and tell
What is bliss, and which the way?

Thus I spoke; and speaking sigh'd;
Scarce repress'd the starting tear
When the hoary Sage reply'd
Come my lad, and drink some beer

(ऐ बूढ़े दोस्त! तू इस अंधेरे से छोटे कमरे में अपने जीवन की मलगिजी शाम काट रहा है। बाबा! तू कि ज्ञानी है। अपने सीने पर हाथ रखकर बता कि सच में प्रसन्नता क्या है और उसका मार्ग क्या है? मैंने यह कहा और आहें भर-भर कर कहा। मैं अपने उमड़ते हुए आंसुओं को रोक ही रहा था कि बुड्ढा बोला, 'बेटा मेरे साथ थोड़ी सी बियर पियो')

हम सा कहें जिसे : ऐसी सुन्दर कोमल-कोमल बोतलें, बिल्लौरी सुराहियां, रंगबिरंगे डिकेन्टर, शीशे हमने अपने जीवन में नहीं देखे थे। तीन-चार सौ से कम न होंगे। हमारी दृष्टि को उन पर बहकते देख कर कहने लगे कि 'इनमें से चार-पांच को पसन्द कर लो। ख़ाली होते ही घर भिजवा दूंगा। एक में मनी प्लांट लगा कर नेक शगुन के लिये बरामदे में लटका देना। दूसरी का टेबिल लैम्प बनवा कर उसी की रौशनी में अर्थशास्त्र की किताबें पढ़ते रहना।' हमने कहा, 'श्रद्धेय! एक बात समझ में नहीं आयी। नशा नशा होता है। देस-देस के लेबिल से क्या अन्तर पड़ता है?' अट्टहास के बाद बोले। 'बच्चे! घूंसे, चुटकी, छुरी, गंडासे और बन्दूक़ की चोट एक जैसी नहीं हुआ करती। हर देश के फूल, हर देश की नारी की गंध अलग होती है। व्हिस्की बहुत कोमल बड़ी तुनकमिज़ाज होती है। सिंध क्लब में कभी किसी नमाज़ी बैरे के हाथ लग जायें तो क़सम ख़ुदा की सारे पैग का सत्यानाश हो जाता है। नशा बड़ी कोमल चीज़ है, ये कोमल सा अन्तर अगर तुम्हारी समझ में आ गया होता तो आज तुम्हारे कंधे शैम्पियन बोतल की तरह ढलके हुए न होते।' फिर इस कोमल से अन्तर को दिमाग़ में बैठाने के लिये उन्होंने हमें शैम्पेन की बोतल निकाल कर दिखायी। हमें उस बेचारी पर बड़ा तरस आया।

शराब फूलों और कुत्तों का कोलम्बस : पूछा 'इस डिकेन्टर में क्या है?' बोले, 'रूसी वोदका, एक घूंट लेते ही आदमी पीछे मुड़ कर देखता है कि किसने घूंसा मारा। एक ही चुल्लू में उल्लू।' पूछा, 'और इस इत्रदान में क्या भरा है?' बोले, 'पिघला हुआ पन्ना। फ्रांस की हरी कोन्याक, डिनर के बाद की चीज़ है। इसके बराबर जीवन-धारा रक्खी है—चैकोस्लोवाकिया की सौंफ़ की वाइन।' पूछा, 'और इस बिल्लौरी मुगदर में?' बोले, 'ये एक अफ्रीक़ी वाइन है। मर्दों का ड्रिंक्स सच पूछो तो यही है। एक चुस्की लेते ही महसूस होता है, गले से प्रदर्शनकारियों का मशाल जुलूस निकल रहा है।' पूछा, 'और यह बैल को सानी खिलाने की नांद में क्या पड़ा छलक रहा है? और इसमें डोंगा क्यों

डाल रखा है?' बोले, 'ओह, ये पंच है। एक दोस्त के हां हाउसवार्मिंग पार्टी है। उसे भेजनी है। इसी तरह नांद में भर कर लॉन में रख दी जाती है।' निवेदन किया कि यह तो ग़ालिब के काल में भी होता था।

सहने-चमन में रख दी मये-मुश्कबू की नांद
जो आये जाम भर के पिये और हो के मस्त
सब्ज़े को रोंदता फिरे फूलों को जाये फांद

बोले, 'चार पंक्तियों की कविता को तो हिन्दी में चौपाई कहते हैं। आपने तो बाग़ के सहन में तिपाई रख दी। मेरे वालिद की आदत थी कि जब कोई बुरी ख़बर सुनते या खड़ी फ़सल को पाला मार जाता या ख़ानदान में कोई मर जाता तो शे'र पढ़ा करते थे। आप तो ख़ुश होते हैं तब भी शे'र पढ़ते हैं।' फिर पूछा, 'और यह क्या बला है जो रंग और महक से मस्त ख़च्चर का पेशाब मालूम देती है?' कहने लगे, 'लाहौल विला क़ुव्वत! यह तो दुनिया की बेहतरीन बियर, म्यूनिख़ बियर है। नाज़ी क्रांति की नींव बियर-बारों में ही रखी गयी थी।'

उर्दू भाषा में शब्दों की तंगी का गिला करते हुए बोले कि 'हमारे हां हर तेज़ पानी के लिये सिर्फ़ एक गाली है...शराब। इसी तरह कुत्ते की उर्दू में ले दे कर दो प्रजातियां हैं। दूसरी को छोटा भाई कहते हैं और आपको आश्चर्य होगा, फ़ारसी में गुलाब तक के लिये कोई अलग शब्द नहीं। देखा जाये तो अंग्रेज़ ने हमें...पूरे महाद्वीप को...कुत्तों, फूलों और शराब की विभिन्न प्रजातियों और विशेषताओं से परिचित कराया। हमने बात बढ़ायी, 'वरना यहां क्या धरा था।'

कहीं था मवेशी चराने पे झगड़ा
कहीं पानी पीने-पिलाने पे झगड़ा

बोले, 'आप ग़लत पढ़ रहे हैं। मवेशी चराने पे अरब में झगड़ा होता था। अपने यहां चुराने पे होता है।

कॉकटेल गाइड : लीजिये दो-ढाई घंटे के प्रश्न-उत्तरों से लबालब कॉकटेल पार्टी की पथप्रदर्शिका...पहले पैग से सुब्ह के हैंगओवर (ख़ुमार) तक...संपादित हो गयी। नये आने वालों का परलोक संवारने के लिये शराब और उपद्रव का वर्णन प्रस्तुत है।

1. पहला नियम उन्होंने यह बताया कि जब तक कोई साझा जानकार परिचय न कराये, किसी से बात न करो। अंग्रेज़ तो जब तक परिचय न हो, किसी की गाली का जवाब भी नहीं देता।
2. एक ही जगह इतनी देर जम कर खड़े न होओ कि वाक्य पूरा हो जाये, घूमते रहो।
3. जो तुमसे स्तर में छोटा या अनुपयोगी हो या आगे चल कर काम न आ सके, उसके साथ से बचो लेकिन जो तुम्हारा नोटिस न ले, तुम भी उसका नोटिस न लो।
4. गम्भीर बातचीत न करो वरना लोग समझेंगे तुम अभी से बहके-बहके हो गये हो।

5. अगर टमाटर का जूस या नींबू-पानी पर सांसारिक मोह-माया छोड़कर निर्भर हो तो यह बिलकुल न कहो कि मज़हब के मना करने के कारण नहीं पी रहे हो या practising Muslim हो, ख़ूनी पेचिश का बहाना बना दो।
6. अगर चर्चा के विषय की जगह कुछ अला-बला यानी सॉफ़्ट ड्रिंक पी रहे हो, तब भी लेडीज़ से बहकी-बहकी बातें करो। कॉकटेल का सबसे बड़ा फ़ायदा यह है कि मर्दों को बदतमीज़ी करने का एक उचित बहाना मिल जाता है। अगर सुन्दर है तो फ़्लर्टेशन उसका अधिकार है और अगर बदसूरत है तो उसके साथ क्षमता भर फ़्लर्ट करना शालीनता के कारण आदमी का कर्तव्य है। तुम बहुत कम बोलते हो। बंद-बंद से रहते हो। मैंने आदम जी की पार्टी में देखा कि औरतों से परिचय के समय तुम अपनी नज़र, नीयत और नैक-टाई ही ठीक करते रह गये।

   क्या ज़नाने में पनपने की यही बातें हैं

   बच्चा ऐसे समय में तो पलक झपकना भी रूप का अपमान है।
7. कॉकटेल पार्टी में हर एक से आत्मविश्वास के साथ, जम कर बातें करो। दूसरे की आंखों में आंखें डाल के बल्कि निकाल के। व्हिस्की के हर घूंट के बाद अपनी बात का वज़्न बढ़ता हुआ साफ़ महसूस होता है। निवेदन किया, 'ये हालत तो ''लिब्रेम'' की गोली से भी पैदा की जा सकती है।' बोले, 'बड़ा अन्तर है, उस्ताद ज़ौक़ ने क्या अच्छा कहा है—

   पीरे-मुग़ां के पास वो दारू है जिससे 'ज़ौक़'
   नामर्द मर्द, मर्द जवांमर्द हो गया

   लिब्रेम के बाद बिल्ली को चूहों की इच्छा नहीं रहती। फिर उसे सपने में छीछड़े नज़र नहीं आते, बिल्ले नज़र आते हैं। लेकिन शराब पी कर चूहे की मूँछें इतनी अकड़ जाती हैं कि अपने बिल में नहीं घुस सकता। फिर वो बिल्ली की खोज में निकल खड़ा होता है किधर गयी वो कमबख़्त।'
8. जब हर बात मज़ाक और हर चेहरा सुन्दर दिखायी देने लगे तो तुरन्त कोई खट्टी चीज़ खा लो। यह उपलब्ध न हो तो अपनी बीवी की फ़ोटो बटुवे में से निकाल कर एक नज़र देख लो।
9. ढीले कॉलर की क़मीज़ पहन कर जाओ। नशे में कोई गिर पड़े तो भूल कर भी उसकी नींद में बाधक न बनो। इंग्लैंड में इस शताब्दी के अंत में जिसे एडवर्डियन काल कहा जाता है, ऊंचे क्लबों में छोटे-छोटे छोकरे केवल इस काम पर तैनात होते थे कि जैसे ही कोई धुत्त मैम्बर कुर्सी से लुढ़क कर गिरे, वो मेज़ के नीचे घुस कर कॉलर ढीला कर दें ताकि दम घुटने से क्लब में मौत घटित न हो।
10. वापसी में अपना सारा बोझ कार के ब्रेक पर डाले रखो। बिजली के खम्बे से कार रोकने से बचो। खम्बे गिर जायें तो कुत्तों को बहुत परेशानी होती है।

11. नशा गहरा हो जाये तो तबियत बेतहाशा सच बोलने पर उतारू होती है। इसलिये घर पहुंच कर बीवी से बातचीत करने से बचो।
12. सुब्ह आंख खुलते ही लगने लगे कि देश में अंधेरा छाया हुआ है और शासन अपनी पॉलिसी से समाज को बरबादी के खड्ड में धकेल रहा है तो एक एस्प्रीन खा लो। दस मिनट में शासन की पॉलिसी में आराम आने लगेगा।

रूठी धरती : उन्होंने मौसम की तरकारियां और फल हमारे साथ किये और जीप में बिठा कर अपने बाग़ और फ़ार्म की सैर करायी। कहने लगे कि दस घंटे दैनिक काम करता हूं। मेरा बाप ज़मींदार था। मुझे भी खेतीबाड़ी से लगाव है। अक्सर होता है कि पार्टी से रात के ढाई-तीन बजे लौटता हूं मगर सुब्ह साढ़े चार बजे अपने समय पर उठ जाता हूं। पापी हूं (उनकी आंखें डबडबा गयीं) फ़ज्र (भोर की नमाज़) के बाद दो घंटे खेतों में ज़रूर बिताता हूं। अजीब हाल होता है। पौ फटने से पहले हर तीसरे मिनट क्षितिज और दृश्य का मूड आंखों के सामने बदलता दिखायी देता है। उजाले की हर लहर के साथ चिड़ियों के चहचहाने की लय भी बदलती जाती है। फिर एक-एक फूल से बातें होती हैं। सबसे अपनी यारी है। मैंने अपने जीवन में कभी कोई फूल बाली से नहीं तोड़ा, गेहूं की सुनहरी बालें देखते ही झूमने लगती हैं। कभी कोई बूटा उदास, मांदा दिखायी दे तो दिन भर चुभन सी रहती है। जीवन को समझना चाहो तो कोई पेड़, कोई पौधा, कोई फूल...एक ही सही...कैक्टस ही क्यों ना हो...लगा कर देखो तो सही। धरती किसान से, अपने चाहने वाले से, बार-बार बेवफ़ाई करती है। फिर भी वो उस पर भरोसा करता है। धोखे पर धोखे खाता है। फिर भी प्यार किये जाता है और जब वो प्यार के लायक़ नहीं रहता तो गांव छोड़ देता है। शहर जा कर अपना थका-हारा पिंजर किसी मिल को सौंप देता है। शहर में फिर उसे जीते-जी धरती अपनी सूरत नहीं दिखाती। दरी, चटाई, संगे-मरमर, सीमेंट, टाइल्स के फ़र्श और तारकोल के नीचे अपना मुंह छिपाये रहती है।

बॉटल से दबनेवाले ऐ आसमां नहीं हम : एक दोस्त ने अपनी मोटर साइकिल पर लिफ़्ट दी, जिसका साइलेंसर फटा हुआ था। उसके 101 धमाकों से अपनी सलामी आप देते और लेते हुए, हम पार्टी में पहुंचे तो आठ बज रहे थे। उस समय कॉकटेल पार्टी अपनी जवानी पर थी। बल्कि कहना चाहिये कि उसके आधे हिस्से में तो जवानी भी जवानी पर थी। किसी ने ठीक ही कहा है कि रंग पर आने के बाद कॉकटेल में इतनी देर से सम्मिलित होना ऐसा ही है जैसे तेज़ चलते हुए merry-go-round में बैठने की कोशिश करना। लॉन पर बड़ी जगमगाहट थी। पेड़ों और झाड़ियों में लाल-लाल, नीले-नीले, पीले-पीले बल्ब उन्हीं रंगों के कपड़ों को आंख मार रहे थे। ऐसा लगता था कि अधिकांश मेहमान न केवल आ चुके हैं बल्कि कई तो इस योग्य भी नहीं रहे हैं कि वापस जा सकें। बात-बेबात हँसी कि अकारण प्यार आये। आंखें गुलाबी, बदन गर्म और चेहरे लाल दहके हुए—

दहका हुआ है आतिशे-गुल से चमन तमाम

लॉन के दूसरे किनारे पर बैरे, मुग़ल बादशाहों की यूनिफ़ॉर्म मय राजपूती पगड़ी

पहने ड्रिंक्स बना रहे थे। कभी-कभी कोई बैरा आंख बचा कर चेकोस्लोवाकिया के बने गिलासों को मुंह की भाप से नम करके चमकते पैमाने को और चमका देता था। काफ़ी मेहमान ऐसे थे जो किसी कॉकटेल से आ रहे थे या किसी और कॉकटेल में जानेवाले थे। हम नियम नं. 3 पर दृढ़ता से जमे हुए थे कि जो व्यक्ति अपने से कम स्तर का दिखायी दे या आगे चल कर काम न आ सके, उसका नोटिस न लो। कुछ देर बाद अचानक रहस्य खुला कि यहां तो मामला ही कुछ और है। कोई हमारा नोटिस नहीं ले रहा है। चारों तरफ़ नज़रें दौड़ायीं, हमें कोई अपने से कम स्तर का न दिखायी पड़ा। सुन्न हो गये। अब जो ध्यान से देखा तो मालूम पड़ा कि बड़े-बड़े लोग हमें इग्नोर करने की अनथक कोशिश कर रहे हैं। किनारे होते-होते हमने स्वयं को एक कोने में चीनी नारंगी की झाड़ी के पास टिका लिया और नमकीन बादाम और सींकों में अटकी हुई मुर्ग़ी की कलेजी से मुंह बहलाने लगे।

शराब छोड़ना : इससे पहले हम किसी कॉकटेल में सम्मिलित नहीं हुए थे, सुना ही सुना था। इसलिये बेहद चकराये हुए थे। एक exhibition हो तो बतायें। हमारे साथ के लगभग सभी लोग घिस-घिसा कर नदी की चिकनी बटिया हो गये थे। लेकिन हम इस स्तर के दक़ियानूस और खुरदरे थे कि ड्रिंक्स का अनुवाद शराब और ग़म ग़लत करने वालों को शराबी कहते थे। उन्हीं चकराये दिनों की बात है हमने मिर्ज़ा से कहा कि शराब इस्लाम में हराम है। फिर क्या कारण है कि जितनी चर्चा, जितनी प्रशंसा शराब की उर्दू-फ़ारसी में है, उतनी संसार की सारी भाषाओं को मिला कर नहीं निकलेगी।

बोले, 'चौदह सौ साल से पाप के ताक़ पर रखे-रखे उसका नशा सदी के बाद हर सदी तेज़ होता चला गया।'

अज़ान के बाद विस्तार किया कि मुग़ल बादशाहों ने कभी इस गुनाह को दंडात्मक नहीं रखा। अगर ऐसा करते तो अधिकतर बादशाहों का जीवन जेल में कटता। तख़्त पर कौन बैठता? सुविधा के उपकरण...पुल, कुएं, मस्जिद और भैंसों के स्नानागार यानी तालाब कौन बनवाता? लेकिन मज़ा कहां नहीं। जनाब मुहम्मद बाक़र शम्स, लेखक *लखनऊ का इतिहास* मिर्ज़ा याहिया आसिफ़ुद्दौला, वज़ीर-उल-मुमामालिक, रुस्तमे-जंग की धार्मिकता की प्रशंसा करते हुए लिखते हैं, 'धार्मिक बहुत थे। पहले शराब पीते थे। ग़ुफ़रान मआब (एक शिया फ़क़ीर) के चमत्कार से प्रभावित हो कर शराब से तौबा की और भंग शुरू की। उन्होंने भंग की भी ख़राबी बतायी तो उससे भी तौबा की और अफ़ीम पर सब्र किया।' हम इतिहासकार तो नहीं मगर हमारी छठी इन्द्रिय कहती है कि मिर्ज़ा याहिया आसिफ़ुद्दौला ने इसके बाद ग़ुफ़रान मआब के सान्निध्य से भी तौबा कर ली होगी।

लिलिपुट के राक्षस : सवा आठ बजे हमारे कॉकटेल के पथप्रदर्शक खिलखिलाते हुए प्रकट हुए और हमारी जान में जान आयी। उन्होंने भद्र पुरुषों और सन्नारियों से हमारा परिचय कराना शुरू किया और हमने सर्कुलेट होने की कोशिश की। लेकिन हर बार खोटे सिक्के की तरह वापस कर दिये गये। एक साहब ने तो हमसे दो उंगलियों से हाथ मिलाया। सौ-सवा सौ प्रभावशाली पुरुषों के इस जमघट में हमें एक भी ऐसा न दिखायी

पड़ा जिसकी कमाई हमसे कम हो। जिधर निगाह उठायी, जहां गये, वही एक दृश्य...उस लंका में सभी बावन गज़े थे। और यहां यह हाल कि न सम्पन्नता, न सम्मान, न संभावना। हर राक्षस से हाथ मिलाने के बाद हमने अपनी लम्बाई एक इंच घटती अनुभव की। साढ़े आठ बजे तक हम लॉन पर रेंगने लगे।

हमने पथप्रदर्शक से जाकर कर पूछा, 'हज़रत! आपने तो हिदायत दी थी कि ख़ाली व्हिस्की नहीं पीनी चाहिये। आपने दो पैग हमारी आंखों के सामने पिये और मुर्ग़ की कलेजी को हाथ तक नहीं लगाया।' बोले, 'तुम्हारी नज़र ठीक काम कर रही है। हाथ न लगाने का कारण यह है कि अंग्रेज़ों के बैरे मुर्ग़ी हलाल करते समय ठीक से कलमा नहीं पढ़ते। ऐसा मांस वर्जित होता है। मना आयी है।'

एक के बाद दूसरे टमैटो जूस के चार गिलासों के बाद हमारे जीवन का एकमात्र उद्देश्य यह रह गया कि बैरे से विनती किये बिना टॉयलेट का निकटतम रास्ता खोज लें। (कॉकटेल में बैरों, बूढ़ों और अपनी बीवी से बात करने से हमें सख़्ती से मना कर दिया गया था) इतने में एक क़नात के पीछे से एक बूढ़े अंग्रेज़ को एक हाथ से अपना सिर और दूसरे से पतलून थामे आते देखा तो जिन अंधेरी राहों से वो निकला था, उसी तरफ़ हम ऐसे हौले-हौले क़दमों से रवाना हुए कि पेट का पानी न हिलने पाये। जान निकली जा रही थी। ख़ैर इसका तो ग़म नहीं, आशंका थी कि जान निकलने से पहले कुछ और न निकल जाये। पचास-साठ संकोची पगों के बाद, जैसे कोई शीशे का बर्तन शीशे पर लदा हो, हमने अपनी मंज़िल को जा लिया। बावर्दी बैरों की लाइन हाथ में छोटे-छोटे रंगीन तौलिये लिये खड़ी थी। एक शालीन दाढ़ीवाले बैरे ने बढ़ कर पूछा, 'हुज़ूर उल्टी फ़र्मायेंगे या पेशाब?'

न्यूटन जूनियर : रास्ते में मैकफ़र्न मिल गया, कहने लगा कि क्या बात है? अभी-अभी कछुए की तरह गये और घोड़े की तरह तेज़ रफ़्तार से वापस आये। तुम इतनी देर तक बिजली के खम्बे की तरह अकेले खड़े रहे। जीवन बहुत छोटा है। आओ तुम्हें एक अमरीकन बिजली से मिलवाऊं। अमरीकी-पाकिस्तानी दोस्ती की पक्षधर, डिप्लोमैटिक कोर पार्टियों की जान है। संयुक्त राष्ट्र अमेरिका की मैत्री का प्रदर्शन ढीली गांठ का घाघरा बांध कर करती है। थोड़ी देर बातें सुनोगे तो ग़ुलाम हो जाओगे।

किस तरह की लज़्ज़त है तू चख देख मिरे यार

मैकफ़र्न बड़े गुणों का मालिक था, सबसे बड़ा गुण तो यह कि इस भरी महफ़िल में वो अकेला योरोपियन था जिससे हमारा परिचय ही नहीं, दोस्ती भी थी। दूसरा गुण यह कि वो किसी को उदास नहीं देख सकता था। हँसमुख, हाज़िरजवाब। उन दिनों उसने न्यूटन की गुरुत्वाकर्षण की थ्योरी में एक क्रान्तिकारी परिवर्तन किया था। अर्थशास्त्र और छोटे कपड़ों पर उसकी बातचीत महफ़िल को घंटों गर्म रखने के लिये पर्याप्त थी। इनकी थ्योरी यह थी कि 1952 के बाद से धरती की गुरुत्वाकर्षण शक्ति हर चीज़ को नीचे खींचती है; सिवाय क़ीमतों, पाकिस्तानी ब्यूरोक्रेट्स के सिर और मॉर्डन ब्रा में रखी चीज़ों के, जो इस समय आकाश की गुरुत्वाकर्षण शक्ति के अधीन हैं। इस आकाशी खोज के

कारण यह न्यूटन जूनियर कहलाते थे। हमें उदास और बेआसरा जान कर अपना प्याला रखते और अक्सर अपनी चुलबुली बातचीत से हमारी सोती हुई बल्कि ख़र्राटे लेती हुई उमंगों को जगाते। इस समय हमें ललचाने लगे कि उसे एक नज़र देखोगे तो दिल ही नहीं तुम्हारी घड़ी की धड़कन भी तेज़ हो जायेगी।

तुझसे भी दिल फ़रेब हैं ग़म रोज़गार के : न्यूटन जूनियर ने उस आनंददायक...के बारे में जो जानकारी अपना मुंह हमारे कान से लगा कर दी, हमने उस आनंदी को उससे कुछ अधिक ही पाया। पुरुषों में बेलगाम ऊंट की तरह फिर रही थी। मैकफ़र्न ने यह भी बताया कि शायद तलाक़ हो जाये। मोटी आसामी की घात में है। जलता हुआ मकान किराये पर उठाना चाहती है। वो इस समय एक तिनके में पलवाया हुआ खट्टा जैतून खा रही थी। हाथ मिलाया तो लगा उसे 105 डिग्री बुख़ार है। बातों में भी सन्निपात की सी स्थिति। समुद्री नीले रंग के चुस्त कपड़ों पर से निगाहें और वाक्य फिसल रहे थे। कटी हुई V नैक लाइन ने समुद्री झाग घाटी में ऐसी आदमी डुबाओ डुबकी लगायी थी कि—

हो तैरने वाला शर्मिन्दा और डूबने वाला नाज़ करे

पीठ भी अंग्रेज़ी के U की तरह शालीन सीमा तक खुली हुई थी। लेकिन हमारे लिये इन सबसे अधिक यह लालच कि उसका पति एक अमरीकन कम्पनी का मैनेजर था और उसके एकाउन्ट से हमारे दिन फिर सकते थे। दुगना-तिगुना सालाना इन्क्रीमेंट मिल सकता था जिससे हम नया चश्मा बनवा सकते थे। क़ालीन ख़रीद सकते थे।

ये वो जामा है कि जिसका नहीं उल्टा सीधा : योरोपियन औरतों के बारे में हमारी सोच है कि कुछ भी पहन लें, भली लगती हैं। कुछ भी न पहनें तो पिक्चर हिट हो जाती है। मगर सारा 'दोष नये योरोपियन फ़ैशन पर रखना सरासर अन्याय होगा। सौ साल पहले इसी तरह नज़ीर अकबराबादी उस काल की कांट-छांट पर अपनी प्रतिक्रिया दे गये हैं।

आगा भी खुल रहा है पीछा भी खुल रहा है
यां यूं भी वाह वा है और वूं भी वाह वा है

इसी से मिलती-जुलती स्थिति नवाब दरगाह अली ख़ां ने दिल्ली की प्रसिद्ध तवायफ़ अमर बेगम की अपने फ़ारसी इतिहास में लिखी है जिसका उर्दू अनुवाद *नादिरशाही क़त्ले-आम की दिल्ली* में ख़्वाजा हसन निज़ामी ने किया है। लिखते हैं, 'इसका कमाल ये है कि यह हसीन और तवायफ़ होने के साथ-साथ अक्सर नंगी रहती है और महफ़िल में बिलकुल नंगी आती है और वो इस तरह कि शरीर के हिस्सों को बिलकुल खोल कर उस पर पाजामे का चित्रण करवाती है। कमख़्वाब के थान की तरह और बूटेदार पाजामे की तरह उसके शरीर पर पाजामे का चित्र बना होता है जो बिलकुल पाजामा मालूम होता है। जब अमर बेगम अमीरों की मजलिस में नंगा पाजामा पहने हुए आती हैं तो कोई नहीं कह सकता कि यह नंगी है। इस रहस्य को उसके कुछ विशेष परिचित ही जानते हैं। अमर बेगम बहुत ही चर्चित रण्डी है। ख़ैर अमर बेगम के बहुत ही चर्चित रण्डी होने का कारण तो स्पष्ट है, मगर अगले वक़्तों के बुज़ुर्गों की शान ही कुछ और थी। हर बात में अच्छाई का पहलू निकाल लेते थे।

ड्राफ़्ट बियर से ओवरड्राफ़्ट तक : देखिये बात कॉकटेल से ख़्वाजा हसन निज़ामी तक पहुंच गयी। किसी परी चेहरा या मांसल डिपॉज़िट की चर्चा हो तो हमारी लेखनी इसी तरह गुमराह हो जाती है। परिचय के बाद वो बीबी कहने लगी, 'तुम्हारा हाथ ख़ाली क्यों है? मैं तो ब्लैक लेबल पीती हूं। व्हिस्की दस साल से कम की हो तो मैं दूसरे दिन चिड़चिड़ी हो जाती हूं। यह बात नहीं कि मैं ड्रिंक्स के बिना जीवित नहीं रह सकती। मैं तो बाई गॉड अपनी नाक के लिये पीती हूं। 100 प्रतिशत प्रूफ़ व्हिस्की से सारे sinues खुल जाते हैं। तुम भी नाक में बोल रहे हो। एक चुस्की मेरे गिलास से लगा कर देखो। स्वयं को सचमुच का मर्द महसूस करने लगोगे।

हुआ वास्तव में ये कि हमें ड्राफ़्ट बियर पर अचानक ओवर-ड्राफ़्ट याद आ गया। सही अवसर सोच कर हमने परम्परागत पच्चर का पतला सिरा ठोक ही दिया। 'आपके पति की कम्पनी का एकाउन्ट कहां है?'

'बैंक में। ऑफ़ कोर्स!'

किसलिये आये थे हम क्या कर चले : फिर चढ़ी हुई आंखें और चढ़ा कर बोली, 'हां! ख़ूब याद आया। तुम तो बैंकर हो। तुम्हारे adenoide बढ़े हुए मालूम देते हैं। मुंह खोल कर बात सुनते हो। तो सुनो, मैंने रमी में एक लाख पैंसठ हज़ार रुपये जीते हैं। मेरा मियां दौरे पर जाता है तो एक ज्वाइन्ट सेक्रेट्री और दो सेठ मेरे साथ रमी खेलने आ जाते हैं। शायद उन्हें मेरे मियां की कम्पनी की एजेन्सियां चाहिये। जिम, मेरा मियां मार्च में बेरूत गया तो यौन रोग लगा लाया। हफ़्तों छिदरा-छिदरा कर चलता रहा। जैसे तुम्हारे यहां क़ैदी बेड़ी पहन कर चलते हैं। मुझसे छिपाया। वो तो डॉक्टर बटर फ़ील्ड ने मुझे बता दिया। मगर उस कमबख़्त का विचार है कि जिम को यह इन्फ़ेक्शन मुझी से लगा। हा हा हा! अच्छा तुम्हारे तो स्टेट बैंक के कमबख़्तों से संबंध होंगे। मेरे यह एक लाख पैंसठ हज़ार शिकागो भिजवा दो। प्लीज़ कह देना मेरी सेविंग है। सुब्ह दस से पहले घर फ़ोन मत करना। जिम दस बजे ऑफ़िस जाता है।'

हम सर्कुलेट होने के लिये न चाहते हुए भी उससे अलग होने लगे तो फिर नज़र से भाला मारा। शरीर के बीच के हिस्से को झूला-झुलाते हुए कहने लगी, 'मुझे तो चक्कर आ रहा है। ज़रा जिम को ढूंढ करके, घर चलने के लिये कहो।' हमने पूछा, 'बीबी! हम उसे पहचानेंगे कैसे?' हमारा हाथ अपने हाथ में ले कर बोली, 'आज उसने सिल्क का अंडरवियर पहन रखा है। हल्के नीले रंग का है। कल दस बजे मुझे फ़ोन करना मत भूलना। नम्बर इस समय याद नहीं आ रहा। सुब्ह मुझे फ़ोन करके पूछ लेना।'

हमारे बॉस का आगमन : उस समय तक महफ़िल की हालत बदल चुकी थी। किसी को किसी पर हँसने का होश न था। मर्दों की हरकतों में अन्तर आ चुका था। बल्कि यह कहना उपयुक्त होगा कि हरकतें ख़त्म हो चुकी थीं। बक़ौल शायर—

जो खड़ा था, खड़ा रहा वो वहीं
जो पड़ा था पड़ा रहा वो वहीं

इस समय मिस्टर एंडरसन झूमते-झामते पधारे। ड्राइवर ने सहारा देकर उसे शामियाने

की नशीली सरहद पर लाकर छोड़ दिया। हमने आगे बढ़कर उससे कराची के मौसम के बारे में बातचीत करनी चाही तो मालूम हुआ कि हमें पहचानने में उसे यहां संकोच है। चुनांचे हमने भी उसका नोटिस लेना छोड़ दिया। थोड़ी देर बाद उसने छंगुलिया से बुलाने का इशारा किया। हम दौड़े-दौड़े गये तो कहने लगा कि मैं तो बैरे को बुला रहा था। मेरे गिलास में सोडा अधिक है। मगर यह क्या बात है? तुम्हारा गिलास अन्दर से बड़ा, बाहर से छोटा है। अच्छा तुम आ ही गये हो तो बताते जाओ, कुछ contacts बने? कुछ योरोपियन डिपॉज़िट हाथ लगे? हमने संक्षेप में उसे सूचित किया। अब तक जितने योरोपियन लोगों को हमने कॉन्टेक्ट किया, उन्होंने उल्टा ओवरड्राफ़्ट मांगा। जिनकी कुल राशि इस गिलास तक सत्तर लाख हो चुकी है। बुरा सा मुंह बनाते हुए बोला, 'तुम जहां से आये थे, वहीं वापस जा सकते हो।'

इसी तरह के चार-पांच घाटेदार कॉन्टेक्ट्स बना कर हम चीनी नारंगी की झाड़ी के पास अपने सुनहरे नियमों की छतरी तले खड़े हो गये। थोड़ी देर बाद देखा एंडरसन हमारी ओर लुढ़कता-लुढ़कता आ रहा था। हमने भी उसे लुढ़कने के अन्तिम बिन्दु तक लुढ़कने दिया। पेशवाई के लिये एक इंच भी आगे न बढ़े। पास आकर कहने लगा कि तुम ब्रिटिश हाई कमिश्नर से भी मिले? और यह तुम संपेरे की तरह गलफड़े फुला-फुला कर क्या पी रहे हो? ज़मज़म वाटर? तुम्हारी टाई मेरे मोज़ों से मैच करती है। यह कहकर अपने विनोद से आप ही आनंदित हुआ और मारे हँसी के मुंह भर कर व्हिस्की की कुल्ली कर दी जो आधी फ़र्श पर नष्ट हो गयी। आधी हमारे गिलास में सुरक्षित हो गयी।

सवाल अलग, जवाब अलग : महकती-बहकती लेडीज़ अब शराब और शिवालरी (chivalry) से छलकते मर्दों से कपड़े बचाये, अपना एक अलग झुरमुट बना चुकी थीं। यह झुरमुट पास से फ्रेंच ख़ुशबुओं का बगूला और दूर से भोर का सितारा दिखायी देता था। जिसकी कँटीली नोकें मर्दाना झुरमुट में इच्छा की सीमा तक भुंकी हुई थीं। जब वो प्रोफ़ेसर क़ाज़ी अब्दुल क़ुद्दूस के अनुसार, 'गिगल-गिगल' हँसतीं तो हर मर्द अपनी घंटी की आवाज़ पहचानने के लिये कंवतियां उठाता। इन औरतों का संबोधन और बातचीत देखकर हम इस निष्कर्ष पर पहुंचे कि जहां सात-आठ औरतें इकट्ठी हों तो सब एक साथ बोलती हैं और इससे अधिक अचम्भे की बात यह कि बोलते में सब कुछ सुन भी लेती हैं। यानी एक औरत नॉन स्टॉप ट्रान्समिट भी करती है और इस कार्य के समय सात-आठ wavelengths पर कान ट्यून करके औरों की सुन भी लेती है। लेकिन मर्दों की बात और है। सात-आठ मर्द इकट्ठे हों तो आप देखेंगे कि उनमें से सिर्फ़ एक बोलता है। बाक़ी बिलकुल नहीं बोलते और न सुनते हैं। असमय ही सही मगर मिर्ज़ा का कथन याद आता है कि ताश के जितने खेल हैं पुरुषों ने एक-दूसरे को चुप रखने के लिये खोजे हैं।

हमारे जो पाठक इस अग्नि-दीक्षा से नहीं निकले उनकी सूचना और ज्ञान के लिये निवेदन है कि अगर सौ-डेढ़ सौ बातूनी बहरों को एक जगह जमा कर दिया जाये तो उनके बीच जो बातचीत होगी वो शब्द-शब्द वही होगी जो कॉकटेल पार्टी में सुनने में आती है। हर एक अपनी हांके चला जा रहा है। सवाल कुछ-जवाब कुछ, मगर दोनों

संतुष्ट। और चाहिये भी क्या? अब हम औरतों के चुने हुए डायलॉग लिखते हैं जो समय-असमय कॉकटेल पार्टियों में हमारे कान में पड़े। उनमें तारतम्य या किसी और चीज़ की कमी लगे तो इस लेखक को क्षमा करें। ऐसे में मर्दों के वाक्य तो चूँकि आह! वाह! व्हिस्की और सिसकी से आगे नहीं बढ़ पाते इसलिये विवश होकर औरतों के डायलॉग पर सब्र करना पड़ा।

'मुझे रूसी ज़हर लगते हैं। मेरा मियां जब रूसी वोदका पीता है तो सारी क्रॉकरी तोड़ देता है। फिर मुझे मेटरनिटी ड्रेस पहनना पड़ता है।

'हू हू हू!'

'कैसा, प्यारा टैन है तुम्हारा। क्या हाक्स-बे गयी थीं?'

'ऐलिस के मियां की सैक्रेट्री हर साल ऐपेंडिक्स का ऑप्रेशन करवाती है।'

'तुमने डॉक्टर सिम काकस की नयी लाड़ली को देखा है?'

'सीख़ कबाब के अलावा, मुझे लोकल कल्चर की और कोई चीज़ पसन्द नहीं आयी।'

'तुमने कभी रीछ और कुत्ते की लड़ाई देखी है? हमारे गोल्डन रिट्रीवर के एक ज़मींदार ने चार हज़ार लगाये हैं। कैसे निर्दयी हैं। मई में हमारा पाकिस्तान से तबादला होगा तो डॉक्टर फ़ीरोज़ से कुत्ते को ज़हर का इंजेक्शन लगवा दूंगी। उसका बाप बहुत नखरेवाला है। चिलम में ऊंट की सुडौल मैंगनियां डाल कर हुक़्क़ा पीता है।'

'कितने क्यूब डालता है—दो या तीन?'

'तुम इस ईवनिंग ड्रैस में बड़ी प्यारी लग रही हो। पेरिस से ख़रीदा? मैंने पिछले साल फैंसी-ड्रैस-बॉल में भारी बनारसी साड़ी पहन कर डांस किया। मुझे क्या मालूम था कि इतनी भारी तह-दर-तह साड़ी के नीचे भी कुछ पहना जाता है। एक फ़ास्ट-नम्बर में इसका बॉर्डर मिस्टर अहमद के जूते के नीचे आ गया। जैसे ही मैं झूम कर तेज़ी से पलटी तो एक ही झटके में साड़ी खुल कर फ़्लोर पर आ रही। जलेबी सी बन गयी। तुमने कभी खायी है? सड़े हुए मक्खन और चीनी के क़िवाम को आटे के नारंगी कैप्सूल में बन्द कर देते हैं? मैं शर्म से पानी-पानी हो गयी, इसलिये कि मैंने कॉटन का अन्डरवियर पहन रखा था। ओह! ईस्ट इज़ ईस्ट। अजीब बात है, जब भी किसी पाकिस्तानी सहेली से चपाती बनाने की recipe मांगती हूं तो वो ठट्ठे मारती है।'

'हाय! सारे बाल बिखरे जा रहे हैं। आज ही सैट कराये थे। कराची में इतनी ज़ोर की पछवा हवा चलती है कि किसी कुबड़े को पच्छम की तरफ़ पीठ करके खड़ा कर दो तो एक ही दिन में सारी कूब निकल जाये।'

'तुमने सुना? जब से वो जापानी मसाज करने वाली आयी है, कराची के सभी करोड़पतियों को गठिया हो गया है। बैरा व्हिस्की ऑन दि रॉक्स प्लीज़।'

'मेरे लिए ब्लडी मेरी।'

'कम्पारी।'

'तुमने नये जर्मन अटैशे की बीवी देखी? दूधिया भुट्टे जैसे बाल। टमाटर जैसे

गाल। टाँगें जैसे किंग साइज़ की दोशाख़ा मूली। बिलकुल देहातन लगती है। बदन से बैल की बू आती है।'

'और उसका मियां तो बिलकुल जंगली है।'

'हाय! मर्द की बेहतरीन क़िस्म तो यही होती है पगली!'

'जेनी को ब्रेस्ट कैंसर हो गया है। पैथेडीन की आदी हो गयी है।'

'सुना है तुम्हारी कज़िन की फ़ोटो *Voegue* पत्रिका में छपी है?'

'क्या बजा है? मुझे एन के डिनर में जाना है।'

'सिद्दीक़ी चार्मिंग है। एक बार नाचते-नाचते नशे में अपने होंठ मेरे vaccination mark पर रख के कहने लगा, ''हनी! तुम्हारी रानें केले के तने जैसी हैं।'' उसी ने बताया कि यह उपमा कालीदास नाम के किसी शायर ने प्रयोग की है। मैं सुबह उठते ही केले का तना देखने गांधी गार्डन गयी।'

'ओह डियर! ओह डियर! ओह डियर!'

'मुझे नथिया गली से क्रिसमस ट्री मंगवा दो ना, वरना फूलदार झाड़ू का क्रिसमस ट्री बनाना पड़ेगा।'

'नो थैंक्स! बहुत हो गयी! बाई बाई वेनिस!'

'तुम्हें मूँछें पसंद हैं?'

'मर्द की या औरत की?'

'मूंछ और सिगार के बिना प्यार कैसा अधूरा-अधूरा, बचकाना, दूध चुसकता लगता है।'

'मर्दों को हवाना सिगार की गन्ध बहुत भाती है। उसे बनाते समय लड़कियां रान पर रख कर roll करती हैं।'

'मैंने चटगांव से बुद्धिस्ट कुक बुलवाया है।'

'ख़ान ड्रिंक्स होल्ड नहीं कर सकता। उसे तो आई ड्रॉपर से अपने मुंह में चुवानी चाहिये।'

'नेपोलियन ब्रान्डी।'

'आम और मेहंदी की बदबू 48 घंटे तक नहीं जाती। न जाने ये लोग कैसे बर्दाश्त कर लेते हैं।'

'फ्रांस में आजकल लम्बे स्कर्ट और मिडिल एजिड मर्द फ़ैशन में हैं।'

'मेरा लकी स्टोन पन्ना है। जब मेरा डाइवोर्स हुआ तो मैंने उसी की अंगूठी पहन रखी थी।'

'तुम संडे को चर्च नहीं आतीं?'

'पानी नहीं सोडा।'

...तेरे कूचे से हम निकले : साढ़े नौ बजने में दो ही मिनट शेष होंगे कि एकाएक भगदड़ मच गयी। वही दाढ़ी वाला बुड्ढा बैरा हांफता, कांपता हमारे पास आया और कहने लगा कि अपने बॉस को संभालिये। उसने आपके ही बैंक के डायरेक्टर सेठ...के सिर से

तुर्की टोपी उतार कर उसमें उल्टी कर दी और अब ड्रिंक्स की मेज़ के नीचे घुस कर मुर्ग़े की बोली बोल रहा है। सब मेमें भाग गयीं। एक तो अपना पर्स और हसबैंड भी छोड़ गयी है। उसका नया ड्राइवर नमाज़ पढ़ने गया है। आप चार्ज लीजिये। मिस्टर एंडरसन बिना बुलाये हर कॉकटेल में पहुंच जाता है, आज भी गेट क्रेश किया है।

'डबल व्हिस्की प्लीज़।'

बेदरो-दीवार नाटकघर बनाना चाहिये : सही नाम और पता बताने में हम विवश हैं कि इसमें कुछ गोपनीय नाम आते हैं। लगे हाथ इतना संकेत काफ़ी होगा कि इस थियेटर को कलाकारों की एक कोऑपरेटिव सोसायटी आपसी हानि के आधार पर चला रही थी। पहली तारीख़ को नियम से सारा घाटा तमाम सदस्यों में बांट दिया जाता था। केवल टिकिट-घर पक्का था कि उस पर खेल के बाद अक्सर आक्रमण होते रहते थे। हॉल की दीवारें और छत टाट की थीं। जिन पर मुहावरे के विपरीत पैवंद भी टाट के लगे थे। छत धूप-घड़ी का काम देती थी। टाट की क़नातों में भी जगह-जगह सिर के बराबर छेद हो गये थे। खेल के शुरू में उनमें सिर घुसा कर बाहर वाले अन्दर का तमाशा देखते, अन्त में अन्दर वाले गर्दन बाहर निकाल कर बाहर की रौनक़ देख लेते थे। फ़र्स्ट क्लास का टिकिट पौने नौ आने का होता था। इसमें सोफ़ों की व्यवस्था थी। जिनके फ़ौलादी स्प्रिंग अपने कपड़े फाड़कर छह-छह इंच बाहर निकल आये थे। उन्हें जांघों के बीच में लेकर बैठना पड़ता था। सेकेंड क्लास का टिकिट छह आने का था। इसमें सरकंडों और लोहे की पतरियों के मूढ़े, मूंज की पीढ़ियां और चिन्यौटी खटोलियां पड़ी थीं। तीसरे क्लास में फ़र्शी बैठक की व्यवस्था थी। फ़र्शी से हमारा अभिप्राय मिट्टी के फ़र्श से है। इस क्लास में जो दर्शक अधिक नकचढ़े थे वो घर से अंगोछे के कोने में रेज़गारी बांध कर लाते। किसी गाने या अदा पर तबियत बहुत बेक़ाबू हो जाये तो नीचे से निकालकर गोफन की तरह घुमाते और स्टेज पर दाद के अंगोछे बरसते। कुछ माहवारी दर्शकों ने कटे पांव की पीढ़ियां डाल रखी थीं। जिन पर बैठ कर वो महीने भर मज़े से मूंगफली और पीछे बैठने वालों की गालियां खाते रहते थे। जल्दी में हम ये बताना तो भूल ही गये कि पीछे बैठने वालों की सुविधा के लिये हॉल में ढलान इस तरह पैदा किया गया था कि अगले यानी स्टेज से संबंधित हिस्से में दो-ढाई फ़ुट गहरी धरती खोद कर एक अखाड़ा सा बना दिया गया था। इसमें फ़र्स्ट क्लास वाले धूल फांकते और सेकेंड क्लास वाले लोटें लगाते थे। अखाड़े की दायीं-बायीं मुंडेर पर कुछ ख़लीफ़े पैर लटकाये बैठे रहते थे। उसे गैलरी समझ लीजिये। आर्केस्ट्रा और फ़र्स्ट क्लास के बीच हमने हमेशा एक फावड़ा पड़ा देखा और कभी-कभार ये भी देखा कि पीछे बैठने वाले किसी दर्शक को किसी दूसरे दर्शक की टोपी या क़लफ़दार तुर्रा दिखायी पड़ने लगे तो वो इन्टरवैल में स्वयं फावड़े से एक-दो बालिश्त अखाड़ा खोद कर उद्दंड सोफ़े को घमंडी सिर सहित धरती में धंसा देता। इसी आले के पास एक अधखुदी क़ब्र में मुंशी रियाज़त अली सोख़्ता संडीलवी की खटिया पड़ी रहती थी। उनका केवल चेहरा और मख़मल की चौग़ोशिया टोपी फुदकती दिखायी देती थी।

दर्द के चितेरे रियाज़त अली 'सोख़्ता': यह बुढ़ऊ जो सत्तर के पेटे में होंगे, इसी खटिया पर गावतकिया लगाये पसरे रहते थे। एक पैर क़ब्र में, दूसरा स्टेज पर। सफ़ेद मैदा रंग जो जवानी में ही नहीं अब भी गुलाबी था। तीखे-तीखे नैन-नक़्श, ग़िलाफ़ी आंखें, चुस्त माथा। उन्हें इस बुढ़ापे में भी सजीला कहा जा सकता था। बदन पे सफ़ेद मलमल का चुना हुआ कुर्ता, कुर्ते पर कशीदे से कढ़े हुए चमेली के फूल, फूलों में ताज़ा पान का रंग भरा हुआ। फंसा-फंसा चूड़ीदार पाजामा। निढाल-निढाल से रहते। पाजामे के अतिरिक्त किसी चीज़ में चुस्ती नहीं पायी जाती थी। लाल रेशमी नाड़े में ट्रंक की चाबी झूलती रहती थी। नाड़ा भी इतना छोटा कि उकड़ूँ बैठ कर ताला खोलने से पहले ख़ुद उसे खोलना पड़ता था। गर्मियों में चश्मे की चांदी की कमानियां जलने लगतीं तो उन पर साइकिल का valve tube चढ़ा लेते थे।

थियेटर के रसिया थे। चालीस साल पहले उन्होंने वर्तमान हीरोइन की नानी को एल्फ्रड थियेट्रिकल कम्पनी के स्टेज पर पहले-पहल लखनऊ में देखा तो अपनी लकड़ियों की टाल को ठिकाने लगा कर, एक मूढ़ा मंडप में डाल लिया। जो काल की गति और चक्र से पसरता-पसरता रेलवे वेटिंग रूम की छह फ़ीट लम्बी हत्थे वाली कुर्सी बना और अब झलंगे का रूप धार चुका था। अगर नीचे मुरादाबादी नक़्क़ाशी वाला पीकदान न रखा होता तो उनकी कमर धरती से जा लगी होती। वो चंद्रमुखी तो एक अरसा हुए महफ़िल से जा ली मगर ये यहीं के हो रहे कि—

आसूदगी की जान इसी अंजुमन में थी

उस बीबी के होंठ, गाल और आंखों के गुलाबी डोरों को याद करके हमेशा आंखें भर लाते लेकिन आख़िर-आख़िर में इतने भावुक हो गये कि अपने महोबे के गुलाबी नसों वाले पान की भी याद आ जाती तो गला रुंध जाता, जिसे किसी आवश्यक शे'र से साफ़ करते। थियेट्रिकल कम्पनी ने उन्हें कलाकारों का उच्चारण ठीक करने के लिये रोटी-कपड़े पर रख छोड़ा था। शेष चीज़ें ठीक होने से परे थीं। इसके अतिरिक्त पहली तारीख़ को सौ-डेढ़ सौ रुपये मासिक घाटा उनके नाम खाते में दर्ज करके भरपाई के हस्ताक्षर ले लिये जाते थे। यह मुंशी दिल के डायलॉगों में जहां-तहां दर्द के पैवंद लगाते जो कई बार मूल से भी बड़े होते थे। दर्द के चितेरे कहलाते थे। हमारे सिर में भी उनके डायलॉग से कई बार वो हुआ जिसके यह चितेरे कहलाते थे। किसी सीन में कोई बोल, भाव या अपना पैवंद लगा वाक्य पसंद आ जाये तो उछल पड़ते। जैसे बिजली का शॉक लगा हो। घुटनों के बल बैठ कर उन्हीं को ज़ोर-ज़ोर से पीटते। कला की प्रशंसा में अपने दोनों कान पकड़ते और जीभ बाहर निकाल कर नक़ली दांतों तले दबा लेते। गर्दन दायें-बायें हिला कर जीभ निकाले गूंगी दाद देते। अन्त में जब दर्शकों की दृष्टि स्टेज से हट कर उन पर केन्द्रित हो जाती तो कंकरी पर एक रुपये का नोट लपेट कर स्टेज पर फेंक देते। उनकी देखा-देखी तमाशाई भी सोने के दांत वाली हीरोइन पर नोटों की बौछार कर देते। एक दिन किसी ने हमें बताया कि थियेटरवाले उन्हें सवा पांच रुपये दिहाड़ी देते हैं जिनमें उनके फेंके हुए पांच रुपये भी सम्मिलित होते हैं।

इस थियेटर में कोई किसी का बॉस या नौकर नहीं था। सब मिलजुल कर काम बिगाड़ते और एक-दूसरे के सिरदर्द और समस्याओं में बढ़ोत्तरी करते। डायलॉग तो सामान्यतः मुंशी दिल के होते थे। लेकिन दर्शकों की बहुतायत और माहौल को देखकर कलाकार भी उनमें जोड़-घटाव करते रहते थे। जैसे किसी दिन हॉल में पठान दर्शकों की संख्या अधिक हो तो सुल्तान सलाहुद्दीन अय्यूबी की जीत के दृश्य में सिर से कफ़न बांध कर घमासान का ख़टक नाच होता वरना हम जैसों को तो कत्थक नाच पर टरका दिया जाता था और अगर किसी दिन फ़र्स्ट क्लास में कोई बढ़िया काठियावाड़ी सेठ दिखायी दे तो मास्टर ग़फ़्फ़ार यानी फ़रहाद अपना गंडासा यानी तेशा, पहाड़ के दामन में फेंक देता और गुजराती गीत के द्वारा आसमानी ताक़तों से तुरंत सहायता मांगता।

सैट डिज़ाइन : सैट और परदे भी सबके मशवरे से बनाये जाते थे, इसलिये सीनरी के हर रंग से मशवरा टपकता था। एक परदे पर आत्मालोकित कर देने वाला दृश्य इस तरह दिखाया गया था कि एक अलबेली मुटियार इच्छा और शालीनता दोनों से छोटा लाचा (तहमद) बांधे सिर पर चम्पई रंग का एक गोल मटका रखे बिलकुल उसी रंग और साइज़ के दो कूल्हे मटकाती पनघट जा रही है। जहां अमीर ख़ुसरो के हुलिये का एक बूढ़ा बग़ल में नंगी तलवार दाबे ओक से पानी पी रहा है। सारा डोल ख़ाली हो गया, मगर नज़रें कह रही हैं 'गोरी! परदेसी की प्यास नहीं बुझी! और! दूर परिदृश्य में गांव के जोहड़ में एक स्टीमर खड़ा है, जिसकी चिमनी के धुएं से आसमान पर अल्लाह लिखा हुआ है। सामने गुलाबी घास पर हरे रंग की गाय चर रही है। कोने में गमला रखा है जिसमें गुलाब के फूल में चिनार के पत्ते लगे हैं। दायीं तरफ़ एक कुत्ता पूंछ से प्रश्नवाचक चिह्न बनाये खड़ा है। खेल के अन्तिम सीन से पहले वर्तमान मैनेजर थियेट्रिकल कम्पनी, स्टेज के किनारे पर खड़ा होकर ऐलान करता कि पब्लिक के प्रबल आग्रह और कम्पनी की मशहूरी के लिये यही खेल नई सीनरी के साथ दिखाया जायेगा। सीनरी में नयापन इस तरह पैदा किया जाता कि उन्हीं पर्दों का क्रम उलट दिया जाता। उदाहरण के लिये स्टेज पर घमासान की लड़ाई में किसी की वापसी का पल दिखाया जा रहा है तो पीछे पनघट वाले परदे पर दो चम्पई मटके मटक रहे हैं। प्रश्न वाचक पूंछ पूछ रही हैं—

कौन सी चाल है ये आग लगाते न चलो

ऐसे में...आंखों का दम न निकले तो कैसे न निकले?

निकाह रू-ब-रू बाअदब बामुलाहिज़ा : खेल में ग़ज़लें दाग़ देहलवी और नातें (मुहम्मद साहब विषयक काव्य) अमीर मीनाई की गायी जाती थीं। ग़ालिब, इक़बाल, हसरत मोहानी और फ़ैज़ के अस्तित्व की कम्पनी को बिलकुल सूचना नहीं मिली थी। दाग़ का सिक्का घिस ज़रूर गया था मगर खोटा नहीं समझा जाता था। इसी शताब्दी के तीसरे दशक तक तो स्थिति थी कि अगर दाग़ की शायरी की तमाम कॉपियां नष्ट हो जातीं तो तवायफ़ें सारा कलाम लिखवा सकती थीं। अभी इसके आंखों देखे गवाह मौजूद थे कि निज़ाम के दरबार में जो ताज़ा ग़ज़ल उस्ताद दाग़ पढ़ते वो एक हफ़्ते में सीना-ब-सीना यानी हसीना-ब-हसीना दिल्ली, लखनऊ और रामपुर के रईसों तक पहुंच जाती थी (अतः

शे'र और शायरी से नफ़रत कराने का काम सिर्फ़ क़व्वालों और तवायफ़ों को करना पड़ता था)। दाग़ ही के कथनानुसार सारे जहान अर्थात् हिन्दुस्तान में उनकी ज़बान की धूम थी। इसलिये इस थियेटर में, अकबर के दरबार में, फ़ैज़ी की उपस्थिति में भी तानसेन दाग़ ही की ग़ज़ल दाग़ता था। व्यवस्था से तो यही लगता था कि अकबर दरबार का ढोंग ही हमें यह ग़ज़ल सुनवाने के लिये रचाता था। क्या शान, क्या दबदबा था उस दरबार का। जब कंटीली कनीज़ों, चोबदारों, दरबारियों की दोहरी पंक्ति से मुग़ले-आज़म काग़ज़ का फूल सूंघते हुए पधारते तो एक जाहिल नक़ीब रुपहली लाठी ठोक कर आवाज़ देता।

निकाह रू-ब-रू, बाअदब, बामुलाहिज़ा होशियार

तो सारे स्टेज की लकड़ियां और लड़कियां कांप उठतीं। ख़ुदा जाने इसमें उसके ग़लत उच्चारण और नीयत का ख़लल या हमारी अपनी श्रवण-शक्ति का सौंदर्य था। निकाह की धमकी के अतिरिक्त होशियार भी इस घनगरज से अदा करता जैसे अंधेरी रातों को चौकीदार लाठी बजा-बजा कर चोरों को दुनिया के लोगों से होशियार और ख़बरदार करते हैं।

उस ज़माने में हॉल में सिग्रेट-बीड़ी पीने से कोई रोक न थी। अलबत्ता स्टेज के दायें खम्बे यानी बल्ली पर एक नोटिस चिपका था 'शराब पीकर दुंद मचाना, दंगा करना मना है।' हालात से तो यही लगता था कि दर्शकों ने इसका मतलब यह समझा कि बिना शराब पिये दंगा-फ़साद करने पर कोई रोक-टोक नहीं।

मिर्ज़ा रावण के रूप में : सच तो यह है कि स्टेज और एक्टिंग से हमारा परिचय बचपन में रामलीला और बाद में कॉलिज ड्रामा से आगे न बढ़ा और वो भी मिर्ज़ा अब्दुल वदूद बेग की कृपा से। मुसलमान लड़कों को उस काल में रामलीला में कोई रोल देने का प्रश्न ही नहीं उठता था। हमें तो हनुमान जी तक का पार्ट न मिला। ख़ैर इसका तो एक उचित कारण यह हो सकता है कि हमारे पूंछ नहीं थी। सूरत भी उस समय उनसे नहीं मिलती थी। उन दिनों मिर्ज़ा (उम्र 12½ साल) मुहल्ले की सीता (उम्र 9 साल) पर जी जान से फ़िदा थे। कई बार उसका नाम लिख कर उसके घर की दिशा में पतंग उड़ायी ही नहीं बल्कि मुहल्ले के लौडों से कटवायी और लुटवायी भी। दशहरे से चार दिन पहले रामचन्द्र जी के दल के लोगों ने रावण की ऐसी पिटाई की कि कोई हिन्दू लड़का रावण बनने को तैयार न हुआ। इस आड़े समय में मिर्ज़ा ने अपनी सेवायें यानी पीठ पेश की। कहने लगे कि जब तक मेरे दम में दम है, मुहल्ले में रामलीला ज़रूर होगी। एक बन्दरिया के रूठ जाने से वृन्दावन सूना नहीं हो जाता। रावण के रोल में दिलचस्पी का एकमात्र कारण उनके लिये यह था कि इसमें सीता का अपहरण करने का मौक़ा मिलता था। इसके अतिरिक्त मिर्ज़ा के पास एक पालतू हिरन भी था जिसकी रामलीला में हर बरस ज़रूरत पड़ती थी। मिर्ज़ा को रावण का पार्ट मिला तो उन्होंने हमें अपना महामंत्री नियुक्त किया कि हम उस समय में भी उनकी अर्दली में थे। हमारा काम यह था कि जब वो सीता जी को लेकर भागें तो कम-से-कम दस मिनट हम उनके बदले में रामचन्द्रजी के भक्तों से मार खाते रहें ताकि वो दूसरी गली में अपहृता से जी भर के बातचीत कर

सकें। दूसरा काम हमारे सुपुर्द यह था कि जब वो रावण के दस सिर वाले मास्क और पिटाई से पसीने में लथपथ हो जायें तो हम मोरछल से उन्हें हवा करें और एक बोतल लैमन्ड की छका कर लंका बचाने की योजना सुझायें...।

वंस मोर : यह हमें मिर्ज़ा अब्दुल वदूद बेग ही ने बताया कि स्टेज के पहले पर्दे के ऊपर जो झालर होती है उसकी ओट में ख़ाली मटकों की एक पंक्ति होती है जिनके पेंदे दर्शकों की ओर और मुंह एक्टर की ओर होते हैं। उनका उद्देश्य एक्टर की आवाज़ में गूंज और गरज पैदा करना था। ये माइक्रोफ़ोन का पुराना स्वरूप थे। मिर्ज़ा से ही ज्ञात हुआ कि उन्हें इसका पता तब चला जब एक घड़ा सोहराब के सिर पर ऐन उस समय गिरा जब वो नालायक़ अपने पिता रुस्तम से नितान्त जड़ित और सुसज्जित उर्दू में उद्दंड बातचीत कर रहा था। पर्दा खींचने के कर्तव्य स्वयं मैनेजर-कम्पनी काली बो टाई लगाये अपने निजी हाथ से पूरे करते थे। विंग में दोहरे होकर इस तरह खींचते थे जैसे गहरे कुएं में डोल को पनिहारी खींचती है। पर्दा गिराने में भी कई बार इतनी देर लगती कि स्टेज पर पड़ी हुई फ़िनाफ़िथलीन (लाल रंग जो चंद मिनट में उड़ जाता है) के ख़ून में लथपथ लाश में जीवन के चिह्न पैदा हो जाते। दर्शकों को मौत या क़त्ल का कोई सीन विशेष रूप से पसंद आता और 'वंस मोर-वंस मोर' की आवाज़ें आतीं तो उसे बार-बार दिखाया जाता। मृतक उठ-उठ कर हैदराबादी अंदाज़ में हाथ का चुल्लू बनाये सबको आदाब और तसलीमात बजा लाता और फिर मर कर दिखाता। लेकिन इसको क्या किया जाये कि कई ड्रामे ऐसे ही होते थे जिनमें वास्तविक दोषी यानी लेखक के अतिरिक्त सब की हत्या कर दी जाती थी। हर चरित्र को चुन-चुन कर चरित्र से बाहर कर दिया जाता। खेल शुरू होने से पहले पर्दे के पीछे से कोई साहब घड़े में मुंह डाल कर गूंजदार आवाज़ में लाख बुरा चाहने वाले मुद्दई को सूचित करते—

वही होता है जो मंज़ूरे-ख़ुदा होता है

लेकिन अगर इससे उनका अभिप्राय वो था जो स्टेज पर होता था तो इसकी मंज़ूरी का दोष ख़ुदा पर रखना, मुंशी रियाज़त अली 'सोख्ता' का हक़ मारना होगा।

ट्रेजडी को कॉमेडी में बदलने का ढंग : उस काल के चलन के अनुसार ट्रेजेडी को कॉमेडी का रंग देने का यह ढंग निकाला गया कि अन्तिम सीन में आशिक़ की क़ब्र दिखायी जाती जिस पर एक हज़ार क़ैंडिल पॉवर की रौशनी बरस रही होती। दुखियारी हीरोइन काला बुरक़ा और काली चूड़ियां पहने भट्टा सा मुंह खोले आती है। स्टेज के पिछवाड़े में ख़ाली कनस्तरों पर कूद-कूद कर बिजली कड़कने का साउंड इफ़ेक्ट दिया जाता है। हीरोइन एक हाथ में छतरी और दूसरे से ग़रारे के पांयचे उठाये हुए है। जिसका भरी बरसात के अलावा भरी-भरी पिंडली का दृश्य दिखाना भी उद्देश्य है। वो अस्सलाम-अलैकुम कह कर क़ब्र से लिपट जाती है। उसकी आंखों के अलावा स्टेज पर भी अंधेरा छा जाता है। बिजली फिर कड़कती है और क़ब्र फट जाती है। इसमें दफ़्न हीरो अलीगढ़ कट पाजामा, तिरछी रामपुरी टोपी और इत्र सुहाग लगाये कफ़न फाड़ कर प्रकट होता है। हीरोइन क़ब्र छोड़ कर क़ब्र वाले के गले लग जाती है और दोनों क़ब्र पर बैठ कर

विलम्बित में हम्द (ईश्वर की प्रार्थना) गाते हैं और आसमानी और सांसारिक विपत्तियों को ललकारते हैं। हॉल तालियों से गूंज उठता है या फिर जन्नत का दृश्य होता है जिसमें मुर्दों की सरगर्मियां दिखायी जाती हैं। स्वर्गवासी यानी शीरी और फ़रहाद जन्नत के बाग़ में चुहलें करते दिखाये जाते हैं। फ़रहाद बढ़ कर शीरी को बांहों में खींचता है तो वो मुहावरेदार उर्दू में यह कहती हुई कि 'हटो! यहां भी कांटों में खींचते हो,' कांटों को गले से लगा लेती है। हीरो इसका जवाब साधारण और सहज सिसकियों में देता है। मृतकों के पांच बच्चे भी दिखाये जाते हैं। जिनकी उम्रों में केवल एक-एक महीने का अन्तर होगा कि यह मुंशी रियाज़त अली 'सोख़्ता' के दिमाग़ की कोख से जन्मे थे। हॉल तालियों से गूंज उठता है।

मुश्किल से ही कोई ऐसा ड्रामा होगा जिसमें कर्तव्य और प्यार की ख़ूनी टक्कर न दिखायी जाये। उदाहरण के लिये मुंशी रियाज़त अली 'सोख़्ता' सन्डीलवी ने पांचों उंगलियां दिल के ख़ून में डुबो कर आंसुओं में डूबा एक सीन लिखा था। जिसमें शहज़ादा सलीम अपने ही नाम की शाही जूती पहने स्टेज पर लम्बे-लम्बे डग मारता भावनाओं की उथल-पुथल में तल्लीन दिखाया जाता है। एक ओर फ़र्ज़ है दूसरी ओर मुहब्बत और तीसरी ओर जिधर मुंशी जी की नज़र नहीं गयी—अक़्ले-सलीम यानी common sense अनारकली के गिरेबान में मुंह डाले खड़ी है। अन्त में तीनों लहूलुहान हो जाते हैं। जीत किसी की नहीं होती। जीत होती है मुंशी रियाज़ अली 'सोख़्ता' के एक भेंगे शे'र की लाइन की, जिस पर खेल का ख़ात्मा होता है।

स्टेज के प्राणलेवा उपकरण : फ़र्स्ट क्लास में बैठने वालों को ग्रीन रूम में जा कर कलाकारों को बधाई के अतिरिक्त नक़दी देने पर भी पाबन्दी नहीं थी। ग्रीन रूम की दीवारें चटाई की और खम्बे बांस के थे। छत याद नहीं काहे की थी। संभवत: सीमेंट की नहीं थी। चिक़ से थोड़ी दूर मेकअप के लिये एक खोखे पर चेचकदार आदमक़द शीशा रखा था। इस शीशे में चेहरा दिखायी पड़ना तो बाद की बात है, ख़ुद शीशा ही दिखायी नहीं पड़ता था। आदमक़द हमने इसलिये कह दिया कि आदमी का क़द साढ़े तीन फ़ीट भी तो हो सकता है। उसकी बग़ल में तख़्ते-ताऊस पड़ा था जो अच्छे दिनों में डेन्टिस्ट की कुर्सी रह चुका था। अब इस पर नादिरशाह दुर्रानी के दांत थे। चारों ओर प्रोफ़ेसर क़ाज़ी अब्दुल क़ुद्दूस के अनुसार नाटक के प्राणलेवा उपकरण बिखरे पड़े थे।

नूरजहां के दो कबूतर, निज़ामे-सक्का की मशक़ जिसने हुमायूं की शेरशाह से जान बचायी। मजनूं का गिरेबान। लात घूंसे खाने वाले विलेन का सुरक्षा पैड, साइड हीरोइन की चोली भरने के लिये गूदड़ जो सम्भवत: किसी तेली के लिहाफ़ में से निकाला गया था और जिसका उद्देश्य 'जोश मलीहाबादी' के कथनानुसार 'झल-झल करती चुस्त अंगिया की कटोरियों में निर्माणाधीन ताजमहल की हुमकार दिखाना था।' साइकिल के अगले ब्रेक को चौड़ा करके बनाया हुआ स्टेथेस्कोप जिसे कानों से लगा कर रोगिणी के गूदड़ का मुआयना होता था। पेशाब टैस्ट करने वाली लैबोरेट्री से ख़रीदी हुई ख़ाली बोतलें, जिन्हें राणा सांगा से युद्ध करने से पहले तोड़कर बाबर शराब न पीने की प्रतिज्ञा करता था।

बाथरूम फ़्लश की ज़ंजीर जिस पर सुनहरा पेंट किया हुआ था जिसे खींच के फ़रियादी जहांगीर से फ़ौरन हाजत मिटवाना चाहते थे। शीशे के पास वैम्प की रबड़ की नाक पड़ी थी जिसे वो कुल्टा हर रात कटवाती थी। इतवार को दो बार कटवाती थी, इसलिये कि मैटनी शो में भी बदचलनी से बाज़ नहीं आती थी।

चूड़ीदार पाजामा : खेलों में औरतों के कपड़ों की कांट-छांट तो स्पष्ट है वही थी जो उस काल में अल्ट्रा मार्डन समझी जाती थी यानी वो जो आजकल हर घर में दादियां-नानियां पहनती हैं। लेकिन एक बिन्दु आज तक समझ में न आया। वो यह कि जब औरत को पवित्र-पतिव्रता दिखाना उद्देश्य होता तो उसे चुना हुआ दुपट्टा और सफ़ेद चूड़ीदार पाजामा पहनाया जाता। ताड़ने वाले महीन-महीन चुन्नटों और पाजामे की चूड़ियों की गिनती से चरित्र की प्रखरता का अंदाज़ा लगा लेते। लेकिन जब वो बुरे रास्ते पर चलने वाली होती तो साड़ी पहन लेती। इसलिये जैसे ही कोई औरत साड़ी पहन कर स्टेज पर प्रकट होती, दर्शकों के दिल के कमल खिल जाते। उम्मीद भरी नज़रों से थपथपाते। देर तक तालियां बजतीं। जिनके मुंह में दांत थे वो सीटियां भी बजाते। हद ये कि अनारकली ने मुग़ले-आज़म के सामने भी मराठी स्टाइल में साड़ी बांध कर घायल मोरनी का डांस किया। यह डांस अतुलनीय और अद्वितीय था। इस कारण से कि पहले तो मोरनी कभी नाचती नहीं दूसरे इस मोरनी के पैर सुन्दर होने के साथ-साथ मुहावरे वाले भारी भी थे और इस स्थिति की ज़िम्मेदारी शहज़ादा सलीम की बजाय एक शरारती चोबदार पर थी। डांस के मामले में अनारकली की छोटी बहन सुरैय्या और भी संक्षेप प्रिय साबित हुई।

सीना-ए-हमशीर से बाहर है दम हमशीर का

पर्दा उठता है : शो के समय के लिये थियेट्रिकल कम्पनी घड़ी-घंटे की दास नहीं थी। हॉल के दो तिहाई टिकिट बिक जायें तो फिर एक घण्टे से अधिक इंतज़ार नहीं करना पड़ता था। टिकिट घर की खिड़की पर एक चार फ़ीट की लम्बी तख़्ती स्थाई रूप से लगी रहती थी—हाउसफ़ुल नहीं है।

पर्दा उठने से पहले तीन रहकले दाग़े जाते थे। ये वही तोपें थीं जिनके चलते ही एक खेल में दुश्मन के हाथी इस बुरी तरह बिदके थे कि एक तो अपनी चप्पल और बीड़ी का बंडल भी छोड़ गया। प्लासी की जंग में जब यह बौनी तोपें चलती थीं तो जितनी दूर गोला जाता, उससे दो चार गज़ अधिक उछलकर यह स्वयं पहुंच जातीं। जो अय्यार फ़िरंगी गोले से बच निकलता वो उनसे ढेर हो जाता। पर्दा उठते ही सब मिल कर सलामी गाते। थियेटर की धुनों के टुकड़े, कभी-कभार रेडियो की ट्रांसक्रिप्शन सर्विस से प्रसारित होते हैं तो एक दूसरे संसार में ले जाते हैं। किसी की याद से जुड़ी ख़ुशबू का झोंका, किसी भूले-बिसरे गीत की गूंज एक पल में उस समय को सामने लाकर खड़ा कर देती है जिसे जीवन के किसी मोड़ पर अकेला छोड़कर हम आगे चले आये।

सफ़ाई के वकील : ढाई-तीन साल तक तो इतवार भी बैंक में बीतता था। कुछ समय मिलना शुरू हुआ तो इतवार की सुब्ह पाक बोहैमियन कॉफ़ी हाउस में मिर्ज़ा अब्दुल वूदुद बेग और प्रोफ़ेसर क़ाज़ी अब्दुल क़ुद्दूस से अन्तर्राष्ट्रीय विषयों पर बहस करने जाने

लगे और तीसरे पहर इस थियेटर में नियमित उपस्थिति। इतवार का मैटनी शो पाबन्दी से देखने वालों को दो आने की छूट दी जाती थी। लेकिन हमें कभी उस छूट से लाभ उठाने का अवसर नहीं मिला, इसलिये कि हम हमेशा ताहिर साहब एडवोकेट के मेहमान होते थे। माननीय कम्पनी के पहली रात से सफ़ाई वकील थे। (कम्पनी अदालत, कचहरी, कॉर्पोरेशन और थाने में हमेशा दोषी की ही हैसियत से उपस्थित होती थी) ताहिर साहब कम्पनी से नक़द फ़ीस नहीं लेते थे। परिचितों को अधिक-से-अधिक संख्या में घेर-घार कर ले जाते थे जिसका मूल उद्देश्य तफ़रीह से अधिक कम्पनी को आर्थिक हानि पहुंचाना था। तलाक़ के स्पेशलिस्ट थे। प्रसिद्ध था कि उनकी परछाईं भी पड़ जाये तो निकाह टूट जाता है। कराची सिटी कोर्ट को केन्द्र बना कर परकार से 20 मील का एक घेरा खींचा जाये तो उसमें तलाक़ चाहने वाली कोई ही औरत बची होगी जिसने उनसे सम्पर्क न किया हो और अपना इच्छित मोती अर्थात् तलाक़ प्राप्त न किया हो। उनसे भी सामान्यत: फ़ीस नक़द नहीं लेते थे। एक देहाती बात याद आ रही है कि आसमान की चील, चौखट की कील और कोर्ट के वकील से ख़ुदा बचाये। नंगा करके छोड़ते हैं। ताहिर साहब की बातों में बला का लोच था। वो झूठ भी बोलते तो जी चाहता कि ख़ुदा करे यूं ही हुआ हो। हमारे चाहने वाले और क़द्रदान थे। दो-तीन बार हाथ पकड़ कर ग्रीन रूम में ले गये अपनी...चहेती सोने के दांत वाली एक्ट्रेस से परिचय कराया। मेकअप के बिना वो और भी सुन्दर लग रही थी।

सात-आठ महीने बाद ताहिर साहब मिस्टर A.T. Naqvi के पैन के झटके से एरिया मजिस्ट्रेट बन गये। उनका इलाक़ा नेपियर रोड और जापानी रोड (कराची का बाज़ारे-हुस्न) से शुरू होकर शायद वहीं समाप्त होता था। अब कुछ और ही दबदबा था। घर पर समस्याग्रस्तों की भीड़ रहने लगी। दिल का दौरा पड़ने के बाद शराब और रिश्वत में संतोषी हो गये थे। पुराने, दोस्तों से मिलते अब भी तपाक से थे मगर पुरानी लम्बी बैठकें गयीं। एक दिन रास्ते में मुठभेड़ हो गयी तो हमने शिकायत की, अब आप महीनों अपने भक्तों की ख़बर नहीं लेते। बुरा माने बिना बोले, 'अगर किसी से बरसों भेंट न हो तो समझ लीजिये कराची में ही है और सुरक्षित है।'

हमने मुजरा देखा : उनके बेटे के ख़त्ने हुए तो दोस्तों ने फ़र्माइश की कि ज़िंदा नाच देखने को आंखें तरस गयीं। उन्होंने सम्बन्धित पुलिस इंस्पेक्टर तक फ़रमाइश पहुंचा दी। उस ज़ालिम ने सारे शहर की तवायफ़ों को बजरी ढोने के ट्रकों में लाद कर हाज़िर किया। पाकिस्तान बनने के बाद यह शायद पहली रात थी कि शहर में कहीं मुजरा न हुआ। मुजरा यहां भी नहीं हुआ, इसलिये कि नाज़िमाबाद के इस चार सौ गज़ के मकान में तवायफ़ें ऐसी ठसाठस भरी थीं कि मुजरा तो क्या तबला धरने की जगह न रही। जो जहां बैठी थी वहीं नृत्य मुद्रा दिखा के बैठ रही। एक मनचली ने बैठे-बैठे ही तबले की थाप और ततकार के साथ कूल्हा भी लगाया। मगर ऐसे ही जैसे अचानक आंख अपशगुनी से फड़कने लगे और सारा बदन देखा रह जाये। प्रोफ़ेसर क़ाज़ी अब्दुल क़ुद्दूस ने अपनी पॉकेट डायरी में हिसाब लगा कर हमारे कान में रहस्य खोला कि प्रति दर्शक 17½ तवायफ़

पड़ रही हैं और ढेर सारी नायिकायें बाहर हैं।

सोने के दांत वाली लड़की : एक मनहूस सुब्ह ताहिर साहब के पड़ौसी ने सूचना दी कि ताहिर साहब सुब्ह-सुब्ह पांच बजे चल बसे। अन्त-पन्त वो ख़ून की फुटकी जो उनकी शिराओं में पांच साल से आंखमिचौनी खेल रही थी, मस्तिष्क तक पहुंच गयी और वो हँसते-खेलते उस घाटी से गुज़र गये जिससे हर जीवित प्राणी को गुज़रना है। ज़िन्दादिलों की तरह वो भरा मेला छोड़ कर चल दिये। मेला बिछड़ने की प्रतीक्षा नहीं की। दो महीने बाद सुना कि उस सोने के दांत वाली लड़की ने भी बंदर रोड के पिछवाड़े में एक झोलाछाप डॉक्टर के क़साईख़ाने में ऑप्रेशन के दौरान दम तोड़ दिया। ख़ून किसी तरह बन्द न हुआ। ए.बी. ग्रुप का कम मिलने वाला ख़ून सड़क के उस पार सिविल अस्पताल में उपलब्ध था मगर उसे वहां शिफ़्ट करने के लिये डॉक्टर किसी तरह तैयार न था। देखते-देखते उसका बदन पीला पड़ता गया और आंखें चमक खोती गयीं। कुछ ही पल की मेहमान थी कि कम्पनी मैनेजर ने साबुन लगा कर उसकी अंगूठी उतारी, फिर लौंग और ताहिर साहब की दी चूड़ियां उतार कर रख लीं। दांत पर से सोने का पत्तर उतारने की कोई सूरत न थी। उसके माथे पर बालों के पास रात के मेकअप के निशान शेष थे। मुंशी रियाज़त अली और चार-पांच साथी रातों-रात उसे मेवा शाह क़ब्रिस्तान में ताहिर साहब की पायंती गाड़ आये। उसके बदन ने हवस की बहुत मार सही थी, नर्क में इससे बढ़ कर और क्या होगा।

और इनके बाद वो थियेट्रिकल कम्पनी बन्द हो गयी।

उस समय में भी कराची में सिनेमाघरों की कमी न थी। अंग्रेज़ी फ़िल्में ख़ूब दिखायी जाती थीं। हिन्दुस्तानी फ़िल्मों पर भी कोई रोक-टोक नहीं थी। इसके बावजूद भी कराची की इस पहली और शायद अन्तिम थियेट्रिकल कम्पनी की बात ही कुछ और थी। हमारी गिनती तो ख़ैर यूं ही सी थी मगर हमने यहां ऐसे-ऐसे नकचढ़ों को आते देखा जो हॉलीवुड की अच्छी-अच्छी फ़िल्मों को किसी गिनती में न लाते थे। बात यह है जिसे एक बार स्टेज का नशा हो जाये तो जब तक आंखों में दम है उसका हुड़का नहीं जाता। जिसने एक बार गोश्त-पोस्त का रूप-बहरूप देख लिया उसको फिर कभी परछाईं से तसल्ली नहीं होती। यह उसी का जादू नहीं तो और क्या है कि एक अभावग्रस्त थियेटर का नाम कहानी कहते-कहते आया और हमने पन्ने के पन्ने लिख डाले। कौन जाने इसी बहाने दुख और दवा का हक़ अदा हो जाये जिसने एक अज्ञात और गूंगे के न जाने कितने उदास पलों में उजाला किया। बाहर अंधेरा ही अंधेरा था।

स्वर्गीय मिस्टर विलियम शेक्सपियर : बीस बरस उधर की बात है ऐसा ही एक इतवार और ऐसा ही एक शो था। खेल शुरू होने से पहले 'मैनेजर-कम्पनी' ने दर्शकों के आने पर धन्यवाद देते हुए ऐलान किया कि अब स्वर्गीय मिस्टर विलियम शेक्सपियर का ड्रामा रोमियो जूलियट चार कत्थक डांस के साथ पेश किया जायेगा। मिस्टर विलियम शेक्सपियर अंग्रेज़ी ड्रामे के स्वर्गीय आग़ा हश्र कश्मीरी हैं। (हमें तो आज तक इन दोनों में स्वर्गीय होने के अतिरिक्त कोई बात सांझी न दिखायी पड़ी। दर्द के चितेरे मुंशी रियाज़त

अली 'सोख़्ता' संडीलवी ने स्वर्गीय मिस्टर विलियम शेक्सपियर के डायलॉग में से बीस अभद्र वाक्य निकाल कर स्वर्गीय हाली की मुसद्दस के पच्चीस शालीन शे'र डाल दिये हैं।

दूसरा नाटक : निगाहें परदा उठने की प्रतीक्षा में थीं कि मिस्टर एंडरसन का ड्राइवर ग़फ़्फ़ार हमारी खोज निकाल कर ढूंढता-ढूंढता यहां पहुंच गया। यह नौकर अपने मालिक ही के मुंह नहीं उसकी बोतल के भी मुंह लगा हुआ था। मौलाना अशरफ़ अली थानवी ने एक जगह बड़ी पते की बात लिखी है। कहते हैं कि एक शरारती का कथन है कि मौलवियों और रंडियों के नौकर आलसी होते हैं। क्योंकि जहां उनके मुंह से कुछ निकला, बहुत से उपस्थित लोग काम करने को दौड़ पड़ते हैं। इसलिये उनके नौकर बेकार और आलसी हो जाते हैं। इस ग्रुप में हम योरोपियनों की भी बढ़ोत्तरी कर सकते हैं। वो अपना काम आप करने के अभ्यस्त होते हैं, इसलिये उनके नौकर हाथ पर हाथ धरे ज़बान चलाते रहते हैं। यह ड्राइवर भी बिगड़ चुका था। रात को चोरी की शराब के नशे में धुत्त न हो तो बैंक की कार चोरी-छिपे प्राइवेट टैक्सी के तौर पर चलाता था। रात गये शहर से दूसरे देश के नाविकों और टूरिस्टों को एक प्राइवेट चकले में ले जाता, जहां केवल पौंड और डॉलर में मेहनताना वसूल किया जाता। ग़फ़्फ़ार मुंह मांगा किराया और दोनों पक्षों से कमीशन लेता था। एक रात मलेर से वापसी में एक यूनानी नाविक से उलझने की कोशिश में नाक तुड़वा बैठा और कार छोड़ कर ऐसा भागा कि फिर न लौटा। सुब्ह दस बजे ड्रग रोड थाने ने हमें फ़ोन पर सूचित किया कि कार संदिग्ध हालत में खड़ी है। कच्चे में उसके टायरों के निशान से पता चलता है कि कार ने चोरी से पहले पेट्रोल की जगह शराब पी रखी थी। उसे ले जायें आपको कुछ नहीं कहा जायेगा।

ग़फ़्फ़ार जोधपुर का रहने वाला था। उसके उच्चारण और मारवाड़ी लहजे की नक़ल बहुत कठिन है। हर शब्द के आगे-पीछे के अक्षर में ह की ध्वनि मिला कर बोलें तो शायद लहजे में वो धड़धड़ाकर और धूं-धां पैदा हो जो राजस्थानी बोल का ठाठ और सिंगार है। छूटते ही कहने लगा कि आपको तमाशबीनी की पड़ी है। उधर बड़ा साहब मुंह हन्देरे से हूदम मचा रहा है। दारू का हद्धा चढ़ा गया है। आपको तो वो केस अच्छी तरह याद होगा। इसके यार मिस्टर जेम्स का नंगी हालियत में क़त्ल, जब निमुछिये लौंडे ने शराब के गिलास में तेज़ाब भर के उसकी आंखों पे फेंका। फिर झट देनी डबल रोटी काटने की छुरी से काट डाला। वो दिन है और आज का दिन, बड़ा साहब बोतल मुंह से लगा कर पीता है। लतीफ़ी साहब (एक बड़े अफ़सर जिनसे एंडरसन की बिलकुल नहीं बनती थी) से शीशे में खड़ा तू-तड़ाक कर रहा है। बल्कि अंग्रेज़ी में फ़ादर-मदर कर रहा है। बड़े-बड़ों की शान में एक के बाद एक गुस्ताख़ी हो रही है। ग्यारह बजे उसने लतीफ़ी साहब की कनपटी पे कस के ऐसा घूंसा मारा कि शीशा किरची-किरची हो गया। सारा घमंड मिट्टी में मिल गया। घूंसा भी ख़ूनमख़ून हो गया। अभी-अभी डॉक्टर बटरफ़ील्ड को बुला कर पट्टी करवायी है। आपको सलाम बोलता है। ऑर्डर है आप जिस हालत में भी हों, गाड़ी में डाल के तुरन्त हाज़िर करूं। क़िस्सा खो ताह धरम-गरम होने वाला है। सवेरे से मालजादी बायीं आंख फड़के जा रही है।'

'क्या लतीफ़ी साहब को भी बुलाया है?'

'नहीं।'

बहुत आग चिलमों की सुलगाने वाले : लतीफ़ी साहब के दण्डित लोगों के समूह में हम विशेष स्थान पर विराजते थे। दो महीने पहले वो हमारी रोज़ी-रोटी का दरवाज़ा बंद करने की धमकी दे चुके थे और हम भी इतने तंग आ चुके थे कि सुब्ह का सलाम तक बंद कर दिया था। इसके अलावा और कुछ बंद करना हमारे वश में था भी नहीं। यह सही है कि हम दुम दबाये रहते थे लेकिन अब इतने गये-बीते भी नहीं थे कि उस पर किसी को खड़ा होने दें। उन्होंने अपने आस-पास नाकारा लोग इकट्ठे कर रखे थे। जो दूसरों के लिये भी वो पसंद न करते थे जो अपने लिये भी नापसंद करते थे यानी काम। उनका काम केवल लतीफ़ी साहब की हर अदा, हर लतीफ़े पर लोट-पोट होना था और हम बड़े लोगों की हां में हां मिलाने से इसलिये भी बचते हैं कि अगर हम किसी की राय से सहमत हों तो लोग उसे मूर्ख समझते हैं। मुहम्मद हुसैन आज़ाद यह नहीं कहते कि अकबर अनपढ़, जाहिल या काहिल था। लिखते हैं, 'ज्ञान ने उसकी आंखों पर चश्मा न लगाया था और कला ने उसके दिमाग़ पर कलाकारी ख़र्च न की थी।' जैसे सारा दोष और सारी कोताही ज्ञान और कला की ठहरी जो सरासर हरामख़ोरी और लालायक़ी पर उतर आये। लेकिन लतीफ़ी साहब के दरबार के नवरत्न भी अपने बादशाह पर पड़े थे। यानी चश्मे इत्यादि की व्यवस्था से परे थे।

वो बग़ैर चश्मे के यहां से कहां पहुंच चुके थे और हम? हम मिर्ज़ा के अनुसार समाज की वो पसली हैं जिसमें कोहनी मार-मार कर आगे बढ़ने वाले आगे बढ़ते हैं। अब जो ठंडे दिल से हिसाब करते हैं तो मानना पड़ता है कि हमारी मिट्टी पलीद होने में उनके ग़ुस्से से अधिक हमारी अपनी नासमझी और अनुभवहीनता कारण थी। मतलब यह कि हम जनरल मैनेजर के इतने निकट हो गये थे कि उसके ग़ुस्से की शुरुआत हमसे होती थी। पश्तो कहावत है, 'सांडों की लड़ाई में मेंढक कुचले जाते हैं।' सो हमारा भी मलीदा हो गया मगर टर्राना नहीं गया। देखा जाये तो लतीफ़ी साहब से क्या झगड़ा हो सकता था। उनकी एक छोटी सी अफ़सरी आवश्यकता थी जिसे हमारा घमंड न समझ पाया—

मुझको भी पूजते रहो तो क्या गुनाह हो

लतीफ़ी साहब की आयु हमसे 12 साल, सूझबूझ 24 साल और तनख़्वाह 1600 रुपये अधिक थी। इसलिये इसे सही माने में लड़ाई नहीं कहा जा सकता, हम स्वयं रेल की पटरी पर इंजन को चैलेंज करने के लिये सीना तान कर लेटे थे।

तिनका बल्कि तिनकी : ऊंट की कमर जिस परम्परागत तिनके से टूटी वो उनकी क्रिश्चियन सेक्रेट्री मिस राठौड़ थी। जिसके तीर ने ज़माने में कोई निशाना न छोड़ा। उसके मिज़ाज में ही नहीं काम में भी हस्तक्षेप करती थी। पहले ग़र्रा ही ग़र्रा था। अब ग़ुर्राना भी शुरू कर दिया। हमसे भी ग़ुर-ग़ुर करने लगी थी। हमारी जगह कोई और होता तो उसे भी शीशे में उतार लेता या स्वयं उतर जाता कि यूं भी औरत की ऐड़ी हटाओ तो उसके नीचे से किसी-न-किसी मर्द की नाक ज़रूर निकलेगी। मगर इसको क्या करें कि

तबियत ही ग़ुस्सैली और जल्दी गर्म होने वाली पायी है। मित्रों की कृपा न रहे या संसार के काम हमारी इच्छा से न चलें तो बिलबिला उठते हैं। जहांगीर के काल में होते तो हम चौबीसों घंटे न्याय के घंटे से ही लटके रहते। उस बेचारे का सोना-लेटना हराम हो जाता। मुसीबत ये थी कि हम सदा के ज़बान के फूहड़ निकले और वो चुग़लख़ोर निकली।

यार लोगों ने मशहूर कर रखा था कि यह स्टेनोग्राफ़र दिन भर सामने बैठी अपने बॉस को अपनी इच्छाएं डिक्टेट करवाती रहती है। हमने जब देखा, स्वेटर बुनते या धनी-मानी सेठों पर मुस्कुराते देखा। मिस राठौड़ का नाम न जाने क्यों और कब से मिस रणथम्बौर चला आता था। बड़े-बड़े अफ़सरों के साथ नत्थी रह चुकी थी, इसका कारण तो हमें नहीं मालूम। अलबत्ता रणथम्बौर के दुर्ग के बारे में इतना याद पड़ता है कि उस पर हर बादशाह ने धावा बोला। कोई घोड़े को ऐड़ लगा कर ख़ंदक़ फलांग गया। कोई दीवार ढाते-ढाते स्वयं ढह गया। किसी ने रात को धावा किया और कोई दिनदहाड़े फ़ौलादी कीलों की अनी को बलवंत हाथियों के मस्तक से मोड़ता-तोड़ता मुख्य द्वार को रेलता-धकेलता झंडा उड़ाता हुआ दुर्ग में घुस गया। हमने धावा नहीं बोला अन्यथा परीक्षा में तो हर बादशाह का नाम और उसके बाद डेढ़-दो पन्नों में रणथम्बौर का रटा-रटाया शाब्दिक चित्र खींच कर लिख देते थे। उल्लेखित ने...दुर्ग पर चढ़ाई की।

ड्योढ़ा आदमी : लतीफ़ी साहब बहुत मिलनसार, मीठे स्वभाव, प्रसन्नचित्त और कुशल व्यक्ति थे। उनकी योग्यता उनके हौसलों के साथ पैर मिला कर नहीं चल सकती थी। सीधी सड़क से उन्हें सख़्त उलझन होती थी। हर समय शॉर्टकट की खोज में रहते, चाहे वो कितना ही ऊबड़-खाबड़ क्यों न हो। उसकी खोज में अक्सर दुगना समय लग जाता। गर्मियों में भी बास्कट पहनते थे। इसलिये कि उसकी जेबों में अंगूठे डाले बिना बात नहीं कर सकते थे। दुश्मनों ने उड़ा रखी थी कि चोरी-छुपे पांच बसें चलाते हैं जिनकी आमदनी को हर महीने की ग्यारहवीं को नियाज़ दिला कर पवित्र कर लेते हैं। आख़िर जन्नत का भी तो कोई शॉर्टकट होगा। खोजी निगाहों ने कहां-कहां उनका पीछा न किया। इतवार को देखा कि ऐंग्लो इंडियन लाल भभूका छोकरियों को कार में भर के नहलाने-धुलाने सेंड्ज पिट ले जा रहे हैं। अभी कार की सीटें ठीक से ठंडी भी नहीं हुई होंगी कि देखा कि उसी कार में अटाअट मौलवी ठूंसे *क़ुरआन* पढ़वाने घर ले जा रहे हैं और डिक्की में इतनी ही अदद मुर्ग़ियां भरी हुई हैं। सनीचर की रात को वो इस तरह डांस करते देखे गये कि दूर से तो यही लगता था कि अभी तो पंजे लड़ा रहे हैं, पल की पल में गुंथ मरेंगे। लोगों ने उन्हें पाक-पत्तन के मज़ार पर मक़बरे की जाली पकड़े आंसुओं में भी डूबे देखा। स्वयं हमने 1952 में झुग्गियों में सात रुपये सेर के बम्बई के अलफ़ांसो आम बांटते देखा। कहते थे कि रोटी तो रूखी-सूखी सबको मिल जाती है लेकिन क़लमी आम ग़रीबों को बरसों नहीं मिलते। बक़रा ईद पर पन्द्रह-बीस बकरे काटते थे ताकि सरकार के बड़े अफ़सरों को पूरी रानें भेज सकें। छोटे-बड़े हर बिज़नेसमैन से उनकी दुआ-सलाम थी। सबसे झुक कर मिलते। सबसे तगड़ा ब्याज लेते और तक़ाज़े में भी शहद घोल देते। अपना काम निकालने का हुनर जानते थे। धरती में छोटा-सा छेद करना

हो तो पूरी क्षमता से कुदाल चलानी पड़ती है लेकिन मिट्टी में मिला हुआ बीज, कोमल अंखुए, नर्म पनेरी किस धीरज से उसी धरती को एक अदा से मना के निकल आते हैं।

लतीफ़ी साहब को कामयाब होने में देर नहीं लगी। इसलिये कि संसार जिस कोण से टेढ़ा है उसी कोण तक उन्होंने अपने चाल, चरित्र और चेहरे में टेढ़ापन पैदा कर लिया। कहते थे कि बिज़नेस में केवल घाटा हराम है। शेष सब चलता है। हर पकड़-हर दांव, अरे बाबा यह तो एक खेल है। नाटक में हर आदमी स्वांग भर कर अपना-अपना डायलॉग बोलता है। खेल ख़त्म, डायलॉग ख़लास। झूठ-सच का सवाल कहां, कठपुतलियों के लिये क्या पाप-क्या पुण्य। पैसा ख़ुदा न सही मगर कितना उपयोगी-प्रभावी और काम आने वाला है। पैसे से क्या-क्या ख़रीदा जा सकता है। पैसे के नाख़ुन से कैसी-कैसी गांठें खुल जाती हैं।

लक्ष्मी किस-किस चीज़ की भेंट मांगती है : आदमी यह व्यवहार और व्यापार सारा जीवन देखता रहे और दुखी-उदास न हो तो यह बड़े ही हौसले या फिर उतने ही पत्थरदिल होने की बात है। दो ही रास्ते हैं या तो आदमी खरा-खोटा परखने की कसौटी निकटतम गटर में फेंक कर निश्चिंत हो जाये या फिर सारे संसार से नाता तोड़ कर अपने अस्तित्व की गुफ़ा में अपना निर्वाण आप ढूंढे। यूनानी देवमाला की देवी मैडूसा गौरमन ने धरती की कोख से जन्म लिया था। उसके जीवन का एकमात्र उद्देश्य, ज्योति (प्रकाश) से बने देवताओं को पराजित, नष्ट करना था। कोई मनुष्य उसका वध नहीं कर सकता था इसलिये कि जैसे ही उसके चेहरे पर नज़र पड़ती आदमी पत्थर का हो जाता। अन्त में परसीयस नाम के एक युवा ने यह तरकीब निकाली कि अपनी चमकायी हुई ढाल में उसकी छवि देख कर तलवार के एक ही वार से सिर धड़ से अलग कर दिया। तो साहिबो! यह दुनिया उस समय तक दिलों को पत्थर में बदलती रहती है जब तक इंसान किसी आदर्श या आस्था की ढाल में छवि देख कर उसके गले की नसें न काट दे और एक बार फिर इस बरबाद जगह को मनुष्यों के रहने लायक़ न बना दे।

अरस्तू की भेंट : लतीफ़ी साहब का कथन है कि जीवन के हर दुख का निवारण, सभी समस्याओं का हल किसी-न-किसी मनुष्य के हाथ में है। इसलिये कि मनुष्य ही समस्याओं का निर्माता है और वही समस्याओं का हल करने वाला। इसलिये उसी के चरण चूमो, उसी से सहायता लो, फिर बेड़ा पार है। उनकी अपनी नैया न केवल मंझधार पार कर चुकी थी बल्कि रेगिस्तानी किनारे के मीलों अन्दर घुस चुकी थी। इतवार की सुब्ह को दिल्ली की निहारी पर बीस-पच्चीस समस्याओं के निर्माता निमंत्रित होते। क़व्वाली और कॉकटेल के आशिक़ थे। अक्सर कहते कि 'आदमी की यही दो क़िस्में होती हैं। इन आयोजनों में दोनों से भेंट हो जाती है।'

जो वां न खिंच सके वो यहां आ के दम हुए

'सफल बैंकर बनने के लिये पिचहत्तर प्रतिशत यारी, पचास प्रतिशत मक्कारी और पच्चीस प्रतिशत निहारी चाहिये। निवेदन किया, 'जनाब! यह तो डेढ़ सौ प्रतिशत हो गया।' बोले, 'और क्या! यह प्रोफ़ेशन तो ड्योढ़ा आदमी मांगता है। आधे-पौने से काम

नहीं चलेगा। यूनिवर्सिटी की प्रोफ़ेसरी थोड़ा ही है कि जीवन पर किताबें पढ़-पढ़ कर एक किताब और लिख मारी। अजी कहीं गऊ से भी गऊ ग्याभिन हुई है। इंटलेक्चुअल लोग स्पीडोमीटर देखना जानते हैं। स्टेयरिंग व्हील नहीं संभाल सकते। क़सम ख़ुदा की अगर अरस्तू क़ब्र से उठ कर आ जाये और इस मार्किट में कपास की एक गांठ दो पैसे लाभ पर बेच ले तो अपनी भौंहें मुंडवा दूं।' (मूंछें पहले ही किसी ऐसी शर्त पर अरस्तू को भेंट दे चुके थे। सिर पर भी शर्त लगाने को कुछ नहीं बचा था।)

तैमूरी वाक्य : अधीनस्थों को इस पेशे की श्रेष्ठता, उच्चता और अधमता से संबंधित उपदेश देते रहते थे। यदा-कदा हम पर भी कृपालु होते तो चांदमारी के लिये बुला लेते। उनके ड्योढ़ा आदमी होने का कौन विरोध कर सकता था। हमने अपनी आंखों से उन्हें लंच पर पूरी मुर्ग़ी खाकर अपनी सेक्रेट्री के सामने इंग्लिश ग्रामर पर झगड़ते देखा है। हमने आज तक इतने फ़र्राटे, तेज और विश्वास के साथ किसी अंग्रेज़ को भी ग़लत अंग्रेज़ी बोलते नहीं देखा। सही उच्चारण और स्पेलिंग को अपने अफ़सरी के स्तर से छोटा मानते थे। उनका हर वाक्य तैमूरी होता था। यानी लंगड़ा और आक्रामक। उनकी देखा देखी अधीनस्थों ने भी अपनी अंग्रेज़ी में दोष पैदा कर लिये थे। सिंधी में बड़े मज़े की कहावत है कि कभी एक टांग वालों के देश में जाओ तो अपनी एक टांग कंधे पर रख लो। हमने तो एहतियात के लिये अपनी अंग्रेज़ी की दूसरी टांग भी तोड़ कर फेंक दी बल्कि बाक़ी अंग भी काट कर फेंक दिये। कोई यहां गिरा, कोई वहां गिरा। इस अपाहिजपन से आगे चल कर हमें अनगिनत लाभ हुए जिनके विस्तार में जाने की आवश्यकता नहीं इसलिये कि स्वयं आपने देखा होगा कि ख़ानदानी भिखारी और दुर्बुद्धि भिखमंगे अपने बच्चों के हाथ-पांव दुधमुंहे काल में ही तोड़ देते हैं ताकि बड़े हो कर बच्चों को रोटी कमाने में आसानी रहे और मां-बाप के मोहताज न रहें।

तानों और रोक-टोक से हममें काफ़ी परिवर्तन आया। किताबी बातों का विरोध करना सीख लिया। उन जैसे कामयाब लोगों के सामीप्य का यह प्रभाव पड़ा कि हमने किताब पढ़ने से तौबा की और किताब लिखने का संकल्प ले लिया। बचपन के खिलौने टूटते-टूटते ही टूटते हैं। डिलन थॉमस ने ग़लत नहीं कहा था कि 'मैंने जो गेंद बग़ीचे में खेलते हुए उछाली थी वो अभी तक धरती पर वापस नहीं आयी।'

लतीफ़ी साहब का चाल-चलन नॉर्मल था। यानी वैसा ही जैसा कि हमारे हां नॉर्मल आदमी का सरलता से सफलता और धनी हो जाने पर हो जाता है। विवाहित जीवन को आजीवन कारावास की सज़ा समझते थे अर्थात् मुहब्बत-बा-मशक्कत। मशहूर अमरीकी यात्री प्रोफ़ेसर गालब्रेथ अपनी चटख़ारेदार किताब *घुमंत की डायरी* में योरोप में तैनात एक रंगीले अमरीकी राजदूत के बारे में लिखते हैं कि महोदय हर मुश्किल हर कठिनाई का सामना बंद भेजे और खुले नाड़े से करते थे। लतीफ़ी साहब बैंकिंग के कठिन ही नहीं सरल प्रश्नों को भी इसी तरह से हल करने लगे थे। उन्हें एक बार अचानक कलकत्ता जाना पड़ा और हम उनकी जगह अस्थाई रूप से नियुक्त हुए तो महिलाओं के फ़ोन और स्वयं महिलायें पन्द्रह दिन तक आती रहीं। डान काहूटे के विश्वस्त सेवक की तरह हम भी

स्त्रीत्व देने वालों की सूची बड़ी मेहनत से बनाते रहे। घड़ी तो समय का हिसाब रखती है। समय से आनंदित नहीं होती। सोलहवें दिन जब वो आ गये तो हमारी मुसीबत खत्म हुई।

अभियोग पत्र : इतना विस्तृत परिचय इसलिये विस्तृत हो गया कि जब हम मिस्टर एंडरसन के सामने डरते-कांपते पेश हुए तो देखा कि नशे ने ग़ुस्से को तिगुना कर दिया है और अजीब-अजीब आरोप लगा रहा है। कहने लगा कि मैंने जो रस्सी बढ़ायी थी वो इसके लिये फांसी का फन्दा बन गयी। वो कमीशन खाता है। बसें चलाता है। बैंक का प्लैड्ज किया हुआ सवा रुपये गज़ का लट्ठा ऊपर-ऊपर अपने बेनामी पार्टनर को 5 आने गज़ में बेच दिया। बैंक के फ़र्नीचर से मैकनील रोड पर अपनी गर्लफ्रेंड का फ़्लैट फ़र्निश कराया। अनगिनत क़र्ज़े बिना अनुमति और स्वीकृति के दे दिये जिनके सूद के हिसाब से तुम रात के बारह तक भेजा मारते रहते हो और तो और मिस्टर...मंत्री पाकिस्तान सरकार के नाम एक लाख रुपये का क़र्ज़ दिखा कर एक नई कम्पनी के शेयर ख़रीदे जिन पर डेढ़ लाख का फ़ायदा हुआ। इन्क्वायरी हुई तो मंत्री ने साफ़ मना कर दिया कि फ़ार्मों पर सिरे से मेरे हस्ताक्षर हैं ही नहीं। यही नहीं लतीफ़ी एक कॉकटेल पार्टी में ब्लैकटाई की जगह लाउंज सूट पहन कर गया और बैंक की भद उड़वायी। एक संगीन आरोप में मिस्टर एंडरसन ने यह भी आरोप लगाया कि उन्होंने हैड ऑफ़िस से अनुमति लिये बिना अपनी सेक्रेट्री के सैंडिल की ऊंची एड़ी दो-दो इंच कम करा दी थी। अभियोग पत्र सुनाने के बाद मिस्टर एंडरसन ने सूचित किया कि कल शाम बोर्ड ऑफ़ डायरेक्टर्स ने मिस्टर लतीफ़ी को बर्ख़ास्त कर दिया। यह तलवार उसकी गरदन पर एक-न-एक दिन गिरनी थी। क़त्ल में तुरन्तता की महत्ता पर उसने अपने फ़ेवरेट करेक्टर मैकबेथ का वाक्य दुहराया (स्कूल के स्टेज पर मैकबेथ के रोल में वो स्वयं को कई बार कामयाबी से क़त्ल करा चुका था)

'If it were done when it's done, then t' were well if it were done quickly'...

और फिर आदेश दिया कि इसी समय मेरी कार में बैंक जाकर उसकी तिजोरी और मेज़ की दराज़ें...और जो कुछ तुम्हें उसका दिखायी पड़े...सील कर दो। उसके हिमायतियों के मुंह पर भी चिट लगा कर अपने हस्ताक्षर करके चिपका देना और सुबह ठीक नौ बजे उससे कैश का चार्ज ले लेना। वो बास्टर्ड मुझसे चार्ज लेने के डे ड्रीम्स देखा करता था। हा हा हा। रुपया और औरत कभी मेरी कमज़ोरी नहीं रही और हां नोट गिनने के लिये लार की जगह कोई और द्रव का प्रयोग करना। तुम इतने परेशान क्यों दिखायी दे रहे हो? तरक़्क़ी की बधाई। इस पद के लिये मेरे पाकिस्तानी अधीनस्थों में कोई तुमसे अधिक उपयुक्त नहीं है। मुझे तुमसे बड़ी आशायें हैं। गुडलक! और हां सुब्ह उसकी कार भी अपने चार्ज में ले लेना। जी तो बहुत चाहता है कि तुम्हें शेवरले ले कर दूं। लेकिन बड़ी कार में तो तुम और भी मुन्ने से लगोगे।

एक दिन की भिश्ती की बादशाहत : हम रात के दस बजे तक हर अलमारी, कैबिनेट, दराज़ और तिजोरी पर अपने हस्ताक्षर की स्लिप बजबजाते गोंद से चिपकाते रहे। एहतियात के तौर पर उनके थर्मस पर भी मुहर लगा दी। सुब्ह लतीफ़ी साहब ने हमें अपनी कुर्सी के किनारे पर नर्वस बैठे देखा तो इसे हमारी शरारत और ऑफ़िस की

गुस्ताख़ी माना। हमने डरते-डरते उनकी बर्ख़ास्तगी का काग़ज़ बढ़ाया। भौंचक्के रह गये। उन्हें अपनी बर्ख़ास्तगी से अधिक हमारी पदोन्नति का दुख था और झूठ क्यों बोलें, हमारी प्रसन्नता का भी क्रम बिलकुल यही था। जिस डायरेक्टर ने शरीचर की शाम उनको हटाये जाने का प्रस्ताव बोर्ड से तुरन्तता से स्वीकृत कराया था, उसने रविवार की सुब्ह उनके साथ दिल्ली की नहारी खायी और दिन भर डकारें ले-ले कर रमी खेली। हिंट तक न दिया, जैसे कुछ हुआ ही नहीं। लतीफ़ी साहब ने झूंझल में आकर चाबियां उस काली मेज़ पर जो कल तक उनकी और आज हमारी थी, इतने ज़ोर से फेंक कर मारीं कि मेज़ पर लगे हुए भारी शीशे में एक सूरज सा बन गया जिसकी किरणें दूर-दूर तक फैल गयीं। पहले उस शीशे में हमें अपनी एक ही तस्वीर दिखायी पड़ रही थी। टूटा तो एक-एक किरची में उनका जलवा था। वो ही नज़र आये जिधर देखा, वो बिना कुछ कहे-सुने चल दिये।

दिन भर हम अपने नये कर्तव्य बहुत उत्साह से पूरे करते रहे। रात को ठाठ से लतीफ़ी साहब की कार से घर गये और अपने क्वार्टर की दहलीज़ पर तब तक पैर नहीं रखे जब तक बावर्दी शोफ़र ने आकर दरवाज़ा न खोला। बच्चों ने लालटेन की रौशनी में हमारी कार और उन्नति का हर कोण से निरीक्षण किया। उन्हें ड्राइवर की टोपी बहुत पसन्द आयी। बेगम ने मडगार्ड को थपथपाते हुए कहा कि हल्का हरा रंग मुझे शादी से पहले भी पसंद था। मां ने डबडबायी हुई आंखों से पूछा, 'बेटा! तुमने आज भी रोटी खायी या नहीं।'

दूसरे दिन स्वतंत्रता दिवस की छुट्टी थी। हमने सब परिवारीजनों और हिमायतियों को दिल्ली की नहारी खिलवायी और 'आंख का नशा' पिक्चर दिखायी। 15 अगस्त को ऑफ़िस पहुंचे तो एक कुर्सी पर एक डायरेक्टर के मुंह चढ़े अफ़सर नूर अली नजमुद्दीन खेड वाला को बैठे देखा। हमारी हर अलमारी, कैबिनेट, दराज़ और तिजोरी पर उनके हस्ताक्षर की स्लिप चिपकी थी। हद यह कि नाक में डालने की 'ड्रॉप्स' की शीशी जो हम मेज़ पर भूल गये थे, उस पर भी लाल चपड़ी की मुहर लगी हुई थी। हम उन्हें अपने हुमायूंनी सिंहासन पर बैठे देख कर भौंचक्के रह गये। उन्होंने अपनी नियुक्ति और हमारे स्थानांतरण का काग़ज़ दिखाया। मिस्टर एंडरसन से परसों तीसरे पहर को एक घंटे तक हमारी बातचीत हुई थी। हिंट तक न दिया जैसे कुछ हुआ ही नहीं। हमने चाबियां उस काली मेज़ के सूरज पर, जो परसों तक हमारी और आज उनकी थी, फेंक कर मारीं और बिना कुछ कहे सुने चल दिये।

हम आकर अपनी पुरानी मेज़ पर बैठ गये। कुछ देर बाद मिस्टर एंडरसन स्वयं हमारे पास आये और कहने लगे, 'तुम्हारे बिना जनरल मैनेजर का ऑफ़िस सूना-सूना लगता है। वेलकम बैक होम। तुमसे अधिक इस सीट के लायक़ मेरे पाकिस्तानी अधीनस्थों में कोई नहीं, मुझे तुमसे बड़ी आशायें हैं। मेरी ड्रेसिंग टेबिल के बीच नया शीशा लगवा दो। कमबख़्त बिल्ली ने तोड़ दिया। बीचों-बीच सूरज सा बन गया है, एक घायल हाथ की जगह सौ घायल हाथ दिखायी पड़ते हैं।

रात गये, हमेशा की तरह बस के डंडे में बांहें डाले, घर आये। बेगम ने पूछा, 'कार

कहां गयी?' बच्चों ने पूछा, 'क्या ड्राइवर भी छीन लिया?' मां ने डबडबायी आंखों से पूछा, 'बेटा! तुमने आज भी रोटी खायी या नहीं?'

एक दिन की बादशाहत के बाद भिश्ती को मशक वापस मिल गयी।

शीशे की आंख : वो उन लोगों में से था जो अपने जीवन में ही क़िस्सा-कहानी बन जाते हैं। भिन्न-भिन्न प्रकार के गुण और अवगुण उससे जुड़े थे। कोई कहता कि हमने मिस्टर एंडरसन को कभी मुस्कुराते नहीं देखा। मुंह लाल, होंठ कंजूस के बटुए की तरह सदा बन्द, पर दिल का बुरा नहीं। कफ़ प्रकृति का अंग्रेज़ है। केवल अपना गला साफ़ रखने के लिये चीख़ता रहता है। दूसरा कहता कि चौबीस घंटे नशे में चूर रहता है। आंख खुलते ही पीना शुरू कर देता है। सुब्ह ड्राइवर और जमादार अजमल ख़ां सहारा दे कर उतारते हैं। कार में भी एक स्टेपनी बोतल साथ रखता है। हाथों में कम्पन है। शाम को बैरा अपने हाथ से पिलाता है। रात को बिस्तर पर फ़ीडिंग बोतल से पीते-पीते सो जाता है। तीसरा कहता कि एक आंख शीशे की है, पहले विश्वयुद्ध की यादगार। लेकिन ख़ान सैफ़-उल-मलूक ख़ां तो हमारे प्यारे सिर की क़सम खाकर कहते थे कि दोनों शीशे की हैं बस अंग्रेज़ का रुतबा है। यासीन फ़ारूक़ी कहते थे कि एक आंख नीली और दूसरी हरी थी। मां आइरिश और बाप स्कॉट था लेकिन ये वो भी नहीं बता सकते थे कि कौन सी आंख मां पर गयी है और कौन सी बाप पर। चेहरे की ओर निगाह भर के देखने की यहां किसमें ताब थी। लक्ष्मण भी तो सीता को चेहरे से नहीं पहचान पाये थे। इसलिये कि उनकी शालीन आंखें कभी पैरों से ऊपर नहीं उठी थीं।

वो बला का उग्र, कटुभाषी, अशिष्ट और कठोर मशहूर था। सुना है ब्याज खाने वाले की आंख में लिहाज़ नहीं होता। बैंकर कहीं का हो, उसकी आंख चेहरे को नहीं, केवल नोट पर छपी आकृति को पहचानती है। मार्क ट्वेन ने एक फटे दिलवाले बैंकर का रेखाचित्र लिखा है जिसके बारे में प्रसिद्ध था कि एक आंख शीशे की है। लेकिन इसकी कभी पुष्टि न हो सकी कि दायीं या बायीं किसी ने मार्क ट्वेन से पूछा तो उसने कहा कि दायीं। यह कैसे? बोला, 'दायीं आंख तय है कि शीशे की है, इसलिये कि उसमें लिहाज़ की झलक दिखायी पड़ती है।'

हमारी अनमोल घड़ी : 3 या 4 जनवरी की बात है। हमने बैंक में पांव रखे तो भारी-गर्म थ्री पीस सूट पहने हुए थे। जिसका वर्णन पहले के अध्यायों में हो चुका है। बास्कट की जेब में एक बहुत महंगी सोने की घड़ी थी जो हमारी पर्सनैलिटी के बचे हिस्सों से जो सूट से बाहर निकले रह गये थे, क़तई लग्गा नहीं खाती थी। यह नवाब सर इब्राहीम अली ख़ां टोंक स्टेट ने 1928 में अब्बा जान को कृपापूर्वक दी थी और उन्होंने हमें बी.ए. में यूनिवर्सिटी में प्रथम आने पर उपहार में दी थी। सोने की ज़ंजीर इतनी लम्बी थी कि अपनी नौकरी के प्रारम्भिक काल में हम उसकी कड़ियों पर बैंक का हिसाब इस तरह करते थे जैसे चीनी अपने counting beads पर। बटन दबाते ही यह धीमी-धीमी बजने लगती और लय के साथ घंटे बजाने के बाद क्वार्टर (पन्द्रह मिनट) भी बताती। सुबह आंख खोले बिना समय पता करने में बड़ी आसानी रहती। एक दिन हम दिन के

बारह बजे उसे कान से लगाये समय की मधुर तान सुन रहे थे कि महोदय आ निकले। कहने लगे, 'ऑफ़िस के समय में यह बैलगाड़ी का संगीतमय पहिया कान में घुसेड़ने की कोशिश क्यों कर रहे हो?' इस भयानक प्रचंड शब्दावली के बाद संगीतमय समय सुनने की जगह देखने लगे और हर प्रकार के संगीत से, चाहे वो घड़ी या फ़ायर-ब्रिगेड के अलार्म ही की क्यों न हो, बचने लगे। धीरे-धीरे स्वयं को ऑफ़िस के माहौल का इस सीमा तक अभ्यस्त कर लिया कि जब तक ऑक्सीजन में फ़ाइलों की गन्ध शामिल न हो, सांस लेने में कठिनाई होने लगी।

इस सूट और घड़ी की चर्चा इतने विस्तार से इसलिये भी करनी पड़ रही है कि सोने के बटन बेच कर मकान की पगड़ी देने के बाद 'फ़क़त बचा है यही, दोस्तो फ़क़ीर के पास।' इतना ज़रूर है कि फ़क़ीर और साधु-संन्यासी कोट-पैंट की खखेड़ में नहीं पड़ते, संक्षेप से काम लेते हैं। कई तो अपना मुंह दाढ़ी से छिपा कर तन पर भभूत मल लेते हैं। अप्रैल का महीना आया तो वास्कट उतर गयी। मई में चोटी से एड़ी तक पसीना बहने लगा तो कोट भी तह करके रख दिया। जून में पैंट में रफ़ू ही नहीं अन्दर मलेशिया का अस्तर भी लग चुका था। क़मीज़ों के कॉलर के चुग्गी दाढ़ी निकल आयी थी, जिसकी रोज़ हजामत करनी पड़ती थी। जूतों से प्रकट था कि ख़ुदा उसे बुरी नज़र से बचाये, हमारा अंगूठा बैल की खाल से अधिक मज़बूत है। यहां हम अपने अभावों और विनम्रता की शेख़ियां मार कर अपनी अकथनीय हालत की दाद नहीं चाहते। इस हालात की जानकारी चाहते हैं। वरना हाली के अनुसार—

मुसीबत के इक-इक से हालात कहना
मुसीबत से यह है मुसीबत ज़ियादा

वो इक मर्दे-मुसलमां है : 26 जून 1950 को रोज़े की हालत में अब्बाजान को दिल का दौरा पड़ा और वो बेहोश हो गये। किसी झोलाछाप डॉक्टर ने जाने क्या समझ कर क़ुनैन का इंजेक्शन लगा दिया और वो आन की आन में सारे बखेड़ों, बंधनों से आज़ाद हो गये। जयपुर स्टेट के स्थानीय मुसलमानों में वो पहले ग्रेजुएट थे। जयपुर म्यूनिस्पैलिटी के चेयरमैन, स्टेट मुस्लिम लीग और अन्य मुस्लिम संस्थाओं के अध्यक्ष और असेम्बली में विपक्ष के लीडर रह चुके थे। असेम्बली ही में भारत में हैदराबाद के विलय के विरोध में बोलने पर उन्हें भारत छोड़ना पड़ा। दिल की बात मुंह पर लाने में उन्हें ज़रा भी सोचना नहीं पड़ता था। पैतृक सम्पत्ति को वो अपने छोटे भाई के लिये छोड़ चुके थे। राजस्थान में मुसलमानों के पुराने और निर्लिप्त सेवा करने वाले तथा पाकिस्तान आन्दोलन के सिपाही के रूप में सभी उन्हें पहचानते थे। देहान्त के बाद किसी अल्लाह के बन्दे ने उनका शव ट्रक पर रख कर हैदराबाद (पाकिस्तान का एक नगर) पहुंचा दिया। लाश तीन-चार घण्टे तक सड़क के किनारे जून की लू में इस प्रतीक्षा में बिना क़फ़न के पड़ी रही कि अगर कोई वारिस है तो आये और मिट्टी के इस ढेर को पहचान कर ले जाये। उनके ख़ुदा ने उनकी बेकसी की शर्म रख ली।

दूसरे दिन सूरज ढलने से थोड़ी देर पहले सीधे हैदराबाद के फ़ुलेली क़ब्रिस्तान

पहुंचे तो काफ़ी प्रतीक्षा के बाद क़ब्र आधी बंद की जा चुकी थी। उनका चेहरा शांत था। सीलेपन ने माथे पर सिजदे के निशान को अधिक स्पष्ट कर दिया था। एक झलक देखी फिर उसके बाद कुछ दिखायी न दिया। देहान्त से कुछ दिन पहले वो कुछ घंटों के लिये कराची आये तो टाट के एक थैले में अपना खाना साथ लाये थे कि कमहौसला बेटे ने जो अन्न तलाश किया उसमें ब्याज की मिलावट थी। जीवन में जिसने उनकी कोई सेवा न की, उसे उन्होंने कंधा देने के अधिकार से भी वंचित रखा। क़ब्र पर न गुलाबों की चादर, न चमेली का ढेर, न घर पर रोने-पीटने का शोर। वो थे तो घर इतना अभावग्रस्त नहीं लगता था। मां ने सिर पर हाथ रखा और कलाई को मैली चादर से छिपा लिया।

अब अपने ख़ानदान, बेरोज़गार भाई और बीवी-बच्चों, बहन और उसके कुनबे और उनके आस-पास घूमने वाले पुच्छल तारों...उन सबके खाने-पीने की व्यवस्था बल्कि कहना तो यह चाहिये कि भूखा मारने की ज़िम्मेदारी हम पर आती थी। एक दिन यूं ही सूझा तो अभ्यास के प्रश्न के रूप में हमने अपने वेतन को कुनबे की संख्या से विभाजित किया तो भाज्य 23 रुपये पौने चार आने निकला, किसी तरह विश्वास न हुआ कि एक आदमी 23 रुपये में गुज़र कर सकता है। जीवन अंकों से अधिक लचकदार निकला। इंसान बड़ा सख़्तजान है। हमें मुहम्मद जान चपरासी से बड़ी ईर्ष्या होती थी, उसका वेतन सत्तर रुपये था और छड़ा दम।

उनकी घड़ी को बुख़ार चढ़ा : नवाबी घड़ी अब वास्कट की जेब से निकल कर पैंट की जेब और सोने की ज़ंजीर बेगम के गले में पहुंच चुकी थी। एक दिन हम महोदय के सामने पेश हुए तो बोले :

'यह तुम्हारी जांघ पर इतना बड़ा फोड़ा क्या है?'

उस दिन से सभी इस उभार को समय बताने वाला फोड़ा कहने लगे। अख़रोट तोड़ने का अखरोट की लकड़ी का बना हुआ ख़ूबसूरत ज़ंबूर आपने देखा होगा। महोदय के पास व्यक्तित्व तोड़ने का ऐसा ही कोई उपकरण था। हमारा छिलका कभी का तड़ख चुका था, गिरी अलबत्ता सुरक्षित थी। रोटी किसी तौर कमा खाने का बखेड़ा न होता तो मछन्दर स्वयं को उस समय बताने वाले फोड़े सहित कभी का दरिया में डुबो चुका होता। कठिन समय था मगर परिवारीजनों की जान भी प्यारी थी।

वो जान पर बनी है जिये बिन न रहा जाये

घर में कोई और घड़ी भी न थी और घड़ी बिना हम एक मिनट भी नहीं रह सकते थे। घड़ी का सबसे बड़ा लाभ यह देखा कि हर मिनट यह पता चलता रहता है कि हम कितने लेट हो चुके हैं। एक दिन हैदरी साहब को हम पर दया आ गयी और उन्होंने स्वयं प्रस्ताव रखा कि नमाज़ के समय फोड़े की मेरी रिस्टवाच से अदला-बदली कर लो। मैं अपने मकान मालिक सादिक़ को दे आऊंगा। उस पर antiques जमा करने का भूत सवार है। चार महीने से मकान का किराया चढ़ा हुआ है। रोज़ अपने पठान चौकीदार को भेज देता है। बेचारा भला आदमी है, मुंह से कुछ नहीं कहता। भोर में घर के सामने पांच-दस मिनट डंडा खटखटा कर चला जाता है।

हम भी दुविधा में पड़ गये। हैदरी साहब ने यह घड़ी 60 रुपये में एक पायलट के द्वारा अदन से मंगवायी थी। जिसे उस ज़माने में स्मगलरों का अदन का बाग़ कहते थे। ऐसी घड़ी अब अंतरिक्ष-यात्रियों के पास हो तो हो, उस ज़माने में धरती पर चलने वालों के पास हमने नहीं देखी। दिनांक, दिन, महीना, साल, चन्द्रमा की कलायें, ज्वार-भाटे का हाल, दिशा, सेकेन्ड और ग्रीनेज़ मैन टाइम बताती थी। डायल को पट करके कलाई पर उल्टी बांध लें तो शरीर का वरना चित्त हालात कमरे का तापमान और अल्लाह जाने क्या-क्या प्रकट कर देती थी। डायल पर जानकारियों का वो अम्बार था कि अगर केवल समय जानना हो तो दो मिनट लग जाते थे। कुछ दिन तो अपने इरादे और मूड के अनुसार चली फिर सरासर हरामख़ोरी पर उतर आयी। हैदरी साहब घड़ी के बहुत पाबंद थे। जैसे ही उनकी घड़ी सुब्ह के 5 बजाती, उनका एक पैर बैंक के अन्दर और दूसरा बाहर होता, उस समय लंदन की घड़ियां भी 5 ही बजा रही होती थीं। पाकिस्तानी घड़ियां पांच घंटे तेज़ चलती थीं। समय पर ऑफ़िस आने के चलन का कभी पालन न किया। अपनी ताबड़-तोड़ सेवा का पारिश्रमिक 1 रुपया दैनिक के हिसाब से धरवा लेती थी। वो इस शक्ल में कि पांच-छह महीने तक हैदरी साहब औसतन तीस रुपये मासिक उसकी मरम्मत पर ख़र्च करके हमारे क़र्ज़दार होते गये। अदला-बदली का प्रस्ताव उसी काल की बात है। यह उपकरण वाटरप्रूफ़ भी था। अपनी सेल्समैनशिप से हमें ललचाते कि आप पांच सौ फ़ीट गहरे पानी में डूब जायें, तब भी यह घड़ी एक सप्ताह तक बंद नहीं होगी। यह सिद्ध करने के लिये वस्तुतः सौ प्रतिशत वाटरप्रूफ़ है, हैदरी साहब उसे पानी के गिलास में डुबो देते और शाम को घर जाते समय निकाल कर कलाई पर बांध लेते। दिन भर हर आये-गये को गिलास उठा-उठा कर डूबी घड़ी के कार्य-कलाप दिखाते। शक्की स्वभाव वालों को घड़ी कान से लगाकर सुनवाते कि चलती भी है। गिलास हिलाते तो ज्वार-भाटे और चढ़ते चांद का हाल बता देती। इक महीने की डुबकी के बाद यह घड़ी समय के अतिरिक्त हर चीज़ ठीक बताने लगी।

हर चीज़ से हमारा अभिप्राय दिनांक, दिन और सन् है। जिसका कारण सम्भवतः यह है कि हैदरी साब ऑफ़िस पहुंचते ही घड़ी को कैलेंडर से मिला लेते थे। लगभग उसी काल में यह घड़ी गिलास से निकल कर क़मीज़ की जेब की शोभा बनी। स्तर में उन्नति होते-होते यह सजावटी वस्तु बन चुकी थी। किसी अच्छी नौकरी के इन्टरव्यू के लिये जाना हो या स्टेट बैंक के अधिकारियों से मिलना हो तो कलाई पर उसका ताबीज़ बांध कर निकलते। कफ़ की ओर से केवल स्टैप दिखायी पड़ता था। डायल की दिशा अपनी हथेली की तरफ़ रखते। वापस आते तो घड़ी को 105 डिग्री का बुख़ार चढ़ा होता था।

आलीजाह ने रिपोर्ट लिखवायी : दुख है कि उन घड़ियों की अदला-बदली दाता को मंज़ूर न थी। गर्मियों के दिन थे। सनीचर की रात को घर के छोटे-बड़े स्तर के अनुसार सहन, बरामदे और सड़क के किनारे सो रहे थे। चोर न जाने कब और कैसे आये और जो कुछ माल हाथ लगा, उठा कर ले गये। 'जो कुछ' से हमारा अभिप्राय पूर्व चर्चा का विषय घड़ी और पैंट है जिसे पहन कर हमने सेकेन्ड शो देखा और फिर अपने कमरे में

नींद से बेहाल, स्वयं को उसमें से निकाल कर जहां की तहां पड़ी रहने दी। ख़ैरियत रही कि घरवालों के कपड़े-लत्ते चोरी नहीं हुए। जिसका एक कारण यह भी हो सकता है कि वो सब उन्होंने पहन रखे थे। मिर्ज़ा अब्दुल वुदूद बेग ने बहुत मना किया, 'बिना धन की चोरी की रिपोर्ट मत लिखवाओ, शरीफ़ लोगों के लिये यह बड़ी बेइज़्ज़ती की बात है कि घर में चोर आयें और चुराने के लिये कोई रक़म ही न निकले?' बहरहाल, हम थाने में रपट लिखवाने पहुंच गये। S.H.O. ने घड़ी का मूल्य पूछा। हमने संकुचित अनुमान के अनुसार 5 हज़ार बताया। चौंक कर पूछा, आलीजाह क्वार्टर का किराया क्या देते हैं? निवेदन किया 35 रुपये। हमारा उत्तर सुन कर वो एक अर्थपूर्ण 'हूं! आलीजाह!' कह कर रह गये। हमने देखा कि यहां हर शख़्स एक-दूसरे को आलीजाह पुकारता है। चुनांचे एक साहब जिन्हें आलीजाह कह कर संबोधित किया जा रहा था, हवालात में हथकड़ी पहने, चटाई पर मुर्ग़ा बने जूतों से अपना अभिनन्दन और पूछताछ करवा रहे थे।

'और क्या चोरी गया आलीजाह?'

'कुछ नहीं?'

पैंट की जानकारी F.I.R. में जानबूझ कर नहीं दी कि कल यदि चोरी का माल चोर के क़ब्ज़े में बरामद हो जाये तो भरी अदालत में हर पेशी पर हमारी पैंट की प्रदर्शनी लगायी जायेगी और उसे exhibit no. 1 के झंडे पर चढ़ा कर हमसे पूछताछ की जायेगी कि ख़ुदा को हाज़िर-नाज़िर जान कर कहो कि तुम वाक़ई इस पैंट को पिछौटा ढकने के लिये इस्तेमाल करते थे।

'तो यानी दो चोर एक ही घड़ी चुराने आये थे?' थानेदार साहब अपने डंडे से खेलते हुए बोले।

'ऐसा लगता है।'

'उन्हें ये जानकारी कैसे हुई कि आलीजाह के पास यह अनमोल घड़ी है।'

'ख़ुदा बेहतर बता सकता है।'

'चोरी का कोई प्रत्यक्षदर्शी गवाह है।'

'वो तो स्वयं चोर ही हो सकते हैं।'

'अच्छा तो आपको कैसे मालूम हुआ कि दो चोर थे?'

'चार पैर के निशान थे।'

'दो यानी चार पांव का मतलब दो आदमी होते हैं? घड़ी कहां रखी थी?'

'हमारी पैंट में।'

'पैंट कहां है आलीजाह?' उन्होंने हमारे पाजामे को जिसमें जुमे की नमाज़ के घुटने बने हुए थे, घूरते हुए पूछा।

'चोर ले गये।'

'अभी तो आपने कहा था कोई और चीज़ चोरी नहीं हुई। अब पूछताछ के बीच आप स्वीकार कर रहे हैं कि पैंट भी चोरी हो गयी। यह तो चोरी की दफ़ा 390 का केस हुआ, तो यानी वारदात के समय आपने चोरी गयी पैंट पहन रखी थी।'

'नहीं।'

'आपने इस चोरी को क्यों छिपाया?'

'कोई ख़ास कारण नहीं।'

'आपको मालूम होना चाहिये कि यह जुर्म है। हस्तक्षेप के लायक़ जुर्म है। आप पर दफ़ा 109 ताज़ीराते-पाकिस्तान, फ़ौजदारी का मुक़द्दमा चल सकता है। मजिस्ट्रेट अगर नरम मिजाज़ का हुआ तो छह महीने सश्रम सज़ा होगी। मुंशी जी ज़रा इधर आइये।'

'अच्छा घड़ी की रसीद लाये हैं, आलीजाह?'

'मैं रपट लिखवाने आया हूं।' हमने झुंझला कर कहा।

'आपको मालूम है कि आप इस वक़्त किसके सामने हैं? आपने जब यह घड़ी मुबलिग़ 5 हज़ार रुपये में ख़रीदी तो उसकी रसीद तो ली होगी। वो कहां है?'

'रसीद तो नहीं है।'

'हूं। मुंशीजी। यह तो फड्डा ही गोया कुछ और है। जल्दी आइये।'

'हेवाज़िर हुआ अवाली आह।' मुंशी जी, आसमान की ओर मुंह करके बिलबिलाये। देर तक पान की पीक से गरगल-गरगल करते रहे।

पतें : हमने वहीं से फ़ोन पर दुहाई दे कर एक दोस्त से जो सुपरिंटेन्डेंट पुलिस थे, सिफ़ारिश करवायी। तब कहीं जा कर हम पर पूछताछ बंद हुई और घर जाने की अनुमति मिली। ढाई घंटे देर से बैंक पहुंचे। कुछ देर बाद एंडरसन इधर से निकला तो हमें अचकन-पाजामा पहने देख कर कहने लगा, 'बिलकुल जिप्सी लगते हो। घड़ी की स्टोरेज के लिये तो तुम्हें एक न एक दिन कंगारू की सी थैली आगे लटकानी पड़ेगी।' ऐसे वाक्य वो अक्सर चिपकाता रहता था। ख़ुदा जाने हमें जलाने के लिये अनजान बन रहा था या सचमुच अनभिज्ञ था, एक दिन सूखा मुंह बना कर पूछने लगा कि मुझे इधर रहते-बसते तीस-पैंतीस बरस हो गये पर यह आज तक समझ न आया कि तुम्हारे यहां नौकरी के प्रार्थना-पत्रों पर एक ही रेफ़रेन्स नम्बर क्यों किया जाता है। सवाल हमारी समझ में न आया तो वो ताज़ा प्रार्थना-पत्र हमारे आगे बढ़ा दिया जिसके माथे पर 786 लिखा था।

ऐसे खिले हुए पल कम ही आते थे, क्योंकि वो स्थाई तैश में रहता था। उसका ग़ुस्सा बिलकुल शुद्ध होता था यानी अकारण। फ़ोन पर बोलता तो तार जल उठते। हर शब्द की त्योरी पर बल, हर वाक्य की आस्तीन चढ़ी हुई। ग़बन अगर ढाका में हुआ है तो डांट कराची के कैशियर पर पड़ रही है। चाय के कप में अगर किसी मक्खी ने आत्महत्या कर ली इंस्पेक्टर ऑफ़ ब्रांचेज़ से पूछ-गछ। मतलब कि मिर्ज़ा के कथनानुसार हर एक की बेइज़्ज़ती ख़राब करता था। लोग युद्धगीत गाते हुए और गाली बकते लौटते। बशीर अहमद तो उसके कमरे में घुसने से पहले लिब्रेम की एक गोली खा लेते थे। कहते थे कि अपमानित होने के क्षण से पांच मिनट पहले एक गोली खा ली जाये तो फिर तबियत पर डांट-फटकार का थोड़ा भी असर नहीं होता। थोड़ी देर बाद कमरे से बेआबरू हो कर निकलते तो दवा और खा लेते। नौकरीपेशा आदमी और कर भी क्या सकता है। ग़रीब जहां भी हो यही दुरगत बनती है। पंजाबी की एक कहावत है किसान की 21 पतें

(इज़्ज़तें) होती हैं। एक-आध चपरासी के हत्थे, दो-तीन अहलमद, सरिश्तेदार की भेंट। कुछ क़ानूनगो पर बलिहार और वो जो अलग बांध कर रखी हैं वो पटवारी पर न्योछावर। किसान फिर भी दो-चार बचा कर ले ही जाता है। सफ़ेद कॉलर वाले नौकरीपेशा लोगों का हाल कुछ अलग नहीं होता।

इसके बावजूद सबके लिये एक पिता की सी पोज़ीशन रखता था। अपनी लम्बाई से बड़ा लगता था और उसकी बातें भी। डांट-फटकार में एक दिल को मोह लेने वाली अदा ज़रूर थी। आम अगर पहले खट्टा न हो तो कभी-कभी मीठा नहीं हो सकता। सरदारी की एक अलग शान रखता था। चेतावनी के कुछ देर बाद दण्डित को दुबारा किसी बहाने से बुलाता अकारण नर्मी और प्यार से पेश आता। यह दिलासा शायद इस लिये कि भविष्य की डांट के लिये तबीयत में ताज़ा सहार पैदा हो। ज़बान की तलवार के घायल फिर टुकड़े-टुकड़े जिगर को जमा करते। पलक की नोक से अन्न का एक-एक कण चुनते। फिर जी छूट जाता। आस टूट जाती और फिर किसी की तसल्ली के शब्द गिरतों को थाम लेते। यही अनन्त का क्रम चलता रहता।

चुमकारे, चुमकार के मारे
मारे, मार के फिर चुमकारे

जिन दोषियों को मृत्युदंड दे दिया जाता है, जेल वाले उनकी बड़ी देख-रेख करते हैं कि कहीं ज़हर न खा लें। ब्लेड से नसें न काट लें। दीवार से सिर न फोड़ लें। नेकर से फांसी का फन्दा न बना लें। छींक भी आ जाये तो तुरन्त डॉक्टर बुलवाया जाता है। उनकी जान की पूरी सुरक्षा की जाती है ताकि फांसी दी जा सके।

हमारा कच्चा-चिट्ठा : डिसीप्लिन का स्वयं भी ध्यान रखता था। ठीक पौने नौ बजे ऑफ़िस आता। दुनिया जानती थी कि शराबी है लेकिन ऑफ़िस में शराब नहीं पीता था। घर से पी कर आता था। आम तौर से धारीदार टाई लगाता था। लेकिन किसी सीनियर अफ़सर या मैनेजर को डांटना हो तो लंच के बाद काली बो लगा कर आता था। कई अफ़सर ऐसे ही सादा लेकिन रखरखाव वाले ढंग से 'डिसमिस' भी हो चुके थे। इसके बाद यह ज़रूर कहता कि मैंने तुम्हारे निकम्मेपन की 'ब्लैक एन्ट्री' इस गोपनीय डायरी में कर ली है। इस डायरी की गहरी बादामी भूरी जिल्द उसके कथनानुसार असली पिग स्किन की थी। उसका कहना था कि यह ख़ूंख़ार सुअर मैंने अपने भाले से स्कॉटलैंड की तराई में मारा था। बड़ा ही सुअर था। हां! पाकिस्तानी सुअर में चर्बी कम मगर सुअरपन अधिक होता है। इसीलिये हम योरोपियन बड़े शौक़ से खाते हैं। जिन-जिन की करतूतें उस डायरी में सुरक्षित की जा चुकी थीं उनकी हार्दिक इच्छा थी कि अपनी पुरानी आदतों और बुरे कारनामों का चिट्ठा अपनी आंखों से देखें लेकिन सुअर के चमड़े को हाथ कौन लगाये। चपरासी भी मेज़ साफ़ करते समय झाड़न उस पलीद चीज़ के नहीं लगने देता था। मिर्ज़ा अब्दुल वदूद बेग कहते थे कि ब्याज, शराब, अपने अफ़सरों की जन्मतिथि और जुए की हार-जीत का हिसाब रखने के लिये सुअर के चमड़े की डायरी से बेहतर और कोई चीज़ नहीं हो सकती।

एक सुहानी-सलोनी सुबह का वर्णन है। हम काउंटर पर चैक प्राप्त करके उसके बदले 'टोकन' देने का काम सीख रहे थे कि एक स्थानीय होटल में नाचने वाली ऑस्ट्रियन कैब्रे डांसर ने एक करोड़पति शिल्पकार का 'बेयरर' चैक भुनाने को दिया। उस काल में महिलायें कभी-कभार ही बैंकों में दिखायी पड़ती थीं। प्रोफ़ेसर क़ाज़ी अब्दुल क़ुद्दूस के अनुसार औरतों का मानवीय अकाल था। मतलब यह कि कहीं कोई औरत कार चलाती या सिग्रेट पीती दिखायी पड़ जाये तो लोग यूं आंखें फाड़-फाड़ कर देखते जैसे पुच्छल तारा निकल आया हो जिसका मुंह उनकी तरफ़ हो और पूंछ शौहर की तरफ़ हो। चैक की प्रविष्टियों की जांच-पड़ताल के अतिरिक्त हमारे सुपुर्द यह काम भी था कि चैक पर किये हुए हस्ताक्षरों का मिलान नमूने के हस्ताक्षरों से करके पुष्टि करें कि जाली नहीं हैं। हम यह दोहरे-तिहरे काम कैसे कर रहे थे इसका अनुमान पाठक आगे चलकर स्वयं लगा लेंगे। यहां इतना संकेत पर्याप्त होगा कि माननीय स्वभाव के अनुसार दबे पांव आये और हमारे पीछे खड़े होकर न जाने कितनी देर तक हमारी तल्लीनता को देखते रहे। उनकी आदत थी कि 'सरप्राइज़ चैकिंग' को आ निकलते। कई बार चुपचाप आकर हमें भी देख चुके थे। हर बार उपयुक्त स्थिति में पाया। इस बार वो 'आहम' कह कर खंखारे। हमने झट चैक को घूरना शुरू कर दिया। बोले, 'इस चैक के पेमेन्ट से निवृत्त होकर जनरल मैनेजर से मिलो।' माननीय ऐसे अफ़सरों पर अपनी ओर उत्तम पुरुष में संकेत करते थे। हम पसीने-पसीने पेश हुए तो बहुत प्यार से बोले, 'तुम दूसरी क़िस्म के फ़िगर पर नज़र से टिक-मार्क लगा रहे थे।' हम ऐसे बन गये 'हम बहू-बेटियां ये क्या जानें।' इसलिये स्पष्ट करते हुए बोले, 'तुम चैक के हस्ताक्षर उसके चेहरे से 'compare' कर रहे थे।

डांट-डपट के बाद...नसीहत दी कि 'यंग मैन। ऐसी औरतों के चेहरे जाली होते हैं। यानी है औरत कुछ, दिखायी पड़ती है कुछ। ऐसे चैक को तातेरंगल (घास उठाने का पंजा) से उठाना भी ख़तरे से ख़ाली नहीं। चेतावनी यह कि मैं इस मिल के स्टॉक की अभी चैकिंग करवा रहा हूं और इस अनप्रोफ़ेशनल चूक की रिपोर्ट इस डायरी में लिख रहा हूं। हमारे पांव तले से सारा कैरियर निकल गया। रात-दिन की मेहनत पर पानी क्या पूरा अरब सागर फिरता दिखायी दिया। तीन-चार बार कुरेद सी हुई कि लाख बुराई सही आख़िर देखना तो चाहिये कि डायरी में लिखा क्या है। इसलिये सनीचर की रात को रात के 11 बज रहे होंगे। हम उसके कमरे में पिछले दरवाज़े से घुसे और कांपते हुए हाथ पर रूमाल लपेट कर हराम जानवर के चमड़े के कवर वाली डायरी खोली। एक पन्ना, दूसरा पन्ना, तीसरा पन्ना। सारी डायरी खंगाल डाली। हर पन्ना साफ़। हर पेज सादा। केवल पहले पेज के जिस पर उसका नाम और उसके नीचे छह साल पहले की तारीख़ लिखी थी।

हमारे वेतन से देश की अर्थव्यवस्था का विध्वंस : हनीमून की वो सुनहरी धुंध, जब आदमी समझता है वो अंगूठा चूस कर भी जीवित रह सकता है, कभी की छंट चुकी थी। बेगम ने एक दिन हमें सूचित किया कि हमारा वेतन 13 तारीख़ तक के लिये बिलकुल पूरा होता है तो हमें पोप ग्रेगोरी पर बहुत ग़ुस्सा आया जिसने ईसवी कलैंडर ठीक करते-बनाते समय यह विध्वंस करनेवाला निर्णय लिया कि कोई महीना 28 दिन से कम

का नहीं होगा। निष्ठुर को ठीक करना ही था तो ठीक से करता। ख़ैर गर्म-गर्म गृहस्थी चोट थी। हमने दूसरे ही दिन एंडरसन की स्टेनोग्राफ़र को एक अर्ज़ी डिक्टेट करवायी जिसमें विरोध किया गया था कि जिस वेतन का वादा करके हमसे सिविल सर्विस से त्यागपत्र दिलवाया गया था उसके आधे पर हमें टरका दिया गया। इसलिये चार सौ रुपये की बढ़ोत्तरी की जाये और शेष राशि का भुगतान किया जाये। शायद किसी ने इसकी अग्रिम सूचना उसे दे दी। जभी तो अर्ज़ी टाइप होने से पहले ही उसने हमें बुलवा लिया। कहने लगा कि बैंक का हाल तो ओरियेंट एयरवेज़ से भी बुरा है। शेयर की क़ीमत क्रेश हो चुकी है। घाटा है कि बढ़ता जा रहा है। एक फ्रॉड भी हो गया है। बैंक फ्रॉड असल में जोड़-घटाव की शायरी है। रोज़ सुब्ह कैश की स्थिति देख के गले में फंदा सा पड़ जाता है। मैं स्वयं ज़रूरतमंद व्यापारियों और शिल्पकारों को ओवरड्राफ़्ट के स्थान पर क़ीमती मशवरे दे रहा हूं। बैंक वर्तमान के ख़र्च नहीं बर्दाश्त कर सकता। मैं तुम्हारे वेतन की तरफ़ से भी बहुत चितिन्त रहता हूं मगर तुम बाल बच्चेदार आदमी हो, घटाते हुए डरता हूं।

वेतन में और कटौती के ज्ञानरंजन के अलावा उसने अर्थशास्त्र पर एक लम्बा सा लैक्चर दिया। जिसके दौरान रफ़ पैड पर डायग्राम बनाकर उसने कंठस्थ कराया कि अगर राष्ट्रीय उपज में बढ़ावा न हो और वेतन बढ़ते चले जायें तो देश की अर्थव्यवस्था का विध्वंस हो जाता है। इंग्लैंड इसी तरह बरबाद हो रहा है। हम उसके कमरे से निकले तो हालाँकि हमारा वेतन वही था जो कमरे में घुसने से पहले था लेकिन इस विचार से ही एक अजीब तरह का दबदबा और रुतबा महसूस किया कि हमारे वेतन में बढ़ोत्तरी से देश की अर्थव्यवस्था का विध्वंस हो सकता है।

रुतबे और दबदबे का क्या ठिकाना, इसी से अनुमान लगा लीजिये कि एक दिन हम गुणा करने की मशीन को उल्टा चला कर भाग देने की नई राह निकाल रहे थे कि चपरासी दौड़ा-दौड़ा आया और कहने लगा कि टोनी साहब आया है। दूध के लिये चार आने चाहिये। हमने यह समझ कर कि आगंतुकों के लिये चाय का दूध ख़त्म हो गया है। तुरन्त चवन्नी निकाल कर दे दी। कुछ देर बाद वो टोनी साहब को हमसे परिचय कराने के लिये लाया। निकलता हुआ क़द, शरबती आंखें, चौड़ी छाती, कमर चीते जैसी, अधखुले होंठ, उजले सफ़ेद दांत, खुलता हुआ चम्पई रंग और उसी रंग की पूंछ। यह एंडरसन का कुत्ता था जो rabis के तिमाही टीके के लिये रिचमंड क्राफ़ोर्ड अस्पताल ले जाया जा रहा था। सब उससे शालीनता और कृपा से मिलते। उसके सामने कोई एंडरसन की बुराई नहीं करता था। कोई उसे कुत्ता नहीं कहता था। सब उसे टोनी साहब पुकारते थे सिवाय यासूबुल हसन ग़ौरी के जो उसे टोनी मियां कहते थे। जब भी यह बैंक आता सब इस तरह जता-जताकर उसके नाज़ उठाते जैसे बॉस के बच्चों को चूमते-चाटते हैं। कोई सिर पर हाथ फेरता। कोई तारीफ़ों के पुल बांधता। कोई दुम और सिर के क़ुलाबे मिलाता और कोई अपने टिफ़िन कैरियर में से कलेजी निकाल के काग़ज़ पर रख देता। गोवानीज़ चीफ़ एकाउन्टेंट मिस्टर गोंसाल्वेज़ ने एक बार इच्छा प्रकट की कि वो अपनी कुतिया शीबा को इस शुद्ध रक्त के कुत्ते की आवारगी में लाना चाहता है। यासूबुल हसन

ग़ौरी तो बड़े सम्मान से अपना हाथ इससे चटवाते और शाम तक चाटी हुई हथेली सेंत-सेंत कर रखते और हर एक को इस तरह इतरा-इतरा कर दिखाते जैसे क्लिओपेत्रा ने अपना चूमा हुआ हाथ दिखाया।

मुल्ला अब्दुस्समद और मिस मार्जरी बाल्ड : उसके लिखे हुए नोट्स और चिट्ठियां पढ़ने का मौक़ा मिला तो आश्चर्य, फिर संतोष मिला कि अंग्रेज़ भी ग़लत अंग्रेज़ी लिख सकता है। हमारी अंग्रेज़ी तो उसके कथनानुसार ग्रामर की गठिया से ग्रस्त थी और ऑफ़िस की धूप में अभी उसके जोड़-बंद नहीं खुले थे। लेकिन उसके अपने वाक्य बहुत गुंजलक और अटपटे होते थे। कई शब्द बल्कि वाक्य अपने अर्थ से रूठे रहते थे। एक दिन शामत आयी जो हमने उसके एक ड्राफ़्ट में नेसफ़ील्ड ग्रामर की दृष्टि से साधारण सी चूक को इंगित किया। झुंझला कर चश्मा उतार दिया और उसकी टांगों की आलथी-पालथी मारते हुए बोला, 'क्या नेसफ़ील्ड कोई ऐंग्लो-इंडियन स्कूल मास्टर था। सोला हैट और सफ़ेद पतलून पहननेवाला, राइस ऐंड करी खाने वाला? दुख है कि तुमने किसी भाषाविद् से अंग्रेज़ी नहीं पढ़ी।'

निवेदन किया, '1942-43 में हमने एक अंग्रेज़ औरत से अंग्रेज़ी पढ़ी थी।'

बोले, 'अहा! बिलकुल जैसा मैंने सोचा था।' जभी तो मर्दाना अंग्रेज़ी के तेवर नहीं पहचानते। कुछ समय मेरे साथ रहे तो छाती पर घुंघराले बाल निकल आयेंगे। मगर वो थी कौन?' 'मिस मार्जरी बाल्ड' हमने गर्दन अकड़ा कर कहा। उस ज़माने में हम मिस मार्जरी बाल्ड पर ऐसे घमंड करते थे जैसे मिर्ज़ा ग़ालिब अपने ईरानी उस्ताद मुल्ला समद पर, जिसके बारे में नयी खोजों ने साबित कर दिया है कि उसका सिरे में कोई अस्तित्व ही न था। ग़ालिब का उस्ताद उसके अपने दिमाग़ से पैदा हुआ था। देखा जाये तो इससे अच्छा उस्ताद हो भी नहीं सकता।

अजीब इत्तफ़ाक़ है कि हम दोनों बेउस्तादों (यानी ग़ालिब और लेखक) को भाषाविद् आगरे में ही नसीब हुए। मुल्ला अब्दुस्समद को पाकर ग़ालिब लिखते हैं, 'अभिलाषा पूरी हुई और दूर फ़ारस से एक बुज़ुर्ग प्रकट हुआ और फ़क़ीर (अपने लिये विनम्र संबोधन) के मकान में दो बरस रहा। दुर्भाग्य कि यह फ़क़ीर (लेखक) अपनी गोरी उस्तादनी को दो घंटे भी अपने मकान में रखने से वंचित था। इसलिये कि फ़क़ीर स्वयं सैंट जोंस कॉलिज के हैलीबरी गैस्ट हाउस के छोटे-अंधेरे 42 नं. कमरे में रहता था। जिसकी अकेली खिड़की चमड़ा कमाने वाली टैनरी की तरफ़ खुलती थी यानी हमेशा बंद रहती थी और मेहमान के लिये दरवाज़ा अन्दर की ओर केवल इस स्थिति में खुलता था कि दरवाज़े से लगी हुई चारपाई को पहले पीठ पर उठा कर खड़ा किया जाये। फिर वापस बिछाने के बाद उसी के नीचे घुटनियों निकल कर मेहमान से गले लगें और उसी पर बिठा दें।' मौलवी मुहम्मद मेरठी जिनकी किताबों से हमने उर्दू भाषा और सब्र सीखा, ऐसी काल्पनिक बातों के बारे में उदाहरण देकर बता गये हैं।

क्या-क्या ख़याल बांधे नादां ने अपने दिल में
पर ऊंट की समाई कब हो चूहे के बिल में

लेकिन ख़ुद मौलवी साहब ने शायद शायरी की ज़रूरत के चलते ऊंट की ज़रूरत के विपरीत चूहा बांधा है। वरना ऊंटनी या कम से कम चुहिया होना चाहिये था।

चश्मा माथे पर चढ़ाते हुए बोला, 'तुमने औरत से अंग्रेज़ी क्यों पढ़ी। कोई आदमी उपलब्ध नहीं था।'

'वो सैर के लिये हिन्दुस्तान आयी थी। सैर के बीच में ही दूसरा विश्वयुद्ध छिड़ गया।'

'बहुत योग्य थी।'

'वो बालों में लाल रिबन बांधती थी और...'

'मैं खोपड़ी के बाहर का हाल नहीं पूछ रहा।'

'कैम्ब्रिज़ में पढ़ा चुकी थी। शैली पर एथॉरिटी थी। समय काटने के लिये सेंट जोंस आगरा में पोइट्री की क्लास लेने लगी।'

'हा! हा! हा! आदमी का औरत से शायरी पढ़ना ऐसे ही है जैसे कोई औरत मर्द से दूध पिलाना सीखे। सुन्दर औरत से बैंकर केवल एक ही ढंग की बात सीख सकता है। न कहने का सलीक़ा। तुम मेरे पहले इंडियन, पाकिस्तानी अधीनस्थ हो जो सेमीकोलन (;) प्रयोग करने का साहस रखता है। मगर एक बात ध्यान में रहे शेक्सपियर नाम का एक शख़्स मुझसे बेहतर अंग्रेज़ी लिखता है, लेकिन मैं उसे बैंक की चिट्ठी-पत्री में हस्तक्षेप की अनुमति नहीं देता?'

अंग्रेज़ों में भी देहलवी और लखनवी होते हैं : वो उस समय बहुत अच्छे मूड में था वरना सामान्यत: बहस तो बड़ी बात है, चापलूसी तक का मौक़ा नहीं देता था। हमने यह अवसर पहचाना और ख़ुशामद की पहली बूंद टपकायी, 'यह मेरा सौभाग्य है कि अब मैं एक अंग्रेज़ से बैंकिंग सीख रहा हूं।'

अंग्रेज़ का नाम ज़बान पर आते ही बारूदघर में आग लग गयी। आ आा आाा (किसी बात का भरपूर ढंग से विरोध करना हो तो तर्जनी उठा कर प्लुत (S) लगाता चला जाता था। 'मुझे यह तो मालूम है कि स्कैंडल, स्टाफ़ का अनुपम पकवान है लेकिन मेरे पिता के बारे में यह भटकाने वाली सूचना किस कुतिया के बच्चे ने दी? मैं अंग्रेज़ नहीं स्कॉट हूं। स्कॉट!' अंग्रेज़ों के लिये उसके दिल में घृणा और उपेक्षा थी जो सदियों पुरानी थी।

इस चेतावनी के दूसरे दिन हमारा एक ठीक-ठाक सा ड्राफ़्ट देख कर शायद आंसू पोंछने के लिये कहने लगा, 'तुम अंग्रेज़ी अच्छी ख़ासी लिख लेते हो अगर शरारत से परहेज़ करो तो कहीं बेहतर लिख सकते हो।'

हमने जवाबी प्रशंसा की कि 'जनाब भी बहुत अच्छी इंग्लिश...'

शब्द इंग्लिश हमारे मुंह से अभी 1/3 बाहर निकला था कि कल की नाराज़गी याद आ गयी। हाथों-हाथ बचाव का वाक्य गढ़ा कि जनाब भी बहुत अच्छी स्कॉच लिखते हैं।

बारूदघर फिर आग पकड़ गया। कहने लगा, 'आ आा आाा! यह जानकारी तुम्हें किस बास्टर्ड ने दी। मैं स्कॉच लिखता नहीं पीता हूं। धड़ल्ले से, लेकिन इंग्लैंड वालों की तरह मुझे औरत की प्यास नहीं लगती। और हां! रार्बट बर्नस से बड़ा शायर इंग्लैंड

में न पैदा हुआ, न होगा। मैं स्कॉटलैंड में फांसी चढ़ने को इंग्लैंड में बीमारी से मरने पर हज़ार बार प्रधानता दूंगा।'

स्कॉच पर याद आया कभी गिलास में बर्फ़ नहीं डालता था। कहता था कि बर्फ़ जगह बहुत घेरती है। उसके बैरे बुन्दू ख़ां के अनुसार, 'मैंने साहब को कभी निख़ालिस पानी पीते नहीं देखा। बोलता है कि लोकल पानी में डीसेन्ट्री के कीड़े होते हैं। उन्हें व्हिस्की से मारकर उनका सूप बनाता है।' एक बार हमने बुन्दू ख़ां से पूछा, 'साहब को कभी पानी की प्यास लगती है?' बोला, 'क्यों नहीं लगती? क्या वो इंसान नहीं है? जब शराब की तलब होती है तो गिलास में पहले दो पैग व्हिस्की उंडेलता है फिर पानी डालता है लेकिन जब पानी की प्यास लगती है तो गिलास में पहले पानी डालता है फिर दो पैग व्हिस्की।'

वो एक तुहफ़ा जिसे तू फ़िज़ूल मानता है : क्रिसमस बड़े धूमधाम से मनाता था। बुन्दू ख़ां का कहना था कि साहब जुलाई की पहली तारीख़ से व्हिस्की में पानी डालना बंद कर देता है। कहता है कि अब क्रिसमस आ रहा है। दिसम्बर की 19 या 20 तारीख़ से ऑफ़िस आना बन्द कर देता था और 5, 6 जनवरी तक फ़्लैट में मदहोश पड़ा रहता, इसके बाद क्लीनिक में बेहोश। ज़रूरतमंद वहां भी भेंट लेकर पहुंच जाते थे। क्रिसमस के दिन क़मर कोर्ट (जिसमें उसका फ़्लैट था) के फाटक पर डालियों से लदे हुए अफ़सरों और क़र्ज़दारों का क्यू लग जाता। वही पेंदें के बीच में कूबड़ वाली टोकरी। रंगीन काग़ज़ों और पन्नी की कतरनों में लिपटे हुए पांच-छह तरह के फल और उसके नीचे हलाल की कमायी से खींची गयी हराम चीज़ की बोतल। जिसका जितना बड़ा क़र्ज़ होता, उतना ही बड़ा व्हिस्की का क्रेट।

पत्थर पूजे हरि मिले तो मैं पूजूं पहाड़

एक से अधिक व्हिस्की के क्रेट का मतलब होता था कि रक़म कब की डूब चुकी अब उतनी ही और चाहिये। एक क्रिसमस पर हमारी भी सेवा की रग फड़की और हम मैरी क्रिसमस कहने उसके फ़्लैट पहुंचे। क़मर हाउस के कम्पाउन्ड में बुन्दू ख़ां बैरा चारपाई डाले पड़ा था। अदवान पर फलों का एक टुकड़ा रखा था और पाये से एक दुखियारी सी टर्की बंधी हुई थी। हमने अपना नाम और भेंट का कारण बताया तो कहने लगा, 'डाली कहां है?' हमने कहा कि हम तो केवल मिलने आये हैं। बोला, 'तो ऐसे बोलो क्रिसमस पर ईद मिलने आये हो। वो तो एक सप्ताह से बिस्तर पर लम्बा लेटा है। सिर में सख़्त सिरदर्द है (जैसे सिर में गुरदे का दर्द भी हो सकता है।) चायदानी सिरहाने पड़ी है और उसकी भभकती टीकोज़ी को सिर पर ओढ़े, आंखों पे अंगिया पहने पड़ा है। त्योहार के दिन सुब्ह से अपने बाबा को याद कर करके भूं-भूं रोये चला जा रिया है। यह लो अपना नाम लौंडे की सिलेट पे लिख जाओ। उसी पे दस रुपये नक़द लिख दो। डाली, बोतल अपना ज़िम्मा।'

हमारे संदेह दूर करने या सम्भव है, रौब डाल कर दबाने की नीयत से हमें एक कमरे में ले गया जहां तीस-चालीस डालियां तले ऊपर और डेढ़ सौ बोतलें गर्दनों में विज़िटिंग कार्ड लटकाये पड़ी थीं। कहने लगा, 'इनमें से जो पसंद हो, बता दो। साहब

को होश आते ही तुम्हारे नाम से प्रज़ेंट कर दूंगा। चालीस रुपये का काम दस रुपल्ली में बन जायेगा।'

हम वापस जाने लगे तो बोला, 'चलो तीन रुपये में सौदा ख़त्म करो। तुम भी क्या याद करोगे। मुंह अंधेरे एक क्लर्क बाबू रणछोड़ लाइन से पैर-पैदल आया था। दुखिया का चार साल से प्रमोशन रुका हुआ है। तीन जवान पछत्ती बेटियां छाती पे बैठी हैं। लतीफ़ी का साला उनसे मसख़री करता है। उसने मना किया। इस पे लतीफ़ी क़साई ने उसका ट्रान्सफ़र नारायण गंज कर दिया है। यहीं अदवान पे बैठा सिसकियों से रो रहा था। यह टर्की दे गया है। अब मरी कि अब चली। मैं इसकी टांग में तुम्हारे नाम की परची बांध कर हैप्पी क्रिसमस कर दूंगा।'

हमने कहा, 'मियां! उस ग़रीब की सिफ़ारिश कर दो, बेटियों की इज़्ज़त-आबरू का सवाल है।'

बोला, 'असली सवाल तो जोरू के भाई का है। लौंडा ही तो है। वो जो पुरानी कहावत है ना कि जिस घर में बेरी और जवान बेटी हो, उसमें पत्थर आवें ही आवें। पर अब तो क़यामत का ज़माना आन लगा है। पत्थर से पहले लौंडे घुस आवे हैं।'

हमने भेंट-उपहारों की क्रिसमस क्लीयरेंस सेल की चर्चा ख़ान सैफ़ुल मलूक ख़ान से की तो उन्होंने हमारी ना जानकारी पर ग़ुस्सा किया। कहने लगे कि भेंट-उपहार देने की परम्परा तो बिगड़े हुए रईसों के समय से चली आ रही है। वो कौन सा नवाब था जिसने अपने बेटे को सोलहवीं वर्षगांठ पर उपहार में लौंडी दी थी? और यह तो बैंक के मैनेजर से लेकर मेहतर तक सब को मालूम था कि तुहफ़े कैसे ठिकाने लगाये जाते हैं। एंडरसन को इसका होश कहां कि कौन क्या दे गया। हर साल क्रिसमस पर डेढ़-दो सौ बोतलें आ जाती हैं। उनको यह बैरा तीन बराबर की ढेरियों में बांटता है। एक तिहाई को औने-पौने में बाज़ार में बेच आता है। दूसरी ढेरी स्वयं पी जाता है। शेष 1/3 का यह करता है जब एंडरसन बाज़ार से व्हिस्की मंगाता है तो उससे क़ीमत लेकर सप्लाई करता है।

बुन्दू ख़ां के अनुसार : बुन्दू ख़ां ने ही एक दिन बताया कि माननीय पहले तो सिर्फ़ रात को अपना मोतियों का ख़ज़ाना खोलते थे लेकिन अब तो तड़के ही खादर का द्वार खोल कर बैठ जाते हैं। कहने लगा कि अब तो बोतल से मुंह लगा कर निख़ालिस पीता है। न सोडे का टंटा, न चिखौने का बखेड़ा। पर कितना ही नशे में क्यों ना हो किसी का वेतन नहीं बढ़ाता। सफ़ाई का बहुत ध्यान रखता है। हमारी-तुम्हारी तरह हर जगह बलग़म थूकता नहीं फिरता। खांसी आती है तो रूमाल में थूक कर जेब में रख लेता है। पहले तो दिन में दो बार बाथ लेता था। लेकिन एक शाम नहाते-नहाते टब में सो गया। अपन तो अंग्रेज़ की प्राइवेट लाइफ़ में दख़ल नहीं देते। सुबह आंख खुली तो मुझे ऑर्डर दिया कि हमारा डिनर लगाना मांगटा। अब डॉक्टर बटरफ़ील्ड ने भरे टब में सोने से मना कर दिया है। पटरे पर खड़े होकर हमारी-तुम्हारी तरह नहाता है। मैंने तामचीनी का मग ला कर दे दिया है। उसी में बियर पीता है। मैं तो अब उसी में अण्डा उबाल के उसी के पानी में शेव करवाता हूं। उसी में बैड-टी पीवे है। उसी से नहावे हैं। जैसी रूह वैसे

फ़रिश्ते। अपन तो अंग्रेज़ों की प्राइवेट लाइफ़ में दख़ल नहीं देते।

फिर कुत्ते के सिर पर हाथ रख कर क़समिया बयान किया। 'टोनी की क़सम बड़ा साहब नशे में इत्ता धुत्त हो रिया है कि इस टैम तो मुर्ग़ी और मोर में भी अन्तर नहीं कर सकने का। अलबत्ता ख़ुद हरामी मोर ही दुम उठा के नाचना शुरू कर दे तो यह उसका प्राइवेट मामला है। इत्ती पीने लगा है कि खाने को पाप समझे है। क्लिफ़टन के सारे मच्छरों ने दूर-दूर से उड़ के साहब की मच्छरदानी में पीर इलाहीबख़्श कॉलोनी बना ली है। किस लिये कि दिन को भी शराबी ख़ून की आदत पड़ गयी है। कई नये-नये ख़ून पीने वाले मच्छर तो काटते ही बेसुध हो के वहीं पट से गिर पड़े हैं। सवेरे गुल मसीह मेहतर झाड़ू से समेट के गटर में फेंक देवे है। शराबियों का यही अन्त होवे है। बड़ा साहब और टोनी एक ही कम्बल तले रैन-बसेरा करे हैं। क्या बताऊं, बड़ा ही मुहब्बती कुत्ता है। रात भर साहब के गले में टांग डाल के सौवे है। पर अब वो हरामी पिल्ला भी दारू पीने लग गया है।' हमने पूछा, 'तुमने अपनी आंख से टोनी को शराब पीते हुए देखा?' बोला, 'नहीं! मुसलमानों की तरह छुप के पीवे है। ज़रा ज़ियादा चढ़ जाये तो दो टांगों पे खड़ा होके साहब लोगों की तरह नाचने लगे है। कभी-कभी मस्त होके क्लिफ़टन की तरफ़ निकल पड़े है। वहां एक ऊंटनी से फ्रेंडली हो जावे है।' हमने पूछा, 'तुम्हें कैसे पता चल जाता है कि कुत्ता इस समय पिये हुए है।' बोला, 'मैं रोज़ उसे शाम को दूसरी कोठियों के सामने टॉयलेट कराने ले जाता हूं। उधर के कुत्ते इसी काम के लिये इधर आवे हैं। जिस दिन टोनी पिये हुए हो हज़रत पीर गुलम्बर शाह की तरफ़ नहीं जाता। चाहे काट डालो।'

इकलौते बेटे का स्वागत : हमें अपने दिन चर्चित बारह साल से पहले ही फिरते दिखायी पड़े। दो साल बीते होंगे कि हम उसके निकटवर्ती समझे जाने लगे, जिसका मतलब यह था कि हम वो सम्मानित मोम के पुतले थे जिसे भट्टी के सामने निकटतम कुर्सी पर जगह दी गयी थी। हाकिम की जीहुज़ूरी में लगे हुए थे लेकिन जिन दीवारों से हमारा सिर टकराया वो मोम की बनी हुई नहीं थीं। हम उसके विशेष चमचे की हैसियत से अपनी दुर्गति और ईर्ष्यालुओं की संख्या में तेज़ी से बढ़ोत्तरी कर रहे थे लेकिन उसकी आदतों और तौर-तरीक़े से पूरी तरह परिचित नहीं हुए थे। चार बजा चाहते थे। वो ग्यारह बजे का निकला अब ऑफ़िस पहुंचा था। हम किसी काम से अन्दर गये तो देखा कि आंखों से आंसू बह रहे हैं, नाक उससे अधिक बह रही है। निचला होंठ लटका हुआ है। आवाज़ और हाथ में कम्पन। कहने लगा, 'माफ़ करना, मैं थोड़ा भावुक हो रहा हूं। मेरा इकलौता बेटा दस साल बाद आज रात B.O.A.C. से हांगकांग से आ रहा है। बहुतेरा मना किया हवाईजहाज़ से न आओ मगर आजकल के सिरफिरे नौजवान किसी की सुनते हैं?'

हमने बाहर आकर ढिंढोरा पीट दिया, बैंक के जितने अफ़सर थे और वो भी जिन्हें बड़ा होने से रोक रखा था, सबने एयरपोर्ट जाने की तैयारियां शुरू कर दीं। जहाज़ रात के ढाई बजे आ रहा था। लोग गोटे और फूलों के हार से लदे-फंदे-कोई टैक्सी में, कोई किसी के साथ लद कर और कोई मांगे की कार में—बारह बजे ही एयरपोर्ट पहुंच गये। हमारे पास न टैक्सी का किराया था न किसी अल्लाह के बंदे ने हमें लिफ़्ट देना गवारा

किया इसलिये घर पर ही पड़े सन्नाते रहे।

सुब्ह ऑफ़िस पहुंचे। सब ग़ायब। नौ बज कर दस मिनट पर सबको अनुपस्थित दिखा कर अनुपस्थितों की लम्बी लिस्ट हमने हमेशा की तरह एंडरसन के पास भेज दी और उसने उसी समय इस रिमार्क के साथ लौटा दी कि इतने व्यवस्थित ढंग से अनुपस्थित रहने के कारण उन सबसे लिखित स्पष्टीकरण मांगा जाये। साढ़े दस बजे सब लोग ऑफ़िस पहुंचे। जिसे देखो बिफरा हुआ। ग़ुस्से में आंखें लहू का जाम। जहाज़ ढाई बजे की जगह नौ बजे सुब्ह पहुंचा। सारी रात आंखों में कटी। कराची उतरने वालों में कोई यात्री ऐसा न निकला जो स्वयं को एंडरसन का बेटा मानने पर उतारू हो। एक-एक से पूछ देखा। एक सिरफिरे से तो स्वागत समिति के संरक्षक यासूबुल हसन ग़ौरी की मार-कुटाई होते-होते रह गयी।

'आपका क्या नाम है?' यासूबुल हसन ग़ौरी ने उसकी आस्तीन पकड़ कर पूछा?

'हेनरी हालिंग बर्थ।'

'क्या मिस्टर एंडरसन आपके पिता हैं?'

'यू...'

सबने हमें घेरे में ले लिया। किसी ने नाश्ता नहीं किया था। गाल भी सैंड-पेपर हो रहे थे। एयरपोर्ट से सीधे बैंक आकर निहार-मुंह हम पर ग़ुस्सा होने लगे। कोई टैक्सी का किराया मांगने लगा, कोई रात भर की जगार का मेहनताना। यासूबुल हसन ग़ौरी ने तो मूल्य बता कर गुलाबों का हार हमारे गले में डाल दिया। हालाँकि हमें मोतिया पसंद है। युद्ध ने तेज़ी पकड़ी तो हम एंडरसन के पास गये और जी कड़ा कर पूछा।

'सर रात आपके साहबज़ादे तशरीफ़ नहीं लाये?'

'किसके साहबज़ादे?' उसने कान पर हाथ रखकर सवाल समझने की कोशिश की।

'आपके! जो हांगकांग से आने वाले थे।'

'आ, आा, आाा! क्या तुम पिये हुए हो?' मैं आज पहली बार यह ख़ुशख़बरी सुन रहा हूं कि मेरा कोई बेटा भी है। तुम्हारी तबियत तो ठीक है? यह भी न सोचा कि जो हवाई जहाज़ से यात्रा करे वो कम-से-कम मेरा बेटा नहीं हो सकता।'

बात कहां से कहां तक आ पहुंची तो हमने भी हवाई जहाज़ की बुराई और रेल यात्रा की प्रशंसा की जो कुछ ऐसी ग़लत भी न थी। इसलिये कि गाढ़ा-गाढ़ा धुआं और चिंगारियां छोड़ते हुए इंजनों की सुरीली सीटी में बचपन की यादों की मिठास घुली हुई थी। अभी नकटे डीज़ल इंजनों के गले नहीं बैठे थे। उस दिन हमें पता चला कि एल्कोहलिक की अपनी एक अलग ख़याली दुनिया होती है। कइयों के भाग्य में वहां भी रोना-धोना लिखा होता है।

फ्रीमेसनरी की एक झलक : वो पहुंचा हुआ फ्रीमेसन था और स्कॉटिश लॉज और ग्रैंड लॉज के ऊंचे पदों, जैसे ग्रैंड मास्टर, पर रह चुका था। एक दिन बुला कर कहने लगा, 'कल रविवार है, बैंक हाउस आकर ज़रा लॉज के एकाउन्ट चैक कर लो। एक ग़बन हो गया है। हैदरी फिर छुट्टी पर है। उससे भी निबट लूंगा वरना तुम्हें कष्ट न देता।' कैसा

कष्ट, कहां की परेशानी। यहां तो एक लम्बे समय से ये जानने के इच्छुक थे जादूघर में आख़िर फ्रीमेसन करते क्या हैं। तरह-तरह की बातें उनके बारे में प्रसिद्ध थीं। जैसे यही कि काम उचित न भी हो तब भी एक दूसरे की सहायता करते हैं। मिस्टर बहरामजी ने, जो स्वयं ऊंचे स्तर के फ्रीमेसन थे, हमें यहां तक लालच दिया कि लन्दन में हमारा अपना अस्पताल है। जहां फ्रीमेसनों के गुर्दे और पित्ते मुफ़्त निकाले जाते हैं। रबड़ के नक़ली हाथ जितने चाहो मुफ़्त लगवा लो। यह भी सुनने में आया कि फ्रीमेसन से हाथ मिलायें तो किसी विशेष उंगली के उठाव को अंगूठे से इस तरह दबाते हैं कि हाथ मिलाने वाले को तुरंत पता चल जाता है कि अपनी ही बिरादरी का आदमी है। एक साहब ने यह भी बताया कि जिस रात मास्टर की तीसरी डिग्री दी जाती है तो सब फ्रीमेसन बिरादर क़मीज़ें उतारे हिरन की खाल बांध कर एक सफ़ेद चादर के सामने नाचते हैं जिस पर एक मनुष्य की खोपड़ी और उस पर एक मोमबत्ती रखी होती है। पैंट का केवल एक पांयचा होता है दूसरा जड़ से ग़ायब। लॉज के दरवाज़े पर एक गार्ड यही हुलिया बनाये नंगी तलवार खींचे पहरा देता है। हालाँकि ऐसे नंगे हुलिये के बाद नंगी तलवार की आवश्यकता कहां रह जाती है। कोई फ्रीमेसन मर जाये तो मिर्ज़ा के कथनानुसार मुरदे की प्रसिद्धि के लिये श्रद्धांजलि सभा होती है। जिसमें एक नक़ली ताबूत बना कर लॉज में रख दिया जाता है फिर बिरादरी का सरपंच सभी बिरादरों के नाम पुकारता है और वो बारी-बारी 'उपस्थित माननीय', 'उपस्थित महोदय' कहते हैं। स्वर्गीय का नाम तीन बार पुकारने के बाद भी कोई जवाब नहीं आता तो हिज़ वरशिप फ़ुल मास्टर ताबूत को संबोधित करके कहता है कि बिरादर मालूम होता है तुम मर गये हो। अगर कोई शक्की स्वभाव का व्यक्ति मुर्दे की नब्ज़ देखे तो फिर भी बात समझ में आती है कि अपने वहम का इलाज कर रहा है लेकिन नक़ली मुर्दे से तो यमदूत भी सवाल जवाब नहीं करते। फिर दुखियारे एक-दूसरे को सांत्वना देते हैं। किसी ने यह भी बताया कि अगर कोई व्यक्ति फ्रीमेसनरी रीति-रिवाजों का भेद खोल दे तो उसकी जीभ गुद्दी से खींच कर चील-कव्वों को खिला दी जाती है। यह बात भी समझ में न आयी। इसलिये कि अगर भेदों की पूरी-पूरी सुरक्षा करनी है तो प्रकट करने से पहले सब की जीभें काट दी जानी चाहिये न कि बाद में।

अब हर कृपाकांक्षी फ्रीमेसनों के संबंध बनाने की तिकड़म लड़ाने लगा। जिसे देखो हाथ मिलाते समय बड़े आदमियों का हाथ इस तरह दबा रहा है जैसे फ़िल्मों में हीरो-हीरोइन का दबाता है। जब से यह सुना कि एक फ्रीमेसन दूसरे फ्रीमेसन को कभी डिसमिस नहीं करता। यह हालत हो गयी कि जो अभी तक बेईमान नहीं थे वो भी दूरअंदेशी के कारण फ्रीमेसन बनने के उपाय खोजने लगे। इधर एन्ट्री वर्जित और कठोर शर्तों वाली। एक बदनाम कैशियर अलबत्ता हिरन की खाल से पिछवाड़े और कैश की कमी पर परदा डाल चुका था और यह कोई नई बात नहीं। यही रीत चली आयी है कि जो मत राजा का सो अपना। बल्कि कइयों ने तो आस्था के जोश में पेय तक अपना लिया था। तुजुके-जहांगीरी में आया है कि अजमेर में स्वास्थ्य के स्नान के बाद, जहांगीर ने श्रद्धावश अपने कानों में ख़्वाजा मुईनुद्दीन चिश्ती के नाम पर मोतियों के छल्ले डाल लिये। यह देख कर

साम्राज्य के कर्मचारियों और नमक खाने वालों ने भी अपने कान छिदवा लिये। इसी तरह एक बार की चर्चा है, अकबर पवित्र पत्तन शरीफ़ के पास शिकार खेल रहा था। एकाएक एक पेड़ के नीचे भावनायें उमड़ आयीं। शिकार छोड़ने का संकल्प किया और उसी पेड़ के नीचे, दरबारे-अकबरी के शब्दानुसार, 'बादशाह ने वहीं बैठ कर बाल मुंडवाये और मुसाहिब जो बहुत निकट थे ख़ुशामद के उस्तरे से ख़ुद-ब-ख़ुद मुंड गये।

कोयल ने हाफ़ बॉइल्ड अंडा दिया : फ्रीमेसन लॉज के एकाउन्ट के चक्कर में कई बार उसके घर जाना हुआ तो उसके व्यक्तित्व के वो पक्ष भी सामने आये जिनसे घर के नौकर, जानी दुश्मन और बीवी परिचित होती है। उदाहरण के लिये एक इतवार को बुन्दू ख़ां ने बताया कि कल सारी रात आदमक़द शीशे के सामने खड़ा अपने जानी दुश्मन मिस्टर लतीफ़ी को गालियां देता रहा। डांटते-डांटते आवाज़ बैठ गयी तो शीशे पर मिस रेमिज़डन की लिपस्टिक से मिस्टर लतीफ़ी का चित्र बनाया। फिर गोल्फ़ के डंडे और गेंद से उस पर चांदमारी करने लगा। खिड़की-दरवाज़ों के सारे शीशे और क्रॉकरी टूट गयी। सफ़ेद बिल्ली के सिर पर भी डंडे से हिट लगायी। फिर गेंद हाथ में लेकर उसे डांटने लगा कि हरामज़ादी अब म्याऊं-म्याऊं भी करने लगी है। टोनी यह तोड़-फोड़ देख कर भौंके चला जा रहा था। अन्त में एक हिट ऐसी लगायी कि गेंद सीधे हलक़ के होल में घुस गयी। गेंद के अतिरिक्त कोई चीज़ साबुत नहीं बची। सुब्ह चार बजे मिस्टर लतीफ़ी को खिड़की से बाहर फेंक कर डिसमिस किया तब चैन से सोया। हमने पूछा, 'बुन्दू ख़ां! तुम तो अंग्रेज़ी नहीं जानते। तुम्हें कैसे मालूम पड़ा कि उसने मिस्टर लतीफ़ी को डिसमिस कर दिया।' कहने लगा, 'सुब्ह चार बजे घंटी बजा कर उसने मुझे सर्वेंट क्वार्टर से बुलाया। मैं जांघिया पहने सो रहा था। भागम-भाग उसका पुराना ड्रेसिंग गाउन पहन कर आया तो फिर उसे काली बो पहने, टूटे शीशे के सामने खड़ा देख कर शर्म से पानी-पानी हो गया। बोला, "बुन्दू ख़ां ज़रा चैक करो। कुक्कू क्लॉक में से यह कोयल बार-बार क्यों निकल पड़ रही है। क्या हाफ़ बॉइल्ड अंडा देना मांगटी है? अच्छा! अब तुम हमको यह बैंक की चाबियां दे कर एकदम चार्ज हैंडओवर कर दो।" मैंने चाबियां उठा कर दीं तो जानते हो क्या कहने लगा? बोला, "मिस्टर लतीफ़ यू आर फ़ायर्ड।"

हमने पूछा, 'तुम्हें फ़ायर्ड का मतलब भी मालूम है?' बोला, 'बाबूजी हमने कभी किसी चपड़कनातिये काले साहब की ग़ुलामी नहीं की, सारी उम्र अंग्रेज़ों की चाकरी की है। दर्जनों सोने के तमग़े मिले। मैंने उन सबको कलाबत्तू में पिरो के उनका हार मिस फ़र्नांडिज़ को हैप्पी बर्थ डे पर प्रज़ेन्ट कर दिया। पूना में एक अंग्रेज़ कर्नल की गर्वनेस थी। आजकल की छोकरियां तो उसके सामने चुसे हुए आम लगे हैं। हमने आज तक मालिक की गाली का जवाब और सौदे का हिसाब नहीं दिया। पर हम एक वफ़ादार नमक हलाल आदमी हैं। हमारी आंख में लिहाज़ है। बन्दा कभी चोर, उचक्कों की तरह नहीं भागा, हमेशा इज़्ज़त से कायर हुआ है।'

हमने पूछा, 'फिर पांच साल से यहां बेइज़्ज़ती की रोटी क्यों खा रहे हो?'

'पौने पांच साल कहो।'

'मगर आख़िर क्यों?'

'बाबूजी! मालिक तो दर्जनों के हिसाब से टांग के नीचे से निकाल दिये पर ऐसा जेन्टलमैन आदमी नहीं देखा। जो दिल में वही ज़बान पर सड़ी-सड़ी गाली देता है पर दिल में खोट-कपट नहीं रखता। पैसा एक नहीं बचाता। कभी किसी मेम से बात नहीं करता। सब्ज़ी को हाथ नहीं लगाता। हफ़्ते में एक रोज़ इबादत, हिसाब और कसरत कभी नहीं करते। ख़ुदा की क़सम सारी हरकतें मुसलमानों की फिर मुसलमान क्यों नहीं हो जाता?'

'फिर मुसलमान क्यों नहीं हो जाता?'

'मैं तो जानूं नाई के उस्तरे से डरे हैं।'

एडवाइज़र के कर्तव्य : एक दिन सुब्ह 9 बजे ही बुलवा लिया। बोले, 'तुम्हारे चश्मे का नम्बर सही है।' हमने स्वीकार में सिर ऊपर से नीचे हिलाया। संक्षेप में बोले, 'क्या मैं हाथी जैसा लगता हूं? सच बताओ।'

हम न केवल अस्वीकार में देर तक दायें-बायें सिर झुलाया किये बल्कि 'बी फ्रेंक' को पुष्ट करने के लिये यह भी कह दिया कि आपकी नाक तो कुछ अधिक ही छोटी है। अरे साहब वो तो बिगड़ गया। जैसे शैम्पेन की बोतल का कॉर्क उड़ना था कि झाग ही झाग निकलने लगे, 'Look here, मैं अपनी नाक के बारे में अपने अधीनस्थों से सर्टिफ़िकेट लेने का मोहताज नहीं।'

हम गरदन झुकाये चुपचाप बाहर आ गये। उसे हमारे दिल टूटने का एहसास हुआ होगा जभी तो दस मिनट बाद फिर बुलाया और अस्वाभाविक रूप से सामने बिठाकर अपने बेबस अधीनस्थ को मनाने की कोशिश की, 'सुनो! बैंक ऑफ़ इंग्लैंड का गवर्नर लॉर्ड नार्मन चौबीस साल तक बैंक के अच्छे-बुरे का मालिक रहा। घमंड, उद्दंडता और आत्म प्रदर्शन में अपने जैसा आप ही था। कारोबारी लेन-देन के निर्णय भी बेसोचे-समझे करता था। 1935 के लगभग जब उसने प्रसिद्ध अर्थशास्त्री प्रोफ़ेसर क्ले को सलाहकार बनाया तो साथ ही निर्देश दिया, ''तुम्हारा काम मुझे यह बताना नहीं है कि मुझे क्या फ़ैसला करना चाहिये। तुम्हारा काम तो मुझे यह बताना है कि मैंने यह फ़ैसला क्यों किया।''

उसने दस मिनट पहले लूटी हुई पत लौटा दी थी और हमें होंठों में मुस्कुराते देख कर कहने लगा, 'मैं तुम्हें किसी तरफ़ से हाथी लगता हूं? देखो इस साप्ताहिक चिथड़े में लतीफ़ी ने मेरे विरोध में कैसा गन्दा आर्टिकिल छपवाया है। लिखा है कि मैं रोज़ एक बोतल मनी एक्सचेंज पी जाता हूं। हैडिंग लगाया है कि बैंक में सफ़ेद हाथियों का सरदार हूं। मैं सफ़ेद निस्संदेह हूं मगर प्रकृति ने मुझे सूंड नहीं दी है कि उसमें लपेट कर लतीफ़ी को धरती पर पटख़नियां दूं।'

'दो-तीन विज्ञापन दे दूं तो सफ़ेद हाथी काला हो जायेगा। उसने यह भी आरोप लगाया है कि मेरा वेतन 2700 है। तुम्हें स्वयं मालूम है कि मेरा वेतन 2600 है।'

हम हां में हां मिला कर चलने लगे तो मुस्कुरा कर पूछा, 'और हां! अपनी नाक के बारे में तुम क्या सोचते हो?'

'सर! सिंधी में एक कहावत है कि भैंस को अपनी कालिख दिखायी नहीं पड़ती।'

वो सामान्य अंग्रेज़ों की तरह नहीं था जो न्याय, ब्रिटिश सेना की जीत पर विश्वास रखते हैं। एक सप्ताह पुराने लन्दन के समाचार पत्रों में पाकिस्तान के समाचार पढ़ते हैं और रात को बी.बी.सी. से कल के मौसम की भविष्यवाणी और बिग बेन की लोरी सुन कर सो जाते हैं। वीक-एन्ड पर हमारी तरह केवल हॉक्स बे की सुनहरी रेत और समुद्री स्नान पर सब्र नहीं करते। सामान्य अंग्रेज़ रविवार को सुब्ह 10 बजे तक बिस्तर पर ऐंडते रहते हैं फिर नेकर पहन कर बियर पीते हैं। जो थोड़े आलसी हैं वो बियर पीकर नेकर पहनते हैं। उसके बाद डेढ़-दो घंटे धूप में घास के उस बालिश्त भर टुकड़े में उंगलियों से कंघी करते रहते हैं, जिसे वो अपना गार्डन कहते हैं। एंडरसन अकेला अंग्रेज़, क्षमा कीजिये स्कॉटमैन था जो रविवार की सुब्ह न हॉक्स बे जाता, न दस बजे तक बिस्तर पर पड़ा ऐंडता रहता, न नेकर पहनता, न धूप में बैठ कर घास को घूरता। बस बियर पीता था।

सर का सम्मान : फिर एक काल ऐसा आया कि समय-असमय कहने लगा कि समाचार पत्र ध्यान से पढ़ा करो। 'वन फ़ाइन मॉर्निंग तुम क्वीन की बर्थडे ऑनर्ज़ लिस्ट में अपने जनरल मैनेजर का नाम देखकर ख़ुशी से फूले न समाओगे। अभी तो मुझे केवल 'सर' पर टरका देते हो। कुछ दिन बाद सर विलियम कहना पड़ेगा। सर विलियम! सर विलियम! कहते हुए तुम कितने स्वीट लगोगे। इस बार तुम्हारे बॉस को नाइट का सम्मान मिल रहा है।' इस सप्ताह जब उसने यह बात तीसरी बार कही तो हमने अग्रिम बधाई दी। जिसका उसने दिल से धन्यवाद दिया और हमारे कंधे पर हाथ रख कर यह वादा भी किया कि जुलाई में यदि लन्दन का फेरा हुआ तो हर मैजेस्टी से सिफ़ारिश करूंगा कि तुम्हें भी कोई छोटा-मोटा सम्मान दें। आख़िर तुम कब तक मिस्टर पर गुज़ारा करोगे।

दो तीन महीने बाद सम्मान की सूची अख़बार में छपी। सबने ऊपर से नीचे फिर नीचे से ऊपर तक खंगाल डाली। नाम कहीं दिखायी न दिया। यही नहीं, इस साल किसी ऐसे व्यक्ति को सम्मान न मिला जिस का नाम W या A से शुरू होता हो। शाम को उसने किसी काम से बुलाया तो हमारी फूहड़ कमान से तीर निकल गया। 'लगता है डॉन की सूची में आपका नाम ग़लती से रह गया।' चश्मे को नाक की पछुनंग पर रखकर बोले, 'एक सप्ताह पहले ब्रिटिश हाई कमिश्नर ने मेरी स्वीकृति चाही थी, लेकिन मैंने सर का टाइटिल लेने से साफ़ मना कर दिया। आ, आा, आाा। मैं नहीं चाहता वो कुतिया (अपनी बीवी की ओर संकेत) लेडी एंडरसन कहलाये। लेडी एंडरसन? माई फ़ुट। जब तक मैं जीवित हूं उसे यह सम्मान नहीं मिल सकता।' ऐसी दो-तीन सूचियों से आंखें फोड़ने के बाद यह मालूम हुआ कि सर का सम्मान उसकी एक मनपसन्द सपना है। कभी-कभी उस पर डिकंस के पिक-विक हीरो का सा ध्यान आता। हमेशा नाकाम पर हमेशा आशाओं से भरा और प्यार करने योग्य। इच्छाओं के इस उपवन में पतझड़ का जाना कहां कि इसकी सिंचाई व्हिस्की से होती थी। एशिया महाद्वीप में सम्भवत: वो अकेला अंग्रेज़ था जिसे 35 साल बैंकिंग के पेशे से जुड़े रहने के बाद भी 'सर' का सम्मान न मिला। वरना 5-6

साल लाल मिर्च खाने के बाद तो हर अंग्रेज़ को कोई–न–कोई टाइटिल अवश्य मिल जाता था। चाहे उसकी उपलब्धियां इससे आगे न बढ़ी हों कि पिछले सीज़न में उसने सबसे अधिक मुर्ग़ाबियां मारीं या कम–से–कम चोटों में अधिक–से–अधिक होलों में गेंद डाल कर डिस्ट्रिक्ट गोल्फ़ टूर्नामेंट जीता, जिसकी गूंज व्हाइट हॉल तक पहुंची।

छोटी नाक और विवाह विच्छेद : एक आवश्यक काम के सिलसिले में हम नेशनल बैंक ऑफ़ इंडिया के मैनेजर मिस्टर मेकाई से मिलने गये तो बातों–बातों में उसने बताया कि क्रिकेट पर विभिन्न भाषाओं में 4500 किताबें हैं और इस विषय पर मेरे निजी पुस्तकालय का संसार में दूसरा नम्बर है। सत्ताईस साल में दस–बारह स्थानान्तरण विभिन्न देशों में हो चुके हैं। पुस्तकालय कांधे पर लिये–लिये फिरता हूं। क्रिकेट आज तक नहीं खेला। हमें आश्चर्य हुआ कि जिस खेल से हमें चिढ़ है उस पर इस अल्लाह के बन्दे ने इतनी बहुत सी किताबें और ऐसी–ऐसी पिशाच–भाषाओं में जिन्हें वो स्वयं भी न पढ़ सके, न जाने कितने जतन से हमें जलाने के लिये जमा की हैं। ज़रा चल कर देखनी तो चाहिये।

हमने इच्छा प्रकट की तो कहने लगा, 'रविवार की सुब्ह आ जाओ मगर याद रहे किताब दूसरे की बीवी की तरह होती है। दूर से खड़े–खड़े देख कर प्रशंसा करने के लिये, बग़ल में दबा कर ले जाने के लिये नहीं। मिस्टर मैकाई को कुछ दिन पहले C.B.E. का सम्मान मिला था। हमने बधाई दी, साथ ही एंडरसन के सम्मान को स्वीकार न करने की चर्चा छेड़ी तो उसने अट्टहास किया। कहने लगा, 'एंडरसन ने लम्बे समय तक चार्टेड बैंक में नौकरी की है। स्वेज़ के इस पार उससे अधिक योग्य और अल्कोहलिक बैंकर ढूंढे से नहीं मिलेगा। लेकिन चार्टेड बैंक इन दोनों योग्यताओं को एक ही व्यक्ति में इकट्ठे देखने का साहस न कर सका। एक पार्टी में अपने बॉस की नई–नवेली दुल्हन की गोद में, लड़खड़ाते क़दमों से जा कर बैठ गया और तब तक बैठा रहा जब तक कि घटना स्थल पर ही डिस्मिस न कर दिया गया। एंडरसन ऐसा वैसा एमैच्योर शराबी नहीं।'

ये आधी सदी का क़िस्सा है दो–चार बरस की बात नहीं

मिस्टर मैकाई ने यह भी बताया कि बर्मा की लड़ाई के समय अपनी बीवी को रंगून में सोता छोड़ कर, युद्ध–स्थल से मेरे साथ कंधे से कंधा मिला कर भागा था। अब उस औरत ने विवाह–विच्छेद का यह कारण दिया है कि अब मेरा और इसका निबाह नहीं हो सकता है। सोते में विवाह–भंजक ख़र्राटे लेकर मेरे निजी सपनों में ग़लत sound effects देता है। आदतें भी गन्दी हैं। उदाहरण के लिये बीस बरस से टूथ–ब्रश छुआ तक नहीं। छोटी सी नाक को उंगली से कुरेदता रहता है। हर समय शराब पिये रहने के कारण शारीरिक संबंधों की आपूर्ति दस साल से नहीं कर पाया है।

मिस्टर मैकाई बड़े हाज़िर जवाब, हँसमुख आदमी थे। सभा–समारोहों में बड़े उत्साह से बुलाये जाते थे। हज़ारों लतीफ़े याद थे। स्वयं ही खुले तो खुलते चले गये। बताया कि हनीमून के समय में ही तलाक़ की बातचीत शुरू हो गयी थी। बीस साल से शादी

और तलाक़ की शारीरिक सीमा रेखा के विपरीत करतब करता रहा है। अपने जवाब दावे में यह आधार लिया है कि मैं नौकरी के लिये कराची में रहता हूं। शारीरिक संबंधों की आपूर्ति के बीच दो बड़े महाद्वीप पड़े हुए हैं। जिनके अस्तित्व का ज्ञान सम्भवत: महारानी विक्टोरिया के माननीय न्यायालय को भी होगा।

है ख़बर गर्म उनके जाने की : शायर ने ठीक ही कहा है—

वक़्त में बात यही है कि गुज़र जाता है

सो अच्छा-बुरा हमारा भी गुज़र गया, 'मैं अगले सप्ताह वतन जा रहा हूं।' एंडरसन ने दीवार को टकटकी बांध कर देखते हुए हमसे कहा, 'एक दिन इस दीवार पर मेरी फ़ोटो knight के वेश में लगी होगी। उस समय मैं धरती में छह फ़ीट नीचे सो रहा हूंगा। अब मिट्टी, मिट्टी में मिला चाहती है। दुख है मेरे साथ के कारण तुम्हारा कैरियर तबाह हो गया। मैं तुम्हारे लिये कुछ न कर सका। मगर मेरी अच्छाइयों को ही याद रखना।' उसने अपना सर झुका लिया। वो रो रहा था। वो नशे में था।

तीन-चार महीने से बैंक में अफ़वाहें फैल रही थीं कि अब के गया वो वापस नहीं आयेगा। दूरदर्शियों ने उसके उत्तराधिकारी को अभी से बड़ा साहब कहना शुरू कर दिया था। पंजाबी कहावत के अनुसार नदी अभी कोसों दूर थी लेकिन यार लोगों ने अभी से सलवारें कंधे पर डाल ली थीं। लोग आधे-आधे घंटे इस प्रतीक्षा में खड़े रहते थे कि इधर से निकलें तो सलाम बजायें।

यूं वो गुज़रे नज़र झुकाये हुए
हम लिये रह गये सलाम अपना

बड़े-बड़े नरभक्षी, अफ़सरों के सामने घिघियाने लगे—

जंगल में शेर बन गये थे ख़ौफ़ से हिरन

जुमे को सब एक ही मस्जिद में एक-दूसरे की बुराइयों से सुरक्षित रहने की दुआयें मांगने लगे। इधर स्वयं एंडरसन कुछ दिन से और भी चिड़चिड़ा हो गया था। ड्राइवर अगर बायीं ओर का दरवाज़ा खोलता तो दायीं ओर से उतरता और दायां खोलता तो बायें से कूद पड़ता था। लोगों ने हमसे मिलना-जुलना बंद कर दिया। हमारी बरबादियों के मशवरे आसमानों के अलावा दफ़्तर में भी हो रहे थे जो कहीं अधिक भयानक स्थिति थी। सामान्य सोच यह थी उसके जहाज़ के अदन पार करने से पहले ही हमारा बेड़ा ग़र्क़ हो जायेगा। उस काल में हमें और अधिक लगन और मेहनत से काम करते देख कर मिर्ज़ा बोले कि साहब! बरसते मेंह में सफ़ेदी करने से फ़ायदा?

एंडरसन ने स्वयं चर्चा शुरू की तो हमने आवाज़ में दुनिया भर का रुंआसापन भर के कहा, 'जाने से पहले हमें अपनी एक निशानी, एक सर्टिफ़िकेट देते जाइये।' हर तरफ़ आपा-धापी, चल-चलाव की स्थिति थी। उसके चपरासी ने उसकी जेब से 100 का नोट निशानी के लिये निकाल लिया। हमारा यह कहना था कि उसकी भवों के बीच में शिकन पड़ गयी। एकाएक तेवर बदल गये।

'सर्टिफ़िकेट चाहिये। आ, आा, आाा, तुम्हारा काम बुरा नहीं। मेरे ख़ानसामा के

पास सौ-डेढ़ सौ सर्टिफ़िकेट हैं। दो-बार ऐसा हुआ कि मैंने अपना खाना कुत्ते को खिला दिया। दोनों कुत्ते मर गये। मैंने तुम्हारे बारे में पूरी रिपोर्ट इस डायरी में लिख छोड़ी है। अन्तिम दिन काग़ज़ पर उतार कर मेरे सिग्नेचर करवा लेना। कल मैं तुम्हें एक अलविदाई भेंट दूंगा। एक बहुत उपयोगी किताब, अगर मेरी तरह तुमने उसे समझ कर पढ़ लिया तो मेरी ही तरह एक दिन जनरल मैनेजर हो जाओगे। यह मेरी बहुत प्रिय सम्पत्ति है।'

दूसरे दिन वादे के अनुसार उसने सफलता की यह चाबी हमें भेंट कर दी। यह एक मोटी किताब थी जिसमें बैंक की तात्कालिक समस्याओं पर चर्चा की गयी थी। तात्कालिक से हमारा अभिप्राय 1898 की समस्याएं हैं, जब यह किताब छपी थी। काग़ज़ और प्रिंटिंग से अनुमान लगा कि अंग्रेज़ किसी काल में भी हमसे पीछे नहीं रहे। उनमें भी मुंशी नवलकिशोर हुआ करते थे। उसके पन्ने पलटने के बाद हम भी मान गये कि इसे पढ़ कर हर व्यक्ति जनरल मैनेजर बन सकता है। बशर्ते उसका जन्म 1898 में हुआ हो।

विदा होने से पहले अफ़सरों ने शैज़ान होटल में उसे अलविदाई पार्टी दी। दस पौंड का एक तिमंज़िला केक विशेष रूप से बनवाया गया जिसकी सफ़ेद आइसिंग पर तोला-तोला भर के तीन गुलाबी आंसू टपके थे और उनके नीचे चॉकलेट से लिखा था 'Farewell sir.'

अभिनंदन पत्र यासूबुल हसन ग़ौरी ने उन अभिनंदन पत्रों की सहायता से ड्राफ़्ट किया था जो पिछले तीस वर्षों में एक स्टूल से दूसरे स्टूल पर ट्रांसफ़र के अवसर पर चपरासियों ने उसे भेंट किये थे। अभिनंदन पत्र में यह ध्यान रखा गया था कि अपनी ओर से कोई वाक्य न बनाना पड़े, कहीं इंग्लिश ग्रामर को चोट-चपेट न आ जाये। हर विचार का प्रकटन किसी रेडीमेड मुहावरे के द्वारा हो। (हालाँकि प्रोफ़ेसर क़ाज़ी अब्दुल क़ुद्दूस के अनुसार मुहावरे तो भाषा के बढ़े हुए नाख़ून होते हैं।) वो अपना चश्मा भूल आये थे और उन्हें अपना भविष्य और भी अंधेरा दिखायी दे रहा था। इसलिये अभिनंदन पत्र बड़ी कठिनाई और रो-रो कर पढ़ा गया। गले में फंदा पड़ गया। जिसे बाद में केक के तीनों ख़ूनी आंसुओं को खा कर साफ़ किया। इस मुहावरेदार अंग्रेज़ी का अनुवाद प्रस्तुत है—

अभिनंदन पत्र

महोदय!!!

हमारे लिये यह अत्यधिक प्रसन्नता और दुख का संगम है कि आप जा रहे हैं। आपने सदैव व्यवस्था की गुत्थियों के सींग पकड़ कर उनका सामना किया है। आपने यह विधा अपने माथे के पसीने से कमायी है। आप अपनी मोमबत्ती दोनों सिरों से जलाते रहे हैं। यह इस नवजात बैंक के दांत निकलने का काल था, मगर आपने अद्‌भुत तत्परता से बैंक की नाव को एक ओर चट्टान और दूसरी ओर भंवर से बचा कर सूखे किनारे पर ला खड़ा किया। यही नहीं आपने प्रतिस्पर्धी बैंकों के पालों की हवा निकाल दी। इस संस्थान की उन्नति के लिये आपने कोई पत्थर उठा-पटक किये बिना नहीं छोड़ा। आप अपनी पतवार पर सर टिका कर नहीं सोये।

बैंक का झंडा लहराते हुए आपने कभी अपने पैरों के नीचे काई नहीं जमने दी।

हम सारे स्टाफ़ की ओर से महोदय को विश्वास दिलाते हैं कि आपके बिना यह बैंक चलाना ऐसा ही होगा जैसे हैमलेट का ड्रामा प्रिंस ऑफ़ डेनमार्क के बिना खेलना। हमें इस स्थाई बिछोह का बड़ा दुख है। हम आपकी सेवा में गोटे का हार और आंसुओं की भेंट प्रस्तुत करते हैं (हार पहनाया जाता है। तालियां बजती हैं) हम पूरे विश्वास से कह सकते हैं कि यह मगरमच्छ के आंसू नहीं हैं।

आपने इस दुधमुंहे संस्थान के लिये अपना स्वास्थ्य ख़राब कर लिया है। जिसके ठीक होने के लिये हम और हमारे परिवारीजन चौबीसों घंटे प्रार्थना करते रहेंगे। संसार देखेगा कि समय की रेत पर हमारा पैर आपके ही पगचिन्हों पर पड़ता चला जायेगा। हम अपना बचा कैरियर आपके ज्ञान से गर्भित उपदेश के प्रकाश में बितायेंगे कि कर्तव्य–कर्तव्य है और ईमानदारी सर्वोत्तम पॉलिसी है (Honesty is the best policy)। हमें शेक्सपियर की तो कोई उपयुक्त काव्य पंक्ति याद नहीं किन्तु हमारे सबसे बड़े शायर ग़ालिब ने अपने बादशाह को दुआ दी थी कि ख़ुदा तुम्हें एक हज़ार साल सलामत रखे और हर साल पचास हज़ार दिन का हो। महोदय हमारी हार्दिक प्रार्थना है कि आप इतने दिन सलामत रहने के अतिरिक्त इस बैंक के जनरल मैनेजर भी रहें। (उपस्थित जन कोरस में 'आमीन! सुम्मा आमीन' कहते हैं)

हमारी समझ में नहीं आता कि इस अभिनंदन पत्र को कैसे समाप्त करें। हम लज्जित हैं कि अल्प समय पर सूचना मिलने के कारण हम इसे छपवा कर गोल्डन फ्रेम में प्रस्तुत न कर सके। संभव है इसमें आपको श्रुतिलेख (इमला) की सीमा से अधिक ग़लतियां दिखायी दें। मिसेज़ डीकोना टाइपिस्ट डेढ़ महीने से मेटरनिटी लीव पर हैं। मगर भूल करना मनुष्य का स्वभाव है, क्षमा करना देवदूतों का।

—हम है माननीय के विनीत और दुखी सेवक

उसके चेहरे से प्रकट था कि अभिनंदन पत्र सुनकर चकरा गया है। अपनी इस स्थिति को सम्भवत: उसने अधिक व्हिस्की पी जाने से जोड़ा। जभी तो एकाउन्टेन्ट के कंधे पर हाथ रख कर स्वयं को खड़ा किया। अभिनंदन पत्र के प्रत्युत्तर में धन्यवाद के एक शब्द के बाद ही बरस पड़ा। कहने लगा, 'मैंने आपकी ट्रेनिंग पर बहुत भेजा मारा है। अपने ज्ञान की अन्तिम बूंद तक आपकी खोपिड़यों में पम्प कर दी। मुझे यह बात बिलकुल समझ में न आयी कि इसके बावजूद आपने एक कैलेन्डर बरस में पचास हज़ार दिन की सिफ़ारिश कैसे कर दी। जबकि ब्रिटेन में 5 दिन के सप्ताह की मांग ज़ोर पकड़ती जा रही है। आपने यह तो सोचा होता अगर साल के दिन बढ़ा दिये गये तो वार्षिक ब्याज में कमी के कारण एक ही सप्ताह में सारे बैंकों में ताले पड़ जायेंगे।'

क्या बुरा था रो लेना ऐसे मुस्कुराने से : हमसे विदाई हाथ मिलाने के समय कहने लगा, 'अपने स्वास्थ्य का ध्यान रखना और न्यूज़ पेपर ग़ौर से पढ़ते रहना। वन फ़ाइन मॉर्निंग, बर्थ डे ऑनर्ज़ लिस्ट में अपने बॉस का नाम देख कर तुम अपने को

कितना भाग्यशाली समझोगे। Knight की ड्रेस में फ़ोटो खिंचवा कर तुम्हें सैकेंड क्लास एयरमेल से भेजूंगा। 12 × 10 का गोल्डन फ्रेम ख़रीद कर रख लो। तुम्हारे और हैदरी के अतिरिक्त किसी और को तो क्रिसमस का कार्ड भी नहीं भेजूंगा।'

वो होंठों में मुस्कुरा रहा था। हमने भी मुस्कुराने का प्रयास किया। शाम का झुटपुटा हो चला था। वो धूप का चश्मा लगा कर सबसे हाथ मिलाने लगा। उस शराबी की प्यार भरी फब्तियां, काम निकालने वाली घुड़कियां और झूठी नाराज़गी आंखों में फिर गयी। यादों का दुखभरा गुम्बद गूंज रहा था और वो शरारतें और गुस्ताख़ियां भी याद आती चली गयीं जो हम इस मद्यप्रेमी की शान में करते और माफ़ होते रहे। अगर चश्मे को कान पर टिकाने का खटराग न होता तो 12 × 10 के फ़ोटो के बदले अपना एक कान ही काट कर निशानी के रूप में शराबघर के संरक्षक को प्रस्तुत कर देते।

पटरी चमक रही थी गाड़ी गुज़र चुकी थी : ठीक से याद नहीं उसे पहले पहल कब देखा था और वो उस समय क्या पहने हुए थी। कैसी लग रही थी। वो उन औरतों में से थी जिनसे मिलकर अपने मर्द होने की अनुभूति नहीं होती, अर्थात् वो औरत नहीं होतीं। उसे बैंक में देख कर आश्चर्य अवश्य हुआ, इसलिये कि एंडरसन बैंक में लड़कियों को टाइपिस्ट और स्टेनोग्राफ़र के अतिरिक्त किसी और काम के लिये रखने का विरोधी था। कहता था कि इस महाद्वीप में कोई लड़की ऑफ़िस में टिक नहीं सकती। लड़की अगर नेक है तो डर कर भाग जाती है। नेक नहीं है तो कोई भगा कर ले जाता है। कुछ भड़कती हैं, कुछ भटकती हैं।

सुनहरे बालों की एक लट रुपहली हो चली थी। जिसके बारे में प्रसिद्ध था कि ख़ुद ब्लीच करती है। सूरत-शक्ल से ऐंग्लो-इंडियन नहीं अंग्रेज़ ही लगती थी। हल्के पीले दांत, भूरी आंखें, ठेंगा दिखाती हुई प्रसिद्ध ब्रिटिश नाक। कसा-बंधा पिन्डा—

अभी बाक़ी भी कुछ-कुछ धूप दीवारे-गुलिस्तां पर

धूप ही नहीं, दीवार पर उन कमन्दों की चुग़ली खाने वाले निशान भी बाक़ी थे जो कभी फेंकी गयी थीं। कम बोलने-दिखाने वाली। भारी आवाज़, भरी-भरी बाहें, उससे भारी तेड़ (कमर से लेकर घुटनों तक का हिस्सा) सर्वाधिकार असुरक्षित। एक बातें बनाने वाले ने बताया कि किसी समय योरोपियन मिडवाइफ़ भी रह चुकी है। जभी तो ये हाल था कि बन्द की गयी पूरी-पाठी फ़ाइल मंगायें तो जाने कहां से कोई फ़ाइल खींच कर ले आती थी।

पांच-छह माह बाद जब एंडरसन ने उससे हमारा औपचारिक परिचय कराया तो वो डरी-डरी सहमी-सहमी दिखायी दी। उसकी उंगलियां मोटी और हाथ खुरदुरा था। कहने लगा, 'बैंक बहुत भाग्यशाली है कि इस औरत से उसका नाम जुड़ा। 1920 में इसके पिता कराची के राजा थे, कलेक्टर रहे।' पहले तो हम चर्चित सन् तक दुनिया में नहीं आये थे, फिर यह भी कि अभी तो हम कराची के भूगोल से ही अच्छी तरह निपट नहीं पाये थे कि उसके इतिहास में डुबकी लगा कर ऐसा अनूठा मोती निकालते। भरोसे से नहीं कह सकते थे कि राजा दाहिर के बाद कराची का कोई ऐंग्लो-इंडियन

राजा भी हुआ है जिसकी प्रसिद्धि का कारण इस औरत का पिता होना है। उस समय में भी नवम्बर-दिसम्बर में मुर्ग़ाबियां और अंग्रेज़ बैंकर पाकिस्तान में उतरने शुरू होते थे। एंडरसन उन पर रौब डालने के लिये मिस रेमिज़डन का परिचय इसी तरह कराता था। बातचीत में जब तक राजा-नवाब, नाच गर्ल्स, हरम, डाक बंगला, बंगाल टाइगर, नाश्ता, संपेरे, बख़्शिश और राइस एंड करी की चर्चा न हो, अंग्रेज़ को विश्वास ही नहीं होता था कि वो कालों के देस में है।

हमारे सिखाने का काल : परिचय के बाद आदेश हुआ कि मिस रेमिज़डन को 'फ़ार्वर्ड फ़ॉरेन एक्सचेंज का काम सिखाओ। यह सुनते ही हमारे होश उड़ गये जो कुछ देर बाद इस ललचावे से वापस लौटे कि पढ़ाने और अपने को उस्ताद कहलवाने में जो सौ बोतलों का नशा है वो बादशाही में हो तो हो वरना संसार का हर आनंद उसके सामने हल्का है। इसीलिये तो शाहजहां ने अपने बंदी काल में केवल एक इच्छा प्रकट की थी कि आगरे के क़िले में मुझे बच्चों को पढ़ाने की अनुमति दी जाये। औरंगज़ेब ने साम्राज्य के बाद साम्राज्य के निवेदन को सकारण रद्द कर दिया। लेकिन शिक्षण के संदर्भ में यहां दो कठिनाइयां थीं जिन पर क़ाबू पाना लगभग असंभव था। पहले तो वो परले सिरे की ढीली थी। फ़ॉरेन एक्सचेंज का परले सिरे का पेचीदा काम बिलकुल नहीं समझ सकती थी। दूसरे हम स्वयं नहीं समझ पाये थे। ज्ञानार्जन की सबसे सरल तरकीब यह है कि आदमी पढ़ाना शुरू कर दे। हमने भी यही किया। इस मिश्रित शिक्षण प्रयोग का परिणाम यह हुआ कि वो भाग्यवान तो साढ़े चार बजे पर्स हिलाती चली जाती, उधर बैंक के एकाउन्ट रात के बारह-एक बजे तक बैलेंस न हो पाते। हमारी साझा ग़लतियों के कारण सब ही डिपार्टमेंट प्रभावित, प्रताड़ित और पक्षाघात से ग्रसित हो जाते। इतना ज़रूर है कि हमारी ग़लतियों में उस्तादों वाली विशेषता होती थी अर्थात् वो अधिक देर और कठिनाई से पकड़ में आती थीं। सुब्ह हमारी आंखें और दूसरों के मुंह सूजे हुए होते थे। किसी भी डिपार्टमेंट के एकाउन्ट में कोई ऐसा घपला हो जाये जो रात के नौ बजे तक किसी की पकड़ में न आ सके तो दबिश डालने के बाद अभियुक्तों को मय अभियोगियों के आलिम हुसैन साहब के 'सेशन सुपुर्द' कर दिया जाता था। ग़लती कहीं हुई हो, हमें जांच-पड़ताल में ज़रूर सम्मिलित किया जाता था।

आलिम साहब का सारा जीवन और सारा ज्ञान ग़लतियां पकड़ने और ऐंडे-बेंडे एकाउन्ट की चूल बिठाने के लिये समर्पित था और वो इसके इतने अभ्यस्त हो चुके थे कि कभी किसी सही एकाउन्ट से पाला पड़ जाये तो चकरा जाते थे। इसलिये कि उससे पहले व्यक्तिगत और सामूहिक ग़लतियों के घोड़े दौड़ने शुरू नहीं होते थे। हिसाब जितना गंदा और पेचीदा होता उतना ही उनकी तबियत में आनंद बढ़ता, देर तक मुस्कुराते। दोनों आंखें बंद कर लेते और एक ही दम लगा कर सिग्रेट को आधा और आधे को राख कर देते। फिर ग़लतियों के नशे में मस्त होकर झूम-झूम जाते। जब तक वो ग़लती पकड़ते, सारा स्टाफ़ अभियुक्त को पकड़े-बैठा रहता। अलबत्ता हम स्वयं को रोज़ाना सात बजे ही पकड़े जाने के लिये स्वयंसेवक के रूप में पेश कर देते। कभी-कभी ग़लती बड़ी जल्दी

हाथ आ जाती और हमें रात के ग्यारह बजे ही मुक्ति मिल जाती। दूसरे दिन तीसरे पहर तक लोग हमारी पिछली भूलों को माफ़ करके शर्मिन्दगी के नये अवसर प्रदान करते। लोग हमें अधिक काम और कठोर मेहनत से रोकने की कोशिश करने लगे। इसलिये कि हम जितना अधिक काम करते, ग़लतियों की तुलनात्मक गिनती में उतनी ही बढ़ोत्तरी होती जाती। कई बुरी ज़बान वालों ने एंडरसन से शिकायत भी की कि शिक्षण की जो पाठशाला हमने खोली हुई है उसके कारण उनकी रातें काली हो रही हैं। अपने बच्चों की सूरत को तरस गये हैं। लेकिन उसने न केवल यह कि उन चुग़लख़ोरों की बात का नोटिस नहीं लिया बल्कि हमारी भी ढारस बंधायी कि ऑफ़िस में जब सबके सब किसी की बुराई करने लगें तो समझ लें कि वो बहुत अच्छा जा रहा है। उसने हमारे शिक्षण पर पूरा भरोसा और प्रसन्नता प्रकट की। जिसके बाद हम और निपुणता से ग़लतियां करने लगे। एक सूदखाने वाला संस्थान तो क्या चीज़ है जहांदारशाह ने तो एक बार जमना में लोगों से भरी हुई नाव केवल इसलिये डुबवा दी थी कि उसकी रखैल लाल कुंवर ने कभी आदमियों को डूबते नहीं देखा था।

मिस रेमिज़डन पर दिल का अघातक दौरा पड़ा : तीन-चार सप्ताह तक शिक्षण और यातना का यह क्रम चलता रहा। फिर एक दिन एंडरसन ने हमें बुला कर पूछा कि तुम्हें, 'फ़ॉरेन एक्सचेंज' का काम किसने सिखाया। हमने भेजे पर बहुतेरा ज़ोर दिया। कोई नाम याद न आया और आता भी कैसे। उस समय में ट्रेनिंग की कल्पना तो सिरे से ही नहीं थी। बैंकर भी शायरों की तरह देखा-देखी सीखते थे। जैसा कि पहले निवेदन कर चुके हैं, हम बैंकिंग डायरेक्ट मैथड से सीख और सिखा रहे थे। जिसका पहला और अन्तिम पाठ यह था कि तैरना सिखाने के लिये छूटते ही बीच भंवर में धक्का दे दिया जाये।

उसने अपना प्रश्न फिर दोहराया। कुछ समझ में न आया कि किसको नक़ली उस्ताद बनायें। फ़ॉरेन एक्सचेंज तो बैंकों में आजकल भी बुरे कामों में आता है। यह ज्ञान हम तक पांव-पांव चलकर नहीं आया था, बल्कि एक और उपमा की अनुमति हो तो इतना निवेदन करेंगे कि हमने उसे लड़-झगड़ कर कटी हुई पतंग की तरह लूटा था। लेकिन फिर सूझा कि अपने आपको बिना उस्ताद के कहना कहीं नमकहरामी न समझी जाये। इसलिये हमने हिचकिचाते हुए कहा कि आप ही से सीखा है।

झुंझलाते हुए बोला, 'सच बोलने में तुम्हें इतना संकोच क्यों है?' वो हमारा झूठ कांटे-डोर और बंसी समेत निगल गया। हमारे पश्चाताप का पसीना अभी पूरी तरह सूखा भी न था कि उसने कुछ कड़वाहट के साथ पूछा, 'अच्छा। अब यह बताओ कि जब तुमने फ़ॉरेन एक्सचेंज की ट्रेनिंग मुझसे ली तो तुम्हें हार्ट अटैक हुआ था?'

'नहीं तो।'

'तुम्हारी सूचना के लिये मिस रेमिज़डन को हो गया है। अब उसे हल्के काम और हल्के खाने की ज़रूरत है।'

हम कमरे से निकले तो देखा कि बाहर मिस रेमिज़डन हल्के कपड़ों में खड़ी, ठट्ठे लगा रही है। कहने लगी कि आज तुम्हारी सूरत क्यों उतरी-उतरी है। हमने कहा,

'शागिर्द के हार्ट अटैक के कारण। पर यह पता नहीं चला कि दिल पर हमला किसने किया?' कहने लगी, 'बन्दी इस चुग़दपन (donkey work) के काम में तुम्हारा हाथ नहीं बंटा सकती। तुम्हीं को मुबारक,' फिर अपने ऊपर बनावटी उदासी छा ली और सिग्रेट के धुएं से हवा में छल्ले बनाने लगी। एक आवारा छल्ला हमारी बायीं आंख में आकर फ़िट हो गया। इससे पहले हमने उसे सिग्रेट पीते नहीं देखा था।

टाम ब्वॉय की पोनी टेल : सब आश्चर्यचकित थे कि पल भर में क्या चमत्कार हो गया कि जंगल का जंगल हरा हो गया, बल्कि रातों-रात इसमें मंगल भी हो गया। देखते-ही-देखते इस शर्मीली की काया पलट गयी। नाख़ून इतने बढ़ा लिये कि अब मुंह नोचने के अलावा हाथ का कोई और काम नहीं कर सकती थी। देसी छींट की डोलती-झूलती फ्रॉक की बजाय पेरिस से मंगवाया हुआ स्कर्ट पहनने लगी। उड़ी-मिटी भवों की जगह खिंची हुई कमानें। आंखों पर हरे मस्कारे का लेप। एक बार चुटकुला सुनाते हुए आंख भी मारी जो दिल की तख़्ती पर ऐसी चिपकी कि एक सप्ताह तक मस्कारा छुटाये न छूटा। चांदी की सी लट पर सोने का पानी चढ़ गया। लड़कों के से कटे हुए पट्टों की जगह एक सुनहरी झाड़ू सी लटकने लगी जिसे उन दिनों पोनी टेल (ख़च्चर की दुम) कहते थे। कहां तो यह हाल था कि कभी-कभार बालों में फ्रेट गार्डन से चुराया हुआ फूल लगाकर आ जाती या अब यह स्थिति कि पूरा गमला उठाये फिरती थी। हार-सिंगार, प्यार-दुलार के दिन लौट आये थे। पहले हर समय यूं नज़रें झुकाये रखती थी कि हमें शक होने लगा था कि आंखों में कोई ख़राबी तो नहीं, लेकिन अब गालों पर लाली लगाये बिना ब्लश नहीं कर सकती थी। एक लटका आ गया था। इठला-इठला कर बात करती तो लाइफ़-ब्वॉय साबुन के भबके के बजाय चाव भरे बदन से आंचें सी निकलतीं। अब उसमें से औरत की लपट आती थी। घिसे हुए मरदाना पम्प शू अपनी जमादारिन को दे दिये और एक बालिश्त ऊंची ऐड़ी के जूते से फ़र्श पर टाइप करती-फिरती। छोटे-छोटे तिरछे-तिरछे क़दमों से wiggle करके कमर और उससे लगे हिस्सों को दायें-बायें झूला-झुलाती। दूसरे स्टैप में कूल्हे see saw की तरह यूँ ऊपर-नीचे होते कि आंखें बावली हो जातीं। ढिलमिल कटाव अब खिंच कर तलवार बन गये थे। एक क़दम चलती तो सीना दो क़दम आगे चलता—

कोसों बढ़े हुए हैं पियादे सवार से

एंडरसन सदा कान पर हाथ का कप बना कर बात सुनता था। लेकिन अब माननीया के होंठ उसके कान से लगे रहते थे। बायें हाथ की तीसरी उंगली में पुखराज की अंगूठी लशकारा मारने लगी। कुछ कहो, कुछ पूछो तो पहले केवल हूं, हां कर देती थी। अब अंग-अंग बोलता था और काम? इतने दर्प से ग़लत टोटल करती थी कि हम तो सही टोटल भी इस तरह नहीं कर सकते थे। फिर नक़ली पलकें पटपटा कर अपनी ग़लतियों पर खिलखिलाती अपने स्वर्गवासी बाप को इंस्पेक्टर कस्टम से प्रमोट करके ज्वाइंट सैक्रेटरी बना दिया।

घोड़ा चीफ़ जस्टिस बना दिया गया : जिधर देखो उसी के चर्चे, तरह-तरह की

बातें उड़ी हुई थीं। किसी बुद्धिमान ने कहा है, दो दोष ऐसे हैं कि किसी पर भी आरोपित कर दो तो लोग विश्वास कर लेंगे। इनमें से दूसरा यह है कि वो पीने लगा है। एंडरसन पर पहला भी लग गया और वो मिस्टर ऐमिज़डन कहलाने लगा। स्वयं मिस रेमिज़डन अब बैंक में L.L. कहलाती थी। जो lady love का प्यार भरा संक्षिप्त रूप था। बड़े-बड़े अफ़सर उसके आगे-पीछे फिरते और सामान्यतः सर कह कर संबोधित करते। कच्ची नौकरी वालों का बेतहाशा जी चाहता कि बैंक में कहीं से कीचड़ आ जाये तो सर वाल्टर रॉले की तरह अपना कोट उतार कर बिछा दें और वो क्वीन एलिज़ाबेथ की तरह उस पर से अनदेखी करके गुज़र जाये। वार्षिक उन्नति के दिन आये तो इच्छार्थी उसे न्याय की ज़ंजीर की तरह खींचने लगे और यह कौन सी अचम्भे की बात थी। वर्णनों में आया है कि रोम के सम्राट क्लेगोला ने तो अपने घोड़े को कौन्सिल (चीफ़ जस्टिस) के पद पर नियुक्त कर दिया। माना कि घोड़ा मनुष्यों की तरह न्याय नहीं कर सकता लेकिन घोड़ा मनुष्यों की तरह अन्याय करने की असीमित क्षमता भी तो नहीं रखता। क्रिसमस आया तो एल.एल. के यहां डालियों के ढेर लग गये। घर फलों के आढ़ती का गोदाम मालूम होने लगा। यासूबुल हसन ग़ौरी तो ईद की नमाज़ के बाद सीधे गोरा क़ब्रिस्तान गये और उसके बाप की क़ब्र पर फूलों की चादर भी चढ़ा आये। फ़ोटोग्राफ़र को साथ ले गये। चेहरा भी रोया-रोया लग रहा था। उसी तरह नज़र मुहम्मद क़ुसूर गये तो उसके लिये वहां की सारी विशेष चीज़ें...मेथी, बुल्ले शाह का कलाम, चुटीले ले आये। गुंथे हुए सिरोंवाले चुटीलों को एल.एल. ने एंडरसन के नाइट सूट के पाजामों में नाड़े की जगह डाला। उसे ये नाड़े बेहद पसंद आये कि नेफ़े में पेन्सिल या टूथ ब्रश की मदद के बिना डाले जा सकते थे। दिन पर दिन बीतते गये। एक दिन चपरासी ने सूचना दी कि आज सुब्ह दोनों न केवल एक ही कार से बैंक आये हैं बल्कि जवान क़सम! एक ही दरवाज़े से उतरे हैं। हक़ नवाज़ सीमा एकाउन्टेन्ट ने अपनी आंखों से एल.एल. के बालों में एंडरसन की 'डैंड्रफ़' देखी। तीन-चार दिन बाद वही चपरासी ख़बर लाया कि रविवार को सुब्ह डाक देने एंडरसन के घर गया तो क्या देखता हूं कि एल.एल. सिर से तौलिया बांधे बाल सुखा रही है। कुत्ते की ज़बान नहीं पकड़ सकते। कहने वाले कहते थे कि शनिवार को कुआं स्वयं चल कर आता है और अपने को प्यासे पर उंडेल देता है।

साहब को दिल न देने पे कितना घमंड था : कोई मनहूस सप्ताह ऐसा बीता होगा कि एंडरसन ने यह घोषणा न की हो कि रिश्वत और औरत उसकी कमज़ोरी कभी नहीं रही और यह बात शब्द-शब्द ठीक थी। इसलिये कि शराब ने कभी उसे अवसर ही न दिया था कि अन्य बातों पर ध्यान दे सके। किसी तरह विश्वास करने को जी नहीं चाहता था कि औरत...और यह औरत उसकी कमज़ोरी हो सकती है। बाज़ और चील के घोंसले में बसेरा करे। लेकिन यह सच्चाई है कि प्रकृति ने कुछ बाज़ों की आंखें इतनी बड़ी बना दी हैं कि भेजे के लिये जगह ही नहीं बची। व्यंग्यकार जार्ज मैकश का कथन है, 'योरोपीय महाद्वीप में सभी समाजों की सेक्स लाइफ़ होती है मगर अंग्रेज़ के हां इसकी जगह गर्म पानी की बोतल है। सैक्स हम अंग्रेज़ों के सिर में होता है जो इसे रखने

की नितान्त अनुपयुक्त जगह है।' मर्दों के बारे में हमारे यहां कहा जाता है कि लोमड़ के मुंह में जब तक एक दांत भी है वो साधू नहीं हो सकता। अफ़वाहों और आंखों देखी गवाहियों की आंधी में हम अपने दीये को कहां तक लिये फिरते। यूं भी आदमी किसी चटपटे स्कैंडल की जांच-पड़ताल करने या रद्द करने बैठ जाये तो लोग उसी के पीछे पड़ जाते हैं। चढ़ती नदी के बहाव के विपरीत कौन तैर सकता है?

एक बार आदमी का भरम उठ जाये तो उसकी पत चौराहे पर बिखरती है और वो चुपका खड़ा उसे लुटते, मिट्टी में रुलते देखता का देखता रह जाता है। इस बेचारे के साथ भी यही कुछ हुआ। एक कहानी का सतरंगा ताना-बाना बुनता, दूसरा उस पर ज़रदोज़ी काम के बेल बूटे बनाता। तीसरा कली-फुंदने टांकता। फिर सब मिल कर ग़ीबत (पीठ पीछे बुराई) की चादर उस पर डाल देते। हां इतना तो हमने भी देखा अब उसके कॉलर में लाल कार्नेशन लगा होता था। पहले हम उसकी नाक को देखकर मालूम कर लेते थे कि कितने डिग्री नशा चढ़ा है लेकिन अब एल.एल. उसकी नाक पर पाउडर लगा कर बैंक साथ लाती थी। अगस्त तक रोज़ वही काले रंग का सूट पहन कर आता था लेकिन अब ब्रिटिश टेलरिंग कम्पनी से एल.एल. के पसन्दीदा ग्रे रंग के तीन क़ीमती सूट एक ही थान के कपड़े में से सिलवा लिये थे। उन्हीं को रोज़ बदल-बदल कर पहनता। एक दिन उसका चपरासी अपने बेटे की क़सम खा के कहने लगा, 'मैंने अपनी आंखों से एल.एल. को अपने जूड़े के फूल से साहब का कान गुदगुदाते देखा। साहब भी एक दिन ब्लाटिंग पेपर से उसके आंसू पोंछता पड़ा था। टेलीफ़ोन रिसीवर से दिन भर लिपस्टिक के बफ़ारे आवे हैं। तुमको यक़ीन नई आने सकता तो ख़ुद उसके होंठ सूंघ कर तपास-तसल्ली कर लो—

कि ख़ुशबू आ नहीं सकती कभी काग़ज़ के फूलों से

परसों मैं साहब के बंगले पर गया तो यह छमिया अस्पताल की पट्टी के कपड़े की बनी हुई पोशाक पहने बैठी थी।' हमारे शिकारी दोस्त ख़ान सैफ़ुल मलूक ख़ां तो यहां तक कहते थे कि उन्होंने एल.एल. की बाँहों पर उसके पग मार्क देखे हैं।

वो ख़ुद से हुए हमकलाम अल्ला-अल्ला : इश्क़ जब ज्ञान के पट खोलता है तो दीवाने भी होशियार हो जाते हैं। पहले तो यह हाल था कि उसकी पैंट के बटन आधे खुले आधे बन्द होते थे। अलबत्ता क़मीज़ की यह स्थिति नहीं होती थी। उसके सब बटन खुले होते थे। चपरासी के अनुसार सबकी बेपर्दगी करता था। लेकिन अब सब बटन संबंधित काजों से संबंध बनाने लगे। वो अपनी उम्र से कम लगने लगा। हमारा अभिप्राय है 63 बरस का था 62 का दिखायी देने लगा। गंजे सिर पर आंखें निकाल के फ़र्ज़ी मांग निकालता था। दो बाल बायीं तरफ़, एक दायीं तरफ़। इबादुर्रहमान क़ालिब कहते थे कि उन्होंने उसे एक हकीम का विज्ञापन ललचायी हुई नज़रों से पढ़ते पकड़ा था। चिड़चिड़ाना भी छोड़ दिया, बल्कि हँसमुख हो गया। डांट-फटकार की जगह ठहाकों ने ले ली। यानी आ आा आाा की जगह हा हाा हााा। एक दिन तरंग में आया तो हमसे कहा, 'स्कॉट लैंड वालों के ख़िलाफ़ तुम्हें जितने भी चुटकुले याद हैं आज ही मुझे ओवर टाइम बिठा कर

सुना दो। मुझे यह रोज़-रोज़ ही-ही-हा-हा अच्छी नहीं लगती।' चाय में मक्खी गिर पड़े तो चार अक्षरों की ऐंग्लो-सैक्सन गाली के बजाय उर्दू पर्यायवाची का आश्रय लेता जो उसने अपने बैरे बुन्दू ख़ां से सीखे थे। सुब्ह डाक, तार या टेलीफ़ोन पर कोई बुरा समाचार मिले तो तुरन्त ऑफ़िस छोड़ कर चला जाता। चपरासी और सेकेट्री को कह जाता कि 'स्टेट बैंक ऑफ़ पाकिस्तान ने मुझे फिर सलाह-मशवरे के लिये बुलाया है। गवर्नर अब्दुल क़ादिर बहुत परेशान हैं।' जब गवर्नर अब्दुल क़ादिर को रोज़ साढ़े ग्यारह बजे परेशानी का दौरा पड़ने लगा तो हमें उनकी ओर से बड़ी चिन्ता हुई। ड्राइवर से पूछा तो पता चला कि एंडरसन का स्टेट बैंक वास्तविकता में पैलेस होटल के बार में स्थित है। माननीय अनुपयोगी ऑफ़िस को शराब में डुबो कर घर पहुंचते और शीशे के सामने खड़े होकर गवर्नर से बातें करते जो क्रोध से भरी हुई होती थीं। वहीं क्रोध और बात करते-करते सो जाते—

मकालमा तो दिले-नातवां ने ख़ूब किया

दूसरे दिन आते ही हमें सारा डायलॉग आद्योपान्त सुनाते और एक-एक वाक्य पर अपनी सच्चाई और सूझ-बूझ की प्रशंसा पाते। वो एल्कोहल और हम असह्य सहनशीलता की अन्तिम सीमा पर लड़खड़ा रहे थे।

404 तिरिया चलत्तर : एल.एल. अब बिलकुल बदल चुकी थी। कुछ और ही चहक-महक, चटक-मटक थी। दो-तीन महीने बाद सिग्रेट पीनी भी छोड़ दी, व्हिस्की पीने लगी। बात करते-करते एकदम पर्स से शीशा और लिपस्टिक निकाल कर गुलाब की पंखुड़ियों के रंग और क्षेत्र में परिवर्तन और परिवर्द्धन करती। एक दिन हमारे शरारती वाक्य से आनंदित हुई तो प्रशंसा में हमारे गाल पर उसी से रैडक्रॉस बना दिया, जैसा एम्बुलेंस पर बना होता है। हमने पूछा, 'बीबी! यह क्या?' अपने सीने पर हाथ से क्रॉस बनाते हुए बोली, 'रोमन कैथोलिक आस्था है इससे आदमी सारी समस्याओं से सुरक्षित रहता है।' हम उसे रूमाल से रगड़ कर मिटाने वाले ही थे कि ध्यान आया अगर बेगम ने रूमाल पर दस्तावेज़ी सुबूत देख लिया तो अपने दिल में क्या कहेंगी। (मुंह से जो कुछ कहेंगी, उसका तो हमें स्पष्ट अनुमान था) वैवाहिक विश्वास में यह लम्बी दरार पड़ जायेगी जिसे सामान्यतः मूल्यवान भेंटों से भरा जा सकता है और यहां चील के घोंसले में मांस कहां—

मुफ़लिसी सब बहार खोती है
मर्द का एतबार खोती है

अभी हम इस निशान को किसी सुरक्षित ढंग से मिटाने का जतन सोच ही रहे थे कि एंडरसन हमारे केबिन में आ धमका। कहने लगा कि अजीब बैंक है, हथेली पर हिसाब करते-करते अब गाल पर जोड़-भाग होने लगा।

अपनी ताज़ा अदाओं की मार को चैक करने के लिये हमें भी गिनी-पिग बना लेती थी। नज़ाकत अब उस पर ख़त्म थी। एक दिन देखा कि उंगली पर पट्टी बांधे चली आ रही है। पूछा, 'बीबी! यह क्या तोता पाला है?' मालूम हुआ सौ रुपये के नये नोट

की धार से उंगली कट कर पक गयी है। हमने कहा, 'उंगलियों के इतिहास में ये पहला रोमांटिक कट है।' इस पर अज़ीमुल्ला ख़ां (सनकी आदमी थे, इलाहाबाद यूनिवर्सिटी से नये-नये अंग्रेज़ी में एम.ए. करके बैंक में नौकर हुए थे।) ने संशोधन किया, 'पहला नहीं, दूसरा है। रोमांटिक शायर रोज़ेटी की उंगली में भी तो गुलाब का कांटा चुभ गया था। जिससे उसे ज़हर चढ़ गया और उसी में चल बसा। वसीयत के अनुसार उसकी शायरी की एकमात्र पांडुलिपि उसी के साथ क़ब्र में दबा दी गयी। कुछ समय बाद लोगों ने ऊधम मचाया तो क़ब्र को खोल कर उसे निकाला गया।'

'किसे,' मिस्टर कैन्टीन वाला ने पूछा।

'तुम्हारे सिर को! और किसे?' सनकी अज़ीमुल्ला ख़ां ने उत्तर दिया। अब ड्रेस पर नज़रों के साथ-साथ उंगलियां भी उठने लगीं। कटे तने से कोंपलें भी फूटीं। अपनी आंखों से अमावस की रात को इन्द्रधनुष निकलता देखा। हम तो सोच भी नहीं सकते थे कि एक ऐसे व्यक्ति को जिसने सारा जीवन केवल और केवल शराब और सुराही से प्यार किया, एक साधारण सी औरत आनन्द के पथ से यों भटका देगी। हिन्दू शास्त्रों ने औरत के 404 चलत्तर बताये हैं। मगर याद रहे कि शास्त्र उस काल में लिखे गये थे जब मनुष्य को हज़ार तक की गिनती नहीं आती थी।

नश्शे पे उसकी जवानी का गुमां हो जैसे : ये पुष्टि सही थी कि उसकी बीवी तलाक़ लेकर उसी के एक भूतपूर्व असिस्टेंट से शादी कर चुकी है। एल.एल. भी किसी से बंधी हुई नहीं थी। अब ठाठ से एंडरसन के साथ रहने और कार में आने-जाने लगी। मिस्टर W.G.M. Anderson उसके बग़ल में सिकुड़ते-सिकुड़ते प्यार में 'एंडी' हो गये। ड्राइवर बताता था कि बड़े साहब ने एल.एल. को मंगनी की अंगूठी पहना दी है जिसमें शुतुरमुर्ग़ के अण्डे के बराबर हीरा जड़ा है। इस सूचना पर जमादार-अजमल ख़ां ने केवल इस आधार पर विश्वास नहीं किया कि 'मुर्ग़े अगर शुतुर (ऊंट) के बराबर हो जायें तब भी अंडा नहीं दे सकते और वो भी बुड्ढे मुर्ग़े—जो खेडांगे न खेडन देयांगे।' मिर्ज़ा ने सुनी-सुनायी बातों पर विश्वास करके फ़त्वा दे दिया कि पतिव्रत अब छिनाला हो चुका है। हमने कहा कि 63 साल के एल्कोहलिक से अधिक अहानिकर कौन हो सकता है। बोले, '64 साला एल्कोहलिक।' सलीस भाषा में कहा जाये तो खेली-खायी औरत है, जिसके कारण वो बेचारा फ़ौजदारी अदालत में खिंचा-खिंचा फिरा। बहरहाल बैंक में अभी कुछ ऐसे भले और अच्छे लोग थे जिनका विचार था कि दोनों भाई-बहन की तरह रहते हैं। अज़ीमुल्ला ख़ां के आरोप लगाने में भी अंग्रेज़ी साहित्य की गाढ़ी-गाढ़ी चाशनी होती थी। बोले, 'सब बकवास है। दोनों असल में ट्रस्ट्रस और इस्यूलेट की तरह सोते हैं।' पूछा, 'हज़रत! सोने का यह कौन सा ढंग है?' बोले, 'कम-से-कम आपको तो पता होना चाहिये। ट्रस्ट्रस सम्राट आर्थर का वीर योद्धा था जो एक विवाहित स्त्री इस्यूलेट के पवित्र प्रेम में पड़ गया था। हालाँकि दोनों एक ही बिस्तर पर सोते थे लेकिन ट्रस्ट्रस बीच में अपनी नंगी तलवार रख लेता था (मरते दम तक उनके प्यार की दाढ़ी-मूंछें नहीं निकली थीं) कहने वाले तो यहां तक कहते थे कि उसने मिस

रेमिज़डन को भी शराब की लत लगा दी।

नादिरशाह के सिर पर तख़्ते-ताऊस : रातें ही नहीं भरी दोपहरें भी बोतल की गरदन में हाथ डाल कर सोते बीतने लगीं। तीन-चार बार क्लीनिक में एडमिट होने के बाद भी उसका एल्कोहलिज़्म वैसा ही अपनी जगह था। जब उसका दौरा पड़ता तो तीन-तीन सप्ताह ऑफ़िस नहीं आ पाता। एल.एल. बेचारी ने गिरते को बहुत थामा लेकिन ख़ाली बोरी और शराबी को कौन खड़ा रख सकता है। बैंक का हाल बुरे से महाबुरा होता चला गया। कुछ दूरदर्शियों ने दरांती छोड़ कर खुरपा संभाल लिया। पहले ऊपर-ऊपर से काटते थे अब जड़ से उखाड़ने लगे। अज़ीमुल्ला ख़ां ने सावधानी के तहत अपना सेविंग बैंक एकाउन्ट जिसमें 13 रुपये थे दूसरे बैंक में शिफ़्ट कर दिया। एंडरसन के दूसरे तीन साल के कॉन्ट्रेक्ट की अवधि कब की समाप्त हो चुकी थी और यह सुनने में आ रहा था कि अब वो वापस नहीं आयेगा। जाना ठहर गया था, 'सुब्ह गया या शाम गया।' उसका मद्यपान अब अपने शीर्ष बिन्दु यानी उल्टियों तक पहुंच चुका था। अब इसके बाद एक बाढ़ आने वाली थी जो घास-फूस यानी हमें बहा ले जायेगी। बैंक का ऑफ़िस शराब में डूबा चाहता था—

आये कुछ अब्र कुछ शराब आये
उसके बाद आये इंक़लाब आये

यह चर्चा थी कि अब की बार अपना प्रोविडेंट फ़ंड और उसे तहस-नहस करने के लिये एल.एल. को साथ ले जायेगा। एल.एल. को उसके प्रोविडेन्ट फ़ंड से प्यार हो गया था। वो बेचारा तो बस दुसराथ चाहता था। बैंक के लेखक ख़ान सैफ़ुल मलूक ख़ां कहते थे, 'नादिर शाह तख़्ते-ताऊस पर बैठने का इच्छुक न था। बस अपने साथ सामान में बांध कर ले जाना चाहता था।' अब उससे मिलना कम होता चला गया और अपना हिस्सा दूर से देखना रह गया, लेकिन जब भी मिलती, बड़ी अच्छी तरह मिलती। जिन लड़कों को पतंग उड़ानी नहीं आती वो पतंगबाज़ की मांझे की चर्ख़ी थाम के खड़े हो जाते हैं और पतंग को डोर पीते, ज़ोरों के पेंच लड़ते देखते रहते हैं। कभी-कभार पतंग उड़ाने वाला उन्हें भी कुछ पलों के लिये डोर थामने का अवसर देता है ताकि वो उकता कर पतंग लूटने न भाग जायें। पतंग लड़ाने या पतंग को डुबकी देने की छूट नहीं होती। लड़का पतंग की डोर संभालता है तो उसे तन्नाती हुई डोर का घिस्सा, मांझे का कटाव, हवा का ज़ोर, खींच का सर्राटा, उंगली हिलाने से पतंग की ठुमकियां और कभी बंद हवा में डोर का पटिया छोड़ने के बाद लिजलिजा झोल...सभी कुछ अपनी पोर पर महसूस होता है। कई जगह पतंगबाज़ों की भाषा में इसे तान चखना कहते हैं। तो साहब कभी वसंत की हवा हमारी तरफ़ चलने लगती तो सवारी इधर भी आ जाती और 'बाबा लोग' को तान चखा जाती—

गुलिस्तां नहीं पंखड़ी ही सही
हमेशा नहीं दो घड़ी ही सही

एक दिन हमने पूछ ही लिया, 'क्या यह सही है कि तुम भी एंडरसन के साथ

Ballater (उसका पैतृक गांव) के दो सौ साल पुराने पुल का निरीक्षण करने जा रही हो? सत्तर नख़रों के बाद बोली, 'क्या यह सही है कि एंडी बेलाटेर जा रहा है?' हमने कहा कि विचार बुरा नहीं। पोनी-टेल पर हाथ फेरते हुए बोली कि अगर गयी तो अपनी एक लट निशानी के लिये दे जाऊंगी। पूछा, 'अगर हम कठिन समय में उसका एक बाल जलायें तो एंडी जिन्न प्रकट हो जायेगा?' बोली, 'जिन्न को बुलाने के लिये तो तुम्हें अलादीन का चिराग़ रगड़ना पड़ेगा।' निवेदन किया, 'आपने तो चिराग़ की बजाय ख़ुद अलादीन को रगड़ दिया।' होंठों पर उंगली रख कर बोली, 'शश! अच्छे बच्चे पक्की-पक्की बातें नहीं करते।'

दो सप्ताह बाद वो तुनुक-मिज़ाज नादिर शाह जिसने हाथी पर बैठने से केवल इस लिये इन्कार कर दिया था कि उसके लगाम नहीं होती, तख़्ते-हाऊस को अपने सिर पर रख कर स्वेज़ के पार ले गया और फिर नहीं लौटा।

❑❑❑

मुश्ताक अहमद यूसुफ़ी के व्यंग्य-उपन्यास 'आबे-गुम' का अनुवाद

खोया पानी

"मुश्ताक़ अहमद यूसुफ़ी का यह व्यंग्य-उपन्यास पाठक को व्यंग्य की नयी ताक़त, तेवर और तरावट से परिचित कराता है। इसमें नॉस्टेल्जिया का अद्‌भुत संसार है। पार्टीशन द्वारा हिन्दुस्तान के दो हिस्से हो जाने के बाद का दर्द भी और यथार्थ भी, यादें भी और बदलती दुनिया की बातें भी और पात्र सारे ऐसे कि जिन्हें घनघोर यथार्थ से उठाकर उन पर फ़ंतासी का रंग-रोगन कर दिया गया हो। धार्मिक कठमुल्लापन की बेलौस खिल्ली बिना लाग-लपेट के। आम मुसलमान के जीवन की मुश्किलें, सपने और हक़ीक़त। हास्य की पराकाष्ठा। इम्प्रोवाइज़ेशन के अद्‌भुत प्रयोग। भाषा के मायावी खेल। नायाब चरित्र। इन्सान और इन्सानियत से प्रेम करने का एक कोमल तागा, जो पूरी रचना को यहाँ से वहाँ तक जोड़ता है। जुम्लेबाज़ी के एक से बढ़कर एक प्रयोग कि जिन्हें कंठस्थ करके किसी को भी सुनाने का मन करे। बेहद ताक़तवर, दिलकश, पठनीय।" – ज्ञान चतुर्वेदी

मुश्ताक अहमद यूसुफ़ी उर्दू के जाने-माने लेखक थे, जिनकी व्यंग्य रचनाएँ अपना एक अलग स्थान रखती हैं। 1990 में लिखे उनके उपन्यास 'आबे-गुम' का यह हिन्दी अनुवाद है। तुफ़ैल चतुर्वेदी ने इसका अनुवाद ऐसी सहज भाषा में किया है कि पढ़ते हुए लगता है मानो यह हिन्दी की ही मूलकृति हो।

ISBN : 9789389373028
पृष्ठ : 288